S0-AUY-695

站在巨人的肩上

Standing on Shoulders of Giants

TURING

图灵教育

iTuring.cn

站在巨人的肩上

Standing on Shoulders of Giants

TURING

图灵教育

iTuring.cn

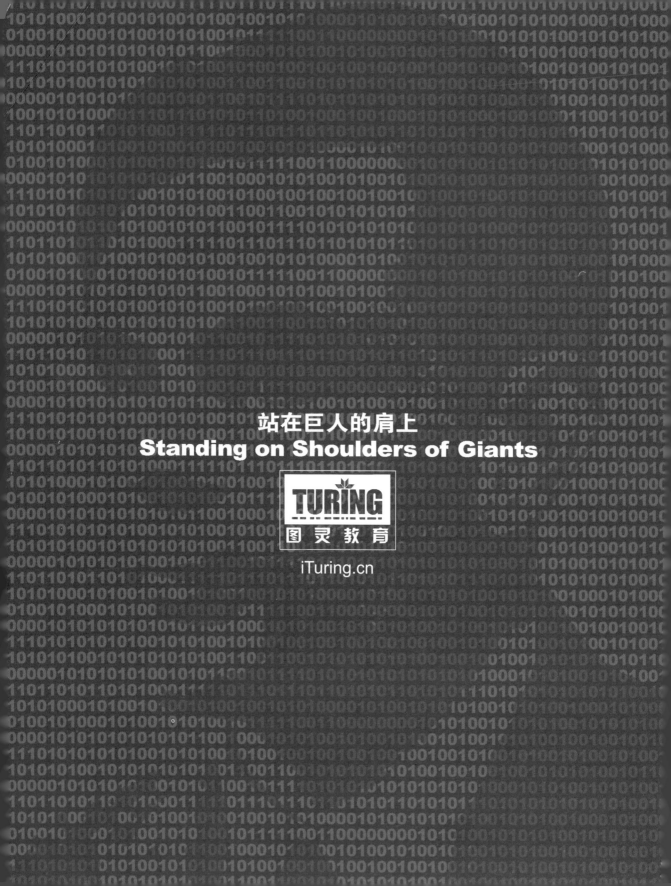

TURING

图灵程序
设计丛书

程序员的数学③
线性代数

[日] 平冈和幸 堀玄 / 著 卢晓南 / 译

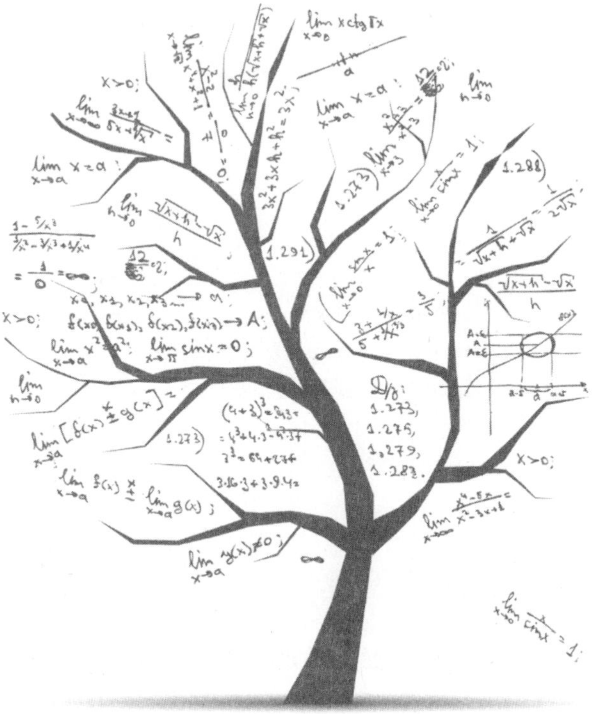

人民邮电出版社
北京

图书在版编目（CIP）数据

程序员的数学．3，线性代数 /（日）平冈和幸，（日）堀玄著；卢晓南译．— 北京：人民邮电出版社，2016.3（2018．2重印）

（图灵程序设计丛书）

ISBN 978-7-115-41774-9

Ⅰ．①程… Ⅱ．①平… ②堀… ③卢… Ⅲ．①电子计算机—数学基础②线性代数 Ⅳ．①TP301.6②O151.2

中国版本图书馆CIP数据核字（2016）第023197号

内 容 提 要

本书沿袭"程序员的数学"系列平易近人的风格，用通俗的语言和具象的图表深入讲解了编程中所需的线性代数知识，内容包括向量、矩阵、行列式、秩、逆矩阵、线性方程、LU分解、特征值、对角化、Jordan标准型、特征值算法等。

本书适合所有与计算机相关的专业和非专业人士，以及学习线性代数的学生阅读。

◆ 著　[日] 平冈和幸　堀玄
译　卢晓南
责任编辑　乐　馨
执行编辑　杜晓静
责任印刷　杨林杰

◆ 人民邮电出版社出版发行　北京市丰台区成寿寺路11号
邮编　100164　电子邮件　315@ptpress.com.cn
网址　http://www.ptpress.com.cn
北京鑫正大印刷有限公司印刷

◆ 开本：800×1000　1/16
印张：24
字数：510千字　2016年3月第1版
印数：28 001-31 000册　2018年2月北京第14次印刷

著作权合同登记号　图字：01-2013-8253号

定价：79.00元

读者服务热线：(010)51095186转600　印装质量热线：(010)81055316

反盗版热线：(010)81055315

译者序

相信手捧本书的读者，对“线性代数”这个词一定不陌生。不管当你回想起这四个字时心里是什么滋味，我相信通过本书，你一定会对这门数学（同时可能也是你的工具）产生新的认识。

其实，译者在最初学习线性代数的时候，也经历过一段曲折的过程。在没有问题导向的学习方式下，学习的过程既枯燥又效率低下。但是后来在数学专业课的学习过程中，无时无刻不在使用微积分和线性代数作为基本工具，经过这种“居高临下”的训练，才悟出线性代数的本质是什么。当时很多数学系的同学都有这样的感悟：“学过数值代数，才知道线性代数是多简单，多纯粹。”（本书就会带领大家快速进入数值代数领域！）工科的读者可能没有这样的经历，也就渐渐忘记了大一时学过的数学。然而，在信息科学、计算机科学的研究开发领域，向量、矩阵已经是“基本单位”了。如果你正因为“向量、矩阵”而在研究中放不开手脚，或者因为“数值算法的实现”而在工作中畏首畏尾，那么本书正是为你准备的。关于本书的内容和风格，这里就不多说了，请看后面的前言吧！

说起来，译者也是偶然与本书结缘的。在“脱离”数学系后，写了不少年的程序，直到译者赴日本继续数学学习和研究，无意间见到本书原版，这时才发现，原来可以通过这样的方式来讲解、学习线性代数。本书不仅直接从本质意义出发对所有核心概念都给予了直观的解释，还能带领读者“快速直达”数值代数领域！

同样也是机缘巧合，在发现图灵公司打算引进本书时，译者几乎是一瞬间就决定了要尝试翻译本书。在投身翻译工作之后，才意识到仅有数学、计算机知识以及日语阅读能力是远远不够的。因此，在翻译中可能会有表达不到位的情况出现，欢迎大家批评指正。这里也要特别感谢图灵的编辑在翻译过程中给予的帮助和支持。

正文中原作者多次提到了参考文献和扩展阅读书目，但是据译者所知，原书的参考文献目前都没有中译本。为此，译者在这里斗胆推荐一些中文的参考文献。

关于第 2 章中提到的"张量""外积"等概念，建议有兴趣的读者参考柯斯特利金的《代数学引论（第二卷）：线性代数》的第 6 章"张量"。另外，对于在数学的抽象性和严密性上有较高要求的"数学派"的读者，特别推荐龚昇先生的《线性代数五讲》。这本很薄的小册子，从现代数学的观点（模理论）出发，对线性空间、线性变换进行了全新的诠释。由于龚先生书写得非常精炼，如果阅读起来感觉吃力的话，不妨看看戈德门特的《代数学教程》。通过我们这本书，读者可以对线性变换（包括坐标变换）有直观感受，而通过更高阶的阅读，则能从一般线性群等更抽象的角度去理解"变换"，这对从事信息科学、数据科学等研究工作的读者来说是颇有裨益的。从 [1] 和 [2] 中，读者也可以略微感受到老牌数学强国俄罗斯和法国的数学风格。如果不打算深究"纯数学"的话，读者可以在本书的基础上，根据自己的需要，参考《数值分析》《矩阵论》等教材。

最后，由衷希望大家能从本书中有所收获，喜欢本书，并推荐给亲友。谢谢！

卢晓南

2015 年 11 月于名古屋

参考文献与扩展阅读书目

[1] A. И. 柯斯特利金 [著], 牛凤山 [译]. 代数学引论（第二卷）线性代数（第 3 版）[M]. 北京: 高等教育出版社, 2008.

[2] R. 戈德门特 [著], 王耀东 [译]. 代数学教程 [M]. 北京: 高等教育出版社, 2013.

[3] 龚昇. 线性代数五讲 [M]. 北京: 科学出版社, 2005.

[4] 丘维声. 高等代数（上）（第 2 版）[M]. 北京: 高等教育出版社, 2002.

[5] 丘维声. 高等代数（下）（第 2 版）[M]. 北京: 高等教育出版社, 2003.

[6] 徐树方, 高立, 张平文. 数值线性代数 [M]. 北京: 北京大学出版社, 2000.

前言

看到本书的标题《程序员的数学 3：线性代数》时，不同的读者应该会有不同的印象吧。我们根据读者可能会产生的第一印象，为读者设定了“快捷方式”。

- “又是程序员的数学系列啊” → (a)
- “肯定有好多公式，推理也会很烦，念起来应该很吃力吧” → (b)
- “想必会解释得细致入微，但讲解的深度应该很有限吧” → (c)
- “这作者是干嘛的” → (d)
- “我也不编程啊” → (e)

(a) 致想到“又是程序员的数学系列啊”的读者

本书面向的主要读者群体包括与计算机相关的所有专业与非专业人士。作为一本线性代数的参考书，本书的一大特色是，针对以上这些读者，在讲解时使用了易于他们理解的表述方式，并运用了大量的示例和比喻。我们的目标是向非数学专业的读者讲述线性代数的本质。正因为如此，这不是一本单单讲解“如何进行线性代数相关的编程”的书。读者只要阅读一下前言的 (c) 部分，就可以对本书的风格有个大概的了解了。我们把本书特别推荐给以下读者。

- 想要从事信号处理、数据分析等方面的工作或研究，在阅读相关专业书籍的过程中遇到了线性代数，面对这些问题怎么也搞不明白，因此希望学习（或者补充）一下相关知识。但是能找到的参考书中，不是充斥着数学证明的教科书，就是看过之后似懂非懂的入门书

- 正在学校学习线性代数，而且不仅仅满足于通过考试，而是希望切切实实地掌握相关知识，以便在以后的工作中熟练使用

因为本书面向的读者主要是非数学专业的，所以我们不会为了数学而讲数学，而是更加强调“这些知识在哪里会有用”。虽然理工科中有众多不同的专业，每个专业所研究的对象也是各种各样，但是其中涉及的数学问题却总有着这样那样的共通之处。在本书中，我们首先会提炼出这类问题，接着在挑战这些问题的过程中导入线性代数的概念。这就是本书的风格。这样做不仅是为了讲解数学理论，更是为了使读者学会线性代数的“用法”。

(b) 致想到“肯定有好多公式，推理也会很烦，念起来应该很吃力吧”的读者

为了让读者尽可能透彻地理解线性代数的本质含义，本书中在说明时穿插了很多直观的示意图。试想，如果学完了线性代数，却只懂得行列式的计算，而对行列式的意义一无所知，那这种学习有什么用呢？无论是笔算还是用计算机算，如果只是求出了“迷一般”的行列式的值，那没有任何意义。为了避免这种徒劳无功的学习，本书会着重对原理、推导过程进行细致的解释。

但是，就算再完美、再严密的理论体系，（对非数学专业的人来说）也总会在少数地方存在一些麻烦的东西。在学习比入门书难度稍大一点的参考书时，想必很多读者都在一些无关痛痒的难点处栽了跟头。在本书中，我们会重点关注真正重要的地方，为读者讲解思路和方法，使读者不只是学会计算步骤，还能达到更高的层次。关于数学公式，在必要的时候当然会使用，但是为了避免读者产生恐惧心理，我们尽量避免了那些往往会吓到外行的一本正经的表述①。

另外，针对读者不同层次的需求，本书采用了可以进行跳跃式阅读的结构（更加细致的章节结构请参考目录）。

第一层次

在阅读那些以线性代数为工具的资料时，比如信号处理、数据分析等领域的参考书，希望能够明白其中的数学公式等的意义

→ 阅读第 1 章（跳过标有 $\triangledown$ 和 $\triangledown\triangledown$ 的章节②）

---

① 比如，不写成 $\sum_{i=1}^{10} a_i$ 的形式，而是采用 $a_1 + \cdots + a_{10}$ 的记法。对于涉及变量、下标等的地方，我们会采用更加具体直观的写法。

② 标有 $\triangledown$ 的章节的主要内容是如何进行笔算（以及相关知识），标有 $\triangledown\triangledown$ 的章节的主要内容是如何使用计算机进行计算以及相关的算法分析。那些只是草草学过一遍线性代数的读者，在阅读过第 1 章之后，也会有不少新的发现和启发。

第二层次

在阅读以线性代数为工具的参考书时，希望理解书中的内容
→ 阅读全书（跳过标有 ▽ 和 ▽▽ 的章节）

第三层次

希望能够自己进行计算
→ 阅读全书（跳过标有 ▽▽ 的章节）

第四层次

希望踏入大规模矩阵计算的世界
→ 阅读全书，包括标有 ▽▽ 的章节

那些不期望自己成为专家的读者，把目标定在第二层次如何？如果有时间学习"逆矩阵的笔算法"的话，记住"如果映射带来了压缩扁平化变换，则不存在逆矩阵"这一本质特性是非常有意义的。哪怕是为了计算而学，比起死记硬背笔算法的步骤，"能够区分 $\boldsymbol{x}\boldsymbol{x}^T$ 是矩阵，$\boldsymbol{x}^T\boldsymbol{x}$ 是数""能够用分块矩阵来表示 $A\boldsymbol{x}+\boldsymbol{b}$"这些技能①在后续的学习和工作中会更有用。好了，以上是笔者对读者的一些建议。

（c）致想到"想必会解释得细致入微，但讲解的深度应该很有限吧"的读者

生硬的数学书就好比是缺少注释的源代码。虽然有些程序执行效率非常高，也很优雅，但是从可读性的角度来讲，要想理解代码的含义，就需要付出一定的努力、具有一定的素养，以及对程序有感觉（夸张地讲，可能还需要一些逆向工程的知识）。另一方面，入门书一不小心就会出现类似于"只有注释而没有代码""虽然有代码段，但是没办法将其作为完整的程序来执行"的情况。本书属于"既给出能够执行的完整代码②，又附带充足的注释"那种类型。我们的注释，不会是如下这种风格。

```
# 给 p 增加 1
p = p + 1
```

这种注释有没有都一样。我们的风格是这样的。

```
# 前奏已经足够了，转到下一页
```

① 这些将在 1.2.13 节和 1.2.9 节中进行说明。
② 对于无论如何都无法避免繁杂操作的部分，在少数地方我们会利用现成的工具包、类库进行封装处理。

```
p = p + 1
```

注释只有说明了指令的意图，才是有意义的。我们一方面通过注释帮助代码把“内心的真实想法”传达给读者，同时也写出了本身就“不乏风味”的代码。这也是本书的一大亮点。

另外，“不乏风味”还有一层含义，那就是不单单让读者学会解题，还要学到一种看待问题的新方式。比如，“学了秩的概念之后，一下子就能判断出能否由结果推出原因了”“学了特征值、特征向量的概念之后，很快就能了解系统是否有失控危险了”，像这样，如果读者能够感到自己的思路被打开，最后体会到了“一览众山小”的快乐，那么我们的目的就达到了。为此，如果仅仅是简单介绍秩的概念，或者简单讲解计算方法，那是远远不够的。只有充分理解了其本质含义，才能从问题的根源出发，从而轻而易举地理解“不满秩则矩阵的逆不存在”等问题。出于这种考虑，本书遵循以下原则。

- 要讲就要讲到本质，否则就没有意义了
- 用浅显的语言逐步解释，让读者打心底里认为“推出这样的结果是理所当然的”

最后要达到的层次绝对不算低。本书涉及了很多线性代数教科书中通常不会提及的数值分析的内容。这一点大家看看目录就会发现。

另外，本书作为“基础篇”，基本上不考虑带有度量的问题，而是以无度量的问题为中心。以后如果有机会的话，我们也许会以某种方式发布“应用篇”，届时再讨论带有度量的实际问题。

(d) 致想到“这作者是干嘛的”的读者

笔者是从事应用数学、工程数学研究的科研工作者。在诸如模式识别、神经网络、非线性动力系统、统计数据分析等领域，本书涉及的内容作为“常识”，每天都在发挥着关键作用。就算是进入了非线性理论的世界，线性代数作为基本的工具也是必不可少的。无论是在理论上还是在应用上，笔者都将尽可能地展现出数学真正有用的一面。另外，本书中也用心地选取了合适的题材和恰当的切入点，使得在实际问题中线性代数的“使用”不显得突兀。

(e) 致想到“我也不编程啊”的读者

读过前言的 (a) 部分就会了解到，本书并不以“如何进行线性代数的相关编程”为主要内容。现在不管在任何领域，多多少少都要与计算机打交道，而本书就是着眼于在众多领域中都发挥作用的线性代数，对其内涵进行剖析。与计算机打交道的核心就是“(编) 程序”，而本书就是为编程序的人，即程序员而写的，这就是本书书名的由来。

在第 3 章“计算机上的计算”中，我们也提供了可在实际应用中用于矩阵计算的例程。

另外，为了让读者切身体会到矩阵是如何表示映射的，我们也准备了简单的程序供读者在自己的计算机上使用。读者可以从图灵社区的网站上下载源代码[1]，请一定要体验一下！

还有一点要说明，本书中给出的源代码全部采用 Ruby 语言编写。之所以选择 Ruby，首先，我们希望选择一种高级语言，从而在代码中避开那些与算法本身关系不大的繁杂部分。其次，我们希望程序语言的语法比较接近自然语言，从而减少不必要的理解错误。最后一个非常重要的原因是，相比伪代码，我们更希望呈现给大家能实际运行的源代码。这也正是我们采用 Ruby 的初衷。

– **致认为本书是讲解如何用 Ruby 进行线性代数编程的读者**

不好意思，真不是这样的。书中的代码不会有浓浓的“Ruby 风”，为了使人人都可以轻松理解，笔者在写代码时参照了伪代码的写法。

– **致一听到 Ruby 就想把书合起来的读者**

如前所述，只要读者接触过其他主流的程序设计语言，就可以在没有任何 Ruby 基础的情况下顺利地阅读本书中的源代码。最后，有一点请读者千万不要误解，真正的 Ruby 语言，可不是只能做做这些简单死板的工作而已，敬请广大读者周知。

---

① 打开 http://www.ituring.com.cn/book/1239，点击“随书下载”。

致谢

感谢埼玉大学的重原孝臣教授在本书编写过程中提出了诸多想法、建议，和笔者进行了有益的讨论，指正了其中的错误，并给予笔者很多鼓励。同时，感谢欧姆社开发部的诸位，一直给予我们创作的动力，并帮助我们完善稿件。正因为有了他们的努力，本书才得以与广大读者见面。非常感谢。

本书在处理插图以及验算时，用到了 Ruby（程序设计语言）、Gnuplot （绘图工具）、Maxima（公式推导和计算工具）、xlispstat（统计计算处理环境）等软件。这里向开发、发布这些优秀作品的诸位表示感谢。

综述
—— 通过动画学习线性代数

—— 比起计算方法，更重要的是掌握本质含义。

在本书的综述部分，我们将对主要内容进行简要总结。建议读者每阅读完一部分内容，就回过头来看看这里，整理一下思路。

矩阵不仅仅是数字排列而成的表而已。比如 $m \times n$ 矩阵 A，它表示了从 n 维空间到 m 维空间的“映射”。具体来讲，就是把 n 维空间中的点 $\boldsymbol{x}$（n 维列向量）变换到 m 维空间中的点 $A\boldsymbol{x}$（m 维列向量）的映射。为了便于读者观察这个映射的行为，了解秩、行列式、特征值、对角化等概念，我们在这里汇总了动画演示程序的执行结果。关于动画演示程序的写法、读法以及用法，请参考附录 F。

小试牛刀：观察对角矩阵

■ 首先是典型的对角矩阵

在下列矩阵 A 的作用下，空间会产生怎样的变形呢？让我们通过动画来看一看。

$$A = \begin{pmatrix} 1.5 & 0 \\ 0 & 0.5 \end{pmatrix}$$

执行以下命令后，就可以通过动画观察到矩阵 A 给空间带来的一系列变化。

```
ruby mat_anim.rb -s=0 | gnuplot
```

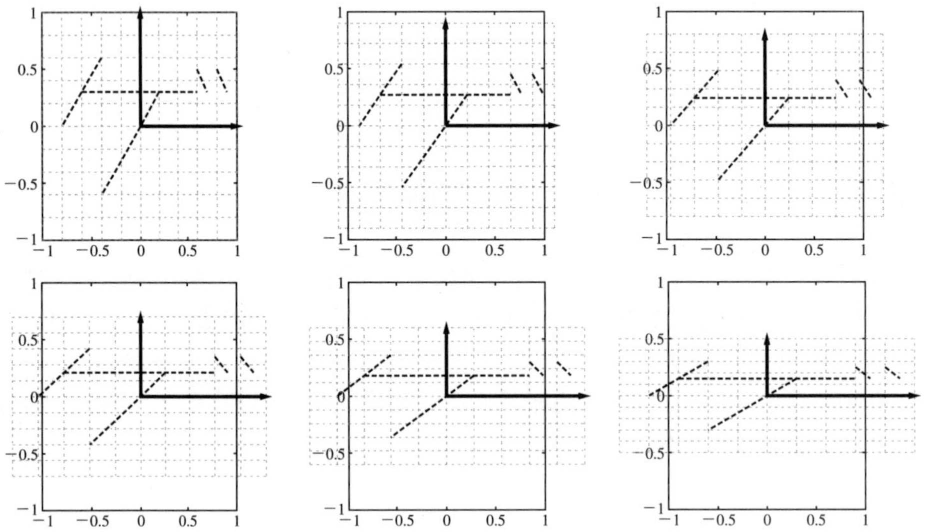

观察要点：

- 水平和垂直方向上的伸缩
- 水平方向上扩大 (1.5 倍)，垂直方向上缩小 (0.5 倍)
- 各小方格的面积变成了原来的 $1.5\times0.5 = 0.75$ 倍。这里的面积扩大率 0.75 就是 $\det A$。因此，对角矩阵的**行列式** = 对角元素的乘积

■ 如果对角元素中有 0 的话 ……

像下面的矩阵 A 一样，如果对角元素中有 0，那么会带来什么样的变形呢?

$$A = \begin{pmatrix} 0 & 0 \\ 0 & 0.5 \end{pmatrix}$$

执行以下命令后，就可以通过动画观察到矩阵 A 给空间带来的一系列变化。

```
ruby mat_anim.rb -s=1 | gnuplot
```

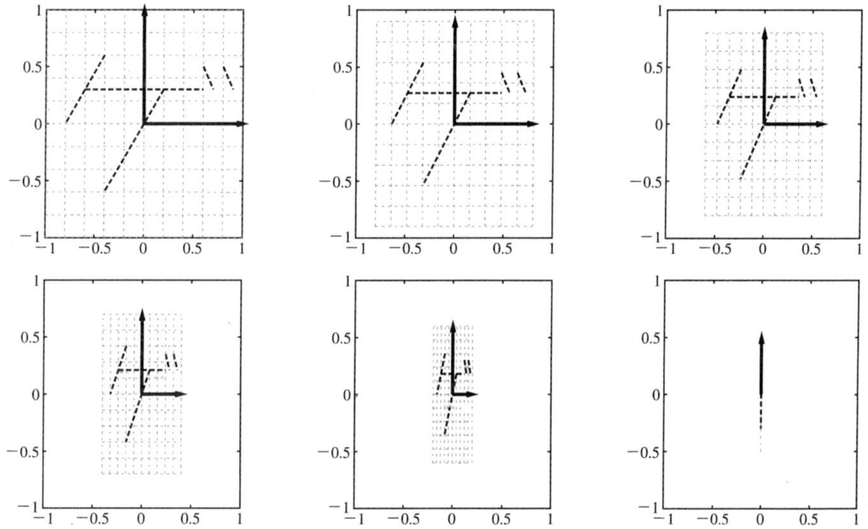

观察要点：

- 水平方向上变成原来的 0 倍 → 压缩扁平化
- 面积扩大率 $\det A = 0$

■ 如果对角元素中有负数的话……

下面的矩阵 A 中，对角元素中出现了负数。

$$A = \begin{pmatrix} 1.5 & 0 \\ 0 & -0.5 \end{pmatrix}$$

执行以下命令后，就可以通过动画观察到矩阵 A 给空间带来的一系列变化。

```
ruby mat_anim.rb -s=2 | gnuplot
```

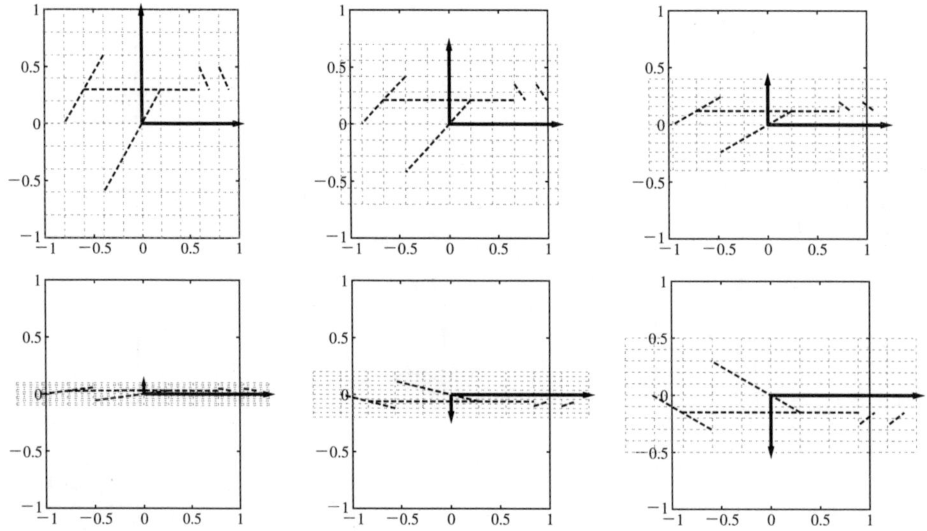

观察要点：

- 垂直方向上变成原来的 -0.5 倍 → 上下颠倒
- 这时有 $\det A < 0$

观察特征值、特征向量与对角化

■ 非对角的一般矩阵的情况下，会发生倾斜

我们来观察如下所示的非对角矩阵 A 的情况。

$$A = \begin{pmatrix} 1 & -0.3 \\ -0.7 & 0.6 \end{pmatrix}$$

在 A 的作用下，空间发生了如下倾斜变形。

```
ruby mat_anim.rb  s-3 | gnuplot
```

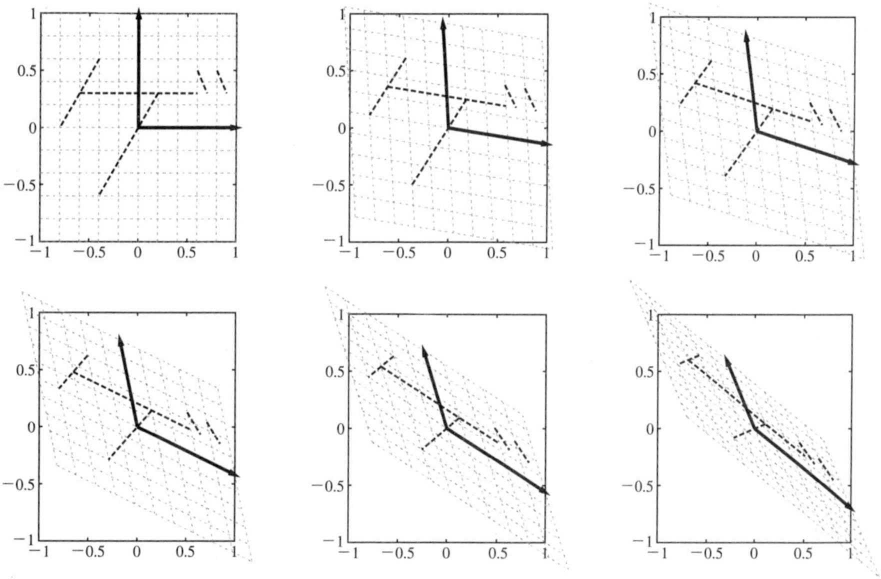

观察要点：

- 倾斜
- 并非“扭曲”，直线依然是直线，平行的依然保持平行
- A 的第 1 列 $\binom{1}{-0.7}$ 为 $\binom{1}{0}$ 的像（目标点），A 的第 2 列 $\binom{-0.3}{0.6}$ 为 $\binom{0}{1}$ 的像（目标点）
- 只要知道了以上两点的像，就可以对整个空间的变化情况进行推断了

■ 如果画出特征向量的话 ······

随着空间的变化，特征向量会发生什么样的变化呢？下面我们就来看看。矩阵还是上例中的矩阵，所以空间的变化情况和刚才一样。

$$A = \begin{pmatrix} 1 & -0.3 \\ -0.7 & 0.6 \end{pmatrix}$$

```
ruby mat_anim.rb -s=4 | gnuplot
```

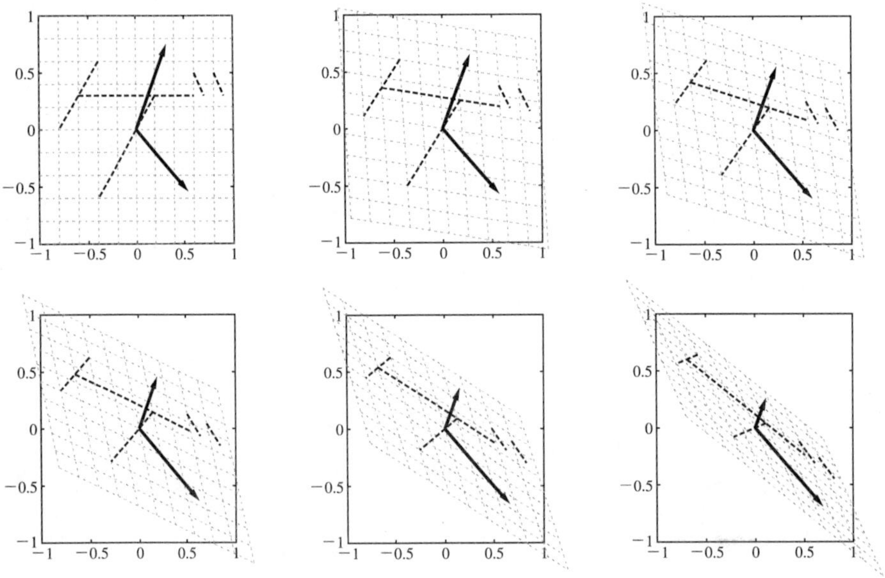

观察要点：

- 有向线段只发生了伸缩，而方向没有变化，这便是**特征向量**
- 伸缩率等于**特征值**。拉伸的那条对应的特征值是 1.3，收缩的那条对应的特征值是 0.3

■ 如果按照特征向量的方向选取斜坐标系的话 ……

选取和特征向量一致的方向作为坐标轴的方向，我们来观察在原来的矩阵的作用下空间会如何变化。

$$A = \begin{pmatrix} 1 & -0.3 \\ -0.7 & 0.6 \end{pmatrix}$$

```
ruby mat_anim.rb -s=5 | gnuplot
```

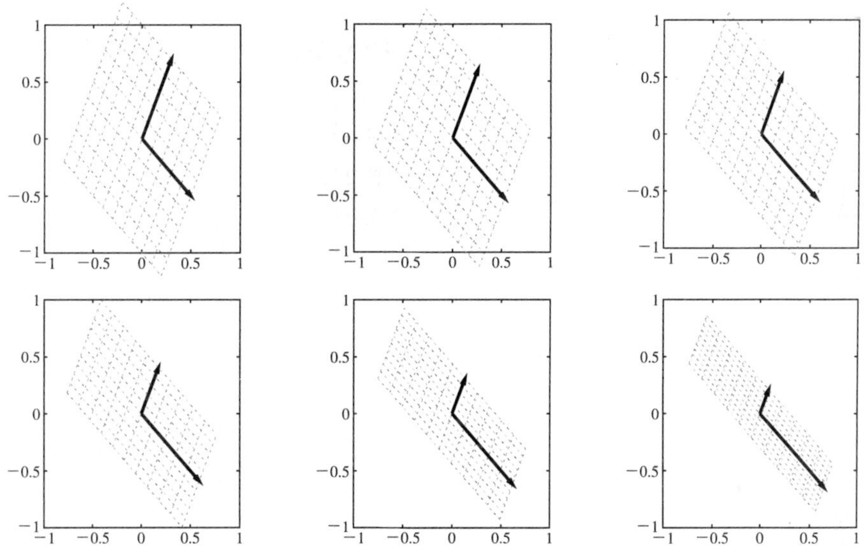

观察要点：

- 只有沿着格子线的伸缩变换
- 也就是说，像这样选取了好的坐标系的情况下，变换的行为就变得和对角矩阵时的情况一样，这便是**对角化**
- 每个小方格的面积变成原来的 $1.3 \times 0.3 = 0.39$ 倍。所以，面积扩大率 $\det A = 0.39 =$ 所有特征值的积

观察秩与可逆性

■ 有些矩阵可能会把空间压缩成扁平状态

我们来观察一下下列矩阵 A 会给空间带来什么样的变化。

$$A = \begin{pmatrix} 0.8 & -0.6 \\ 0.4 & -0.3 \end{pmatrix}$$

执行以下命令后，就可以通过动画观察到在矩阵 A 的作用下，空间被压缩成了扁平状态。

```
ruby mat_anim.rb -s=6 | gnuplot
```

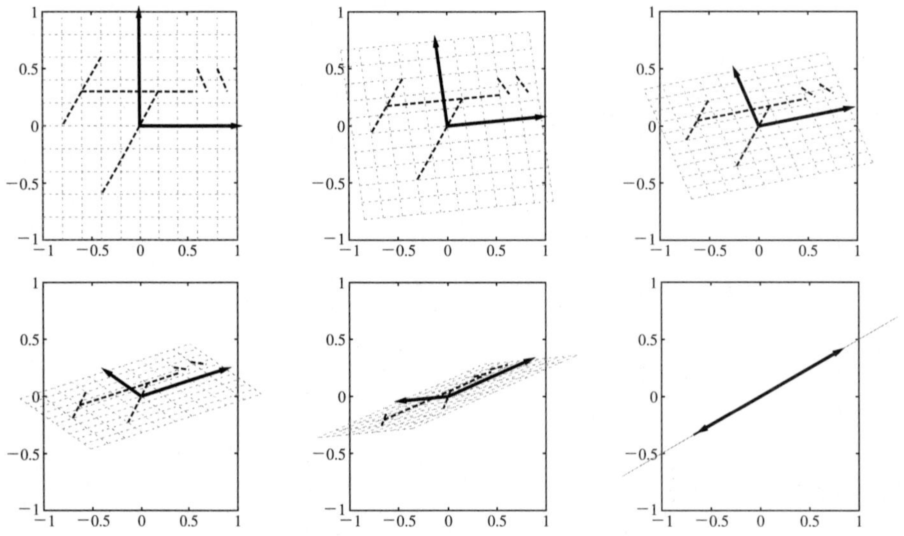

观察要点：

- 目标空间中被压缩成了扁平状态（一条直线），这条直线正是 A 的**像**（$\mathrm{Im}\ A$）
- 像的维数称为**秩**。因为本例中是直线，所以秩是 1（$\mathrm{rank}\ A = 1$）
- 所谓压缩扁平化，也就是像的维数比原先降低了（$\mathrm{rank}\ A < 2$）。这时 A 是奇异矩阵。如果没有发生压缩扁平化，则有 $\mathrm{rank}\ A = 2$，这时 A 是**非奇异矩阵（可逆矩阵）**。
- 因为发生了压缩扁平化，所以面积扩大率 $\det A = 0$
- $\binom{1}{0}$ 的目标点（A 的第 1 列）和 $\binom{0}{1}$ 的目标点（A 的第 2 列）不再具有**独立的**方向

■ 再画上特征向量的话 ……

在原先的矩阵变换下，我们来看看随着空间的变化，特征向量会发生什么样的变化。

$$A = \begin{pmatrix} 0.8 & -0.6 \\ 0.4 & -0.3 \end{pmatrix}$$

```
ruby mat_anim.rb -s=7 | gnuplot
```

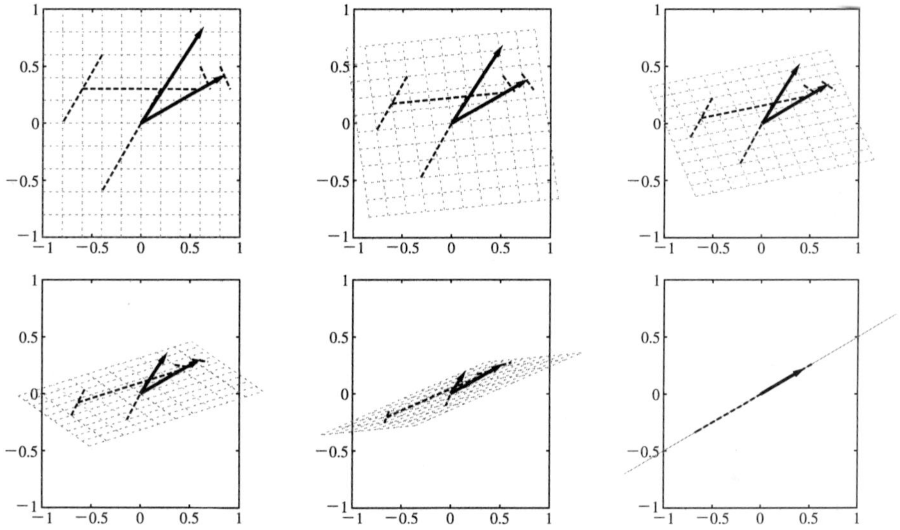

观察要点：

- 图中的有向线段代表特征向量，在压缩扁平化的变换之下，特征值 $=0$

■ 按照特征向量的方向选取斜坐标系 ······

在与前面相同的矩阵 A 的作用下，选取和特征向量一致的方向作为坐标轴的方向，我们再来观察一遍空间的变化过程。

$$A = \begin{pmatrix} 0.8 & -0.6 \\ 0.4 & -0.3 \end{pmatrix}$$

```
ruby mat_anim.rb -s=8 | gnuplot
```

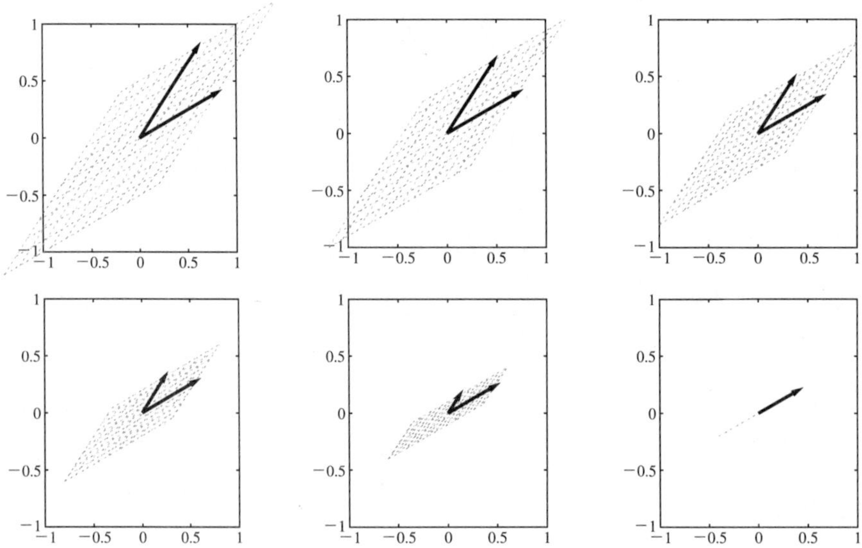

观察要点：

- 特征值 0 对应的特征向量 $\boldsymbol{p}$ 所在的直线上的点全部都被变换到了原点上，这条直线是 A 的**核**（Ker A）
- 与 $\boldsymbol{p}$ 平行的直线上的点全部都被“压缩”到了一点上
- 也就是说，就算知道了目标点，也无法还原出特定的出发点。因此，**逆矩阵**不存在
- “原维数”（因为是平面，所以为 2 维）−“被压缩掉的维数”（Ker A 是直线，所以是 1 维）=“剩余的维数”（Im A 也是直线，所以也是 1 维）。这就是**维数定理**

观察行列式的交替性

■ 上下翻转的例子

将前面提到的矩阵 $\begin{pmatrix} 1 & -0.3 \\ -0.7 & 0.6 \end{pmatrix}$ 的第 1 列和第 2 列进行交换，会发生什么呢?

$$A = \begin{pmatrix} -0.3 & 1 \\ 0.6 & -0.7 \end{pmatrix}$$

在此矩阵的作用下，空间会发生倾斜，如下所示。

```
ruby mat_anim.rb -s=9 | gnuplot
```

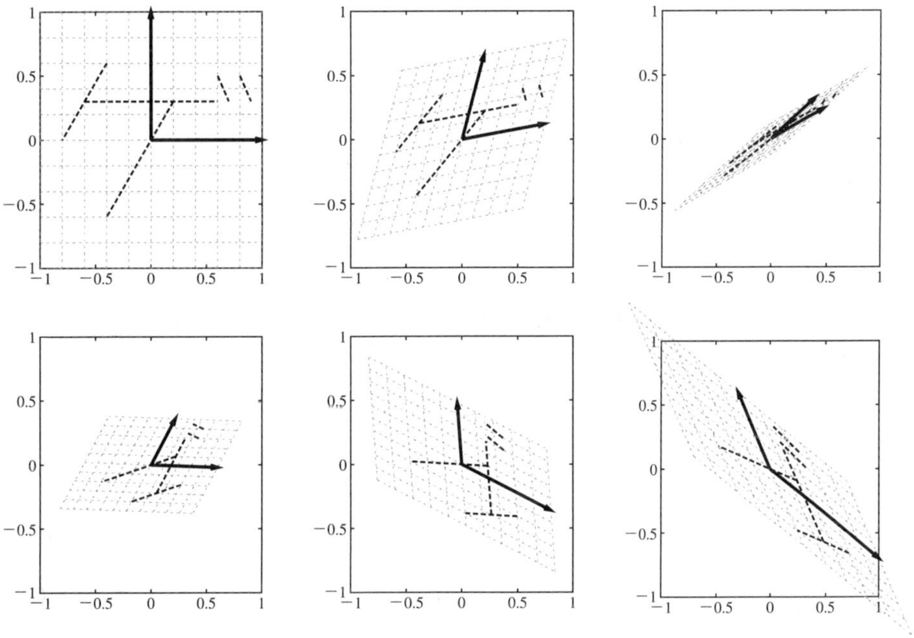

观察要点：

- 空间上下翻转，这时面积扩大率 $\det A < 0$
- 与非对角的一般矩阵的情况对比一下就可以发现，图中的平行四边形格子虽然形状相同，但实际上发生了上下翻转，所以

$$\det \begin{pmatrix} -0.3 & 1 \\ 0.6 & -0.7 \end{pmatrix} = -\det \begin{pmatrix} 1 & -0.3 \\ -0.7 & 0.6 \end{pmatrix}$$

  这正是行列式的**交替性**

目录

第 0 章

动机

0.1 空间想象给我们带来的直观感受

我们生活在 3 维空间中。为了处理现实世界中的问题，我们需要一种合适的方式来描述“空间”。除此之外，具有这类需求的情况还有很多，比如计算机图形图像处理、汽车导航、电子游戏等。作为线性代数施展作用的舞台，向量空间是对现实空间进行一定程度的抽象化后得到的产物。因此，线性代数为我们提供了一套便捷的概念和语言来讨论“空间”。打个比方，当我们想要把 3 维空间中的物体在 2 维的显示器画面上展示出来的时候，我们需要面对很多问题。比如，面对 3 维空间中的物体，当我们的目光跟随着物体的变换而移动、旋转时，映入眼帘的 2 维画面是怎么变化的呢？要解决这类问题，线性代数发挥了基础性的作用。

但是，学习线性代数，可不只是为了解决现实空间中的问题。

除了单一的数值以外，我们几乎处处都会遇到要处理由多个数值组成的一组数据的情况。这些问题与“空间”看似没有什么直接关系，就算没有特别去注意空间的概念，也能进行处理。然而，一旦将这些数据诠释为高维空间中的点，我们就可以利用自己的直观感受，通过“空间”来理解数据的行为。

虽然我们的直观认知仅限于 3 维以下的空间，但是只要稍加推广，对于一般的 n 维空间中的现象，我们也同样可以从直观上进行理解。实际上，这样的思维方式已经成为了数据分析中强有力的工具（图 1）。有“空间”的地方，就是线性代数大显身手的地方。主成分分析法、最小二乘法等都是典型的代表。在本书中，我们会特别注意对线性代数在这些方面的应用加以说明。

x	y	z
731	1662	331
208	616	−192
540	1280	140
834	1868	434
217	634	−183
332	864	−68
31	262	−369
54	308	−346
717	1634	317
403	1006	3
⋮	⋮	⋮

→

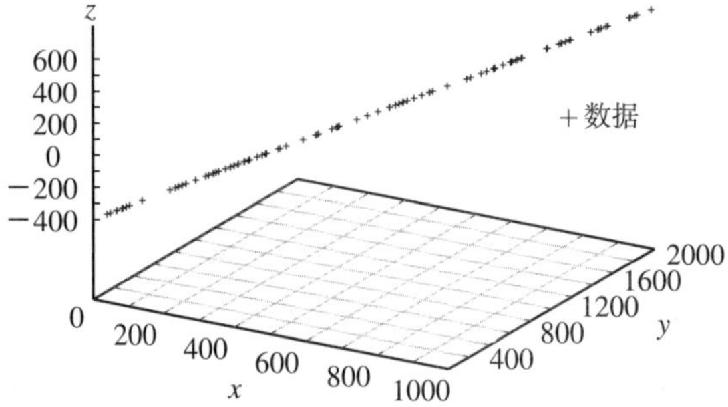

图 1　堆积如山的数据。乍一看不知所云，如果将它们看作 3 维空间中的点，并描绘出来，就可以看到实际上它们分布在一条直线上

0.2　有效利用线性近似的手段

用图形来打比方的话，线性代数的研究对象就是平面、直线这些水平的、笔直的东西。这些朴素的研究对象处理起来很容易，“通透性”也强，因此能够不费力地得到很多漂亮的结果。

难道这不是在宣称“线性代数只能处理简单的问题”吗？要是这样的话，就算可以轻松解决问题，似乎也没什么了不起的 —— 有这样的感觉也是理所当然的事情。如果只能处理平直的对象，那也太过于狭隘了。以曲面为模型来表现的现象也有吧。就算是函数图像，也往往是曲线。

对于这些问题，线性代数也是有用的。为什么这么说呢？因为就大部分东西来说，如果将其放大，那么几乎都是平直的。除了那些锯齿状的例子外，曲线也好，曲面也好，只要将其放大来看，就都可以看成是直的（图 2）。

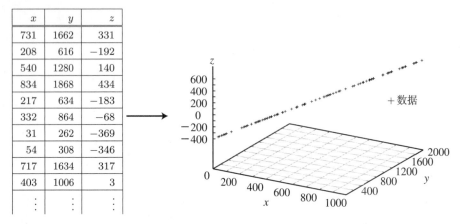

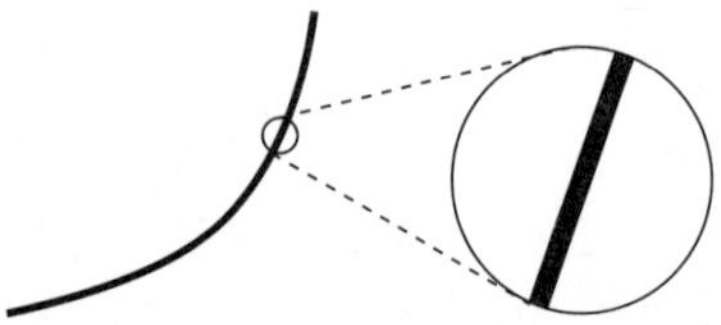

图 2　即使是曲线、曲面，放大后也可以看作是直的

这样的话，只要在小范围内进行考察，那么通过用“平直的东西”来进行近似，也一定可以得到很有用的结果。对曲面的描绘也是同样，把一个个小的平面拼接起来，就可以近似表示曲面。函数图像本身是曲线，但针对短期的趋势预测问题等，可以利用直线进行近似、

延长，从而得到结果（图 3）。

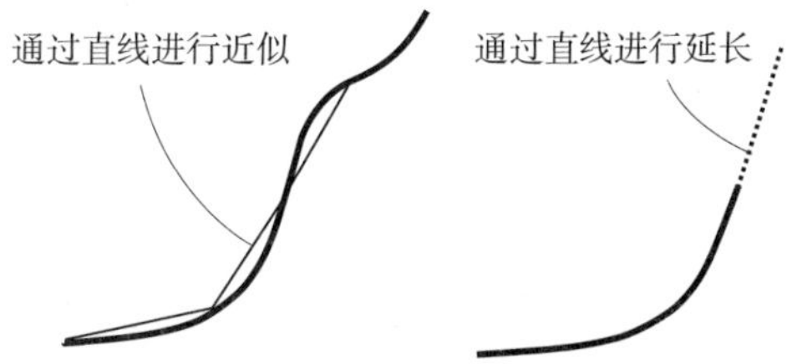

图 3 （左）用折线对曲线进行近似（右）用直线延长图像

至于上面这些近似方法在多大程度上有效，就要视具体问题而定了①。虽然感觉上过于粗枝大叶了，但是类似于这样的方法，在实际应用中却出人意料地多。当难以完全用式子表达出来时，就用线性的东西去近似一下看看，这是理工科中常用的手法。至于最后到底是“这样的精度就足够了”还是“因为没有其他更好的办法，所以姑且这样吧”，就不能一概而论了②。

在阅读本书的过程中，如果什么时候觉得“这问题局限性太大了吧，平时根本不会遇到这种情况吧”，还请回忆一下上述论点。

① 具体地说，至于“很小的范围”到底是多小才比较恰当，要视曲线、曲面的弯曲状况和允许误差而定。

② 当然也存在由于近似而导致有些东西被忽视的情况。现在有很多研究专门关注这些“被忽视的东西”。比如，当看到带有“非线性”的题目时，往往就可以认为是这个视角了。

第 1 章

用空间的语言表达向量、矩阵和行列式

正如 0.1 节中所言，我们几乎处处都会遇到要处理由多个数值组成的成组的数据的情况。对于这样的数据，我们不是简单地将其看作一组组的数，而是看作“空间中的点”来进行直观的处理，这就是本书的中心思想。

本章中我们要介绍的是本书的主角 —— “向量”“矩阵”，以及经常会用到的配角 —— “行列式”。关于线性代数，如果只是草草地了解过一些，往往会按照字面意思理解这些概念，这样的话可就浪费了我们宝贵的直观感受能力。请读者一定不要忽略自己的空间想象力。

	字面意思	实际意思
向量	排成一列的数字	有向线段（带有方向的线段）、空间内的点
矩阵	排成矩形的数字	空间到空间的映射
行列式	麻烦的计算	上面的映射对应的“体积扩大率”

在技术层面上，本章的目标是掌握四则运算。除了在给定具体向量、矩阵的情况下要会算，对于代数式，也就是用字母代替向量、矩阵的时候，也应该在脑海中浮现出具体的形象，从而进行准确的计算（参考 1.2.13 节）。暂且先不说应付考试的事，在信号处理、数据分析等将线性代数作为基本工具的应用学科中，如果不能正确处理抽象化的代数式，应用也就从无谈起。

1.1 向量与空间

好了，赶紧进入正题吧。我们从向量开始谈起。当我们需要把几个数值放在一起，作为一个整体来处理时，就有了向量。这便是引入向量的原因。不论什么专业的读者，应该都能认同此说法吧。比如，一个搭载了 10 个传感器的机器人观测到了 10 组数据，当我们想要将它们作为一个整体来处理时，向量就派上用场了。

1.1.1 最直接的定义：把数值罗列起来就是向量

把数排成一列就是向量[①]。比如

$$\begin{pmatrix}2\\5\end{pmatrix} \text{和} \begin{pmatrix}6\\3\\3\end{pmatrix} \text{和} \begin{pmatrix}2.9\\-0.3\\1/7\\\sqrt{\pi}\\42\end{pmatrix}$$

等。当需要强调分量个数的时候，我们分别称上面的例子为 2 维向量、3 维向量和 5 维向量。

在没有特别说明的情况下，提到向量，就是指上例这样的竖排的“列向量”。虽然也存在像 $(2,3,5,8)$ 这样的横排的“行向量”，但是本书中如果不加说明的话，默认为列向量。另外，由于列向量书写起来比较占空间，因此我们使用以下写法。

$$(2,3,5,8)^T = \begin{pmatrix}2\\3\\5\\8\end{pmatrix} \qquad \text{和} \qquad \begin{pmatrix}2\\3\\5\\8\end{pmatrix}^T = (2,3,5,8)$$

其中，T 是 Transpose（转置）的首字母。

> **? 1.1 为什么这么偏爱列向量？[②]**
>
> 对于“将映射 f 作用于 x”的操作，一般人会写成 $f(x)$。用同样的句式，对于“将矩阵 A（所表示的线性映射）作用于向量 $\boldsymbol{x}$”的操作，我们习惯用矩阵的乘积 $A\boldsymbol{x}$ 来表示（参考 1.2.1 节）。如果这里的 $\boldsymbol{x}$ 是行向量的话，结果就变成了 $\boldsymbol{x}A$。这种先对象后操作的写法，不太符合一般人的思维方式。可是，熟悉面向对象程序设计的读者，相比 `f(x)` 来说，说不定会觉得 `x.f` 的写法更加自然呢。

---

① 追求严谨的“数学派”的读者先别激动，严格的定义还在后面。

② 对于偏离主题的疑问、看问题的不同角度以及扩展的话题等，本书以这种独立于正文的形式给出解释。这部分内容中常常可能出现没讲过的知识点，建议初读的读者先大概读一遍，把握整体脉络，当读完一章之后，再回过头来看细节。

? 1.2 “数”具体是指?

在本书中，请读者将其理解为实数或复数。根据具体问题，需要强调是实数还是复数的时候，书中会加以明示。当分量（元素）是实数时，我们称“**实向量**”“**实矩阵**”；当分量（元素）是复数时，我们称“**复向量**”“**复矩阵**”。

谨慎起见，我们来确认一下以下名词的含义[①]。

自然数	$0, 1, 2, 3, \cdots$
整数	$\cdots, -2, -1, 0, 1, 2, \cdots$
有理数	可以写成整数和整数的比值的数
实数	$3.14159265\cdots$ 这样的可以写成（无限）小数的数
复数	可以写成“(实数) + (实数) i”这种形式的数，其中 i 是虚数单位 ($\mathrm{i}^2 = -1$)

除了作为虚数单位以外，i 也经常作为单独的变量使用。但是读者请放心，根据上下文，应该不会混淆。

定义了“数据结构”之后，就要定义其运算了。向量的加法和数量乘法[②]定义如下。

加法 相同维数的向量之间的加法为

$$\begin{pmatrix} x_1 \\ \vdots \\ x_n \end{pmatrix} + \begin{pmatrix} y_1 \\ \vdots \\ y_n \end{pmatrix} = \begin{pmatrix} x_1 + y_1 \\ \vdots \\ x_n + y_n \end{pmatrix} \qquad \text{例}: \begin{pmatrix} 2 \\ 9 \\ 4 \end{pmatrix} + \begin{pmatrix} 7 \\ 5 \\ 3 \end{pmatrix} = \begin{pmatrix} 9 \\ 14 \\ 7 \end{pmatrix} \tag{1.1}$$

数量乘法 任意的常数 c 和向量的乘法为

$$c\begin{pmatrix} x_1 \\ \vdots \\ x_n \end{pmatrix} = \begin{pmatrix} cx_1 \\ \vdots \\ cx_n \end{pmatrix} \qquad \text{例}: 3\begin{pmatrix} 2 \\ 9 \\ 4 \end{pmatrix} = \begin{pmatrix} 6 \\ 27 \\ 12 \end{pmatrix} \tag{1.2}$$

顺便说一下，行向量的加法和数量乘法也一样可以这样定义。

---

① 关于自然数的定义，有包含 0 和不包含 0 两种说法。本书中采用包含 0 的定义。另外，关于实数也有一点要注意。比如整数 7 也可以写成 $7.000\cdots$ 的形式，所以 7 同样是实数。像这样，如果能联想到“××是 ○○ 的特例”，就可以节约思考过程。特别是对于信息、计算机专业的读者来讲，这也是常识了。不过在计算机的计算中，整数和实数可就有着天壤之别了。在第 3 章中我们会讨论数值计算，如果不特别留意这一点的话，会很容易犯错误。

② 即对于给定的与 j 无关的常数 c，进行 $x_j \mapsto cx_j$ 运算（输入 x_j，输出 cx_j）。其实严格来讲应该称为“标量乘法”，至少也是“纯量乘法”，只是怕大家望而却步，才采用了一个看起来比较“自然”的说法。

? 1.3　这样的规则难道行不通吗？我们老师看到以后不开心了，真是死脑筋啊！

$$\times\quad \begin{pmatrix} x_1 \\ \vdots \\ x_n \end{pmatrix} \begin{pmatrix} y_1 \\ \vdots \\ y_n \end{pmatrix} = \begin{pmatrix} x_1 y_1 \\ \vdots \\ x_n y_n \end{pmatrix}, \quad \begin{pmatrix} x_1 \\ \vdots \\ x_n \end{pmatrix} \Big/ \begin{pmatrix} y_1 \\ \vdots \\ y_n \end{pmatrix} = \begin{pmatrix} x_1/y_1 \\ \vdots \\ x_n/y_n \end{pmatrix}$$

如果我们简单地将向量看作是一列数字，这样也应该会很方便。实际上，在内部封装了矩阵运算的程序设计语言中，也有很多内置了这样的运算。但是，从线性代数的角度出发，这却是条歪路。根本原因是这样的定义与坐标变换（参考 1.2.11 节）格格不入。请看下面的图示。

某坐标系	$\boldsymbol{x}$	$+$	$\boldsymbol{y}$	$=$	$\boldsymbol{z}$
	$\Updownarrow$		$\Updownarrow$		$\Updownarrow$
另一坐标系	$\boldsymbol{x}'$	$+$	$\boldsymbol{y}'$	$=$	$\boldsymbol{z}'$

某坐标系	$\boldsymbol{x}$	$\boldsymbol{y}$	$=$	$\boldsymbol{z}$
	$\Updownarrow$	$\Updownarrow$		$\Updownarrow$
另一坐标系	$\boldsymbol{x}'$	$\boldsymbol{y}'$	$\neq$	$\boldsymbol{z}'$

现在，我们假设在某坐标系下有 $\boldsymbol{x}+\boldsymbol{y}=\boldsymbol{z}$。在另一坐标系下，令 $\boldsymbol{x}$、$\boldsymbol{y}$、$\boldsymbol{z}$ 对应的坐标分别为 $\boldsymbol{x}'$、$\boldsymbol{y}'$、$\boldsymbol{z}'$。无论我们观察向量的视角如何改变，$\boldsymbol{x}'+\boldsymbol{y}'=\boldsymbol{z}'$ 总是成立的。数量乘法也是同样的道理。这正是我们采用正统定义的原因。另一方面，如果像上面那样"按各分量分别相乘"的规则来做，会怎么样呢？设在某坐标系中有 $\boldsymbol{x}\boldsymbol{y}=\boldsymbol{z}$。现在我们转移到另一坐标系中，就会发现 $\boldsymbol{x}'\boldsymbol{y}'\neq\boldsymbol{z}'$。从线性代数的角度看来，你规定的乘法 $\boldsymbol{x}\boldsymbol{y}$ 只不过是在特定坐标系下看到的一种现象，而不反映对象本身的性质。

我们规定用粗体字表示向量，例如 $\boldsymbol{x}$、$\boldsymbol{v}$、$\boldsymbol{e}$ 等。这仅仅是为了让读者养成明确区分数值和向量的习惯。希望读者在自己书写的时候，也不要图省事，一定要记得写成 $\boldsymbol{x}$、$\boldsymbol{v}$、$\boldsymbol{e}$ 的样子。特别是**零向量**（所有分量都是 0 的向量），用 $\boldsymbol{o}=(0,\cdots,0)^T$ 来表示。另外，将 $(-1)\boldsymbol{x}$ 简写为 $-\boldsymbol{x}$，将 $\boldsymbol{x}+(-1)\boldsymbol{y}$ 简写为 $\boldsymbol{x}-\boldsymbol{y}$。看到 $2\boldsymbol{x}+3\boldsymbol{y}$，要将其看作 $(2\boldsymbol{x})+(3\boldsymbol{y})$，先进行数量乘法运算，再进行加法运算。

在给定数 c、c' 及向量 $\boldsymbol{x}$、$\boldsymbol{y}$ 的情况下，我们可以得到下面这些性质。

- $(cc')\boldsymbol{x}=c(c'\boldsymbol{x})$　　例：$(2\cdot 3)\begin{pmatrix}1\\5\end{pmatrix}=\begin{pmatrix}6\\30\end{pmatrix}=2\left(3\begin{pmatrix}1\\5\end{pmatrix}\right)$
- $1\boldsymbol{x}=\boldsymbol{x}$　　例：$1\begin{pmatrix}2\\3\end{pmatrix}=\begin{pmatrix}2\\3\end{pmatrix}$
- $\boldsymbol{x}+\boldsymbol{y}=\boldsymbol{y}+\boldsymbol{x}$　　例：$\begin{pmatrix}2\\3\end{pmatrix}+\begin{pmatrix}1\\5\end{pmatrix}=\begin{pmatrix}3\\8\end{pmatrix}=\begin{pmatrix}1\\5\end{pmatrix}+\begin{pmatrix}2\\3\end{pmatrix}$
- $(\boldsymbol{x}+\boldsymbol{y})+\boldsymbol{z}=\boldsymbol{x}+(\boldsymbol{y}+\boldsymbol{z})$　　例：$\left(\begin{pmatrix}2\\3\end{pmatrix}+\begin{pmatrix}1\\5\end{pmatrix}\right)+\begin{pmatrix}10\\20\end{pmatrix}=\begin{pmatrix}13\\28\end{pmatrix}=\begin{pmatrix}2\\3\end{pmatrix}+\left(\begin{pmatrix}1\\5\end{pmatrix}+\begin{pmatrix}10\\20\end{pmatrix}\right)$

- $\boldsymbol{x}+\boldsymbol{o}=\boldsymbol{x}$ 例： $\begin{pmatrix}2\\3\end{pmatrix}+\begin{pmatrix}0\\0\end{pmatrix}=\begin{pmatrix}2\\3\end{pmatrix}$
- $\boldsymbol{x}+(-\boldsymbol{x})=\boldsymbol{o}$ 例： $\begin{pmatrix}2\\3\end{pmatrix}+\begin{pmatrix}-2\\-3\end{pmatrix}=\begin{pmatrix}0\\0\end{pmatrix}$
- $c(\boldsymbol{x}+\boldsymbol{y})=c\boldsymbol{x}+c\boldsymbol{y}$ 例： $10\left(\begin{pmatrix}2\\3\end{pmatrix}+\begin{pmatrix}6\\4\end{pmatrix}\right)=\begin{pmatrix}80\\70\end{pmatrix}=10\begin{pmatrix}2\\3\end{pmatrix}+10\begin{pmatrix}6\\4\end{pmatrix}$
- $(c+c')\boldsymbol{x}=c\boldsymbol{x}+c'\boldsymbol{x}$ 例： $(4+5)\begin{pmatrix}2\\3\end{pmatrix}=\begin{pmatrix}18\\27\end{pmatrix}=4\begin{pmatrix}2\\3\end{pmatrix}+5\begin{pmatrix}2\\3\end{pmatrix}$

? 1.4 这么显然的事情，干嘛还要专门罗列出来呢?

其实这个问题已经超出本书的讨论范围了。这里列举的性质，实际上代表了向量这个概念的本质。后面关于向量的讨论全部基于上面这些性质。最厉害的地方在于，即使将向量的定义（现阶段的定义是“排成一列的数”）抛在脑后，仅仅是依靠上面给出的性质，我们一样可完成所有关于向量的讨论！这也是数学家最为青睐的风格（至少原则上是这样）。这样做的好处，首先是可以避免卷入“○○ 是什么”这种哲学上的争论。对于“直线是什么”“0 是什么”“概率是什么”这样的问题，如果不能打比方，而是要给出严密的回答，能做到吗? 议论来议论去问题还是得不到任何进展。所以我们暂时把“是什么”的问题放在一边，先来看看具有什么样的性质，从而迂回前进。另外一个好处是适用范围广。就算是第一眼看起来不像向量的东西，只要能确定满足以上性质，就可以对其套用关于向量的所有已知定理。比如微分方程的解、量子力学中量子系统的状态等，如果将它们看成向量，理解起来马上就会通透许多。这就好比在程序设计中，将“功能模块”与“用户界面”分开处理能够提高可移植性一样，数学上的道理也是一样的。

1.1.2 “空间”的形象

2 维向量可以在方格纸上描画出来（图1.1）。比如，$(3,5)^T$ 位于横坐标为 3、纵坐标为 5 的位置，$(-2.2,1.5)^T$ 位于横坐标为 -2.2、纵坐标为 1.5 的位置，零向量 $\boldsymbol{o}=(0,0)^T$ 位于原点 O 处。同样地，3 维向量也可以用3维空间中的一点来表示。

像这样强调向量的位置的时候，也称为**位置向量**。

除了用位置来表示向量以外，也可以用有向线段来解释，其中线段的起点是原点 O，终点是该向量对应的位置①。其实，在用有向线段来解释向量的情况下，就可以通过图形来理解向量的加法和数量乘法。这时，向量加法就变成了线段的连接，数量乘法则变成了线段的伸缩（图 1.2）。如果是 -3 倍的话，自然就是往反方向延长为原来的 3 倍。

① 因此在汉语中，特别是物理学和工科中，向量通常称为矢量。—— 译者注

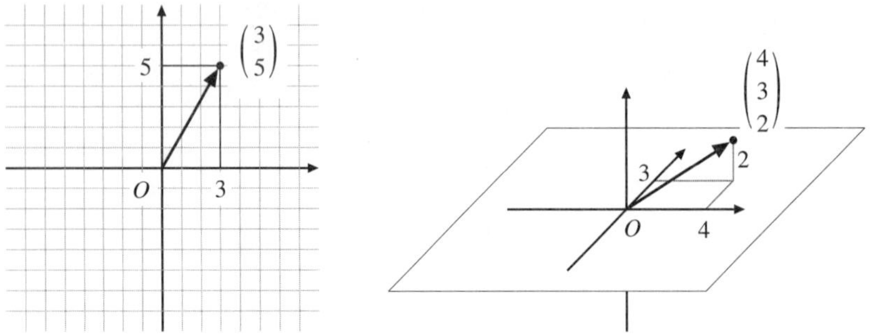

图 1.1　在空间中描画向量

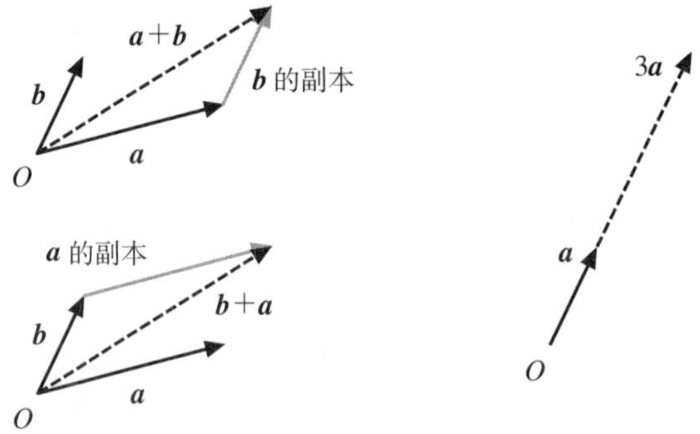

图 1.2　在用有向线段表示向量的情况下，向量加法就是线段的连接，数量乘法就是线段的伸缩。加法的可交换性 $\boldsymbol{a}+\boldsymbol{b}=\boldsymbol{b}+\boldsymbol{a}$ 可以解释为，当沿着线段方向行走时，先 $\boldsymbol{a}$ 后 $\boldsymbol{b}$ 和先 $\boldsymbol{b}$ 后 $\boldsymbol{a}$ 两种走法殊途同归

? 1.5　一维向量不就是数吗?

当然了，把一维向量 (a) 和数 a 看作同一个东西也是很自然的想法，因为两者都可以表示为直线上的一点。但是要注意的是，根据单位的选取方式的不同，数值也是会变化的。这正是我们下一小节要讲的“基底”的问题（另外请参考 ?1.11 以及 ?1.20）。话又说回来，在大部分程序设计语言中，长度为 1 的数组和单个数值也是两回事，在处理的时候也需要专门进行转换。

? 1.6　好像听说过第 4 维是时间，第 5 维是灵魂……

说这话的人应该都不是认真的吧 …… 但这已经不是数学所讨论的范围了。我们在 ?1.4 中曾经说过，在数学上，对于“○○ 是什么”这种问题，一般不会直接回答，而是通过研究对象的性质来进行讨论。用数学的观点来看，只要是并排的四个数，就都可以说这是一个 4 维向量（看起来有点不讲理呢）。至于是不是能解释成“长、宽、高、时刻”，那就要看具体情况了。正如在计算机程序中，变量 x 具体对应现实中的什么东西，那是程序员的问题。计算机才不会管具体的意义，它只是负责计算而已。

1.1.3 基底

■ 宇宙中没有上下也没有左右

上一小节中，我们用平面上的点解释了 2 维向量，就如同我们在平面上蒙了一层标记了刻度的方格纸。但宇宙中并没有上下左右等特定的方向。所以，我们需要拿掉方格纸，单纯考虑平面（图 1.3）。

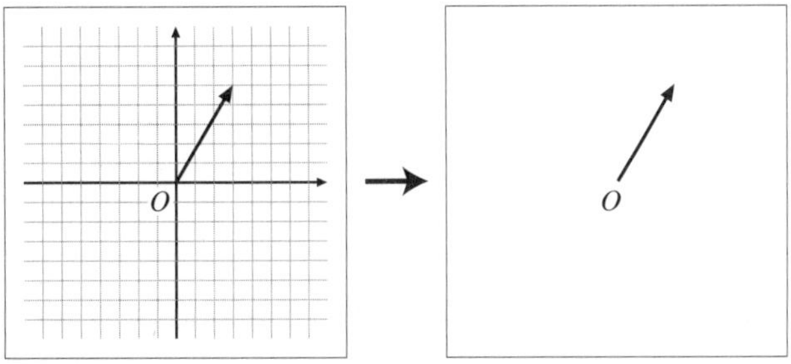

图 1.3 去掉方格纸之后的平面

没有刻度，也没有特定的方向，我们得到了一张干干净净的平面。能作为参照的，仅剩孤零零的一个原点 O。虽然一开始会感到一丝不安，但是我们会发现，在这样的世界中一切都是可行的。也就是说，加法和数量乘法，依旧可以用有向线段来解释。那些可有可无的东西，去掉才是更明智的选择①。对于这样一个附加了加法与数量乘法运算的世界，我们就称之为**线性空间**②，也有人称之为**向量空间**。

在这样一个世界中，由于更加强调方向性，因此我们用 $\vec{x}$、$\vec{v}$、$\vec{e}$ 来表示向量。在本书接下来的说明中，我们将同时采用两种书写方式。当我们希望将向量看作是并排的数时，用 $\boldsymbol{x}$ 来表示；当我们希望强调方向时，则将向量看作有向线段，用 $\vec{x}$ 来表示。

线性空间是我们生活的现实空间的一个缩影，是对现实空间的抽象化。正因为不是现实世界的完全复制，所以不能照搬生活经验。在这个抽象世界中，除了特殊的零向量 $\vec{o}$ 以外，

---

① 明智的选择不代表更容易处理。能针对不同的情况随机应变才是硬道理。好吧，追求严谨的“数学派”的读者请息怒。我们十分清楚，你们觉得这样依赖于人的直觉的定义根本一点都不漂亮也不聪明。已经理解线性空间的抽象定义的读者，请自行在大脑中切换为公理化定义模式。

② 严格地说应该加上“满足 1.1.1 节中罗列出的性质”这一条件。如果读者不想看到这么文艺的描述，而是希望学习严格的定义，可以参考标准的教科书。

有向线段无论放在哪里都是同等的。在这个抽象世界中，我们能做的只有加法、数量乘法，一切都是这么简单直接。

这里特别要注意的是，在这个世界中，没有定义长度，也没有定义角度。对于不同方向的向量，无法比较大小。旋转操作（在长度保持不变的同时改变方向）同样没有定义。在最朴素的线性空间中，这些功能都被剥夺了①。

?1.7　如果保留方格纸的刻度的话，对于向量 $\boldsymbol{x}=(x_1,x_2)^T$，我们可以用 $\sqrt{x_1^2+x_2^2}$ 来求其长度。把刻度去掉之后，不是变得不便了吗?

如此这般的话，你就不知不觉地回到了现实世界，这正是刻度带来的直接危害。而线性空间只要求给出加法和数量乘法的定义，并满足 1.1.1 节中列举的性质。这样做的意义可以参考 ?1.4 和 ?1.9。

实际上，在这种朴素的定义下，有一个问题是，数值会根据坐标系的选取方式（将会在后面说明）而发生变化。关于这个问题的应对办法，请参考附录 E。

?1.8　不说明一下内积和外积的概念吗? 如果有了内积的话，长度和角度不就都可以计算了吗?

内积作为一个基本概念，确实非常有用，但使用时会有一些问题。大家高中时学过的 $\boldsymbol{x}=(x_1,x_2)^T$ 与 $\boldsymbol{y}=(y_1,y_2)^T$ 的内积 $\boldsymbol{x}\cdot\boldsymbol{y}=x_1y_1+x_2y_2$ 的定义，在坐标系改变的情况下，数值也会发生变化，这很不好。我们希望与任何人为的设定脱离关系，仅仅关心空间本身的性质。因此我们以后要做的仅仅是假想一个坐标系而已。想要在不依赖于坐标系的情况下定义内积，只依靠本章中所述的加法和数量乘法就不够了，还需要追加其他性质。关于这一点，我们在书后的附录 E 中会给出详细说明。眼下我们量力而为，只关心最朴素的线性空间。

另一方面，**外积**（**向量积**）$\boldsymbol{x}\times\boldsymbol{y}$ 在处理 3 维空间中的问题时，确实显得十分方便②。但是，外积并非 3 维空间所特有的概念。本书中不会局限于讨论 3 维空间。外积的概念本身是可以扩展到一般的 n 维空间的，虽然这对于大多数读者来说可能非常陌生，但是这种推广却非常有趣。2 维空间中向量的外积是数，3 维空间中向量的外积是向量，那么 4 维空间中向量的外积是什么呢? 这个问题已经超过本书讨论的范围了（参见参考文

---

① 定义了长度和角度的是加强版的线性空间，称为内积空间（参考附录 E.1.3）。

② 3 维向量 $\boldsymbol{x}=(x_1,x_2,x_3)^T$ 与 $\boldsymbol{y}=(y_1,y_2,y_3)^T$ 的外积定义为 $\boldsymbol{x}\times\boldsymbol{y}=((x_2y_3-x_3y_2),(x_3y_1-x_1y_3),(x_1y_2-x_2y_1))^T$。

献 [6][①])。

进一步说，外积概念的推广也有不同的方式。回想一下最初学习外积的时候，老师都讲过些什么呢？其中应该有一条：3 维向量 $\boldsymbol{x}$、$\boldsymbol{y}$ 的外积 $\boldsymbol{x} \times \boldsymbol{y}$ 的长度与以 $\boldsymbol{x}$、$\boldsymbol{y}$ 为边的平行四边形的面积相等。不觉得这很奇怪吗？长度与面积相等是怎么一回事？1 米和 1 平方米能相等吗？如果用厘米为单位，100 厘米和 10000 平方厘米就变成相等的了？有兴趣的读者，可以去读一读参考文献 [6]，答案就在其中！

? 1.9 宇宙中也没有哪一点很特别啊，能不能把原点也拿掉呢？

如果一定要这样做的话，有向线段的解释就失效了，加法和数量乘法随之也无法定义了。这样一来线性空间也就无法处理了。当然，也不是说除了线性空间以外，就没有其他可用的东西了，更不是说这个做法没有意义，只是本书中不可能详细讲述那些内容罢了。实际上，从线性空间中去掉原点，我们会得到一个全新的世界，人称**仿射空间**，也是非常有用的理论体系。

一般而言，附加属性（如原点、加法运算、长度等）增加得越多，能处理的对象范围越窄。因为能满足这些条件的对象越来越少。对象限定得越死，自然就会产生越强的约束条件。当然，在相应的限制条件下，能否产生丰富的研究内容就要另当别论了。虽说过分要求附加属性，无异于自缚手足，但是如果走向另一个极端，那也有问题。如果过分吝啬地不增加条件，在做任何事情的时候，都会有在“制造轮子”的感觉。总之，如果我们能从简单的假设出发，得到丰富的理论体系，终归是一件非常令人激动而又值得细细玩味的事情。在简单和丰富之间如何平衡，真的是门大学问呢。

■ 选定基准，赋予地址

然而，在线性空间的世界中，当需要特别指定某个向量 $\vec{v}$ 时，我们除了用手一指，告诉它“喏，就是这”之外，似乎也无能为力了。但这真的有些不方便呢！于是我们要建立一种不需要动用手指也能顺利沟通的方式，那就是给线性空间的世界编写地址。

首先我们要确定用什么来作为基准，比如图 1.4 中的向量 $\vec{e}_1$ 和 $\vec{e}_2$。在选好基准之后，我们就可以通过“沿着 $\vec{e}_1$ 走 3 步，再沿着 $\vec{e}_2$ 走 2 步”来指定向量 $\vec{v}$ 的位置。

换句话说，就是

$$\vec{v} = 3\vec{e}_1 + 2\vec{e}_2$$

① 参考文献 [6] 为日文图书，尚没有中文版。读者可以参考有关“张量”的教科书。—— 译者注

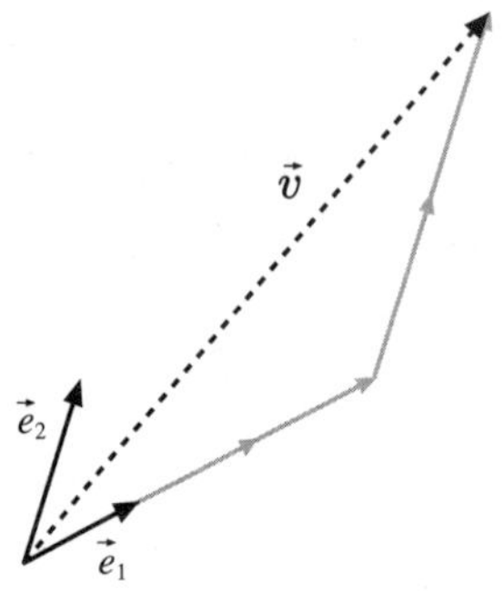

图 1.4　选定了基准向量 $\vec{e}_1$ 和 $\vec{e}_2$ 后，通过“沿着 $\vec{e}_1$ 走 3 步，再沿着 $\vec{e}_2$ 走 2 步”的方式来指定位置

这里作为基准的一组向量就叫作**基底**，沿着各个基准向量走的步数叫作**坐标**。拿上一个例子来说，就是在基底 $(\vec{e}_1, \vec{e}_2)$ 下，$\vec{v}$ 的坐标为 $\boldsymbol{v} = (3, 2)^T$①。另外，说到基底，指的便是 $(\vec{e}_1, \vec{e}_2)$ 这一组向量，这一组向量中的成员 $\vec{e}_1$、$\vec{e}_2$ 就称为**基向量**。

基底的选取有各种各样的方式。特别是如图 1.5 所示的取法，实际上和我们最初考虑的方格纸的刻度是一样的。

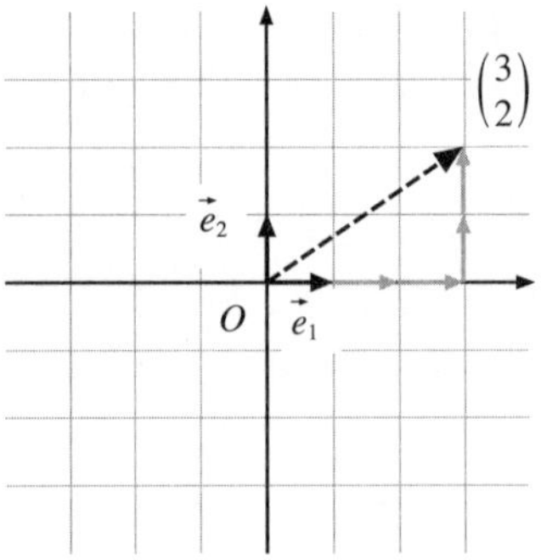

图 1.5　方格纸的刻度对应的基底

但是，并不是说随便取几个向量放在一起就能叫作基底。在下一小节中，我们将讨论什么样的一组向量才有资格成为基底。

? 1.10　从 1.1.1 节开始，我们经历了“排列好的数字 v → 有向线段 $\vec{v}$ → 排列好的数字 v”的过程，转了一圈又回到了原点，这到底是想怎样？！

“不拘泥于外在”是贯穿本书的一大宗旨。最初我们用“排列好的数字”来定义向量 $\boldsymbol{v}$ 时，其中每个数字都是有具体含义的。现如今，我们知道了基底的选择可以有很多

① 这里坐标也使用纵向排列的数表示。

种，而且所有可能的基底都是平等的。用具体数值来描述的向量 $\boldsymbol{v}$，不过是用众多基底中的某一个表示出来的坐标而已。就好比我们生活的地球，它并非宇宙的中心。一旦基底发生变化，坐标 $\boldsymbol{v}=(v_1,v_2)^T$ 中的分量 v_1,v_2 的值也会跟着变化。对于这样的仅仅存在于表象的变化，归根结底不过是外在的性质罢了。相对于这种脆弱的性质，那些不依靠外在表现的性质才是本质的东西。

出于这样的考虑，我们建立了一套不依赖于基底选取方式的概念，从而可以直接接触到对象的本质。具体来说，所谓不依赖于基底选取方式的实体，便是有向线段 $\vec{v}$①。

从本章的叙述顺序上来讲，我们首先是从“排列好的数便是向量”开始的。但是很显然，这并不是我们真正想要表达的东西。可以这样理解：“有向线段”是向量的实体，“排列好的数”是其某种表现形式。本书的风格总结起来，有以下两点。

- 相比抽象的、难以计算的有向线段，我们更倾向于使用坐标来进行具体的计算和说明
- 但是一定要时刻留意，我们感兴趣的并非是某一特定基底之下的行为，而是在任何基底之下都成立的普遍性质

实际上，我们后面要讲的“可逆性”“秩”“特征值”等概念，都与基底的选择无关②。

同时，在解题时，如何根据具体问题去选定恰当的基底，也是一种重要的技巧。这一点请参考 1.2.11 节的开头部分。

? 1.11 已经凌乱了。到底能不能把向量当作“排列好的数”？行还是不行？

如果你喜欢这么想的话，那么悉听尊便。但是，头脑中一定要有一个意识，那就是这些数字具体是什么根本不重要。换句话说，要能建立抽象的有向线段与“排列好的数”$\boldsymbol{v}$，也就是坐标之间的一一对应关系。一一对应的构造方法（根据基底的选取方式）有很多种，必须要注意的是，无论哪种对应方式，本质都是一样的。另外需要指出的是，在无限维空间中，有时虽然我们可以用抽象的 $\vec{v}$ 来定义向量，但是却不能用“排列好的数”$\boldsymbol{v}$ 来表现。

---

① 顺便说一下，一开始就只字不提“坐标”$\boldsymbol{v}$，而是直接讲抽象的向量 $\vec{v}$，那是真正的数学流派的做法。本书中不采用这种讲法。

② 因为“特征向量”也是向量，所以其坐标 $\boldsymbol{p}$ 是根据基底的选取方式而变化的。但是，作为有向线段的向量 $\vec{p}$ 则与基底无关。

? 1.12　极坐标之类的不能处理吗?

关于如下图左边所示的弯曲的坐标系，本书中不加讨论。在本书中，凡是提到“坐标”，都是基于基底的、直来直去的东西，如图 1.6 右边所示。坐标系有倾斜没有关系，但是不能有弯曲。另外，本书中的“坐标变换”是坐标随着基底的调整而改变的意思。

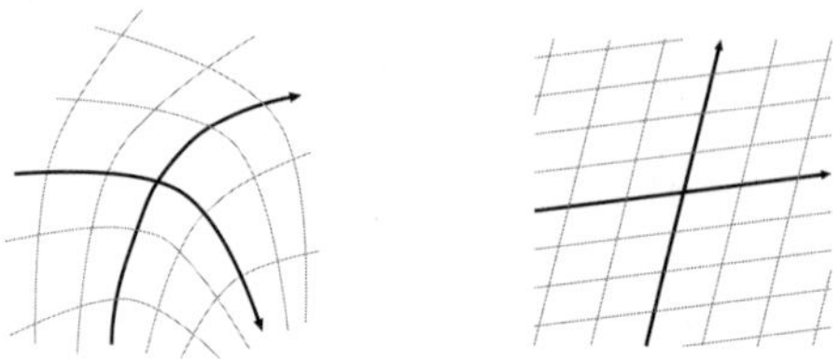

图 1.6　弯曲的坐标系（左）和直的坐标系（右）

注意以下内容超出了本书的讨论范围。

(1) 应用弯曲的坐标系的地方也非常多。最典型的是，在具有旋转操作和对称性的问题中，使用的是极坐标。比如围绕太阳公转的行星的运动、带有关节结构的机械手的控制、噪声分析①等。但是，在这些问题中，也难免涉及线性代数。因为在弯曲的坐标系中进行微分、积分等操作时，也需要借助线性代数的工具。比如，在对多重积分使用换元法时，需要用到所谓的雅可比（Jacobian）矩阵。

(2) 况且有时候需要面对的问题中空间本身就是弯曲的。比如世界地图。因为地球本身不是平的，所以要描绘弯曲的球面上的世界，我们就需要对应的几何学。从这样弯曲的世界中抽象出来的概念，便是流形，这其中当然也需要坐标变换。

1.1.4　构成基底的条件

只有当以下两个条件同时满足时，一组向量 $(\vec{e}_1,\cdots,\vec{e}_n)$ 才能称为基底。

1. （当前空间中的）任何向量 $\vec{v}$ 都可以表示成

$$\vec{v}=x_1\vec{e}_1+\cdots+x_n\vec{e}_n$$

的形式（$x_1,\cdots,x_n$ 为任意数）　→ 任何一块土地都可以赋予地址

2. 并且这种表示方法是唯一的　→ 一块土地只能有一个地址

条件 1 显然是先决条件。既然我们要采用坐标的语言进行沟通，如果存在无法用坐标表示的东西那就糟了。

① 本质上就是多元正态分布，统计学中最基本的分布之一。

条件 2 也一样，为了避免多余的麻烦，也是必要的。否则，当我们看到两个不同的坐标 $\boldsymbol{x} = (x_1, \cdots, x_n)^T$ 和 $\boldsymbol{y} = (y_1, \cdots, y_n)^T$ 时，就会不清楚它们对应的实体 $\vec{x}$ 和 $\vec{y}$ 到底是不是同一个，还是同一个东西采用了两种不同的写法。

图 1.7 中举例说明了能构成基底与不能构成基底的几种情况。

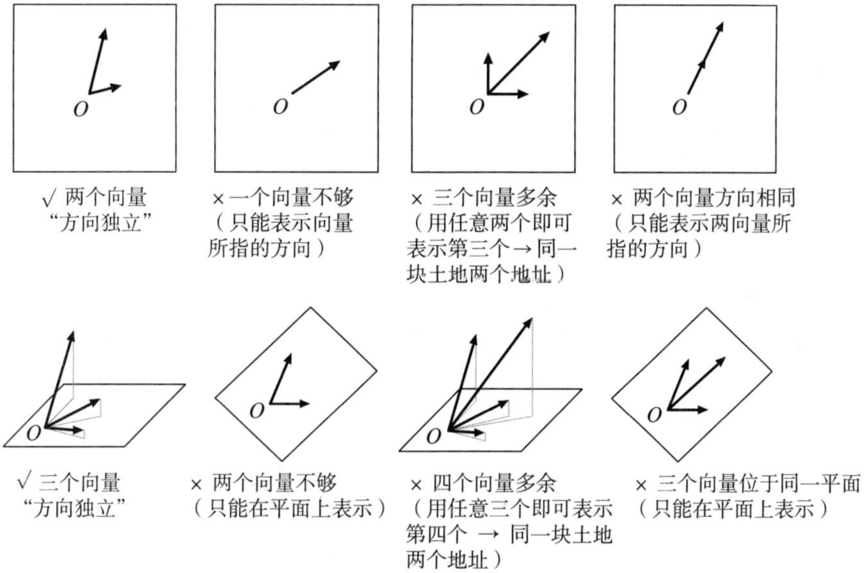

图 1.7 能构成基底的例子与不能构成基底的例子（上：2 维，下：3 维）。× 表示向量个数过少或过多。另外，向量个数恰好但是有“退化”的情况也标记为 ×

把条件 2 掰碎嚼烂讲就是

- $(x_1, \cdots, x_n)^T \neq (x'_1, \cdots, x'_n)^T$ 则
  $x_1\vec{e}_1 + \cdots + x_n\vec{e}_n \neq x'_1\vec{e}_1 + \cdots + x'_n\vec{e}_n$ → 地址不同，则土地不同

或者

- $x_1\vec{e}_1 + \cdots + x_n\vec{e}_n = x'_1\vec{e}_1 + \cdots + x'_n\vec{e}_n$ 则
  $(x_1, \cdots, x_n)^T = (x'_1, \cdots, x'_n)^T$ → 土地相同，则地址相同①

顺便说一下，数学上更喜欢简洁的描述。一般的教科书中会给出形如

- $u_1\vec{e}_1 + \cdots + u_n\vec{e}_n = \vec{o}$ 则 $u_1 = \cdots = u_n = 0$

的条件②。意思都是一样的。我们把 $x_1\vec{e}_1 + \cdots + x_n\vec{e}_n = x'_1\vec{e}_1 + \cdots + x'_n\vec{e}_n$ 的右边全部移到等号左边，并加以整理，即可得到 $(x_1 - x'_1)\vec{e}_1 + \cdots + (x_n - x'_n)\vec{e}_n = \vec{o}$，接下来做变量替换，

---

① 两者互为**对偶**（逆否）命题。“非 A 则非 B”与“B 则 A”是一回事。

② 满足以上条件时，$\vec{e}_1, \cdots, \vec{e}_n$ 就称为线性无关。详细说明请参考 2.3.4 节。

令 $u_1 = x_1 - x_1'$、$u_2 = x_2 - x_2'$ 等，便可得到上面的式子。

我们经常会遇到形如 $u_1\vec{e}_1 + \cdots + u_n\vec{e}_n$ 的式子，所以这里我们给它起个名字。对于给定的向量 $\vec{e}_1, \cdots, \vec{e}_n$，我们将可以用数 $u_1, \cdots, u_n$ 表示出来的向量 $u_1\vec{e}_1 + \cdots + u_n\vec{e}_n$ 称为 $\vec{e}_1, \cdots, \vec{e}_n$ 的**线性组合**①。有了线性组合的概念之后，我们就可以说：若任意向量 $\vec{x}$ 都可以用 $\vec{e}_1, \cdots, \vec{e}_n$ 的线性组合来表示，且表示方法唯一，则 $(\vec{e}_1, \cdots, \vec{e}_n)$ 称为基底。

1.1.5　维数

在上一小节的讨论中，我们发现 n 维空间中基向量的个数恰好是 n。其实严格来讲，应该是反过来通过基向量的个数来定义空间的**维数**。

$$\text{维数} = \text{基向量的个数} = \text{坐标的分量数}$$

这样我们就可以不依靠直观感受或举例说明来讨论维数了。

应该也有读者对这个定义抱有疑问吧。发现问题的读者真敏锐！没错，基底的话，选取方式要多少有多少。那么到底要去数哪个基底的基向量个数呢？事实上可以证明，无论怎么选基底，基向量的个数都是固定不变的（参考附录 C）。读者不必多虑。

? 1.13　无限维的情况呢?

本书中默认空间的维数为**有限维**，也就是说，存在有限个基向量，可以张成整个空间。但我们同样也可以考虑不满足这一条件的线性空间。

例如，对于无穷数列

$$\boldsymbol{x} = (x_1, x_2, x_3, \cdots)$$
$$\boldsymbol{y} = (y_1, y_2, y_3, \cdots)$$

和数 c，可以生成新的数列

$$\boldsymbol{u} = (x_1 + y_1, x_2 + y_2, x_3 + y_3, \cdots)$$
$$\boldsymbol{v} = (cx_1, cx_2, cx_3, \cdots)$$

用 $\boldsymbol{u} = \boldsymbol{x} + \boldsymbol{y}$ 以及 $\boldsymbol{v} = c\boldsymbol{x}$ 来表示的话，这些无穷数列组成的世界也可以看作是线性空间。还有，像“函数全体”这样的东西，如果加以同样的定义，也可以看作是无限维的线性空间（参考 ?D.1）。

下面给读者一些小忠告。无限维是个可怕的东西。非数学专业人士如果仅仅凭直观感受来考虑的话，一定会受伤的。在“无限”的世界里，凭直观感受往往举步维艰。特别

① 数 $u_1, \cdots, u_n$ 称为该线性组合的系数。

是对于元素个数为无限个的向量，如果涉及收敛性等问题，就会出现与元素个数为有限个时迥然不同的情况，需要特别注意。

本书接下来的部分，将只限于讨论有限维的情况。

1.1.6 坐标

说实话，在不指定基底的情况下，讨论坐标根本没有意义。打个比方，单纯说“富士山高 3776”的话，意思表达并不明确。加上单位变成“3776米”之后，句子才变得有意义。这里的数值“3776”就相当于坐标，单位“米”就相当于基底。

尽管如此，每次都要写出基底还是怪麻烦的，大家可能还会产生知难而退的心理。从下一节开始，我们就省略基底，直接用坐标 $\boldsymbol{v}$ 来表示向量。我们的想法是，选定一组基底一直使用下去，从而省去每次都要写出基底的麻烦。一般情况下可以直接把坐标当作向量，如果愿意仔细思考一下的话，可以试着想想其背后的基底是什么。

为了确认坐标确实可以用来表示向量，我们有必要看一下加法和数量乘法用坐标的语言表示是什么样子。结果其实也没什么，只是证明一下，无论怎样选取基底，在对应的坐标表示下，加法和数量乘法都可以按照 (1.1) 式和 (1.2) 式的定义，对坐标的每个分量分别进行计算。实际上，对于向量 $\vec{x}$、$\vec{y}$ 以及数 c，可以确认有

$$\vec{x}+\vec{y}=(x_1+y_1)\vec{e}_1+\cdots+(x_n+y_n)\vec{e}_n$$
$$c\vec{x}=(cx_1)\vec{e}_1+\cdots+(cx_n)\vec{e}_n$$

当然，在后文中也会有同时出现两组以上的基底的情况。这时候当然要明确正在使用的是哪一组基底。有两组基底的情况下，会出现根据一组基底对应的坐标求另一组基底对应的坐标的“坐标变换”问题。关于这个问题，我们会在引入矩阵的概念之后，在 1.2.11 节中进行介绍。

1.2 矩阵和映射

既然我们已经引入了向量这个对象，接下来要关心的就是对象之间的关系。为了表示这种关系，我们来导入矩阵的概念。

1.2.1 暂时的定义

把数排列成长方形就是**矩阵**[①]。比如

---

① 和向量一样，这只是暂时的定义。实际上，本书的目标之一就是要打破这种印象。

$$\begin{pmatrix} 2 & 0 \\ 0 & 3 \end{pmatrix} \quad 或 \quad \begin{pmatrix} 2.2 & -9 & 1/7 \\ \sqrt{7} & \pi & 42 \end{pmatrix} \quad 或 \quad \begin{pmatrix} 3 & 1 & 4 \\ 1 & 5 & 9 \\ 2 & 6 & 5 \\ 3 & 5 & 8 \\ 9 & 7 & 9 \end{pmatrix}$$

等。需要强调矩阵规模（大小，高和宽，行数和列数）的时候，我们分别称以上例子为 2×2 矩阵、2×3 矩阵和 5×3 矩阵。特别地，当行数和列数相同时，我们称之为**正方矩阵**[1]。需要强调方阵的规模时，则将 2×2 方阵简称为 2 阶方阵，将 3×3 方阵简称为 3 阶方阵，依此类推。

矩阵 A 中第 i 行第 j 列的值，称为 A 的 (i,j) 元素。例如，在上例中，中间那个矩阵的 $(2,1)$ 元素为 $\sqrt{7}$，$(1,3)$ 元素为 $1/7$。当提到 (i,j) 元素时，是先行后列的顺序。按照下式中的规则书写的时候，变量的下标一般也是先行后列的顺序。

$$A = \begin{pmatrix} a_{11} & a_{12} & a_{13} & a_{14} \\ a_{21} & a_{22} & a_{23} & a_{24} \\ a_{31} & a_{32} & a_{33} & a_{34} \end{pmatrix}$$

为了简单起见，上式也可以简写成“3×4 矩阵 $A=(a_{ij})$”。一般情况下，我们用大写字母表示矩阵[2]，用小写字母表示矩阵的元素。

? 1.14　哪是行，哪是列，记不清啊[3]！

经常和计算机打交道的读者，提到行和列，可能第一反应是“row”和“column”吧。这里告诉大家一个记忆的小技巧。“行”字右半边上部有两横，“列”字的右边偏旁恰有两竖，于是我们可以按照图 1.8 所示联想记忆。

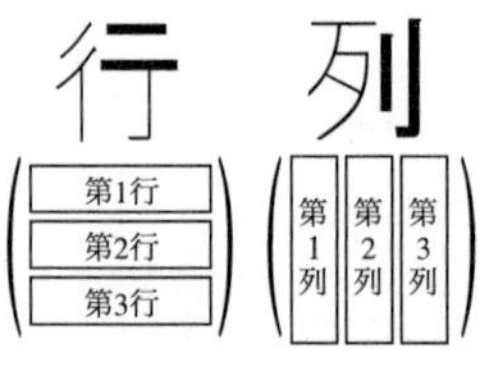

图 1.8　“行”和“列”的记忆方法

---

① 汉语中往往简称为方阵，以下也均称为方阵。—— 译者注
② 仅仅是大写，而非粗体。
③ 台湾版的文献资料中，行和列的规定和大陆出版物是相反的，请读者遇到时注意。——译者注

矩阵的加法和数量乘法，按照以下规则定义。

加法 相同规模（行数列数都相等）的矩阵之间的加法为

$$\begin{pmatrix} a_{11} & \cdots & a_{1n} \\ \vdots & & \vdots \\ a_{m1} & \cdots & a_{mn} \end{pmatrix} + \begin{pmatrix} b_{11} & \cdots & b_{1n} \\ \vdots & & \vdots \\ b_{m1} & \cdots & b_{mn} \end{pmatrix} = \begin{pmatrix} a_{11}+b_{11} & \cdots & a_{1n}+b_{1n} \\ \vdots & & \vdots \\ a_{m1}+b_{m1} & \cdots & a_{mn}+b_{mn} \end{pmatrix} \tag{1.3}$$

$$例：\begin{pmatrix} 2 & 9 & 4 \\ 7 & 5 & 3 \end{pmatrix} + \begin{pmatrix} 1 & 2 & 3 \\ 4 & 5 & 6 \end{pmatrix} = \begin{pmatrix} 3 & 11 & 7 \\ 11 & 10 & 9 \end{pmatrix}$$

数量乘法 对于任意数 c，有

$$c\begin{pmatrix} a_{11} & \cdots & a_{1n} \\ \vdots & & \vdots \\ a_{m1} & \cdots & a_{mn} \end{pmatrix} = \begin{pmatrix} ca_{11} & \cdots & ca_{1n} \\ \vdots & & \vdots \\ ca_{m1} & \cdots & ca_{mn} \end{pmatrix} \tag{1.4}$$

$$例：3\begin{pmatrix} 2 & 9 & 4 \\ 7 & 5 & 3 \end{pmatrix} = \begin{pmatrix} 6 & 27 & 12 \\ 21 & 15 & 9 \end{pmatrix}$$

下面的运算规则，和向量的运算是完全一样的。

- $-A = (-1)A$
- $A - B = A + (-B)$
- $2A + 3B = (2A) + (3B)$

下面，我们来定义矩阵和向量的乘积。在此之前，我们先来考虑一个小小的算术问题。

小明买了 $x_{肉}$ 斤肉，$x_{豆}$ 斤大豆和 $x_{米}$ 斤米。他总共花了多少钱？这些东西一共有多少卡路里的热量？

设两个值分别为 $y_{钱}$ 和 $y_{热}$。我们有如下关系式。

$$y_{钱} = a_{钱肉}x_{肉} + a_{钱豆}x_{豆} + a_{钱米}x_{米} \tag{1.5}$$

$$y_{热} = a_{热肉}x_{肉} + a_{热豆}x_{豆} + a_{热米}x_{米} \tag{1.6}$$

其中 $a_{钱肉}$ 为一斤肉的价格，$a_{热肉}$ 为一斤肉含有的热量（卡路里），其他变量的含义以此类推。

我们将两个等式综合起来，写成下面这样。

$$\begin{pmatrix} y_{钱} \\ y_{热} \end{pmatrix} = \begin{pmatrix} a_{钱肉} & a_{钱豆} & a_{钱米} \\ a_{热肉} & a_{热豆} & a_{热米} \end{pmatrix} \begin{pmatrix} x_{肉} \\ x_{豆} \\ x_{米} \end{pmatrix} \tag{1.7}$$

在上式中，作为“自变量”的 $x_{肉}$、$x_{豆}$、$x_{米}$ 和作为“影响因素”的 $a_{\bigcirc\times}$ 的每个变量都恰好出现了一次，看起来非常整齐清爽。实际上，这正是矩阵与向量的乘积。

乘积　对于 $m \times n$ 矩阵与 n 维向量，有

$$\begin{pmatrix} a_{11} & \cdots & a_{1n} \\ \vdots & & \vdots \\ a_{m1} & \cdots & a_{mn} \end{pmatrix} \begin{pmatrix} x_1 \\ \vdots \\ x_n \end{pmatrix} = \begin{pmatrix} a_{11}x_1 + \cdots + a_{1n}x_n \\ \vdots \\ a_{m1}x_1 + \cdots + a_{mn}x_n \end{pmatrix} \tag{1.8}$$

$$例: \begin{pmatrix} 2 & 7 \\ 9 & 5 \\ 4 & 3 \end{pmatrix} \begin{pmatrix} 1 \\ 2 \end{pmatrix} = \begin{pmatrix} 2 \cdot 1 + 7 \cdot 2 \\ 9 \cdot 1 + 5 \cdot 2 \\ 4 \cdot 1 + 3 \cdot 2 \end{pmatrix} = \begin{pmatrix} 16 \\ 19 \\ 10 \end{pmatrix}$$

关于矩阵和向量的乘积，有几点需要注意。

- 矩阵与向量的乘积是向量
- 矩阵的列数（宽度）为“输入”的向量维数，行数（高度）为“输出”的向量维数
- 计算时，就好比把输入的列向量放倒，然后将对应的元素分别相乘 ……

那么，我们再把目光转回 (1.5) 式和 (1.6) 式。可以发现，在由“自变量”$x_{肉}$、$x_{豆}$、$x_{米}$ 决定“因变量”$y_{钱}$ 和 $y_{热}$ 的过程中，并没有反映出任何协同效应（如捆绑销售的套装优惠）或者由规模带来的变化（如量大优惠）等，所以这两个式子表达的仅仅是最“平直”的关系而已。也正因为如此，$a_{钱肉}x_{肉} + a_{钱豆}x_{豆} + a_{钱米}x_{米}$ 形式的式子不仅关系一目了然，还很容易处理和讨论①。这种“平直”，换句话说就是，经过这种形式的运算之后，我们定义过的向量加法和数量乘法依然规规矩矩地保持着原样。具体来讲，对于矩阵 A，如果 $\boldsymbol{x} + \boldsymbol{y} = \boldsymbol{z}$ 成立，那么 $A\boldsymbol{x} + A\boldsymbol{y} = A\boldsymbol{z}$ 也成立；同样，若 $c\boldsymbol{x} = \boldsymbol{y}$ 成立，则 $c(A\boldsymbol{x}) = A\boldsymbol{y}$ 也成立②。

$$\begin{array}{ccccccc|ccccc} (输入) & \boldsymbol{x} & + & \boldsymbol{y} & = & \boldsymbol{z} & & (输入) & c\boldsymbol{x} & = & \boldsymbol{y} \\ \hline & \Downarrow & & \Downarrow & & \Downarrow & & & \Downarrow & & \Downarrow \\ (输出) & A\boldsymbol{x} & + & A\boldsymbol{y} & = & A\boldsymbol{z} & & (输出) & c(A\boldsymbol{x}) & = & A\boldsymbol{y} \end{array}$$

总而言之，矩阵就是一种**表示“平直”关系的便利手段**③。

---

① 同时也请回想一下 0.2 节的内容。

② 作为练习，请读者考虑一下，在上面提到的购物问题中，这里的 A、$\boldsymbol{x}$、$\boldsymbol{y}$、$\boldsymbol{z}$、c 分别代表了什么呢?

③ 也许称为“平直”的“函数”更为恰当，但函数一词毕竟还是不够直观。如果因为这一点影响了理解，就得不偿失了，所以这里使用日常生活中最普通的“关系”一词。实际上，“关系”作为数学专用名词，也是有严格定义的，这里就不再赘述了。

? 1.15 矩阵就是"平直"的关系，这一点我们懂了。反之，能不能说"平直"的关系就一定是矩阵呢?

一般来讲，满足 $\boldsymbol{f}(\boldsymbol{x}+\boldsymbol{y})=\boldsymbol{f}(\boldsymbol{x})+\boldsymbol{f}(\boldsymbol{y})$ 以及 $\boldsymbol{f}(c\boldsymbol{x})=c\boldsymbol{f}(\boldsymbol{x})$ 的映射 $\boldsymbol{f}$，称为**线性映射**（其中 $\boldsymbol{x},\boldsymbol{y}$ 为维数相同的向量，c 是常数，$\boldsymbol{f}(\boldsymbol{x})$ 的值是向量）。按上文中所述，"乘以矩阵 A 的运算就是线性映射"。实际上反过来也成立，任意的线性映射 $\boldsymbol{f}$ 一定可以改写成"乘以某矩阵"的形式。我们把 $\boldsymbol{e}_1=(1,0,0,\cdots,0)^T$、$\boldsymbol{e}_2=(0,1,0,\cdots,0)^T\cdots$ 看作是输入，将每个输入经过 $\boldsymbol{f}$ 后得到的输出分别记为 $\boldsymbol{a}_i=\boldsymbol{f}(\boldsymbol{e}_i)$。那么，对于输入 $\boldsymbol{x}=(x_1,\cdots,x_n)^T$ 来讲，对应的输出就是 $\boldsymbol{f}(\boldsymbol{x})=x_1\boldsymbol{a}_1+\cdots+x_n\boldsymbol{a}_n$。接下来，把得到的这些列向量 $\boldsymbol{a}_1,\cdots,\boldsymbol{a}_n$ 按顺序排列起来，构成矩阵 $A=(\boldsymbol{a}_1,\cdots,\boldsymbol{a}_n)$。这样，我们就可以用矩阵 A 来表示 $\boldsymbol{f}(\boldsymbol{x})$ 了，即 $\boldsymbol{f}(\boldsymbol{x})=A\boldsymbol{x}$（参考 1.2.9 节）。形象地说，矩阵就是用坐标来表示的线性映射。

? 1.16 做乘法之前还要特意将列向量"放倒"，怎么会有这种匪夷所思的规则? 既然这样，为何不直接用行向量呢? 按照

$$\times\quad \begin{pmatrix}2&7\\9&5\\4&3\end{pmatrix}\begin{pmatrix}1&2\end{pmatrix}=\begin{pmatrix}2\cdot1+7\cdot2\\9\cdot1+5\cdot2\\4\cdot1+3\cdot2\end{pmatrix}=\begin{pmatrix}16\\19\\10\end{pmatrix}$$

这样定义岂不是更显而易见?

说是要使用行向量，可乘积的结果（右边）却还是列向量。这样自然吗? 亦或是，为了前后一致，让结果中的列向量放倒? 这样岂不是又回到了将向量"放倒"的问题了吗? 好像无论怎么做都不太好呢。这是其一。

下面稍微发散一下思维，我们谈谈另一点。

将 $n\times1$ 矩阵和 n 维列向量写下来，比如 $\begin{pmatrix}3\\1\\4\end{pmatrix}$，我们会发现两者完全没有区别。可这样随便将二者等同起来没问题吗? 其实熟练了之后就会发现，对两者不加区别一点问题也没有（参考 1.2.9 节）。因为对于加法和数量乘法，无论是用 $n\times1$ 矩阵来计算还是用 n 维列向量来计算，答案都是一模一样的。并且当我们用 $m\times n$ 矩阵与 $n\times1$ 矩阵的乘法计算规则来计算 $m\times n$ 矩阵与 n 维向量的积时，结果仍然是相同的（矩阵与矩阵的乘积将在 1.2.4 节中说明）。这就是我们想说的另一个优点。所以，还是请大家接受 (1.8) 式的定义吧。

为了方便读者记忆 (1.8) 式，我们来看图 1.9，应该能帮助大家建立直观的印象。

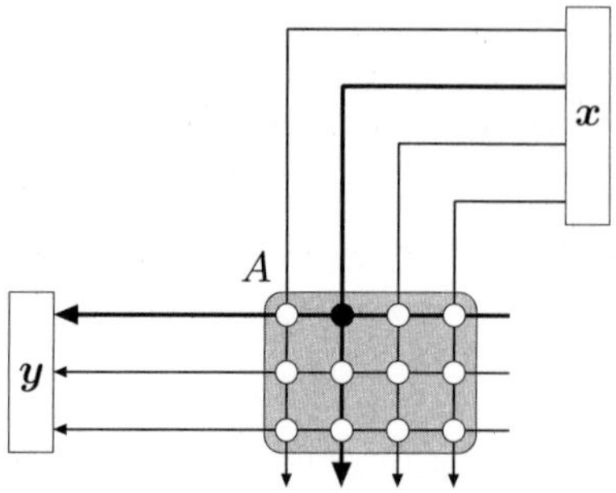

图 1.9　输入的第 j 个分量对输出的第 i 个分量的影响

上图表示的是矩阵和向量的乘积 $\boldsymbol{y} = A\boldsymbol{x}$。矩阵的 (i, j) 元素，可以当作是输入的第 j 个元素对输出的第 i 个元素的影响。

1.2.2　用矩阵来表达各种关系 (1)

正如上一节中所述，矩阵和向量的乘积表示了"平直"的关系。它不反映"协同效应"或"规模效应"，只是单纯的各种因素的加和。这种"平直"的关系我们在各种场合都会遇到。其中有些是对象本身就是"平直"的，也有些是对象很复杂，需要采用近似模型来将其假定成"平直"的（参考 0.2 节）。

■ 鸡兔同笼问题

现有一笼，其中有鸡 $x_{鸡}$ 只，兔 $x_{兔}$ 只，笼中头的总数 $y_{头}$ 和脚的总数 $y_{脚}$ 可以表示为

$$
\begin{aligned}
y_{头} &= a_{头鸡}x_{鸡} + a_{头兔}x_{兔} = x_{鸡} + x_{兔} \\
y_{脚} &= a_{脚鸡}x_{鸡} + a_{脚兔}x_{兔} = 2x_{鸡} + 4x_{兔}
\end{aligned}
$$

其中，$a_{头鸡} = 1$ 表示 1 只鸡 1 颗头，$a_{脚兔} = 4$ 表示 1 只兔 4 只脚，其余以此类推。上面两个方程用矩阵表示出来就是下面这样。

$$
\begin{pmatrix} y_{头} \\ y_{脚} \end{pmatrix} = \begin{pmatrix} a_{头鸡} & a_{头兔} \\ a_{脚鸡} & a_{脚兔} \end{pmatrix} \begin{pmatrix} x_{鸡} \\ x_{兔} \end{pmatrix} = \begin{pmatrix} 1 & 1 \\ 2 & 4 \end{pmatrix} \begin{pmatrix} x_{鸡} \\ x_{兔} \end{pmatrix}
$$

这里面不涉及"协同效应"或"规模效应"，单纯只是加和而已。10 只鸡的脚的总数，单纯是 1 只鸡的脚的数量的 10 倍而已。若有两个笼子 A 和 B，要计算头的总数，也只需要相加就可以了。

$a_{\circ\times}$ 可以理解为“自变量 × 对结果 ○ 所施加的影响”。这样理解的话，自变量对因变量的整体影响的表现就是矩阵。

■ 产品与原料问题

下面这样的问题也可以用矩阵来考虑。

假设

- 制造 1 个产品 1 需要原料 1、2、3 各 a_{11}、a_{21}、a_{31} 克
- 制造 1 个产品 2 需要原料 1、2、3 各 a_{12}、a_{22}、a_{32} 克

假如现在要制造 x_1 个产品 1 和 x_2 个产品 2，原料 1、2、3 的需求量则可以用下式求得。

$$\begin{pmatrix} y_1 \\ y_2 \\ y_3 \end{pmatrix} = \begin{pmatrix} a_{11} & a_{12} \\ a_{21} & a_{22} \\ a_{31} & a_{32} \end{pmatrix} \begin{pmatrix} x_1 \\ x_2 \end{pmatrix}$$

请读者自己确认一下这是“平直”的关系。

顺便说一句，假如制造 1 个产品需要 20 克原料，但是由于“规模效应”，制造 1000 个产品只需要 18 000 克就足够了的话，这就构不成“平直”的关系了。非“平直”的关系是不能用乘以某矩阵的方式来表达的。

■ 其他

很多情况下都会遇到与 $\boldsymbol{y} = A\boldsymbol{x}$ 形式有关的问题。如果要详细说明的话，还需要其他专业的背景知识，所以这里仅简单列举几例。

- 电路分析（LCR 电路的电流、电压）
- 信号处理（线性滤波器、傅立叶变换、小波变换）
- 控制理论（线性系统）
- 统计分析（线性模型）

有时虽然没有明确写成 $\boldsymbol{y} = A\boldsymbol{x}$ 的形式，但是也可以用矩阵的语言来解释。

1.2.3 矩阵就是映射！

将 n 维向量 $\boldsymbol{x}$ 乘以 $m \times n$ 矩阵 A，能得到 m 维向量 $\boldsymbol{y} = A\boldsymbol{x}$。也就是说，指定了矩阵 A，就确定了从向量到另外一个向量的映射①。实际上，这才是矩阵最重要的机能。从今

① 这里称为“**映射**”可能有些太正式了。在日常生活中，“**变换**”一词更为常用。但是作为数学名词，“变换”有“在同样的对象的不同形式之间变化”的味道。这里从 n 维空间到 m 维空间的移动，已经是两个世界之间的事情了，所以这里用“映射”这个广义的概念显得更加妥帖。

往后，看到矩阵，就不能单单认为是数的排列了，而是要看作映射。为了再次强调，我们大声疾呼：

“矩阵就是映射！”

“矩阵就是映射！”

“矩阵就是映射！”

言归正传，根据上面的说明，似乎这个映射只是描述了一点到另一点的移动。现在如果再加把劲儿，能够对“空间的变形方式”有所把握，在学习线性代数的道路上就会一帆风顺了。俗话说百闻不如一见。本章中我们就通过动画演示程序来实际观察一下变形的过程。如图 1.10 所示为矩阵 $A = \begin{pmatrix} 1 & -0.3 \\ -0.7 & 0.6 \end{pmatrix}$ 所对应的空间变形过程。具体的操作步骤是，对于预先给定的很多点 $\boldsymbol{x}$，用 Ruby[①]脚本逐一计算 $A\boldsymbol{x}$ 的值，并将结果用 Gnuplot[②]连续地表示出来。关于动画演示程序的使用方法，请参考附录 F。

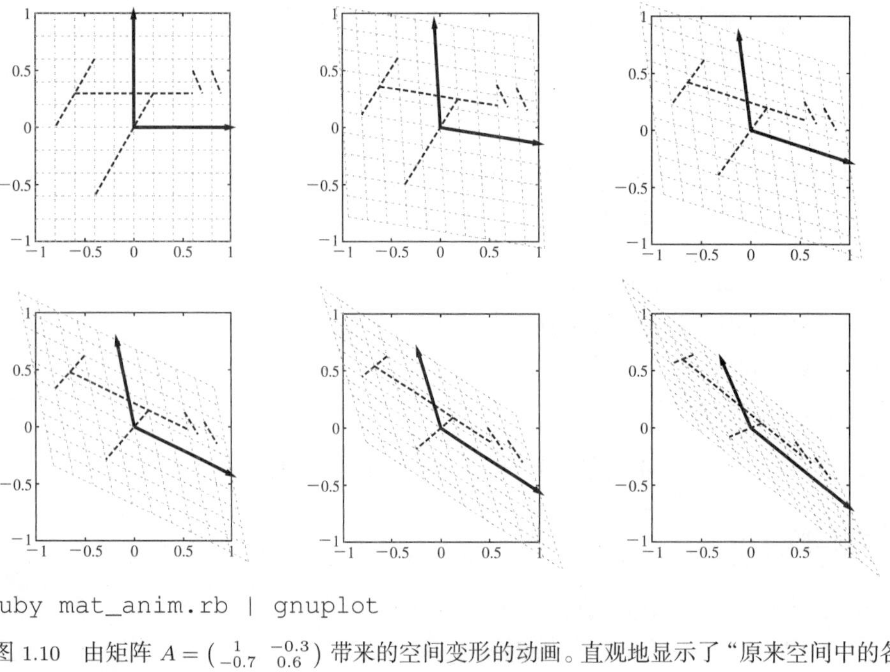

```
ruby mat_anim.rb | gnuplot
```

图 1.10　由矩阵 $A = \begin{pmatrix} 1 & -0.3 \\ -0.7 & 0.6 \end{pmatrix}$ 带来的空间变形的动画。直观地显示了“原来空间中的各个点 $\boldsymbol{x}$，在 A 的作用下是如何运动的”

① http://www.ruby-lang.org/

② http://www.gnuplot.info/

看过动画之后，是不是有以下发现呢？

- 原点 O 保持不变
- 直线移动之后还是直线①
- 平行线移动之后还是平行线

话说回来，如果一见到矩阵，就要去计算机上跑程序看动画，也实在是太累了。如果我们注意到下面这点，应该就可以想象得出映射带来的空间变化了。依旧以前面的矩阵 A 为例，$\boldsymbol{e}_1 = \binom{1}{0}$ 被移动到了 $\binom{1}{-0.7}$，$\boldsymbol{e}_2 = \binom{0}{1}$ 被移动到了 $\binom{-0.3}{0.6}$。换句话说，A 的第 1 列就是 $\boldsymbol{e}_1$ 到达的终点，A 的第 2 列是 $\boldsymbol{e}_2$ 到达的终点。一旦知道了 $\boldsymbol{e}_1$、$\boldsymbol{e}_2$ 的动向，整个映射的过程也应该可以跃然"脑"上了吧。

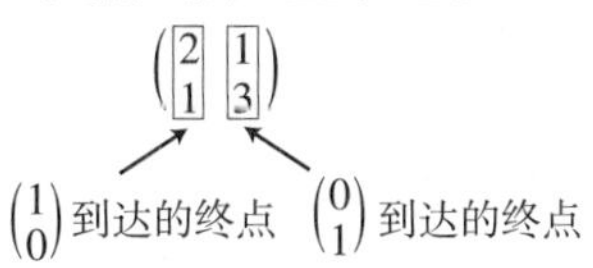

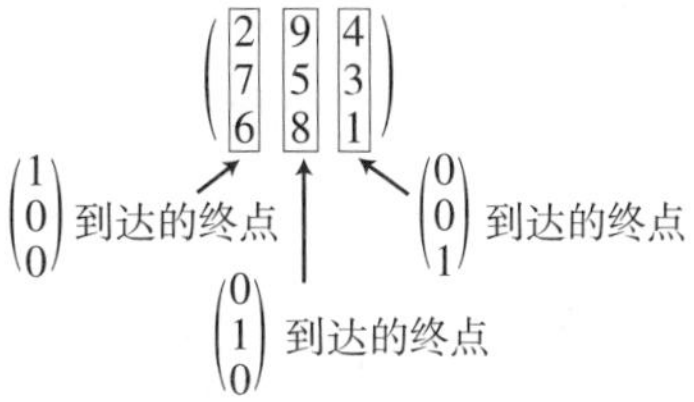

总而言之，$m \times n$ 矩阵 A 表示从 n 维空间到 m 维空间的一个映射。形象地说，A 的第 1 列是 $\boldsymbol{e}_1$ 到达的终点，第 2 列是 $\boldsymbol{e}_2$ 到达的终点 …… （图1.11）。

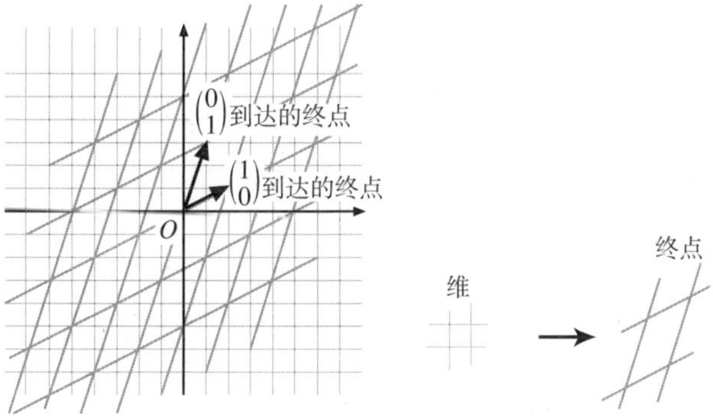

图 1.11 $\boldsymbol{e}_1, \boldsymbol{e}_2, \cdots$ 到达的终点以及映射全体的样子（2 维的情况）

最后，我们要指出看起来似乎理所当然，但又极其重要的一个事实，那就是"映射相同则矩阵相同"。换言之，对于行数列数都相等的矩阵 A、B，如果 $A\boldsymbol{x} = B\boldsymbol{x}$ 对于任意向量 $\boldsymbol{x}$ 都成立，则 $A = B$②。

---

① 根据情况，直线也有可能被压缩成一点。

② 因为 $A\boldsymbol{e}_1 = B\boldsymbol{e}_1$，所以 A 的第 1 列和 B 的第 1 列相同。又因为 $A\boldsymbol{e}_2 = B\boldsymbol{e}_2$，所以 A 的第 2 列和 B 的第 2 列相同。以此类推。当然，不能仅仅对于某个 $\boldsymbol{x}$ 是这样。例如，如果 $A = \begin{pmatrix} 2 & 0 \\ 1 & 3 \end{pmatrix}$，$B = \begin{pmatrix} 77 & 0 \\ 66 & 3 \end{pmatrix}$，那么对于 $\boldsymbol{x} = (0, 1)^T$ 有 $A\boldsymbol{x} = B\boldsymbol{x} = (0, 3)^T$，$A$ 和B 不相等。

1.2.4　矩阵的乘积=映射的合成

矩阵和矩阵之间的乘积，定义如下。

乘积　对于 $k \times m$ 矩阵 $B = (b_{ij})$ 和 $m \times n$ 矩阵 $A = (a_{jp})$，有

$$\begin{pmatrix} b_{11} & \cdots & b_{1m} \\ \vdots & & \vdots \\ b_{k1} & \cdots & b_{km} \end{pmatrix} \begin{pmatrix} a_{11} & \cdots & a_{1n} \\ \vdots & & \vdots \\ a_{m1} & \cdots & a_{mn} \end{pmatrix} = \begin{pmatrix} (b_{11}a_{11} + \cdots + b_{1m}a_{m1}) & \cdots & (b_{11}a_{1n} + \cdots + b_{1m}a_{mn}) \\ \vdots & & \vdots \\ (b_{k1}a_{11} + \cdots + b_{km}a_{m1}) & \cdots & (b_{k1}a_{1n} + \cdots + b_{km}a_{mn}) \end{pmatrix} \tag{1.9}$$

$$例：\begin{pmatrix} 2 & 7 \\ 9 & 5 \\ 4 & 3 \end{pmatrix} \begin{pmatrix} 1 & 3 \\ 2 & -1 \end{pmatrix} = \begin{pmatrix} (2 \cdot 1 + 7 \cdot 2) & (2 \cdot 3 - 7 \cdot 1) \\ (9 \cdot 1 + 5 \cdot 2) & (9 \cdot 3 - 5 \cdot 1) \\ (4 \cdot 1 + 3 \cdot 2) & (4 \cdot 3 - 3 \cdot 1) \end{pmatrix} = \begin{pmatrix} 16 & -1 \\ 19 & 22 \\ 10 & 9 \end{pmatrix}$$

请注意每个矩阵的行数和列数。$k \times m$ 矩阵乘以 $m \times n$ 矩阵得到的是 $k \times n$ 矩阵。计算步骤如下。

1. 将右边的矩阵按列分割开来，将每一列看作一个列向量
2. 将分割开的列向量分别与左边的矩阵做乘法（矩阵与向量的乘法）
3. 把所得的结果拼接起来

建议读者记住以上步骤。具体来说，诀窍就在下面的式子中。

$$\begin{aligned} B \left(\begin{array}{c|c|c} a_{11} & \cdots & a_{1n} \\ \vdots & & \vdots \\ a_{m1} & \cdots & a_{mn} \end{array}\right) &\to B \begin{pmatrix} a_{11} \\ \vdots \\ a_{m1} \end{pmatrix}, \cdots, B \begin{pmatrix} a_{1n} \\ \vdots \\ a_{mn} \end{pmatrix} \\ &\to \begin{pmatrix} b_{11}a_{11} + \cdots + b_{1m}a_{m1} \\ \vdots \\ b_{k1}a_{11} + \cdots + b_{km}a_{m1} \end{pmatrix}, \cdots, \begin{pmatrix} b_{11}a_{1n} + \cdots + b_{1m}a_{mn} \\ \vdots \\ b_{k1}a_{1n} + \cdots + b_{km}a_{mn} \end{pmatrix} \\ &\to \begin{pmatrix} (b_{11}a_{11} + \cdots + b_{1m}a_{m1}) & \cdots & (b_{11}a_{1n} + \cdots + b_{1m}a_{mn}) \\ \vdots & & \vdots \\ (b_{k1}a_{11} + \cdots + b_{km}a_{m1}) & \cdots & (b_{k1}a_{1n} + \cdots + b_{km}a_{mn}) \end{pmatrix} \end{aligned}$$

读者如果是第一次看到这种写法，可能会大呼“这都是啥！”这是很正常的反应。实际上，这是一种映射合成的表示。首先，对于向量 $\boldsymbol{x}$，我们将它“丢”向 A，得到 $\boldsymbol{y} = A\boldsymbol{x}$，接着将 $\boldsymbol{y}$“丢”向 B，最终得到 $\boldsymbol{z} = B(A\boldsymbol{x})$。这里的矩阵的乘积 BA 实际上就是将 $\boldsymbol{x}$ 移动到 $\boldsymbol{z}$ 所需要经过的映射。

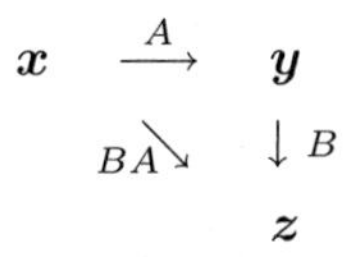

有工科背景的读者，看到图 1.12 可能会恍然大悟。

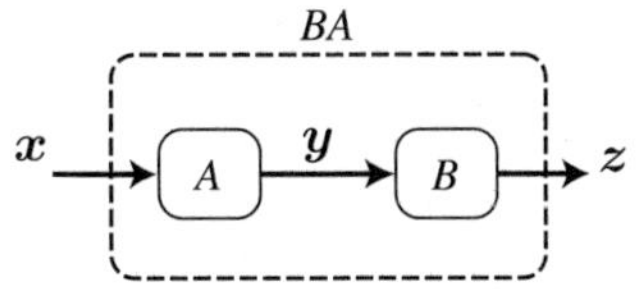

图 1.12 矩阵的乘积

简而言之，“先 A 后 B”便是 BA。写成式子就是

$$(BA)\boldsymbol{x} = B(A\boldsymbol{x})$$

无论 $\boldsymbol{x}$ 是什么向量，上式都成立。一旦领悟了这一点，就不需要区别等式两边的写法了。一般可以省略括号，直接记为 $BA\boldsymbol{x}$。这样的话，就既可以解释为 $(BA)\boldsymbol{x}$，也可以解释为 $B(A\boldsymbol{x})$。

为了说明上面的内容与矩阵计算的关系，我们用图 1.13 给出形象的表示。根据这个图，我们就可以直观地解释为何要求 B 的宽度（列数）与 A 的高度（行数）相等了。

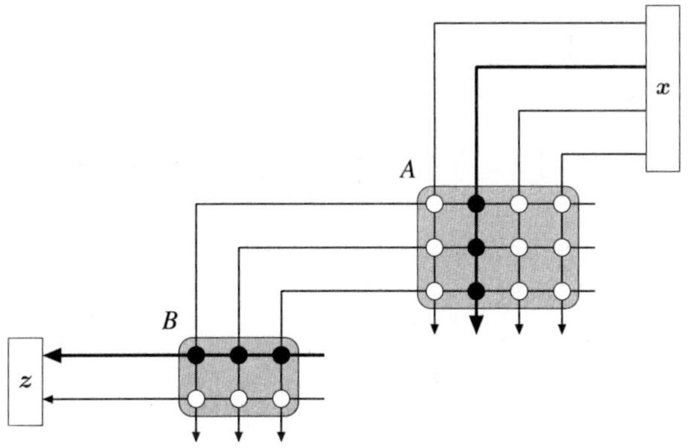

图 1.13 矩阵的乘积 $\boldsymbol{z} = (BA)\boldsymbol{x}$。$B$ 的第 i 行和 A 的第 j 列与“输出 $\boldsymbol{z}$ 的第 i 元素、输入 $\boldsymbol{x}$ 的第 j 元素”密切相关。于是，BA 的 (i, j) 元素与 B 的第 i 行和 A 的第 j 行相关（不明白的读者请再复习图 1.9）

? 1.17　“先 A 后 B”的话，为什么不是 AB 呢?

将 g 作用于 $f(x)$ 上是 $g(f(x))$，没错吧。比如，若要“先变成大写字母再输出”，就有 `putchar(toupper(x))`。同理，这里 $BA\boldsymbol{x}$ 才是正解。这类操作顺序和书写顺序相反的情况也是没办法的办法。

下面我们来试着考虑三个矩阵 A, B, C 的乘积。没错，和想象的一样，“先 A 后 B 再 C”的结果是 CBA。实际上，以下两种操作顺序殊途同归。

- 先进行“先 A 后 B”，然后进行 C
- 先进行 A，然后进行“先 B 后 C”

用式子来表示就是

$$C(BA) = (CB)A$$

同样，四个矩阵的乘法也可以如法炮制。

$$D(C(BA)) = D((CB)A) = (D(CB))A = ((DC)B)A = (DC)(BA)$$

无论括号怎么加，最后结果都是一样的。因此，我们可以不加任何括号，直接写成 CBA、$DCBA$ 的样子。

另一方面，BA 与 AB 可是两码事。首先，根据 A 和 B 的规模，不一定两者都有定义。

$$\begin{pmatrix} * & * & * \\ * & * & * \end{pmatrix}\begin{pmatrix} * & * & * & * \\ * & * & * & * \\ * & * & * & * \end{pmatrix} = \begin{pmatrix} * & * & * & * \\ * & * & * & * \end{pmatrix}, \qquad \begin{pmatrix} * & * & * & * \\ * & * & * & * \\ * & * & * & * \end{pmatrix}\begin{pmatrix} * & * & * \\ * & * & * \end{pmatrix} \to \times$$

就算有，结果也不太可能相等。我们可以用下面的两个矩阵做个实验（图1.14）。

$$A = \begin{pmatrix} 0 & -1 \\ 1 & 0 \end{pmatrix}$$

$$B = \begin{pmatrix} 2 & 0 \\ 0 & 1 \end{pmatrix}$$

实际上，矩阵 A 相当于将空间“旋转”，矩阵 B 相当于将空间“横向拉伸”[①]。所以 BA

① 这里使用“旋转”并不恰当。因为旋转的定义在本书现阶段还无法给出（参考 1.1.3 节以及附录 E）。但是考虑到用“旋转”一词比较好理解，所以暂时就先不那么严谨了。

表示先旋转后拉伸，然而 AB 则表示先拉伸后旋转，结果当然是不同的（图 1.14）。

$$BA = \begin{pmatrix} 0 & -2 \\ 1 & 0 \end{pmatrix}$$

$$AB = \begin{pmatrix} 0 & -1 \\ 2 & 0 \end{pmatrix}$$

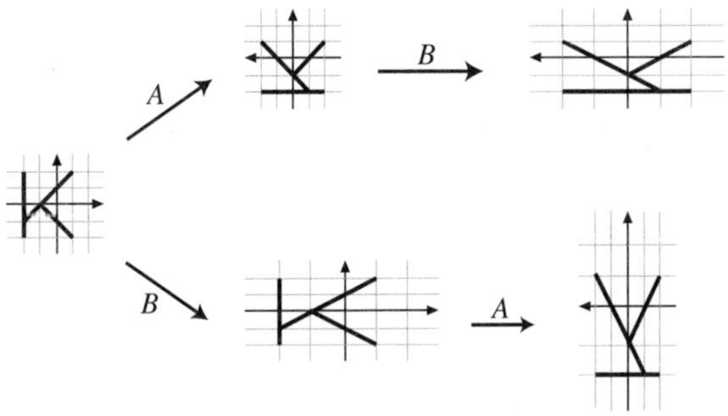

图 1.14 旋转后拉伸 $\neq$ 拉伸后旋转

? 1.18 从乘积的定义 (1.9) 式中是怎么看出来那是映射的合成的?

我们在 1.2.3 节中讲过，矩阵的各列实际上是各个单位向量 $\boldsymbol{e}_1, \cdots, \boldsymbol{e}_n$ 移动的目标点。现在设“先 A 后 B”对应的矩阵为 C①。为了得到 C 的第 1 列 $\boldsymbol{c}_1$，我们只要看看 C 将 $\boldsymbol{e}_1 = (1, 0, \cdots, 0)^T$ 映到何处即可。也就是说，先让 A 乘以 $\boldsymbol{e}_1$，再将得到的结果与 B 相乘，最终就是我们所要求的结果。这第一步到底能走到哪呢? 答案很明显，就是 A 的第 1 列 $\boldsymbol{a}_1$。接下来的第二步的终点就是 $\boldsymbol{c}_1 = B\boldsymbol{a}_1$。其他也一样，$C$ 的第 i 列等于 A 的第 i 列 $\boldsymbol{a}_i$ 与矩阵 B 的乘积。换言之，求乘积 $C = BA$ 的过程，只不过是将 $B\boldsymbol{a}_1, \cdots, B\boldsymbol{a}_m$ 依次计算出来并按顺序排列罢了。这正是之前阐述过的计算步骤。所以就可以说矩阵的乘积就是映射的合成。在后面的 1.2.9 节中，我们会用列向量的语言再次确认一遍这个事实。

1.2.5 矩阵运算的性质

■ 基本性质

对于数 c, c'、向量 $\boldsymbol{x}$、矩阵 A, B, C，有以下各式成立。这里我们假设向量的维数和矩阵

① 其实在此之前我们要先确认“先 A 后 B”确实能构成一个矩阵。关于这一点，请参考 ? 1.15。

的规模均满足乘法运算的必要条件。

- $(cA)\boldsymbol{x} = c(A\boldsymbol{x}) = A(c\boldsymbol{x})$

$$
\text{例}: \left\{10\begin{pmatrix}2 & 9\\4 & 7\end{pmatrix}\right\}\begin{pmatrix}3\\1\end{pmatrix} = 10\left\{\begin{pmatrix}2 & 9\\4 & 7\end{pmatrix}\begin{pmatrix}3\\1\end{pmatrix}\right\} = \begin{pmatrix}2 & 9\\4 & 7\end{pmatrix}\left\{10\begin{pmatrix}3\\1\end{pmatrix}\right\}
$$

$$
= \begin{pmatrix}10\cdot(2\cdot 3+9\cdot 1)\\10\cdot(4\cdot 3+7\cdot 1)\end{pmatrix} = \begin{pmatrix}150\\190\end{pmatrix}
$$

- $(A+B)\boldsymbol{x} = A\boldsymbol{x} + B\boldsymbol{x}$

$$
\text{例}: \left\{\begin{pmatrix}2 & 9\\4 & 7\end{pmatrix} + \begin{pmatrix}5 & 3\\6 & 8\end{pmatrix}\right\}\begin{pmatrix}1\\10\end{pmatrix} = \begin{pmatrix}2 & 9\\4 & 7\end{pmatrix}\begin{pmatrix}1\\10\end{pmatrix} + \begin{pmatrix}5 & 3\\6 & 8\end{pmatrix}\begin{pmatrix}1\\10\end{pmatrix}
$$

$$
= \begin{pmatrix}2\cdot 1+9\cdot 10+5\cdot 1+3\cdot 10\\4\cdot 1+7\cdot 10+6\cdot 1+8\cdot 10\end{pmatrix} = \begin{pmatrix}127\\160\end{pmatrix}
$$

- $A+B = B+A$

$$
\text{例}: \begin{pmatrix}2 & 9\\4 & 7\end{pmatrix} + \begin{pmatrix}5 & 3\\6 & 8\end{pmatrix} = \begin{pmatrix}5 & 3\\6 & 8\end{pmatrix} + \begin{pmatrix}2 & 9\\4 & 7\end{pmatrix}
$$

$$
= \begin{pmatrix}2+5 & 9+3\\4+6 & 7+8\end{pmatrix} = \begin{pmatrix}7 & 12\\10 & 15\end{pmatrix}
$$

- $(A+B)+C = A+(B+C)$

$$
\text{例}: \left\{\begin{pmatrix}2 & 9\\4 & 7\end{pmatrix} + \begin{pmatrix}5 & 3\\6 & 8\end{pmatrix}\right\} + \begin{pmatrix}10 & 20\\30 & 40\end{pmatrix} = \begin{pmatrix}2 & 9\\4 & 7\end{pmatrix} + \left\{\begin{pmatrix}5 & 3\\6 & 8\end{pmatrix} + \begin{pmatrix}10 & 20\\30 & 40\end{pmatrix}\right\}
$$

$$
= \begin{pmatrix}2+5+10 & 9+3+20\\4+6+30 & 7+8+40\end{pmatrix} = \begin{pmatrix}17 & 32\\40 & 55\end{pmatrix}
$$

- $(c+c')A = cA + c'A$

$$
\text{例}: (2+3)\begin{pmatrix}2 & 9\\4 & 7\end{pmatrix} = 2\begin{pmatrix}2 & 9\\4 & 7\end{pmatrix} + 3\begin{pmatrix}2 & 9\\4 & 7\end{pmatrix}
$$

$$
= \begin{pmatrix}2\cdot 2+3\cdot 2 & 2\cdot 9+3\cdot 9\\2\cdot 4+3\cdot 4 & 2\cdot 7+3\cdot 7\end{pmatrix} = \begin{pmatrix}10 & 45\\20 & 35\end{pmatrix}
$$

- $(cc')A = c(c'A)$

$$
\text{例}: (2\cdot 3)\begin{pmatrix}2 & 9\\4 & 7\end{pmatrix} = 2\left\{3\begin{pmatrix}2 & 9\\4 & 7\end{pmatrix}\right\}
$$

$$
= \begin{pmatrix}2\cdot 3\cdot 2 & 2\cdot 3\cdot 9\\2\cdot 3\cdot 4 & 2\cdot 3\cdot 7\end{pmatrix} = \begin{pmatrix}12 & 54\\24 & 42\end{pmatrix}
$$

- $A(B+C) = AB + AC$

$$
\begin{aligned}
\text{例：}\quad & \begin{pmatrix} 2 & 3 \\ 1 & 7 \end{pmatrix} \left\{ \begin{pmatrix} 1 & 4 \\ 3 & 1 \end{pmatrix} + \begin{pmatrix} 500 & 200 \\ 100 & 300 \end{pmatrix} \right\} \\
&= \begin{pmatrix} 2 & 3 \\ 1 & 7 \end{pmatrix} \begin{pmatrix} 1 & 4 \\ 3 & 1 \end{pmatrix} + \begin{pmatrix} 2 & 3 \\ 1 & 7 \end{pmatrix} \begin{pmatrix} 500 & 200 \\ 100 & 300 \end{pmatrix} \\
&= \begin{pmatrix} 2 \cdot 1 + 3 \cdot 3 + 2 \cdot 500 + 3 \cdot 100 & 2 \cdot 4 + 3 \cdot 1 + 2 \cdot 200 + 3 \cdot 300 \\ 1 \cdot 1 + 7 \cdot 3 + 1 \cdot 500 + 7 \cdot 100 & 1 \cdot 4 + 7 \cdot 1 + 1 \cdot 200 + 7 \cdot 300 \end{pmatrix} \\
&= \begin{pmatrix} 1311 & 1311 \\ 1222 & 2311 \end{pmatrix}
\end{aligned}
$$

- $(A+B)C = AC + BC$

$$
\begin{aligned}
\text{例：}\quad & \left\{ \begin{pmatrix} 1 & 4 \\ 3 & 1 \end{pmatrix} + \begin{pmatrix} 500 & 200 \\ 100 & 300 \end{pmatrix} \right\} \begin{pmatrix} 2 & 3 \\ 1 & 7 \end{pmatrix} \\
&= \begin{pmatrix} 1 & 4 \\ 3 & 1 \end{pmatrix} \begin{pmatrix} 2 & 3 \\ 1 & 7 \end{pmatrix} + \begin{pmatrix} 500 & 200 \\ 100 & 300 \end{pmatrix} \begin{pmatrix} 2 & 3 \\ 1 & 7 \end{pmatrix} \\
&= \begin{pmatrix} 1 \cdot 2 + 4 \cdot 1 + 500 \cdot 2 + 200 \cdot 1 & 1 \cdot 3 + 4 \cdot 7 + 500 \cdot 3 + 200 \cdot 7 \\ 3 \cdot 2 + 1 \cdot 1 + 100 \cdot 2 + 300 \cdot 1 & 3 \cdot 3 + 1 \cdot 7 + 100 \cdot 3 + 300 \cdot 7 \end{pmatrix} \\
&= \begin{pmatrix} 1206 & 2931 \\ 507 & 2416 \end{pmatrix}
\end{aligned}
$$

- $(cA)B = c(AB) = A(cB)$

$$
\begin{aligned}
\text{例：}\left\{ 10 \begin{pmatrix} 2 & 7 \\ 9 & 5 \end{pmatrix} \right\} \begin{pmatrix} 1 & 3 \\ 2 & -1 \end{pmatrix} \quad & = 10 \left\{ \begin{pmatrix} 2 & 7 \\ 9 & 5 \end{pmatrix} \begin{pmatrix} 1 & 3 \\ 2 & -1 \end{pmatrix} \right\} \\
&= \begin{pmatrix} 2 & 7 \\ 9 & 5 \end{pmatrix} \left\{ 10 \begin{pmatrix} 1 & 3 \\ 2 & -1 \end{pmatrix} \right\} \\
&= \begin{pmatrix} 10 \cdot (2 \cdot 1 + 7 \cdot 2) & 10 \cdot (2 \cdot 3 - 7 \cdot 1) \\ 10 \cdot (9 \cdot 1 + 5 \cdot 2) & 10 \cdot (9 \cdot 3 - 5 \cdot 1) \end{pmatrix} \\
&= \begin{pmatrix} 160 & -10 \\ 190 & 220 \end{pmatrix}
\end{aligned}
$$

参考例子之后，基本上所有性质都一目了然了吧。

■ 向量是矩阵的一种吗?

前面我们稍微提到过一点点，将 n 维向量看作是 $n\times 1$ 矩阵来进行加法、数量乘法和矩阵乘法的运算，结果是完全相同的。例如：

$$\begin{pmatrix}2\\9\end{pmatrix}+\begin{pmatrix}4\\7\end{pmatrix}=\begin{pmatrix}6\\16\end{pmatrix}$$

$$10\begin{pmatrix}2\\9\end{pmatrix}=\begin{pmatrix}20\\90\end{pmatrix}$$

$$\begin{pmatrix}3 & 1\\2 & 0\end{pmatrix}\begin{pmatrix}2\\9\end{pmatrix}=\begin{pmatrix}15\\4\end{pmatrix}$$

确实，将 2 维向量看作是 2×1 矩阵，答案完全一致。

对于 n 维行向量，同样也完全可以将其看作是 $1\times n$ 矩阵来参与运算①。

$$(2,9)+(4,7)=(6,16)$$

$$10\,(2,9)=(20,90)$$

$$(2,9)\begin{pmatrix}3 & 1\\2 & 0\end{pmatrix}=(2\cdot 3+9\cdot 2,\ 2\cdot 1+9\cdot 0)=(24,2)$$

这里有个非常重要的事情要注意。“列乘以行”和“行乘以列”请务必区分开来，两者的结果截然不同。

$$\begin{pmatrix}2\\9\\4\end{pmatrix}(1,2,3)=\begin{pmatrix}2\cdot 1 & 2\cdot 2 & 2\cdot 3\\9\cdot 1 & 9\cdot 2 & 9\cdot 3\\4\cdot 1 & 4\cdot 2 & 4\cdot 3\end{pmatrix}=\begin{pmatrix}2 & 4 & 6\\9 & 18 & 27\\4 & 8 & 12\end{pmatrix}$$

$$(1,2,3)\begin{pmatrix}2\\9\\4\end{pmatrix}=1\cdot 2+2\cdot 9+3\cdot 4=32$$

第二行的计算结果，因为是 1×1 矩阵，所以我们将其视为数。形象地写出来，如下图所示。

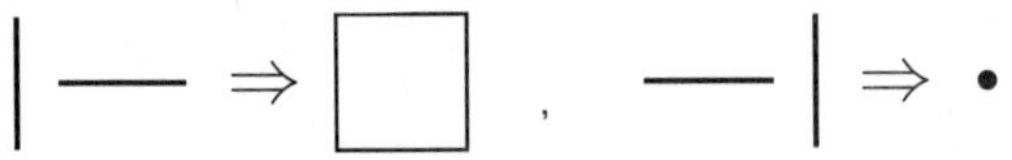

无论哪种情况，都可以视为两个矩阵的乘积而直接计算，所以弄混的人不少。特别是当我们写成代数式时，一定要意识到 $\boldsymbol{x}\boldsymbol{y}^T$ 和 $\boldsymbol{x}^T\boldsymbol{y}$ 的区别。本书中，凡是提到向量 $\boldsymbol{x}$，指的都是列向量。

---

① 行向量与矩阵的乘积第一次出现。请注意两者的顺序，行向量在左边。从矩阵与矩阵的乘法规则来看，顺序搞反了就无法计算了。

? 1.19 莫非加了逗号的 $(2,9)$ 就是行向量，没有逗号的 $(2\ 9)$ 就是 1×2 矩阵?

非也。至少在本书中，有没有逗号是一样的意思。

? 1.20 将 1×1 矩阵视为数? 骗人的吧? 我记得在 ? 1.5 中还屡次三番地提到了单位的重要性呢。

被挑刺了呢。就算写作矩阵的元素，表面上看起来也没什么区别，但是从数学意义上考虑，多少还是有些不同的。对于下面这一段说明，请不要较真。

所谓"数学意义上的考虑"，具体说来就是基底变化时元素怎样改变。无论基底怎么变化，数是不变的①。另一方面，对于 1 维向量 $\vec{v}=v_1\vec{e_1}$，一旦基底 $(\vec{e_1})$ 变化，分量 (v_1) 也会随之变化。这样说来，数与 1 维向量不能随便等价。那么，我们所讲的数与 1×1 矩阵等同是怎么回事呢? 答案是，1×1 矩阵多种多样，不能一概而论②。因为我们现在考虑的是行向量与列向量的乘积，这时运算结果可以与数同等看待。

主要的麻烦在于，我们只提到了"行向量只是数值的简单排列"而已，至于基底变化时行向量是如何随之变化的，我们就不清楚了。实际上，如果严格按照数学的路子走，就需要定义一种"吃进去列向量吐出来数"的函数③，并由此得到行向量的概念。然后，再将行向量看作是一组"吐出来"的数，并与列向量做乘法。因为这条路过于抽象，本书中没有这样讲。真正想对此加以了解的读者，可以参考其他教科书，关键词是**对偶空间**。

1.2.6 矩阵的乘方 = 映射的迭代

和普通的数的运算一样，对于方阵 A，有下式成立（非方阵的情况下积 AA 无法定义）。

$$AA=A^2,\qquad AAA=A^3,\qquad \cdots$$

作为映射，A^2 表示"先 A 再 A"的操作，A^3 表示"先 A 再 A 再次 A"的操作，A^n 表示"反复 n 次 A"的操作。在计算顺序上，乘方的运算一定要优先于加减乘法运算。

$$5A^2=5(A^2)\qquad \cdots\cdots \text{并非 } (5A)^2$$
$$AB^2-C^3=A(B^2)-(C^3)\qquad \cdots\cdots \text{并非 } ((AB)^2-C)^3$$

① 不随着坐标变换而改变的值，我们称为**标量**（scalar）。
② 关于这一点，本书中不做详细论述，可以参考其他教科书，关键词是**反变和共变**。
③ "…… 中满足某性质的那个"—— 这才是真正的定义。

与数的运算一样，下面的公式可以认为是理所当然的吧。

$$A^{\alpha+\beta}=A^{\alpha}A^{\beta} \qquad \cdots\cdots \text{反复 } (\alpha+\beta) \text{ 次} = \text{先反复 } \beta \text{ 次再反复 } \alpha \text{ 次} \tag{1.10}$$

$$(A^{\alpha})^{\beta}=A^{(\alpha\beta)} \qquad \cdots\cdots \text{反复“反复 } \alpha \text{ 次”} \beta \text{ 次} = \text{反复 } (\alpha\beta) \text{ 次} \tag{1.11}$$

这里，$\alpha,\beta=1,2,\cdots$。

下面来看一个与普通的数的乘方运算不同的例子。设 A,B 是规模相同的两个方阵。我们有以下关系。

$$(A+B)^2=A^2+AB+BA+B^2$$
$$(A+B)(A-B)=A^2-AB+BA-B^2$$
$$(AB)^2=ABAB$$

初学者往往会犯的一个错误是，认为上面的结果分别等同于 $A^2+2AB+B^2$、A^2-B^2 以及 A^2B^2。一定要注意，AB 和 BA 一般是不相等的。为了让大家真切地体会到这点区别，我们试举一例。

$$A=\begin{pmatrix}1&0\\0&0\end{pmatrix}, \qquad B=\begin{pmatrix}0&-1\\1&0\end{pmatrix}$$

其中 A 代表了纵向压缩变换，B 代表了逆时针旋转 90 度的旋转变换。

$$AB=\begin{pmatrix}0&-1\\0&0\end{pmatrix}, \qquad A^2=\begin{pmatrix}1&0\\0&0\end{pmatrix}, \qquad B^2=\begin{pmatrix}-1&0\\0&-1\end{pmatrix}$$

计算可知

$$\begin{aligned}(AB)^2 &= \begin{pmatrix}0&-1\\0&0\end{pmatrix}\begin{pmatrix}0&-1\\0&0\end{pmatrix}=\begin{pmatrix}0&0\\0&0\end{pmatrix}\\ A^2B^2 &= \begin{pmatrix}1&0\\0&0\end{pmatrix}\begin{pmatrix}-1&0\\0&-1\end{pmatrix}=\begin{pmatrix}-1&0\\0&0\end{pmatrix}\end{aligned}$$

可见，$(AB)^2$ 与 A^2B^2 是截然不同的 (图 1.15)。

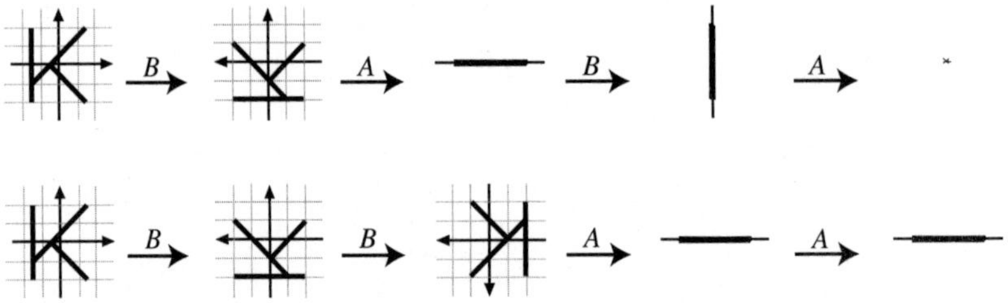

图 1.15　连续做两次“先旋转后压缩”的变换 ……

?1.21 A^0 是什么?

为了方便起见，规定 $A^0 = I$，其中 I 是单位矩阵。有了这个规定，(1.10) 式和 (1.11) 式在 α, β 等于 0 时也同样成立了。

但是，对于一部分矩阵，这样的规定是不合适的。例如，对于零矩阵 O，O^0 就是没有定义的。原本就普通的数来讲，0^0 也是没有定义的（因为 $\lim_{x\to 0} x^0 = 1$，$\lim_{y\to 0_+} 0^y = 0$ 两者极限值不等，所以无论采用哪个值都会带来麻烦）。由此可以推广到一般的含有 0 特征值的矩阵，这样的矩阵的 0 次方都是没有定义的。至于为什么乘方的问题会与特征值扯上关系，请参考 4.4.2 节与 4.4.4 节。

1.2.7 零矩阵、单位矩阵、对角矩阵

本小节中我们来给几类特别的矩阵命名。

■ 零矩阵

所有元素都是 0 的矩阵称为**零矩阵**，记为 O。要强调矩阵规模时，我们用 $O_{m,n}$ 来表示 $m \times n$ 零矩阵，用 O_n 来表示 n 阶零方阵。

$$O_{2,3} = \begin{pmatrix} 0 & 0 & 0 \\ 0 & 0 & 0 \end{pmatrix}, \qquad O_3 = \begin{pmatrix} 0 & 0 & 0 \\ 0 & 0 & 0 \\ 0 & 0 & 0 \end{pmatrix}$$

零矩阵表示的映射是将所有的点都映到原点的映射。因为对于任意向量 $\boldsymbol{x}$，都有 $O\boldsymbol{x} = \boldsymbol{o}$。图 1.16 所示为零矩阵 $A = \left(\begin{smallmatrix} 0 & 0 \\ 0 & 0 \end{smallmatrix}\right)$ 对应的空间变形过程（动画演示程序的执行结果）。

可以很容易确认，对于任意矩阵 A，都有以下性质。

$$A + O = O + A = A$$
$$AO = O$$
$$OA = O$$
$$0A = O$$

另一方面，和普通的数的运算不同，请注意下面这些事实。

- $A \neq O$ 且 $B \neq O$ 的情况下，也有可能得到 $BA = O$。例如，令

$$A = \begin{pmatrix} 1 & 0 \\ 0 & 0 \end{pmatrix}, \qquad B = \begin{pmatrix} 0 & 1 \\ 0 & 1 \end{pmatrix}$$

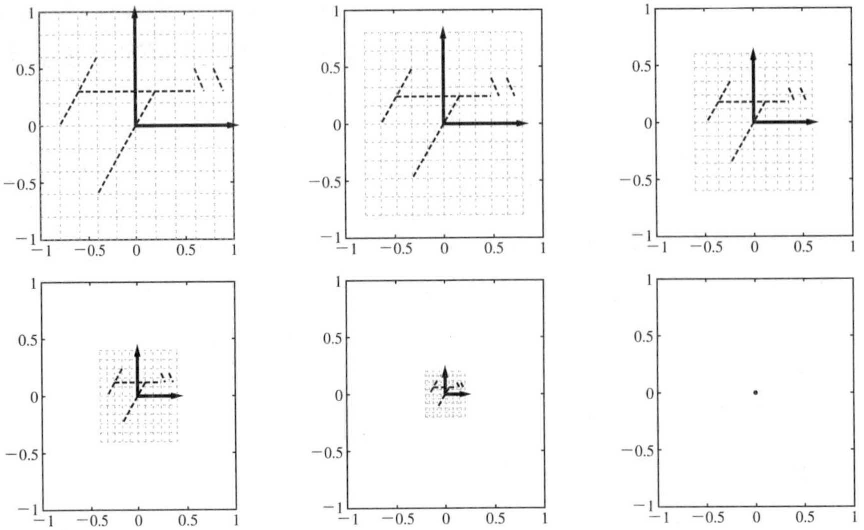


```
ruby mat_anim.rb -a=0,0,0,0 | gnuplot
```

图 1.16 （动画）由零矩阵 $A=\begin{pmatrix}0&0\\0&0\end{pmatrix}$ 带来的空间变形

则 $BA=O$（图1.17）①

- 不仅如此，就算 $A\neq O$，也有可能得到 $A^2=O$（参考 1.2.6 节中的例子）

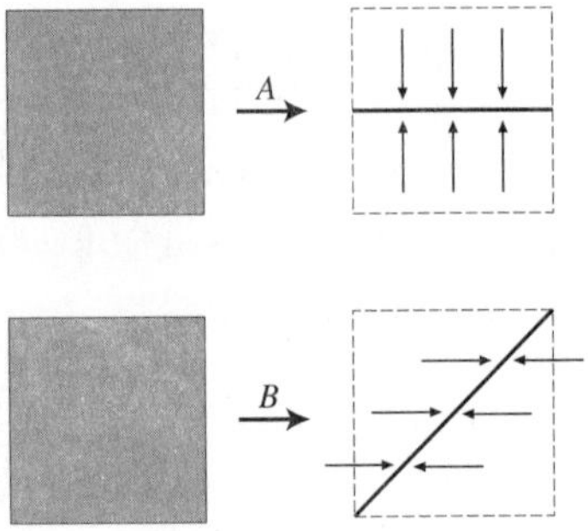

图 1.17 在空间中，A 做纵向压缩，B 做横向压缩，若“先 A 后 B”，则所有点都会被映到一点上

■ 单位矩阵

方阵中，如果除了“\”（从左上到右下）方向的对角元素是 1，其余元素都是 0，则该矩

① 另外，请读者自行确认 $AB\neq O$。其实这也是 $AB\neq BA$ 的一个实例。

阵称为**单位矩阵**，记为 I[①]。要强调矩阵规模的时候，用 I_n 来表示 n 阶单位矩阵。

$$I_2 = \begin{pmatrix} 1 & 0 \\ 0 & 1 \end{pmatrix}, \qquad I_3 = \begin{pmatrix} 1 & 0 & 0 \\ 0 & 1 & 0 \\ 0 & 0 & 1 \end{pmatrix}, \qquad I_5 = \begin{pmatrix} 1 & 0 & 0 & 0 & 0 \\ 0 & 1 & 0 & 0 & 0 \\ 0 & 0 & 1 & 0 & 0 \\ 0 & 0 & 0 & 1 & 0 \\ 0 & 0 & 0 & 0 & 1 \end{pmatrix}$$

要注意的是，所有元素都是 1 的矩阵并非单位矩阵。至于其中的原因，用映射的观点想一想应该就知道了。

单位矩阵表示的映射是"什么都不做"的映射。因为对于任意向量 $\boldsymbol{x}$，都有 $I\boldsymbol{x} = \boldsymbol{x}$，所以 I 只是将 $\boldsymbol{x}$ 移动到 $\boldsymbol{x}$ 原来的位置[②]。图 1.18 所示为单位矩阵 $A = \begin{pmatrix} 1 & 0 \\ 0 & 1 \end{pmatrix}$ 对应的空间变形过程（动画演示程序的执行结果）。

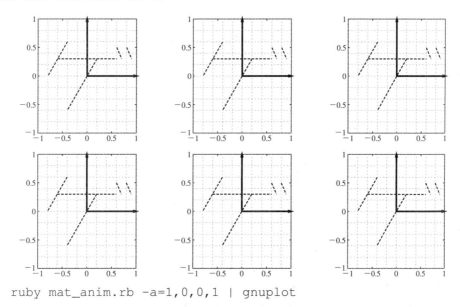

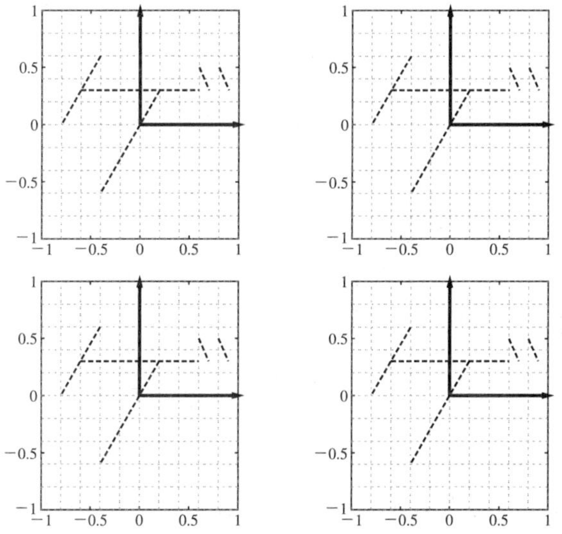


```
ruby mat_anim.rb -a=1,0,0,1 | gnuplot
```

图 1.18 （动画）由单位矩阵 $A = \begin{pmatrix} 1 & 0 \\ 0 & 1 \end{pmatrix}$ 带来的空间变形

对于任意矩阵 A，很容易确认以下性质成立。

$$AI = A$$

$$IA = A$$

① 喜欢用 E 表示单位矩阵的人也很多。所以，在写文章时，如果之后要给他人看的话，预先声明一下"本文用 I 表示单位矩阵"会加分哦。

② 这样的映射称为**恒等映射**。

■ 对角矩阵

在方阵中,“\”（从左上到右下）方向的对角线上的值称为**对角元素**。例如：

$$\begin{pmatrix} 2 & 9 & 4 \\ 7 & 5 & 3 \\ 6 & 8 & 1 \end{pmatrix}$$

的对角元素为 2, 5, 1。对角元素以外的值称为**非对角元素**。

非对角元素全部为 0 的矩阵称为**对角矩阵**①。例如：

$$\begin{pmatrix} 2 & 0 \\ 0 & 5 \end{pmatrix} \text{和} \begin{pmatrix} -1.3 & 0 & 0 \\ 0 & \sqrt{7} & 0 \\ 0 & 0 & 1/\pi \end{pmatrix} \text{和} \begin{pmatrix} 3 & 0 & 0 & 0 & 0 \\ 0 & 1 & 0 & 0 & 0 \\ 0 & 0 & 4 & 0 & 0 \\ 0 & 0 & 0 & 1 & 0 \\ 0 & 0 & 0 & 0 & 5 \end{pmatrix}$$

因为绝大多数元素都是 0,写起来极其浪费纸张,所以我们也采用以下记法。

$$\begin{pmatrix} a_1 & 0 & 0 & 0 & 0 \\ 0 & a_2 & 0 & 0 & 0 \\ 0 & 0 & a_3 & 0 & 0 \\ 0 & 0 & 0 & a_4 & 0 \\ 0 & 0 & 0 & 0 & a_5 \end{pmatrix} = \begin{pmatrix} a_1 & & \mathbf{0} \\ & \ddots & \\ \mathbf{0} & & a_5 \end{pmatrix} = \begin{pmatrix} a_1 & & \\ & \ddots & \\ & & a_5 \end{pmatrix} = \mathrm{diag}\,(a_1, a_2, a_3, a_4, a_5)$$

其中 diag 是 diagonal（对角线）的缩写。

对角矩阵表示的映射是“沿着坐标轴伸缩”,其中对角元素就是各轴伸缩的倍率。因此,根据对角元素的不同,空间变形也会呈现出不同的模样。图 1.19 所示为对角元素都是正数的矩阵 $A = \begin{pmatrix} 1.5 & 0 \\ 0 & 0.5 \end{pmatrix}$ 对应的空间变形过程。

图 1.20 显示的是对角元素中含有 0 的情况（$A = \begin{pmatrix} 0 & 0 \\ 0 & 0.5 \end{pmatrix}$）。可以看到,整个空间被横向压扁了。

图 1.21 对应的是对角元素中含有负数的情况（$A = \begin{pmatrix} 1.5 & 0 \\ 0 & -0.5 \end{pmatrix}$）。可以看到,整个空间先是渐渐被纵向压缩,然后在画面 4 到画面 5 之间,又开始向反方向拉伸。

另外,单位矩阵 I 也是对角矩阵的一种,可记为 $I = \mathrm{diag}\,(1, \cdots, 1)$。

图 1.22 形象地表现了对角矩阵的好处。

---

① 简称为对角阵。——译者注

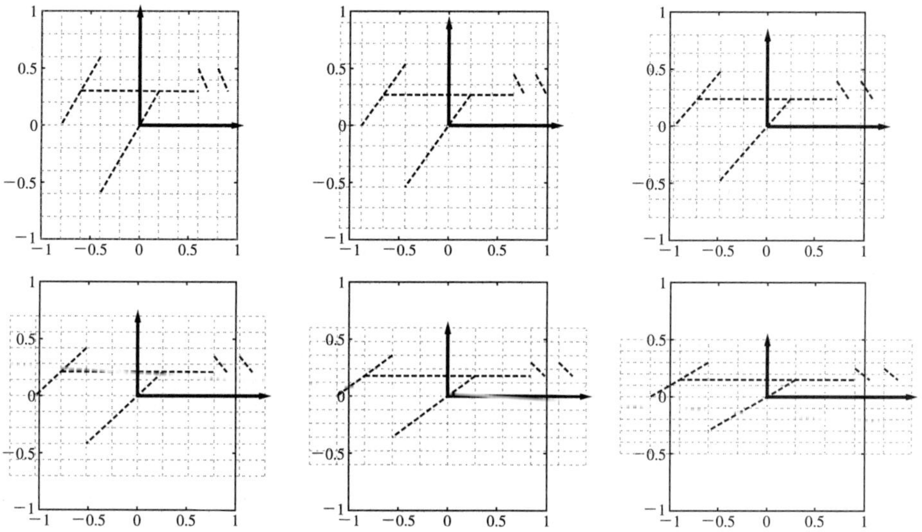


```
ruby mat_anim.rb -s=0 | gnuplot
```

图 1.19 （动画）由对角矩阵 $A = \begin{pmatrix} 1.5 & 0 \\ 0 & 0.5 \end{pmatrix}$ 带来的空间变形

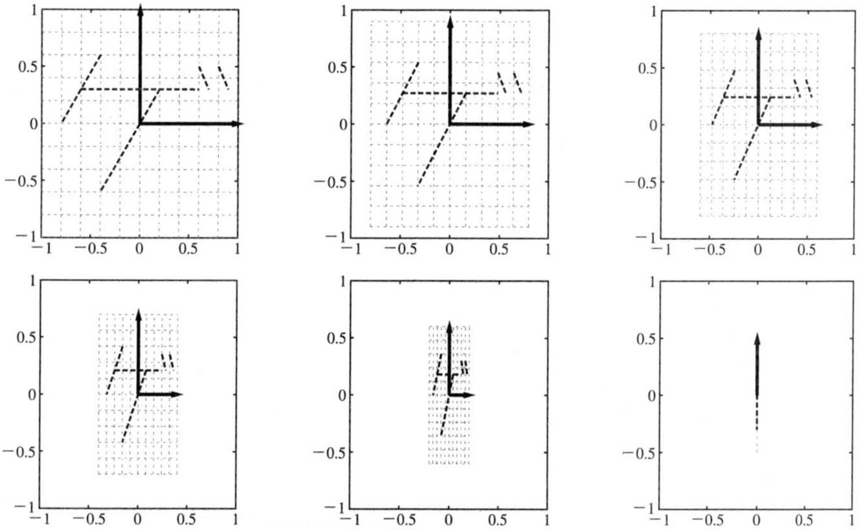


```
ruby mat_anim.rb -s=1 | gnuplot
```

图 1.20 （动画）由对角元素中含有 0 的对角矩阵 $A = \begin{pmatrix} 0 & 0 \\ 0 & 0.5 \end{pmatrix}$ 带来的空间变形

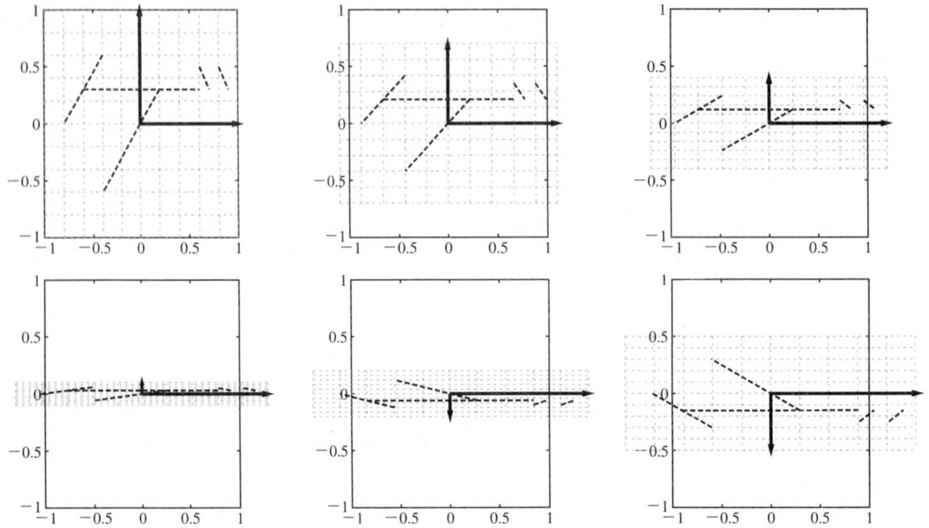

```
ruby mat_anim.rb -s=2 | gnuplot
```

图 1.21　(动画) 由对角元素中含有负数的对角矩阵 $A = \begin{pmatrix} 1.5 & 0 \\ 0 & -0.5 \end{pmatrix}$ 带来的空间变形

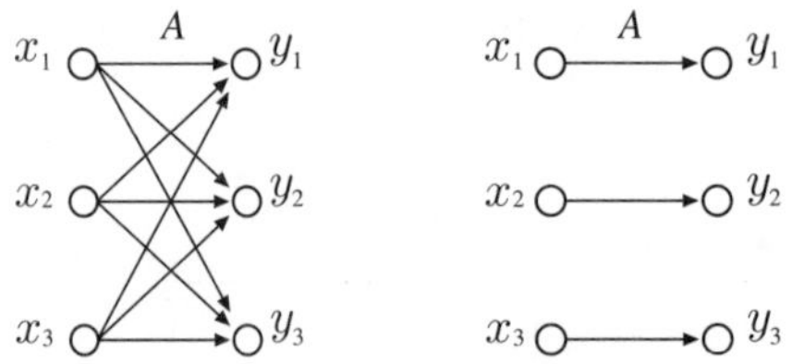

图 1.22　一般矩阵 (左) 和对角矩阵 (右)。箭头表示哪些输入对哪些输出产生了影响

由图 1.22 可知，对于对角矩阵 A，$\boldsymbol{y} = A\boldsymbol{x}$ 可以分成 n 个独立的子系统。

$$\begin{gathered} y_1 = a_1 x_1 \\ \vdots \\ y_n = a_n x_n \end{gathered}$$

换句话说，即使看似是 n 维的问题，实际上也只是 n 个一维问题而已。

也正因为如此，对角矩阵的乘法 ((1.12) 式) 和乘方 ((1.13) 式) 的规则也非常简单。

$$\begin{pmatrix} a_1 & & \\ & \ddots & \\ & & a_n \end{pmatrix} \begin{pmatrix} b_1 & & \\ & \ddots & \\ & & b_n \end{pmatrix} = \begin{pmatrix} a_1 b_1 & & \\ & \ddots & \\ & & a_n b_n \end{pmatrix} \tag{1.12}$$

$$\begin{pmatrix} a_1 & & \\ & \ddots & \\ & & a_n \end{pmatrix}^k = \begin{pmatrix} a_1^k & & \\ & \ddots & \\ & & a_n^k \end{pmatrix} \tag{1.13}$$

无论是从"沿坐标轴伸缩"的映射性质出发，还是从图 1.22 出发，(1.12) 式和 (1.13) 式的成立都是非常显然的。

? 1.22 对角矩阵的概念与坐标系的选取有关吧？

完全正确。对于同一个线性映射 $\vec{y} = f(\vec{x})$，会有下面这种情况：在某坐标系下有某对角矩阵 D 使得 $\boldsymbol{y} = D\boldsymbol{x}$，而在另一个坐标系下，又有某一般矩阵 A 使得 $\boldsymbol{y}' = A\boldsymbol{x}'$（参考 1.2.11 节）。在前一种情况下，显然各种计算都会变得更简单；反之，后者会使计算变得繁杂不堪。如果两者能得到相同的结果的话，肯定是选择前者更为明智。那么问题来了，如何选定坐标系才能使得矩阵变成前者的样子呢？我们将在第 4 章中展示给大家。

另外，单位矩阵和零矩阵的概念，与坐标系的选取无关。实际上，就算不引入任何坐标系，我们也可以给出这两者的定义 —— 单位矩阵就是使得 $f(\vec{x}) = \vec{x}$ 恒成立的线性映射对应的矩阵，零矩阵就是使得 $f(\vec{x}) = \vec{o}$ 恒成立的线性映射对应的矩阵。

? 1.23 为什么不考虑"/"（从右上到左下）方向的对角线呢？

即使考虑了"/"（从右上到左下）方向的对角线，也没什么好处，所以基本上不考虑。我们称这种矩阵为反对角矩阵。就反对角矩阵来讲，找不到"沿着坐标轴伸缩"这种通俗易懂的解释，并且任意两个反对角矩阵的乘积也不一定是反对角矩阵。我们勉强写出来看看吧。

$$\begin{pmatrix} y_1 \\ y_2 \\ y_3 \\ y_4 \\ y_5 \\ y_6 \end{pmatrix} = \begin{pmatrix} 0 & 0 & 0 & 0 & 0 & d_1 \\ 0 & 0 & 0 & 0 & d_2 & 0 \\ 0 & 0 & 0 & d_3 & 0 & 0 \\ 0 & 0 & d_4 & 0 & 0 & 0 \\ 0 & d_5 & 0 & 0 & 0 & 0 \\ d_6 & 0 & 0 & 0 & 0 & 0 \end{pmatrix} \begin{pmatrix} x_1 \\ x_2 \\ x_3 \\ x_4 \\ x_5 \\ x_6 \end{pmatrix}$$

把顺序重新排列一下，可以得到一个分块对角矩阵（参考 1.2.9 节）。

$$\left(\begin{array}{c} y_1 \\ y_6 \\ \hline y_2 \\ y_5 \\ \hline y_3 \\ y_4 \end{array}\right) = \left(\begin{array}{cc|cc|cc} 0 & d_1 & 0 & 0 & 0 & 0 \\ d_6 & 0 & 0 & 0 & 0 & 0 \\ \hline 0 & 0 & 0 & d_2 & 0 & 0 \\ 0 & 0 & d_5 & 0 & 0 & 0 \\ \hline 0 & 0 & 0 & 0 & 0 & d_3 \\ 0 & 0 & 0 & 0 & d_4 & 0 \end{array}\right) \left(\begin{array}{c} x_1 \\ x_6 \\ \hline x_2 \\ x_5 \\ \hline x_3 \\ x_4 \end{array}\right)$$

可以发现，反对角矩阵的写法还不如分块对角矩阵顺眼呢。

1.2.8 逆矩阵 = 逆映射

接下来，我们来说说如何把经过 A 映射的向量还原回去。这个问题与第2章中要讲的“溯因推理”也有直接关系。

■ 定义

对于方阵 A，它的逆映射对应的矩阵称为 A 的**逆矩阵**，记为 A^{-1}。对于任意的向量 $\boldsymbol{x}$，若有 $A\boldsymbol{x}=\boldsymbol{y}$，则有 $A^{-1}\boldsymbol{y}=\boldsymbol{x}$ 成立。反之，对于任意的向量 $\boldsymbol{y}$，若有 $A^{-1}\boldsymbol{y}=\boldsymbol{x}$，则有 $A\boldsymbol{x}=\boldsymbol{y}$。更直接一点说，如果有这样一个映射，对已知的目标点 $\boldsymbol{y}$，总能还原到出发点 $\boldsymbol{x}$，那么这个映射所对应的矩阵就是 A^{-1}。

$$\boldsymbol{x} \quad \underset{A^{-1}}{\overset{A}{\rightleftharpoons}} \quad \boldsymbol{y}$$

换句话说，经过映射 A 之后再经过映射 A^{-1} 就会回到起点，同样，A^{-1} 之后再 A，也会回到起点。也就是说，我们有以下关系成立①。

$$A^{-1}A=AA^{-1}=I$$

那么，逆矩阵是不是一定存在呢？凭感觉说，把向量压扁成一点（扁平化）的映射所对应的逆矩阵应该是不存在的。为什么呢？因为这个扁平化的操作，严格来讲就是，不同的两点 $\boldsymbol{x}$、$\boldsymbol{x}'$，经过映射 A 之后，都到达了 $\boldsymbol{y}=A\boldsymbol{x}=A\boldsymbol{x}'$。这样的话，我们即使知道了目标点 $\boldsymbol{y}$，也无法还原回去了，因为我们不能区分出发点是 $\boldsymbol{x}$ 还是 $\boldsymbol{x}'$。也就是说，根据已知的目标点 $\boldsymbol{y}$ 还原到出发点 $\boldsymbol{x}$ 的映射是找不到的。例如图 1.10 中的 A 存在逆矩阵，但是像图 1.23 那样把直线扁平化成点的矩阵 $A=\begin{pmatrix}0.8 & -0.6\\ 0.4 & -0.3\end{pmatrix}$ 就不存在逆矩阵。

? 1.24 有没有可能同时存在两个或者三个逆矩阵?

不可能。假设除了 A^{-1} 之外，A 还有另外一个逆矩阵，记为 $\tilde{A}^{-1}$。我们来考虑 $Z=A^{-1}A\tilde{A}^{-1}$。一方面 $Z=(A^{-1}A)\tilde{A}^{-1}=\tilde{A}^{-1}$ 应该成立，另一方面 $Z=A^{-1}(A\tilde{A}^{-1})=A^{-1}$ 同样也要成立。也就是说，$\tilde{A}^{-1}=A^{-1}$，两者是一回事。

① 利用 (1.10) 式的公式 $A^{\alpha+\beta}=A^{\alpha}A^{\beta}$，可以把逆矩阵的记号看作乘方处理。例如 $A^{-1}A^3=A^{-1}AAA=(A^{-1}A)AA=IAA=AA=A^2$。其中运算顺序也和数的乘方运算一样，遵循先乘方，再加减乘的原则。例如 AB^{-1} 等于 $A(B^{-1})$，而不是 $(AB)^{-1}$。

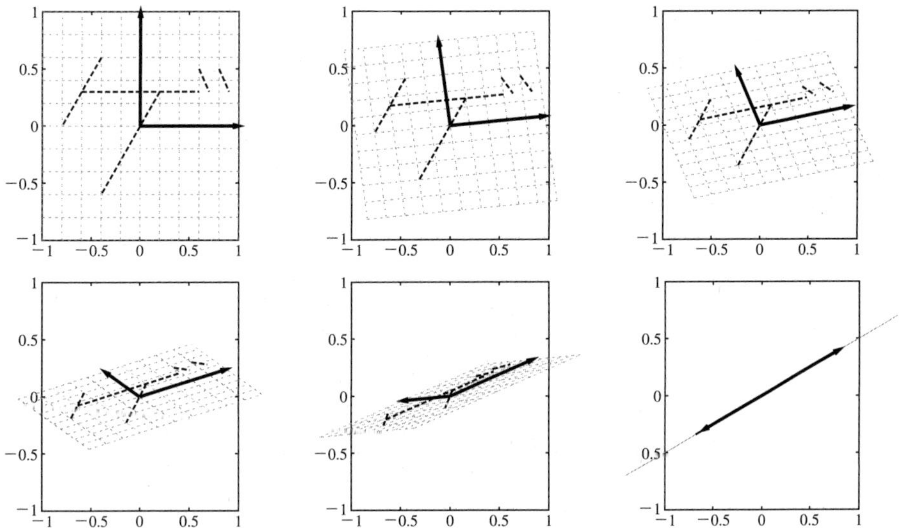

```
ruby mat_anim.rb -s=6 | gnuplot
```

图 1.23 （动画）不存在逆矩阵的例子 ($A = \begin{pmatrix} 0.8 & -0.6 \\ 0.4 & -0.3 \end{pmatrix}$)

?1.25 当 $XA = I$ 和 $AX = I$ 两者中只有一个成立时，就说 X 是 A 的逆矩阵，这样不行吗?

当 A 是方阵时，$XA = I$ 和 $AX = I$ 是等价①的，所以两者中只要有一个成立，就可以说 X 是 A 的逆矩阵。这其中的道理说来话长，请读者暂且记下这个事实。

一方面，“$XA = I$ 成立”的意思是说，对于给定的某个 $\boldsymbol{y}$，满足 $\boldsymbol{y} = A\boldsymbol{x}$ 的 $\boldsymbol{x}$ 只能有一个②。另一方面，“$AX = I$ 成立”的意思则是说，只要选择了合适的出发点 $\boldsymbol{x}$，通过计算 $\boldsymbol{y} = A\boldsymbol{x}$，无论什么样的目标点 $\boldsymbol{y}$ 都可以到达③。当 A 是方阵时，这两种看似不同的说法实际上是等价的（参考 2.4.1 节）④。

---

① 所谓等价，就是说一方成立时，另一方也成立。

② 假设有 $\boldsymbol{x}, \boldsymbol{x}'$ 使得 $\boldsymbol{y} = A\boldsymbol{x} = A\boldsymbol{x}'$ 成立，则有 $XA\boldsymbol{x} = X\boldsymbol{y} = XA\boldsymbol{x}'$。由于 $XA = I$，因此必然有 $\boldsymbol{x} = \boldsymbol{x}'$。换言之，对于同样的目标点 $\boldsymbol{y}$，出发点 $\boldsymbol{x}$ 也一定是同一点。

③ 对于任意一个 $\boldsymbol{y}$，令 $\boldsymbol{x} = X\boldsymbol{y}$，则有 $A\boldsymbol{x} = A(X\boldsymbol{y}) = AX\boldsymbol{y}$，所以 $AX = I$ 就意味着 $A\boldsymbol{x} = \boldsymbol{y}$。于是，对于任意 $\boldsymbol{y}$，都有对应的出发点 $\boldsymbol{x}$。

④ 其实这套解释有几处瑕疵，所以请读者领会大概流程就好。这里说明的事实仅仅是 $XA = I \rightarrow$「$\cdots$」$\leftrightarrow$「$\cdots$」$\leftarrow AX = I$，其中 ○ → □ 表示“若 ○ 则 □”的意思。接下来，如果能证明与之相对的逆命题 $XA = I \leftarrow$「$\cdots$」和「$\cdots$」$\rightarrow AX = I$，关于 $XA = I \leftrightarrow AX = I$ 的证明才算完成。关于这一点，请参考 2.4.1 节中的简单说明。

? 1.26　若 A 不是方阵，当 $AX = XA = I$ 成立时，能说 X 是 A 的逆矩阵吗?

首先，$AX = XA = I$ 的写法就是不对的！就算 AX 和 XA 的结果都是单位矩阵，只要 A 不是方阵，AX 和 XA 的规模就不等，两者之间就不能划等号。纠正了这个错误之后，我们可以把问题理解为下面两个等式是否成立。

$$\begin{pmatrix} * & * & * \\ * & * & * \end{pmatrix}\begin{pmatrix} * & * \\ * & * \\ * & * \end{pmatrix} = \begin{pmatrix} 1 & 0 \\ 0 & 1 \end{pmatrix}$$

$$\times \quad \begin{pmatrix} * & * \\ * & * \\ * & * \end{pmatrix}\begin{pmatrix} * & * & * \\ * & * & * \end{pmatrix} = \begin{pmatrix} 1 & 0 & 0 \\ 0 & 1 & 0 \\ 0 & 0 & 1 \end{pmatrix}$$

实际上，后者是得不到的。无论把 $*$ 换成什么数，都是不可能成立的。当学过 2.3.5 节中的秩的概念之后，原因一看便知。但是对于任何矩阵 A，都有逆矩阵的推广概念——广义逆矩阵（参考 2.5.3 节），本书中就不细讲了。

■ 基本性质

关于下面要讲的性质，有两点最为重要：一是要知道每个式子所代表的含义；二是要熟悉这些性质，能够形成条件反射。特别要注意的是 $(AB)^{-1}$ 的展开顺序。

- $(A^{-1})^{-1} = A$
  将 A 的逆再逆回去，还是 A
- $(AB)^{-1} = B^{-1}A^{-1}$
  对于先 B 后 A 映射的点，要想还原回去，首先要逆一次 A，然后再逆一次 B。一定要注意顺序
- $(A^k)^{-1} = (A^{-1})^k$
  对于经过 A 映射 k 次的点，还原时也要逆 k 次。这里可以简单记为 A^{-k}[①]

当然，大前提是 A^{-1}、B^{-1} 都存在。有读者可能会坚持说："你证明一个给我看看。"好吧，那就请再回过头去看看我们对逆矩阵的定义吧[②]。

我们知道，与 X 的乘积是单位矩阵 I 的矩阵，就是 X 的逆矩阵。所以，当要证明 Y 是 X 的逆矩阵时，只需要证明 $XY = I$ 即可。

---

① 这里也符合 (1.11) 式 $(A^\alpha)^\beta = A^{(\alpha\beta)}$。

② 请不要说"因为还没学到逆矩阵的计算方法，所以现在不能证明"。定义，或者说本质含义，是比计算方法更重要的东西。如果感觉对书中的内容不理解，往往是由于一开始就没有掌握好定义。

我们来对以上性质进行简单的证明，如下所示。

- 因为 A^{-1} 乘上 A 结果是 I，所以 A 是 A^{-1} 的逆矩阵
- $(AB)(B^{-1}A^{-1}) = ABB^{-1}A^{-1} = A(BB^{-1})A^{-1} = AIA^{-1} = AA^{-1} = I$
- $A^k(A^{-1})^k = A^{k-1}AA^{-1}(A^{-1})^{k-1} = A^{k-1}I(A^{-1})^{k-1} = A^{k-1}(A^{-1})^{k-1} = A^{k-2}AA^{-1}(A^{-1})^{k-2} = \cdots = AA^{-1} = I$

当有多个矩阵时，也有

$$(ABCD)^{-1} = D^{-1}C^{-1}B^{-1}A^{-1}$$

这个命题的证明请读者自行完成。

■ 对角矩阵的情况

关于是否存在逆矩阵的判断，以及实际问题的计算方法，我们在第 2 章中再讲。这里我们先讨论一下对角矩阵 $A = \mathrm{diag}\,(a_1, \cdots, a_n)$ 的情况。

对角矩阵 A 对应的映射，表示的是沿着坐标轴方向的伸缩操作（参考 1.2.7 节）。第一坐标轴伸缩 a_1 倍，第二坐标轴伸缩 a_2 倍，以此类推。这样一来，映射的还原就非常简单了。只需要把第一坐标轴伸缩 $1/a_1$ 倍，第二坐标轴伸缩 $1/a_2$ 倍，以此类推即可。于是，令 $B = \mathrm{diag}\,(1/a_1, \cdots, 1/a_n)$，就有 $BA = I$。这里的 B，无非就是 A 的逆矩阵 A^{-1} 了。要用公式写出来的话，根据（1.12）式可知，下式是成立的。

$$\mathrm{diag}\,(1/a_1, \cdots, 1/a_n)\,\mathrm{diag}\,(a_1, \cdots, a_n) = \mathrm{diag}\,(a_1/a_1, \cdots, a_n/a_n) = \mathrm{diag}\,(1, \cdots, 1) = I$$

要注意的是，在 $a_1, \cdots, a_n$ 之中，哪怕只有一个 0，逆矩阵就不存在了。这种情况下，其实 A 变成了一种扁平化映射。这样的映射是无法找到逆映射的。

1.2.9 分块矩阵

把大的问题分解成多个小问题各个击破，这是在处理复杂问题时非常有效的一种手段。而矩阵的运算也可以采用这种策略。

■ 定义和性质

以水平线和竖直线将矩阵分割成较小的矩阵（区块），这些较小的矩阵组成一个矩阵，称为**分块矩阵**。

$$A = \left(\begin{array}{ccc|cc|cc} 3 & 1 & 4 & 1 & 5 & 9 & 2 \\ 6 & 5 & 3 & 5 & 8 & 9 & 7 \\ \hline 9 & 3 & 2 & 3 & 8 & 4 & 6 \\ 2 & 6 & 4 & 3 & 3 & 8 & 3 \\ 2 & 7 & 9 & 5 & 0 & 2 & 8 \end{array}\right) = \begin{pmatrix} A_{11} & A_{12} & A_{13} \\ A_{21} & A_{22} & A_{23} \end{pmatrix}$$

分块矩阵的内容在一般的线性代数教科书中往往会一带而过，然而在实际应用中，分块矩阵的思想是非常有用的，下面我们开始进入正题。

对于规模相同的矩阵 $A = (A_{ij})$ 和 $B = (B_{ij})$ 以及常数 c，有下列性质成立。

分块矩阵的加法

$$\begin{pmatrix} A_{11} & \cdots & A_{1n} \\ \vdots & & \vdots \\ A_{m1} & \cdots & A_{mn} \end{pmatrix} + \begin{pmatrix} B_{11} & \cdots & B_{1n} \\ \vdots & & \vdots \\ B_{m1} & \cdots & B_{mn} \end{pmatrix} = \begin{pmatrix} A_{11}+B_{11} & \cdots & A_{1n}+B_{1n} \\ \vdots & & \vdots \\ A_{m1}+B_{m1} & \cdots & A_{mn}+B_{mn} \end{pmatrix}$$

$$\text{例：}\left(\begin{array}{cc|cc} 1 & 0 & 0 & 0 \\ 0 & 1 & 0 & 0 \\ \hline 3 & 1 & 1 & 0 \\ 4 & 1 & 0 & 1 \end{array}\right) + \left(\begin{array}{cc|cc} 5 & 9 & 5 & 3 \\ 2 & 6 & 5 & 8 \\ \hline 0 & 0 & 1 & 0 \\ 0 & 0 & 0 & 1 \end{array}\right) = \left(\begin{array}{cc|cc} 6 & 9 & 5 & 3 \\ 2 & 7 & 5 & 8 \\ \hline 3 & 1 & 2 & 0 \\ 4 & 1 & 0 & 2 \end{array}\right)$$

分块矩阵的数量乘法

$$c\begin{pmatrix} A_{11} & \cdots & A_{1n} \\ \vdots & & \vdots \\ A_{m1} & \cdots & A_{mn} \end{pmatrix} = \begin{pmatrix} cA_{11} & \cdots & cA_{1n} \\ \vdots & & \vdots \\ cA_{m1} & \cdots & cA_{mn} \end{pmatrix}$$

$$\text{例：}10\left(\begin{array}{cc|cc} 1 & 0 & 0 & 0 \\ 0 & 1 & 0 & 0 \\ \hline 3 & 1 & 1 & 0 \\ 4 & 1 & 0 & 1 \end{array}\right) = \left(\begin{array}{cc|cc} 10 & 0 & 0 & 0 \\ 0 & 10 & 0 & 0 \\ \hline 30 & 10 & 10 & 0 \\ 40 & 10 & 0 & 10 \end{array}\right)$$

这里我们可以单纯把 A_{ij}、B_{ij} 看作数值进行计算。到目前为止，计算结果看起来都是很自然的。

下面，我们来看看最厉害的地方，也就是乘法的性质①。

分块矩阵的乘法

$$\begin{pmatrix} B_{11} & \cdots & B_{1m} \\ \vdots & & \vdots \\ B_{k1} & \cdots & B_{km} \end{pmatrix}\begin{pmatrix} A_{11} & \cdots & A_{1n} \\ \vdots & & \vdots \\ A_{m1} & \cdots & A_{mn} \end{pmatrix}$$
$$= \begin{pmatrix} (B_{11}A_{11}+\cdots+B_{1m}A_{m1}) & \cdots & (B_{11}A_{1n}+\cdots+B_{1m}A_{mn}) \\ \vdots & & \vdots \\ (B_{k1}A_{11}+\cdots+B_{km}A_{m1}) & \cdots & (B_{k1}A_{1n}+\cdots+B_{km}A_{mn}) \end{pmatrix} \tag{1.14}$$

---

① 当然了，为了使区块之间的乘积有意义，前提是区块的规模要符合矩阵乘法的定义。例如，B_{11} 的列数（宽度）和 A_{11} 的行数（高度）要一致，等等。

$$
例:\left(\begin{array}{cc|cc} 1 & 0 & 0 & 0 \\ 0 & 1 & 0 & 0 \\ \hline 3 & 1 & 1 & 0 \\ 4 & 1 & 0 & 1 \end{array}\right)\left(\begin{array}{cc|cc} 5 & 9 & 5 & 3 \\ 2 & 6 & 5 & 8 \\ \hline 0 & 0 & 1 & 0 \\ 0 & 0 & 0 & 1 \end{array}\right) = \left(\begin{array}{cc|cc} 5 & 9 & 5 & 3 \\ 2 & 6 & 5 & 8 \\ \hline 17 & 33 & 21 & 17 \\ 22 & 42 & 25 & 21 \end{array}\right)
$$

其中，

$$
\begin{aligned}
&\text{左上}\begin{pmatrix} 1 & 0 \\ 0 & 1 \end{pmatrix}\begin{pmatrix} 5 & 9 \\ 2 & 6 \end{pmatrix} + \begin{pmatrix} 0 & 0 \\ 0 & 0 \end{pmatrix}\begin{pmatrix} 0 & 0 \\ 0 & 0 \end{pmatrix} = \begin{pmatrix} 5 & 9 \\ 2 & 6 \end{pmatrix} \\
&\text{左下}\begin{pmatrix} 3 & 1 \\ 4 & 1 \end{pmatrix}\begin{pmatrix} 5 & 9 \\ 2 & 6 \end{pmatrix} + \begin{pmatrix} 1 & 0 \\ 0 & 1 \end{pmatrix}\begin{pmatrix} 0 & 0 \\ 0 & 0 \end{pmatrix} = \begin{pmatrix} 17 & 33 \\ 22 & 42 \end{pmatrix} \\
&\text{右上}\begin{pmatrix} 1 & 0 \\ 0 & 1 \end{pmatrix}\begin{pmatrix} 5 & 3 \\ 5 & 8 \end{pmatrix} + \begin{pmatrix} 0 & 0 \\ 0 & 0 \end{pmatrix}\begin{pmatrix} 1 & 0 \\ 0 & 1 \end{pmatrix} = \begin{pmatrix} 5 & 3 \\ 5 & 8 \end{pmatrix} \\
&\text{右下}\begin{pmatrix} 3 & 1 \\ 4 & 1 \end{pmatrix}\begin{pmatrix} 5 & 3 \\ 5 & 8 \end{pmatrix} + \begin{pmatrix} 1 & 0 \\ 0 & 1 \end{pmatrix}\begin{pmatrix} 1 & 0 \\ 0 & 1 \end{pmatrix} = \begin{pmatrix} 21 & 17 \\ 25 & 21 \end{pmatrix}
\end{aligned}
$$

在上面的例子中，采用分块的方法得到的结果，和直接按照定义计算 4×4 阶矩阵的乘法得到的结果是一样的。这一点读者可以自己确认一下。

依照上述模式，对于一般的分块矩阵，我们可以把 B_{ij}、A_{ij} 当作数值，直接套用普通的矩阵运算法则。唯一需要特别留意的是乘法的运算顺序。由于参加运算的归根结底还是矩阵，因此 $B_{ij}A_{jp}$ 是绝对不能写成 $A_{jp}B_{ij}$ 的，矩阵乘法的顺序不能随意交换！

? 1.27 给矩阵分块时，横竖线不对齐可以吗？

不行噢！像下式这样有错位的分块，不能叫作分块矩阵。

$$
\left(\begin{array}{ccc|cc|cc} 3 & 1 & 4 & 1 & 5 & 9 & 2 \\ 6 & 5 & 3 & 5 & 8 & 9 & 7 \\ \cline{1-3} 9 & 3 & 2 & 3 & 8 & 4 & 6 \\ \cline{4-7} 2 & 6 & 4 & 3 & 3 & 8 & 3 \\ 2 & 7 & 9 & 5 & 0 & 2 & 8 \end{array}\right)
$$

■ 行向量、列向量

下面我们来看一种特殊的分块矩阵。将整个矩阵的每一行或者每一列划分成区块，作为分块矩阵考虑。

$$A = \left(\begin{array}{c|c|c|c} a_{11} & a_{12} & \cdots & a_{1m} \\ \vdots & \vdots & & \vdots \\ a_{n1} & a_{n2} & \cdots & a_{nm} \end{array}\right) = (\boldsymbol{a}_1, \boldsymbol{a}_2, \cdots, \boldsymbol{a}_m)$$

$$B = \left(\begin{array}{ccc} b_{11} & \cdots & b_{1n'} \\ \hline b_{21} & \cdots & b_{2n'} \\ \hline \vdots & & \vdots \\ \hline b_{m'1} & \cdots & b_{m'n'} \end{array}\right) = \begin{pmatrix} \boldsymbol{b}_1^T \\ \boldsymbol{b}_2^T \\ \vdots \\ \boldsymbol{b}_{m'}^T \end{pmatrix}$$

由于区块的大小全部都是 $n \times 1$ 或者 $1 \times n'$，因此我们可以把每个区块都看作一个向量。上例的情况下，我们称 $\boldsymbol{a}_1, \cdots, \boldsymbol{a}_m$ 为 A 的**列向量**，称 $\boldsymbol{b}_1^T, \cdots, \boldsymbol{b}_{m'}^T$ 为 B 的**行向量**（参考 **?** 1.14）。不知道读者还记不记得，我们前面讲过，各个列向量的本质是，各个坐标轴方向上的单位向量 $\boldsymbol{e}_1, \cdots, \boldsymbol{e}_m$ 经过映射后到达的目标点（参考 1.2.3 节）。

我们可以把矩阵和向量的乘积，用行向量和列向量分别表示如下。

$$A \begin{pmatrix} c_1 \\ c_2 \\ \vdots \\ c_m \end{pmatrix} = (\boldsymbol{a}_1, \boldsymbol{a}_2, \cdots, \boldsymbol{a}_m) \begin{pmatrix} c_1 \\ c_2 \\ \vdots \\ c_m \end{pmatrix} = c_1 \boldsymbol{a}_1 + c_2 \boldsymbol{a}_2 + \cdots + c_m \boldsymbol{a}_m$$

$$B\boldsymbol{d} = \begin{pmatrix} \boldsymbol{b}_1^T \\ \boldsymbol{b}_2^T \\ \vdots \\ \boldsymbol{b}_{m'}^T \end{pmatrix} \boldsymbol{d} = \begin{pmatrix} \boldsymbol{b}_1^T \boldsymbol{d} \\ \boldsymbol{b}_2^T \boldsymbol{d} \\ \vdots \\ \boldsymbol{b}_{m'}^T \boldsymbol{d} \end{pmatrix}$$

其中，前者对应的是 $\boldsymbol{e}_1, \cdots, \boldsymbol{e}_m$ 经过映射后到达的目标点，后者使用的是向量乘积的定义（参考 **?** 1.18）。同理，矩阵之间的乘积也可以写成如下形式。

$$AB = (\boldsymbol{a}_1, \boldsymbol{a}_2, \cdots, \boldsymbol{a}_m) \begin{pmatrix} \boldsymbol{b}_1^T \\ \boldsymbol{b}_2^T \\ \vdots \\ \boldsymbol{b}_m^T \end{pmatrix} = \boldsymbol{a}_1 \boldsymbol{b}_1^T + \boldsymbol{a}_2 \boldsymbol{b}_2^T + \cdots + \boldsymbol{a}_m \boldsymbol{b}_m^T \qquad (m = m')$$

$$
\begin{aligned}
BA &= B(\boldsymbol{a}_1, \boldsymbol{a}_2, \cdots, \boldsymbol{a}_m) = (B\boldsymbol{a}_1, B\boldsymbol{a}_2, \cdots, B\boldsymbol{a}_m) \\
&= \begin{pmatrix} \boldsymbol{b}_1^T \\ \boldsymbol{b}_2^T \\ \vdots \\ \boldsymbol{b}_{m'}^T \end{pmatrix} (\boldsymbol{a}_1, \boldsymbol{a}_2, \cdots, \boldsymbol{a}_m) = \begin{pmatrix} \boldsymbol{b}_1^T\boldsymbol{a}_1 & \boldsymbol{b}_1^T\boldsymbol{a}_2 & \cdots & \boldsymbol{b}_1^T\boldsymbol{a}_m \\ \boldsymbol{b}_2^T\boldsymbol{a}_1 & \boldsymbol{b}_2^T\boldsymbol{a}_2 & \cdots & \boldsymbol{b}_2^T\boldsymbol{a}_m \\ \vdots & \vdots & & \vdots \\ \boldsymbol{b}_{m'}^T\boldsymbol{a}_1 & \boldsymbol{b}_{m'}^T\boldsymbol{a}_2 & \cdots & \boldsymbol{b}_{m'}^T\boldsymbol{a}_m \end{pmatrix} \qquad (n = n')
\end{aligned}
$$

其中后者直接应用了向量乘积的定义。读者有没有意识到 $\boldsymbol{a}_i\boldsymbol{b}_j^T$ 是矩阵，而 $\boldsymbol{b}_j^T\boldsymbol{a}_i$ 是数呢? 如果觉得难以置信的话，请回过头去复习 1.2.5 节的相关内容。

好了，现在我们可以放心地使用行向量和列向量了。使用行向量和列向量在应用上非常方便。比如，在 (1.7) 式的矩阵中，当我们着眼于每种食材（肉、豆、米）时使用列向量，当着眼于各个特性（价格、热量）时使用行向量，思路就会变得井井有条。

■ 分块对角矩阵

如果分块矩阵的“\”方向对角线（主对角线）上的区块都是方阵，并且非对角线上的矩阵都是零矩阵，则称这样的矩阵为**分块对角矩阵**[①]。

$$
\begin{pmatrix} A_1 & O & O & O \\ O & A_2 & O & O \\ O & O & A_3 & O \\ O & O & O & A_4 \end{pmatrix} \equiv \operatorname{diag}(A_1, A_2, A_3, A_4)
$$

参照对角元素的概念，我们称 A_1, A_2, A_3, A_4 为**对角区块**。

> **? 1.28 记号“≡”是什么意思?**
>
> 这是蕴含了“令 ○○ 为 △△”这层含义的等号“=”。等号左右两边具体哪个是 ○○ 哪个是 △△，要根据上下文自行判断。另外，根据专业背景不同，“≡”表示的含义也不同，还请读者注意区分（参考 ? 1.36）。

分块对角矩阵的好处在于，我们可以将整个映射看作是由多个独立的变换组成的，其中每个变换对应一个区块。比如：

① 当然，前提是横竖分割出的区块数要相同，矩阵整体也默认为方阵。

$$\begin{pmatrix} y_1 \\ y_2 \\ y_3 \\ y_4 \end{pmatrix} = \begin{pmatrix} a_{11} & a_{12} & 0 & 0 \\ a_{21} & a_{22} & 0 & 0 \\ 0 & 0 & a_{33} & a_{34} \\ 0 & 0 & a_{43} & a_{44} \end{pmatrix} \begin{pmatrix} x_1 \\ x_2 \\ x_3 \\ x_4 \end{pmatrix}$$

可以分解成两个独立的“子系统”（图 1.24）。

$$\begin{pmatrix} y_1 \\ y_2 \end{pmatrix} = \begin{pmatrix} a_{11} & a_{12} \\ a_{21} & a_{22} \end{pmatrix} \begin{pmatrix} x_1 \\ x_2 \end{pmatrix}$$
$$\begin{pmatrix} y_3 \\ y_4 \end{pmatrix} = \begin{pmatrix} a_{33} & a_{34} \\ a_{43} & a_{44} \end{pmatrix} \begin{pmatrix} x_3 \\ x_4 \end{pmatrix}$$

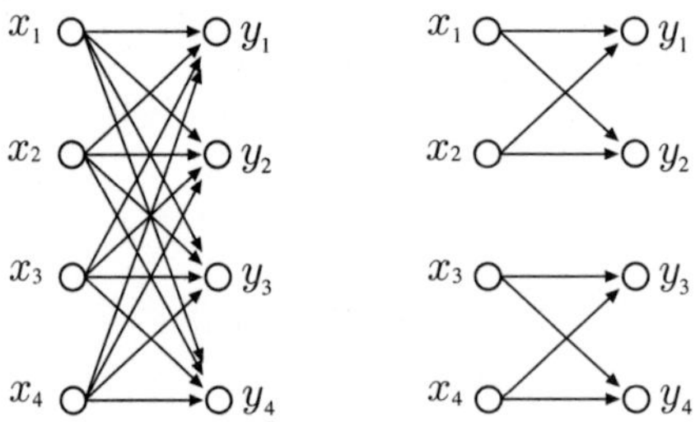

图 1.24　一般矩阵（左）和分块对角矩阵（右）。分块对角矩阵 A 可以把 $\boldsymbol{y} = A\boldsymbol{x}$ 分解成两个独立的子系统

分块对角矩阵的乘方满足

$$\begin{pmatrix} A_1 & O & O & O \\ O & A_2 & O & O \\ O & O & A_3 & O \\ O & O & O & A_4 \end{pmatrix}^k = \begin{pmatrix} A_1^k & O & O & O \\ O & A_2^k & O & O \\ O & O & A_3^k & O \\ O & O & O & A_4^k \end{pmatrix}$$

上式可以由分块矩阵的乘积的性质 (1.14) 式直接得到。同样，分块对角矩阵的逆矩阵为

$$\begin{pmatrix} A_1 & O & O & O \\ O & A_2 & O & O \\ O & O & A_3 & O \\ O & O & O & A_4 \end{pmatrix}^{-1} = \begin{pmatrix} A_1^{-1} & O & O & O \\ O & A_2^{-1} & O & O \\ O & O & A_3^{-1} & O \\ O & O & O & A_4^{-1} \end{pmatrix}$$

当然，前提是每个对角区块 $A_1, \cdots, A_4$ 都有逆矩阵。如果还不放心的话，可以把等号右边的矩阵乘上 $\operatorname{diag}(A_1, A_2, A_3, A_4)$，看看所得结果是不是单位矩阵。

最后要注意的是，和对角矩阵一样，分块对角矩阵也是与坐标系选取有关的概念。

1.2.10 用矩阵表示各种关系 (2)

在 1.2.2 节中我们展示了一些实例，那些例子中全部都用到了“乘上一个矩阵”的形式。本小节中我们再介绍一些例子，其中需要用到一些前面讲过的方法和技巧，把问题进行转化，最终变成“乘上一个矩阵”的形式。初次接触这些内容的读者可能会觉得这是奇技淫巧，但这些方法在实际应用中确实是非常常见的。当我们见得多了之后，就会觉得这些都是自然而然的事情。

■ 高阶差分与高阶微分

假设数列 $x_1, x_2, \cdots$ 满足以下规则。

$$x_t = -0.7x_{t-1} - 0.5x_{t-2} + 0.2x_{t-3} + 0.1x_{t-4} \tag{1.15}$$

比如，今天的状态 x_t 是由昨天、前天、三天前以及四天前的状态 x_{t-1}、x_{t-2}、x_{t-3}、x_{t-4} 决定的，其数量关系如 (1.15) 式所示。类似这样，后面的状态由前面的状态所决定的模型，是时间序列分析等学科的理论基础。这里我们令

$$\boldsymbol{x}(t) = (x_t, x_{t-1}, x_{t-2}, x_{t-3})^T$$

则 (1.15) 式可以改写为

$$\boldsymbol{x}(t) = \begin{pmatrix} x_t \\ x_{t-1} \\ x_{t-2} \\ x_{t-3} \end{pmatrix} = \begin{pmatrix} -0.7 & -0.5 & 0.2 & 0.1 \\ 1 & 0 & 0 & 0 \\ 0 & 1 & 0 & 0 \\ 0 & 0 & 1 & 0 \end{pmatrix} \begin{pmatrix} x_{t-1} \\ x_{t-2} \\ x_{t-3} \\ x_{t-4} \end{pmatrix}$$

也就是说，原方程可以表示为“在向量上乘一个矩阵”的形式，如下所示。

$$\boldsymbol{x}(t) = A\boldsymbol{x}(t-1)$$

$$A = \begin{pmatrix} -0.7 & -0.5 & 0.2 & 0.1 \\ 1 & 0 & 0 & 0 \\ 0 & 1 & 0 & 0 \\ 0 & 0 & 1 & 0 \end{pmatrix}$$

上面的问题对应的微分版本

$$\frac{\mathrm{d}^4 y(t)}{\mathrm{d}t^4} = -0.7\frac{\mathrm{d}^3 y(t)}{\mathrm{d}t^3} - 0.5\frac{\mathrm{d}^2 y(t)}{\mathrm{d}t^2} + 0.2\frac{\mathrm{d}y(t)}{\mathrm{d}t} + 0.1y(t)$$

也有类似的表示。我们令

$$\boldsymbol{y}(t) = \left(\frac{\mathrm{d}^3 y(t)}{\mathrm{d}t^3}, \frac{\mathrm{d}^2 y(t)}{\mathrm{d}t^2}, \frac{\mathrm{d}y(t)}{\mathrm{d}t}, y(t)\right)^T$$

则原微分方程可以写成

$$\frac{\mathrm{d}\boldsymbol{y}(t)}{\mathrm{d}t}=\begin{pmatrix}\mathrm{d}^4y(t)/\mathrm{d}t^4\\ \mathrm{d}^3y(t)/\mathrm{d}t^3\\ \mathrm{d}^2y(t)/\mathrm{d}t^2\\ \mathrm{d}y(t)/\mathrm{d}t\end{pmatrix}=\begin{pmatrix}-0.7 & -0.5 & 0.2 & 0.1\\ 1 & 0 & 0 & 0\\ 0 & 1 & 0 & 0\\ 0 & 0 & 1 & 0\end{pmatrix}\begin{pmatrix}\mathrm{d}^3y(t)/\mathrm{d}t^3\\ \mathrm{d}^2y(t)/\mathrm{d}t^2\\ \mathrm{d}y(t)/\mathrm{d}t\\ y(t)\end{pmatrix}=A\boldsymbol{y}(t)$$

像这样基于差分方程或者微分方程的数学模型，在工科中经常会用到。在第 4 章中，我们会详细讲解这些问题。

■ 消除常数项

我们经常会见到形如 $\boldsymbol{y}=A\boldsymbol{x}+\boldsymbol{b}$ 的表示，其中常数项 $+\boldsymbol{b}$ 很是碍眼，就是因为多了一个 $+\boldsymbol{b}$，而写不成“在向量上乘一个矩阵”的形式。这时，我们可以设①

$$\tilde{\boldsymbol{x}}=\left(\begin{array}{c}\boldsymbol{x}\\ \hline 1\end{array}\right),\qquad \tilde{\boldsymbol{y}}=\left(\begin{array}{c}\boldsymbol{y}\\ \hline 1\end{array}\right)$$

则有

$$\tilde{\boldsymbol{y}}=\left(\begin{array}{c}\boldsymbol{y}\\ \hline 1\end{array}\right)=\left(\begin{array}{c|c}A & \boldsymbol{b}\\ \hline \boldsymbol{o}^T & 1\end{array}\right)\left(\begin{array}{c}\boldsymbol{x}\\ \hline 1\end{array}\right)$$

也就是说，我们可以得到如下所示的“在向量上乘一个矩阵”的形式。

$$\tilde{\boldsymbol{y}}=\tilde{A}\tilde{\boldsymbol{x}}$$

$$\tilde{A}=\left(\begin{array}{c|c}A & \boldsymbol{b}\\ \hline \boldsymbol{o}^T & 1\end{array}\right)$$

? 1.29　为什么一定要执着于“在向量上乘一个矩阵”的形式呢?

因为写成这样的形式以后，我们就可以套用线性代数的一般理论啦。这一点的好处在第 4 章会体现出来。

---

① 这也是分块矩阵的一种。意思是对于 $\boldsymbol{x}=(x_1,\cdots,x_n)^T$，可以令 $\tilde{\boldsymbol{x}}=(x_1,\cdots,x_n,1)^T$。

1.2.11 坐标变换与矩阵

■ 坐标变换

在展开讲解矩阵的概念之前，我们搁置了一个问题 —— **坐标变换**问题①。现在我们来处理一下这个问题。请大家先回忆一下久违的基底的概念。

在同一个空间中，基底的选取方法有很多种。但是无论基底如何选取，无论在选定的基底下坐标表示是什么样子，向量本身是不变的。因此，如果能够恰当地选取基底，使得问题的讨论更方便，那么这个基底就是“好的”基底。示意如下。

(原来的基底)	问题		答案
	$\Updownarrow$		$\Updownarrow$
(“好的”基底)	问题′	$\rightarrow$	答案′

针对给定的问题，选定了好的基底之后，原来的问题可以转化成更容易处理的问题′。接下来我们只需要轻松地求解出问题′ 的答案′，再把答案′ 转换到原来的基底之下，就可以得到我们希望的答案了。

为了让大家切身体会到坐标变换的好处，我们试举一例。图 1.25 和图 1.10 表示的都是空间在矩阵 $A = \begin{pmatrix} 1 & -0.3 \\ -0.7 & 0.6 \end{pmatrix}$ 的映射下的变形过程。如果我们选取了好的坐标系，这个变形过程就会变成单纯的沿着坐标轴的伸缩。

不过，跟之前的讨论相比，本小节的内容还是稍显繁杂了。如果读者感到理解困难的话，可以暂时把下面的结论记住，跳过这部分内容。

- 坐标变换可以用“乘以方阵 A”的形式来表示。这里的 A 存在逆矩阵
- 反之，乘以某个存在逆矩阵的方阵 A，也可以用坐标变换来解释

---

① 本书中提到的坐标全部都是在“直的坐标系”下的。请参考?1.12。

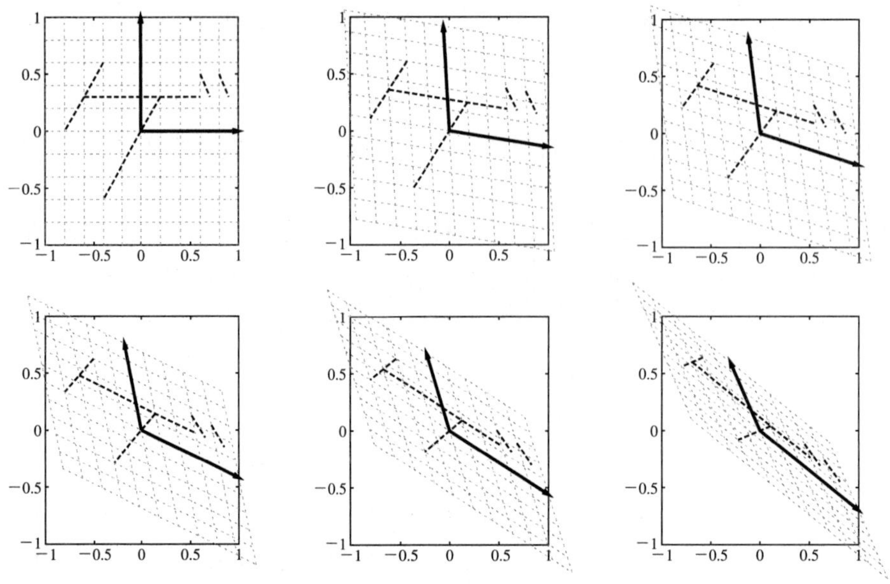

ruby mat_anim.rb -s=3 | gnuplot

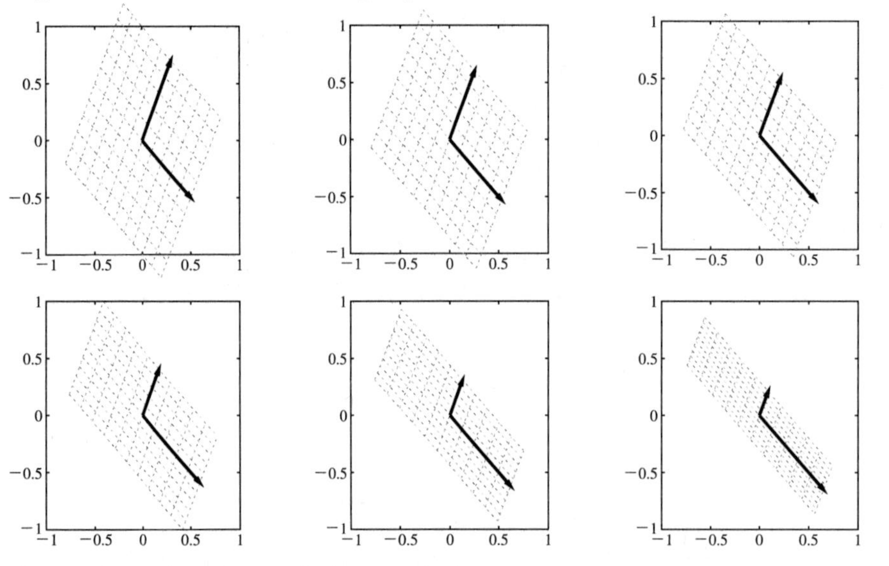

ruby mat_anim.rb -s=5 | gnuplot

图 1.25　（动画）坐标变换的好处。上半部分和下半部分都表示了图 1.10 中的矩阵 $A=\begin{pmatrix} 1 & -0.3 \\ -0.7 & 0.6 \end{pmatrix}$ 所对应的变换。下半部分由于最初选定了好的基底（格子），因此就变成了简单地沿着格子方向的伸缩。也就是说，如果选取以该方向为基底的坐标的话，就会变成沿坐标轴方向伸缩这种简单的形式

坐标变换的具体应用请参考第 4 章。为了加深理解，下面再做一些补充说明。

首先，为了直观起见，我们考虑 2 维空间中的**基底变换**。我们知道基底有很多种选法，这里我们取两组不同的基底 $(\vec{e}_x, \vec{e}_y), (\vec{e}'_x, \vec{e}'_y)$。对于同一个向量 $\vec{v}$，在不同的基底下有以下两种不同的表示。

$$\vec{v} = x\vec{e}_x + y\vec{e}_y = x'\vec{e}'_x + y'\vec{e}'_y \tag{1.16}$$

现在我们希望知道坐标 $\boldsymbol{v} = (x, y)^T$ 和坐标 $\boldsymbol{v}' = (x', y')^T$ 的对应关系，也就是是如何由一方推出另一方。一旦知道了这种对应关系，就可以做到我们前面提到的"问题 ⇔ 问题′"和"答案 ⇔ 答案′"的变换了。很显然，这种对应关系是由基底 $(\vec{e}_x, \vec{e}_y)$ 和 $(\vec{e}'_x, \vec{e}'_y)$ 之间的关系所决定的。打个比方，当

$$\vec{e}'_x = 3\vec{e}_x - 2\vec{e}_y \tag{1.17}$$

$$\vec{e}'_y = -\vec{e}_x + \vec{e}_y \tag{1.18}$$

时①，$\boldsymbol{v} = (x, y)^T$ 和 $\boldsymbol{v}' = (x', y')^T$ 的关系如何呢？将（1.17）式和（1.18）式代入（1.16）式，可以得到

$$\vec{v} = x'\vec{e}'_x + y'\vec{e}'_y = x'(3\vec{e}_x - 2\vec{e}_y) + y'(-\vec{e}_x + \vec{e}_y) = (3x' - y')\vec{e}_x + (-2x' + y')\vec{e}_y$$

由于上式和 $\vec{v} = x\vec{e}_x + y\vec{e}_y$ 是等价的②，对比一下系数，有

$$x = 3x' - y' \tag{1.19}$$

$$y = -2x' + y' \tag{1.20}$$

由此我们解出 x', y'③，得到

$$x' = x + y \tag{1.21}$$

$$y' = 2x + 3y \tag{1.22}$$

这就是从坐标 $\boldsymbol{v} = (x, y)^T$ 到 $\boldsymbol{v}' = (x', y')^T$ 的变换法则。

需要注意的是，基底的变换法则和坐标的变换法则是不同的。这好像是句废话。比如说，富士山的高度 = 3776 米 = 3.766 千米。单位变成了原来的 1000 倍，数值则变成了 1/1000 倍，实体（富士山的高度）并没有改变。这里单位对应的就是基底，而数值对应的则是坐标。

---

① $\vec{e}'_x$ 和 $\vec{e}'_y$ 本身也是向量，同样可以用基底 $(\vec{e}_x, \vec{e}_y)$ 来表示。

② 同样一片土地有着相同的地址（参考 1.1.4 节）。

③ 本例中，可以通过（1.19）式 +（1.20）式得到 x'，通过（1.19）式 × 2+（1.20）式 × 3 得到 y'。一般情况下，请参考 2.2.2 节中的线性方程组的解法。

■ 用矩阵表示坐标变换

我们用矩阵的语言来改写 (1.19) 式和 (1.20) 式的变换法则，即

$$\begin{pmatrix} x \\ y \end{pmatrix} = \begin{pmatrix} 3 & -1 \\ -2 & 1 \end{pmatrix} \begin{pmatrix} x' \\ y' \end{pmatrix}$$
$$\begin{pmatrix} x' \\ y' \end{pmatrix} = \begin{pmatrix} 1 & 1 \\ 2 & 3 \end{pmatrix} \begin{pmatrix} x \\ y \end{pmatrix}$$

一般来讲，坐标变换都可以表示为“乘上一个矩阵”的形式。

实际上，在两组不同的基底 $(\vec{e}_1, \cdots, \vec{e}_n)$, $(\vec{e}\,'_1, \cdots, \vec{e}\,'_n)$ 下，同一个向量 $\vec{v}$ 有

$$\vec{v} = x_1\vec{e}_1 + \cdots + x_n\vec{e}_n = x'_1\vec{e}\,'_1 + \cdots + x'_n\vec{e}\,'_n \tag{1.23}$$

两种不同的表示。很显然，坐标 $\boldsymbol{v} = (x_1, \cdots, x_n)^T$ 与 $\boldsymbol{v}' = (x'_1, \cdots, x'_n)^T$ 之间的变换法则，是由基底 $(\vec{e}_1, \cdots, \vec{e}_n)$ 与 $(\vec{e}\,'_1, \cdots, \vec{e}\,'_n)$ 之间的关系所决定的。由于 $\vec{e}\,'_1, \cdots, \vec{e}\,'_n$ 本身也是向量，它们在基底 $(\vec{e}_1, \cdots, \vec{e}_n)$ 之下可以表示为

$$\begin{aligned} \vec{e}\,'_1 &= a_{11}\vec{e}_1 + \cdots + a_{n1}\vec{e}_n \\ &\vdots \\ \vec{e}\,'_n &= a_{1n}\vec{e}_1 + \cdots + a_{nn}\vec{e}_n \end{aligned} \tag{1.24}$$

其中 $a_{11}, a_{12}, \cdots, a_{nn}$ 是数。因此，

$$\vec{v} = x'_1\vec{e}\,'_1 + \cdots + x'_n\vec{e}\,'_n \tag{1.25}$$
$$= x'_1(a_{11}\vec{e}_1 + \cdots + a_{n1}\vec{e}_n) + \cdots + x'_n(a_{1n}\vec{e}_1 + \cdots + a_{nn}\vec{e}_n)$$
$$= (a_{11}x'_1 + \cdots + a_{1n}x'_n)\vec{e}_1 + \cdots + (a_{n1}x'_1 + \cdots + a_{nn}x'_n)\vec{e}_n \tag{1.26}$$

这与

$$\vec{v} = x_1\vec{e}_1 + \cdots + x_n\vec{e}_n \tag{1.27}$$

等价①。通过比较系数，可以得到

$$\begin{aligned} x_1 &= a_{11}x'_1 + \cdots + a_{1n}x'_n \\ &\vdots \\ x_n &= a_{n1}x'_1 + \cdots + a_{nn}x'_n \end{aligned} \tag{1.28}$$

---

① 固定基底下的表示是唯一的。

把以上变换法则写成矩阵的形式，即

$$\boldsymbol{v} = A\boldsymbol{v}' \tag{1.29}$$

$$A = \begin{pmatrix} a_{11} & \cdots & a_{1n} \\ \vdots & & \vdots \\ a_{n1} & \cdots & a_{nn} \end{pmatrix}$$

以上就是求解坐标 $\boldsymbol{v}' = (x'_1, \cdots, x'_n)^T$ 到 $\boldsymbol{v} = (x_1, \cdots, x_n)^T$ 的变换法则的全过程。

反方向的变换也同样，把带有撇号和不带撇号的变量互换一下位置重新计算即可。比如

$$\begin{aligned} \vec{e}_1 &= a'_{11}\vec{e}'_1 + \cdots + a'_{n1}\vec{e}'_n \\ &\vdots \\ \vec{e}_n &= a'_{1n}\vec{e}'_1 + \cdots + a'_{nn}\vec{e}'_n \end{aligned}$$

改写成矩阵形式，即

$$\boldsymbol{v}' = A'\boldsymbol{v}$$

$$A' = \begin{pmatrix} a'_{11} & \cdots & a'_{1n} \\ \vdots & & \vdots \\ a'_{n1} & \cdots & a'_{nn} \end{pmatrix}$$

这里需要注意的是，我们得到的两个变换矩阵 A, A' 实际上互为逆矩阵。由于$\boldsymbol{v} = A\boldsymbol{v}'$、$\boldsymbol{v}' = A'\boldsymbol{v}$，正好满足逆矩阵的定义。

$$A' = A^{-1}, \qquad A = A'^{-1}, \qquad AA' = A'A = I \tag{1.30}$$

对于一开始给出的那个例子，我们也可以确认下式成立。

$$\begin{pmatrix} 3 & -1 \\ -2 & 1 \end{pmatrix}\begin{pmatrix} 1 & 1 \\ 2 & 3 \end{pmatrix} = \begin{pmatrix} 1 & 1 \\ 2 & 3 \end{pmatrix}\begin{pmatrix} 3 & -1 \\ -2 & 1 \end{pmatrix} = \begin{pmatrix} 1 & 0 \\ 0 & 1 \end{pmatrix} \tag{1.31}$$

?1.30 基底变换、坐标变换、有撇号没有撇号、元素 a_{ij} 的下标顺序 …… 各种细枝末节的地方总是弄不清楚，考试的时候又不是开卷，有什么好办法可以帮助记忆吗?

死记硬背是不行的哦！给你以下建议。

```
while (没自信)
  合上书
  准备好纸和笔
  试着自己推导一遍变换法则
  再读一遍书
end
```

虽然说是这么说，但是每次都按照本书的流程计算一遍，也确实太麻烦了。那么下面我们就介绍一种更加方便的方法，来推导变换法则。

(1.24) 式给出的对应关系实际上如下所示 ($n = 3$ 时)。

$$\boldsymbol{v}' = \begin{pmatrix} 1 \\ 0 \\ 0 \end{pmatrix} \leftrightarrow \boldsymbol{v} = \begin{pmatrix} a_{11} \\ a_{21} \\ a_{31} \end{pmatrix}$$

$$\boldsymbol{v}' = \begin{pmatrix} 0 \\ 1 \\ 0 \end{pmatrix} \leftrightarrow \boldsymbol{v} = \begin{pmatrix} a_{12} \\ a_{22} \\ a_{32} \end{pmatrix}$$

$$\boldsymbol{v}' = \begin{pmatrix} 0 \\ 0 \\ 1 \end{pmatrix} \leftrightarrow \boldsymbol{v} = \begin{pmatrix} a_{13} \\ a_{23} \\ a_{33} \end{pmatrix}$$

将上式和 (1.23) 式进行对照。比如，对于第一式，有 $1\vec{e}'_1+0\vec{e}'_2+0\vec{e}'_3 = a_{11}\vec{e}_1+a_{21}\vec{e}_2+a_{31}\vec{e}_3$。从 $\boldsymbol{v}'$ 一侧观察，很明显可以看出 $(1,0,0)^T$, $(0,1,0)^T$, $(0,0,1)^T$ 经过映射后的向量就写在右边。于是把 $\boldsymbol{v}'$ 映射到 $\boldsymbol{v}$ 的矩阵也就一目了然了①。

$$\boldsymbol{v} = A\boldsymbol{v}'$$

$$A = \begin{pmatrix} a_{11} & a_{12} & a_{13} \\ a_{21} & a_{22} & a_{23} \\ a_{31} & a_{32} & a_{33} \end{pmatrix}$$

当然，反方向的变换就是 $\boldsymbol{v}' = A^{-1}\boldsymbol{v}$。

另外，我们再来看一下下面这些“鬼画符”。由于没有附加解说，想必会比较难理解，请量力而行。

$$\vec{v} = (\vec{e}_1, \cdots, \vec{e}_n) \begin{pmatrix} x_1 \\ \vdots \\ x_n \end{pmatrix} = (\vec{e}'_1, \cdots, \vec{e}'_n) \begin{pmatrix} x'_1 \\ \vdots \\ x'_n \end{pmatrix}$$

$$= \left\{ (\vec{e}_1, \cdots, \vec{e}_n) \begin{pmatrix} a_{11} & \cdots & a_{1n} \\ \vdots & & \vdots \\ a_{n1} & \cdots & a_{nn} \end{pmatrix} \right\} \begin{pmatrix} x'_1 \\ \vdots \\ x'_n \end{pmatrix}$$

① 不清楚的读者请回头复习 1.2.3 节。严格来说，需要先行确认从 $\boldsymbol{v}'$ 到 $\boldsymbol{v}$ 的映射可以用“乘上一个矩阵”的形式表示出来。然而，通过前面的 ?1.15 可以知道，根据 (1.23) 式，我们需要的表达形式是完全可以得到的。

$$= (\vec{e}_1, \cdots, \vec{e}_n) \left\{ \begin{pmatrix} a_{11} & \cdots & a_{1n} \\ \vdots & & \vdots \\ a_{n1} & \cdots & a_{nn} \end{pmatrix} \begin{pmatrix} x'_1 \\ \vdots \\ x'_n \end{pmatrix} \right\}$$

由此可知，

$$\begin{pmatrix} x_1 \\ \vdots \\ x_n \end{pmatrix} = A \begin{pmatrix} x'_1 \\ \vdots \\ x'_n \end{pmatrix} \tag{1.32}$$

$$(\vec{e}\,'_1, \cdots, \vec{e}\,'_n) = (\vec{e}_1, \cdots, \vec{e}_n) A \tag{1.33}$$

顺便提一下，据此可以得到基底变换公式 (1.17)、(1.18) 以及坐标变换公式 (1.21)、(1.22) 之间的关系，如下所示。

$$\begin{pmatrix} 3 & -2 \\ -1 & 1 \end{pmatrix}^T \begin{pmatrix} 1 & 1 \\ 2 & 3 \end{pmatrix} = I \tag{1.34}$$

参照基底变换公式 (1.17)、(1.18) 的矩阵表示，我们将 (1.33) 式改写成

$$\begin{pmatrix} \vec{e}\,'_1 \\ \vdots \\ \vec{e}\,'_n \end{pmatrix} = A^T \begin{pmatrix} \vec{e}_1 \\ \vdots \\ \vec{e}_n \end{pmatrix}$$

参照坐标变换公式 (1.21)、(1.22) 的矩阵表示，将 (1.32) 式改写成

$$\begin{pmatrix} x'_1 \\ \vdots \\ x'_n \end{pmatrix} = A^{-1} \begin{pmatrix} x_1 \\ \vdots \\ x_n \end{pmatrix}$$

则 (1.34) 式就可以抽象为 $(A^T)^T A^{-1} = AA^{-1} = I$。

说了这么多，如果还有读者觉得不够的话，可以去学习一下张量表示法①。

$$\sum_i x^i \underset{i}{\vec{e}} = \sum_{i'} x^{i'} \underset{i'}{\vec{e}} = \sum_{i,i'} x^{i'} (A^i_{i'} \underset{i}{\vec{e}}) = \sum_{i,i'} A^i_{i'} x^{i'} \underset{i}{\vec{e}} = \sum_{i,i'} (A^i_{i'} x^{i'}) \underset{i}{\vec{e}}$$

当然这已经超出了本书的讨论范围。

① 按照 $x_i \to x^i$、$x'_i \to x^{i'}$、$\vec{e}_i \to \underset{i}{\vec{e}}$、$\vec{e}\,'_i \to \underset{i'}{\vec{e}}$、$a_{ij} \to A^i_{j'}$ 的规则替换了变量，其中符号右上角的 i, i' 也不是表示乘方，仅仅是上标而已。至于为什么要把角标上下分开写，读者可以参考文献 [6]。关键词为“**反变**”“**共变**”。

? 1.31　坐标变换可以用乘以方阵的形式表示，这一点已经清楚了。但是，反过来，是不是所有乘以某个方阵的操作，都可以用坐标变换来解释呢？

当逆矩阵存在时，可以用坐标变换来解释①。把本小节中的推导过程逆过来走一遍就明白了。下面我们来做做看。

现在我们参照 (1.29) 式的样子，通过方阵 A，把 $\boldsymbol{v}'$ 映射到 $\boldsymbol{v} = A\boldsymbol{v}'$。回想一下 1.1.6 节中向量在坐标系下的表示，我们知道表达式 $\boldsymbol{v} = A\boldsymbol{v}'$ 实际上省略了基底。如果把基底带上的话，左边的 $\boldsymbol{v}$ 就变成了 (1.27) 式的样子，而对应的右边的 $A\boldsymbol{v}'$ 就是 (1.26) 式的样子②。这里，如果我们像 (1.24) 式一样给 $\vec{e}'_1, \cdots, \vec{e}'_n$ 赋予具体的定义，就可以对 (1.25) 式实行变量替换，进而得到 (1.26) 式。又因为 (1.27) 式= (1.25) 式，即

$$x_1\vec{e}_1 + \cdots + x_n\vec{e}_n = x'_1\vec{e}'_1 + \cdots + x'_n\vec{e}'_n \tag{1.35}$$

上式实际上是在告诉我们，某个向量在基底 $(\vec{e}'_1, \cdots, \vec{e}'_n)$ 下的坐标为 $(x'_1, \cdots, x'_n)^T$，在另一组基底 $(\vec{e}_1, \cdots, \vec{e}_n)$ 下的坐标为 $(x_1, \cdots, x_n)^T$。换句话说，方阵 A 可以用 $\boldsymbol{v}' \mapsto \boldsymbol{v}$ 的坐标变换来解释。如果你觉得这样就万事大吉了那就错了，还没完。我们这里构造出来的 $(\vec{e}'_1, \cdots, \vec{e}'_n)$ 到底是否满足构成基底的条件（参考 1.1.4 节）呢？到目前为止还没有确认。实际上，为了保证这一点，A 必须存在逆矩阵。

首先要面对的问题是，是否任意向量都可以写成 (1.25) 式的形式呢？我们按照接下来介绍的步骤去做，就能够顺利地找到对应的 $\boldsymbol{v}'$。已知 $(\vec{e}_1, \cdots, \vec{e}_n)$ 是一组基底，于是 (1.27) 式的写法是一定可以保证的。有了 $\boldsymbol{v}$ 之后，我们令 $\boldsymbol{v}' = A^{-1}\boldsymbol{v}$，则有 (1.25) 式成立（因为前面已经说过，当 $\boldsymbol{v} = A\boldsymbol{v}'$ 成立时，(1.35) 式就成立）。

接下来的问题是，形如 (1.25) 式的写法是唯一的吗？假设存在两组不同的 $\boldsymbol{v}'$，都能使 (1.25) 式成立，则令 $\boldsymbol{v} = A\boldsymbol{v}'$，(1.27) 式也会产生两组不同的结果③。但我们的大前提是 $(\vec{e}_1, \cdots, \vec{e}_n)$ 是一组基底，这说明一个向量不可能对应两组不同的坐标。综上所述，根据反证法④的原理，可知使得 (1.25) 式成立的 $\boldsymbol{v}'$ 是唯一的。到此为止，我们的证明才是滴水不漏，可以开始庆祝了！

---

① 通过 (1.30) 式可以确定，若能构成坐标变换，则逆矩阵应该存在。

② 把 (1.29) 式中的每个分量对应的方程单独写出来就是 (1.28) 式。

③ 这里隐藏了一些过程。实际上我们必须首先证明一个命题 —— 当 A 存在逆矩阵时，若 $\boldsymbol{v}' \neq \boldsymbol{w}'$ 则 $A\boldsymbol{v}' \neq A\boldsymbol{w}'$。这个问题似乎当作习题来做正合适，你会证吗？—— 假如 $A\boldsymbol{v}' = A\boldsymbol{w}'$ 的话，两边同时乘以 A^{-1}，可得 $\boldsymbol{v}' = \boldsymbol{w}'$。"若 $A\boldsymbol{v}' = A\boldsymbol{w}'$ 则 $\boldsymbol{v}' = \boldsymbol{w}'$"和"若 $\boldsymbol{v}' \neq \boldsymbol{w}'$ 则 $A\boldsymbol{v}' \neq A\boldsymbol{w}'$"互为逆否命题，所以两者等价。

④ 数学证明中的常用手法之一。大概思路是，先假设命题不成立，然后从假设出发推出矛盾，于是可以得出假设错误，从而证明原命题必成立。

? 1.32 坐标变换到底改变不改变向量呢?

用一句话说就是，作为向量实体的有向线段 $\vec{x}$ 是不变的，而其坐标表示 $\boldsymbol{x}$ 是变化的。

1.2.12 转置矩阵=???

我们从加减乘运算开始，导入了矩阵的乘方、逆矩阵等概念。那么矩阵的基本运算中，就差最后一个了，那就是矩阵的转置。

对于矩阵 A，将其行列互换得到的矩阵，就称为 A 的**转置矩阵**，记为 A^T①。这里的 T 是英文 Transpose 的首字母。例如：

$$A = \begin{pmatrix} 2 & 9 & 4 \\ 7 & 5 & 3 \end{pmatrix} \quad \to \quad A^T = \begin{pmatrix} 2 & 7 \\ 9 & 5 \\ 4 & 3 \end{pmatrix}$$

其中，第 1 行变成了第 1 列，第 2 行变成了第 2 列。至于这里我们使用的记号 A^T 到底是表示转置还是 A 的 T 次方，请读者根据前后文自行判断。在本书中，A^T 默认表示 A 的转置矩阵。转置的运算顺序与乘方运算同级别。比如 AB^T 是 $A(B)^T$ 的意思，而非 $(AB)^T$。

$$(A^T)^T = A$$

对于对角矩阵 D，显然 $D^T = D$。接下来还有一些不那么明显的性质，也请大家牢记，比如矩阵乘积的转置的性质②。

$$(AB)^T = B^T A^T$$

多个矩阵相乘时，道理也是一样的，比如 $(ABCD)^T = D^T C^T B^T A^T$。

作为练习，下面来证明对于方阵 A，有

$$(A^{-1})^T = (A^T)^{-1}$$

---

① 简称为"A 的**转置**"。另外，有时也记为 A^t 或者 ${}^tA$。在统计学中，还经常写成 A'。很明显，A 的转置的转置就是 A 本身。

② 下面给一个证明梗概。首先将 $A = (\boldsymbol{a}_1, \cdots, \boldsymbol{a}_m)^T$、$B = (\boldsymbol{b}_1, \cdots, \boldsymbol{b}_k)$ 进行行、列向量的分块。其中，A 实际上是行向量 $\boldsymbol{a}_1^T, \cdots, \boldsymbol{a}_m^T$ 的纵向排列。这样一来，AB 的 (i,j) 元素即为 $\boldsymbol{a}_i^T \boldsymbol{b}_j$（参考 1.2.9 节）。也就是说，$(AB)^T$ 的 (j,i) 元素为 $\boldsymbol{a}_i^T \boldsymbol{b}_j$。同理，可得 $B^T = (\boldsymbol{b}_1, \cdots, \boldsymbol{b}_k)^T$ 与 $A^T = (\boldsymbol{a}_1, \cdots, \boldsymbol{a}_m)$ 的积$B^T A^T$ 的 (j,i)元素为 $\boldsymbol{b}_j^T \boldsymbol{a}_i$。那么，前面的 $\boldsymbol{a}_i^T \boldsymbol{b}_j$ 与这里的 $\boldsymbol{b}_j^T \boldsymbol{a}_i$ 相等吗？答案是肯定的。一般来讲，对于维数相同的向量 $\boldsymbol{x} = (x_1, \cdots, x_n)^T$ 和 $\boldsymbol{y} = (y_1, \cdots, y_n)^T$，有 $\boldsymbol{x}^T \boldsymbol{y} = \boldsymbol{y}^T \boldsymbol{x} = x_1 y_1 + \cdots + x_n y_n$。虽然我们可以给出证明，但是其背后的含义却依然不明了，实在是有点可悲。想知道其中含义的读者，请参考附录 E.1.5。

为证明 $(A^{-1})^T$ 是 A^T 的逆矩阵，只需要确认两者的乘积是单位矩阵 I 即可[①]。好了，我们来证明一下吧！利用上面的性质 $B^T A^T = (AB)^T$，有

$$(A^{-1})^T A^T = (AA^{-1})^T = I^T = I$$

最后一步用到了单位矩阵也是对角矩阵的一种这一性质。$(A^{-1})^T$ 有时候也简写为 A^{-T}。

好吧，说实话，我们到目前为止所讲述的关于矩阵转置的一切，都是歪门邪道。行列互换的操作固然简单，但这里映射的意义又何在呢？单单讲线性空间，我们无法回答上述问题。这里需要引入内积的概念，只有在定义了内积的线性空间上，我们才能说明转置的真正含义是什么。详情请参考附录 E.1.5。

上面的说明主要针对的是实矩阵的转置。对于复矩阵，还有一种比转置更为常用的操作，那就是**共轭转置**[②]。

$$A^* = \overline{A}^T$$

其中 $\overline{A}$ 表示将 A 的各个元素取**（复）共轭**[③] 得到的矩阵。例如：

$$A = \begin{pmatrix} 2+\mathrm{i} & 9-2\mathrm{i} & 4 \\ 7 & 5+5\mathrm{i} & 3 \end{pmatrix} \quad \rightarrow \quad A^* = \begin{pmatrix} 2-\mathrm{i} & 7 \\ 9+2\mathrm{i} & 5-5\mathrm{i} \\ 4 & 3 \end{pmatrix}$$

关于共轭转置，我们同样有以下性质。

$$(A^*)^* = A$$
$$(AB)^* = B^* A^*$$
$$(A^{-1})^* = (A^*)^{-1}$$

? 1.33 为何对于复矩阵，共轭转置更加常用？

请参考附录 E.1.6。

1.2.13 补充（1）：时刻注意矩阵规模

仅看代数式 $\boldsymbol{y} = A\boldsymbol{x}$、$c = \boldsymbol{y}^T\boldsymbol{x}$ 等，往往会忘记矩阵本身长什么样子。看到上面的式子的时候，脑海中要浮现出下面的形象。

---

① 不明白的读者请回头参考 1.2.8 节中逆矩阵的定义。

② 也记为 $A^\dagger$。

③ 对于复数 $z = 3 + 2\mathrm{i}$ 而言，其共轭为 $\overline{z} = 3 - 2\mathrm{i}$，也就是改变其**虚数部分**的符号得到的复数。

本小节中要强调的是，要时刻注意矩阵的规模（大小，也就是行数和列数）。换句话说，在代数式中，要注意每个变量表示的是数、向量还是矩阵，在进行加法和乘法运算时，矩阵的规模是否符合定义要求等。另外，无论如何都要记住用粗体来表示向量，这也是重要的一点。

为了增强对矩阵规模的具体印象，我们来亲自算几个问题。请读者一定要在神清气爽时来阅读本小节。

■ 练习一

对于 10 维列向量 $\boldsymbol{x} = (x_1, \cdots, x_{10})^T$，$\boldsymbol{v} = (v_1, \cdots, v_{10})^T$，如果要计算

$$\boldsymbol{y} = \boldsymbol{x}\boldsymbol{x}^T(I + \boldsymbol{v}\boldsymbol{v}^T)\boldsymbol{x}$$

你会怎么做？其中 I 是 10 阶单位矩阵。

我们可以不假思索地做出解答，如下所示。

1. 计算 $\boldsymbol{x}\boldsymbol{x}^T$。答案是 10×10 矩阵

$$\begin{pmatrix} x_1^2 & x_1x_2 & \cdots & x_1x_{10} \\ x_2x_1 & x_2^2 & \cdots & x_2x_{10} \\ \vdots & \vdots & & \vdots \\ x_{10}x_1 & x_{10}x_2 & \cdots & x_{10}^2 \end{pmatrix} \text{—— (A)}$$

2. 用同样的方法计算 $\boldsymbol{v}\boldsymbol{v}^T$，答案也是一个 10×10 矩阵
3. 将上面得到的矩阵与 I 相加，结果为 10×10 矩阵 ——（B）
4. 计算（A）与（B）的乘积，得到一个 10×10 矩阵
5. 将得到的矩阵右边乘以 $\boldsymbol{x}$，得到一个 10 维列向量

但是，只要稍加改进，我们就可以少费很多功夫。首先，按照

$$\boldsymbol{y} = \boldsymbol{x}\boldsymbol{x}^T\boldsymbol{x} + \boldsymbol{x}\boldsymbol{x}^T\boldsymbol{v}\boldsymbol{v}^T\boldsymbol{x}$$

的方式展开①。这里，乘法表达式 $\boldsymbol{x}\boldsymbol{x}^T\boldsymbol{x}$ 和 $\boldsymbol{x}\boldsymbol{x}^T\boldsymbol{v}\boldsymbol{v}^T\boldsymbol{x}$ 都可以看作是矩阵的乘积，所以无论怎样加括号，最后结果都是不变的②。于是我们可以添加括号，使得括号中的部分是一个数，比如 $\boldsymbol{x}(\boldsymbol{x}^T\boldsymbol{x})$ 和 $\boldsymbol{x}(\boldsymbol{x}^T\boldsymbol{v})(\boldsymbol{v}^T\boldsymbol{x})$。这样我们就可以得到一个简便的计算方法，如下所示。

---

① 第一项本来是 $\boldsymbol{x}\boldsymbol{x}^T I\boldsymbol{x}$，因为乘以单位矩阵后结果不变，故省略。

② 不明白的读者请回头复习 1.2.4 节和 1.2.5 节。

1. 计算 $a = \boldsymbol{x}^T\boldsymbol{x} = x_1^2 + \cdots + x_{10}^2$，结果为一个数
2. 计算 $b = \boldsymbol{x}^T\boldsymbol{v} = x_1v_1 + \cdots + x_{10}v_{10}$，结果也是一个数。注意 $\boldsymbol{v}^T\boldsymbol{x}$ 也同样是这个数
3. 计算 $c = a + b^2$，当然，结果也是数
4. 计算 $c\boldsymbol{x} = (cx_1, \cdots, cx_{10})^T$，结果为一个 10 维向量

在编写矩阵计算的程序时，如何避免在运算途中涉及大的矩阵，也是一门必要的技巧。

■ 练习二

设 A 为 n 阶方阵，$\boldsymbol{b}, \boldsymbol{c}$ 为 n 维列向量，当 A 存在逆矩阵 A^{-1}，并且 $\boldsymbol{c}^TA^{-1}\boldsymbol{b} \neq -1$ 时，试证下式成立。

$$(A + \boldsymbol{b}\boldsymbol{c}^T)^{-1} = A^{-1} - \frac{A^{-1}\boldsymbol{b}\boldsymbol{c}^TA^{-1}}{1 + \boldsymbol{c}^TA^{-1}\boldsymbol{b}}$$

如果能顺利解答这个问题的话，对矩阵的计算就一定信心满满了。这个公式在迭代最小二乘法、卡尔曼滤波等迭代（递归）算法中非常常用。更一般的公式可以写成

$$(A + BDC)^{-1} = A^{-1} - A^{-1}B(D^{-1} + CA^{-1}B)^{-1}CA^{-1}$$

看到这里，或许有读者会说要复习一下逆矩阵的求法了。说到逆矩阵，最核心的定义就是，相乘之后的结果是单位矩阵。我们已经屡次强调过，相对于如何计算逆矩阵，更重要的是如何理解逆矩阵代表的含义。

那么，我们把等号右边乘上 $(A + \boldsymbol{b}\boldsymbol{c}^T)$ 看一看。其实在左边乘也可以，这里我们选择乘在右边。

$$\left(A^{-1} - \frac{A^{-1}\boldsymbol{b}\boldsymbol{c}^TA^{-1}}{1 + \boldsymbol{c}^TA^{-1}\boldsymbol{b}}\right)(A + \boldsymbol{b}\boldsymbol{c}^T) \tag{1.36}$$

$$= A^{-1}(A + \boldsymbol{b}\boldsymbol{c}^T) - \frac{A^{-1}\boldsymbol{b}\boldsymbol{c}^TA^{-1}(A + \boldsymbol{b}\boldsymbol{c}^T)}{1 + \boldsymbol{c}^TA^{-1}\boldsymbol{b}} \tag{1.37}$$

$$= I + A^{-1}\boldsymbol{b}\boldsymbol{c}^T - \frac{A^{-1}\boldsymbol{b}\boldsymbol{c}^TA^{-1}(A + \boldsymbol{b}\boldsymbol{c}^T)}{1 + \boldsymbol{c}^TA^{-1}\boldsymbol{b}} \tag{1.38}$$

其中最后一项的分子是

$$A^{-1}\boldsymbol{b}\boldsymbol{c}^TA^{-1}(A + \boldsymbol{b}\boldsymbol{c}^T) = A^{-1}\boldsymbol{b}\boldsymbol{c}^T + A^{-1}\boldsymbol{b}\boldsymbol{c}^TA^{-1}\boldsymbol{b}\boldsymbol{c}^T \tag{1.39}$$

请注意，上式可以写成

$$A^{-1}\boldsymbol{b}\boldsymbol{c}^TA^{-1}\boldsymbol{b}\boldsymbol{c}^T = A^{-1}\boldsymbol{b}(\boldsymbol{c}^TA^{-1}\boldsymbol{b})\boldsymbol{c}^T = (\boldsymbol{c}^TA^{-1}\boldsymbol{b})A^{-1}\boldsymbol{b}\boldsymbol{c}^T$$

这么做的理由相信读者都清楚了。和练习一一样，在多个矩阵的乘积中，可以随意加括号简化计算，这里的 $\boldsymbol{c}^TA^{-1}\boldsymbol{b}$ 是个数，所以可以提到最前面。这两个等式的具体形象如下所示。

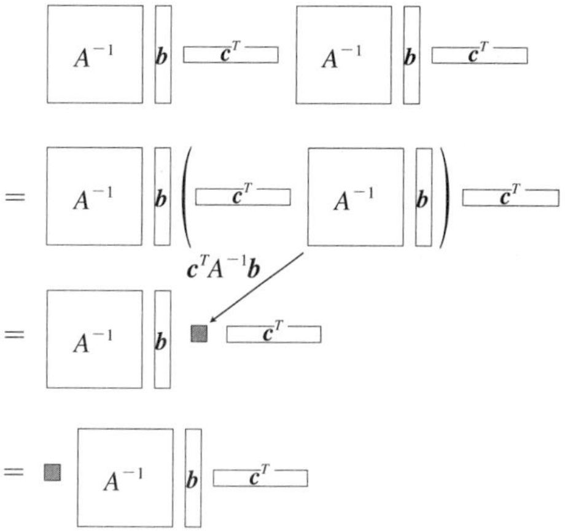

是不是和大家脑海中浮现出来的形象一样呢? 这样一来,(1.39) 式就变成了

$$(1.39)\ 式 = A^{-1}\boldsymbol{b}\boldsymbol{c}^T + (\boldsymbol{c}^T A^{-1}\boldsymbol{b})A^{-1}\boldsymbol{b}\boldsymbol{c}^T = (1+\boldsymbol{c}^T A^{-1}\boldsymbol{b})A^{-1}\boldsymbol{b}\boldsymbol{c}^T$$

接下来将其代入 (1.38) 式, 整理可得

$$(1.38)\ 式 = I + A^{-1}\boldsymbol{b}\boldsymbol{c}^T - \frac{(1+\boldsymbol{c}^T A^{-1}\boldsymbol{b})A^{-1}\boldsymbol{b}\boldsymbol{c}^T}{1+\boldsymbol{c}^T A^{-1}\boldsymbol{b}} = I + A^{-1}\boldsymbol{b}\boldsymbol{c}^T - A^{-1}\boldsymbol{b}\boldsymbol{c}^T = I$$

1.2.14 补充 (2): 从矩阵的元素的角度看

我们一再强调, 不要从字面上理解概念, 而要加强几何上的认识。于是我们一直在避免过多地使用矩阵的元素来表示矩阵本身。但是, 在写程序的时候, 不可避免地要面对矩阵的元素。本小节中我们就来总结一下各个概念用矩阵的元素来表达是什么样的。下面用符号 $\Leftrightarrow$ 表示左右等价。

对于 $m \times n$ 矩阵 $A = (a_{ij})$, 有

- A 是零矩阵 $\Leftrightarrow$ $a_{ij} = 0$ 对于所有 i, j 都成立
- A 是单位矩阵 $\Leftrightarrow$ (仅当 $m = n$ 时) $a_{ij} = \begin{cases} 1 & (i = j) \\ 0 & (i \neq j) \end{cases}$ 对于所有 i, j 都成立
- A 是对角矩阵 $\Leftrightarrow$ (仅当 $m = n$ 时) $a_{ij} = 0$ 对于所有 $i, j (i \neq j)$ 都成立
- A 的转置矩阵是 $B = (b_{kl})$ $\Leftrightarrow$ (仅当 B 是 $n \times m$ 矩阵时) $b_{ji} = a_{ij}$ 对于所有 i, j 都成立

1.3　行列式与扩大率

本章中我们已经介绍了线性代数中的主角 —— 向量和矩阵。接下来我们就来介绍一位经常会出场的配角 —— 行列式。

1.3.1　行列式 = 体积扩大率

图 1.26 表示方阵 $A = \begin{pmatrix} 1.5 & 0 \\ 0 & 0.5 \end{pmatrix}$ 对应的线性变换。

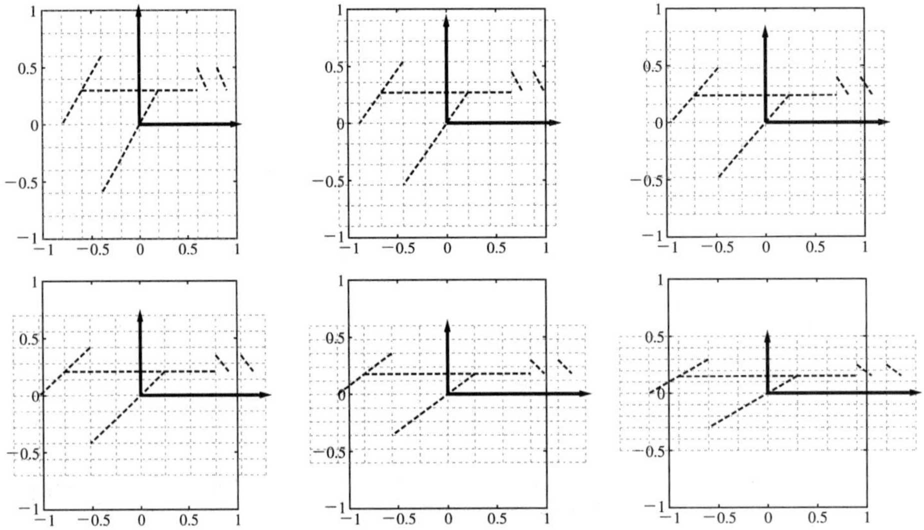


```
ruby mat_anim.rb -s=0 | gnuplot
```

图 1.26　（动画）矩阵 $A = \begin{pmatrix} 1.5 & 0 \\ 0 & 0.5 \end{pmatrix}$ 对应的线性变换

如图 1.26 所示，图形横向变为了原来的 1.5 倍，纵向变成了原来的 0.5 倍，于是面积变成了原来的 $1.5 \times 0.5 = 0.75$ 倍。

再考虑矩阵 $B = \begin{pmatrix} 1 & -0.3 \\ -0.7 & 0.6 \end{pmatrix}$ 的情况。其对应的变换如图 1.27 所示，面积变成了原来的 0.39 倍。

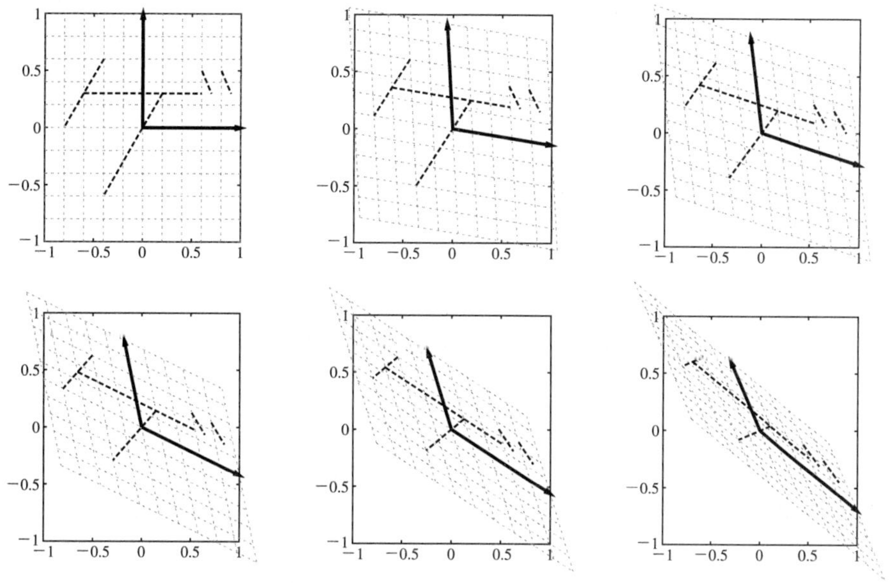

```
ruby mat_anim.rb -s=3 | gnuplot
```

图 1.27 （动画）矩阵 $B = \begin{pmatrix} 1 & -0.3 \\ -0.7 & 0.6 \end{pmatrix}$ 对应的线性变换

这里的面积扩大率与原图形的位置和形状都无关。这样的面积扩大率就称为该矩阵的**行列式**（determinant），记为

$$\det A = 0.75, \quad \det B = 0.39$$

或者

$$|A| = 0.75, \quad |B| = 0.39$$

由于使用 det 和使用 $|\cdot|$ 的情况都不在少数，所以请读者熟悉这两种写法。

对于 3 阶方阵来说，行列式表示体积扩大率（图 1.28）。

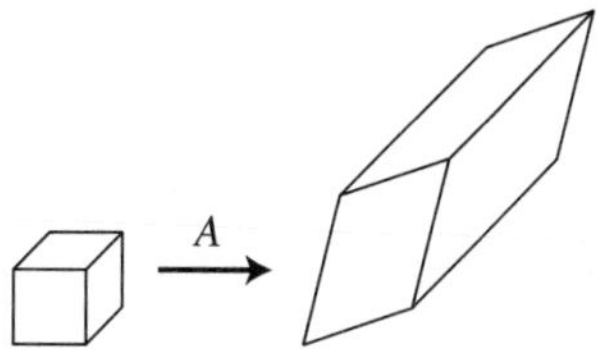

图 1.28 行列式 = 体积扩大率。在 A 的变换下，图形的体积变成了原来的多少倍？这个倍率就是 $\det A$

一般情况下，对于 n 阶方阵 A，"n 维版本的体积" 的扩大率，就是行列式 $\det A$。

2 阶方阵 $A = (\boldsymbol{a}_1, \boldsymbol{a}_2)$①的行列式也可以解释为由向量 $\boldsymbol{a}_1, \boldsymbol{a}_2$ 围成的**平行四边形的面积**。究其原因，面积为1的正方形，经过 A 的变换之后，得到的正是该平行四边形（图1.29）②。同样地，3 阶方阵 $A = (\boldsymbol{a}_1, \boldsymbol{a}_2, \boldsymbol{a}_3)$ 的行列式可以解释为由向量 $\boldsymbol{a}_1, \boldsymbol{a}_2, \boldsymbol{a}_3$ 所围成的**平行六面体**③的体积。

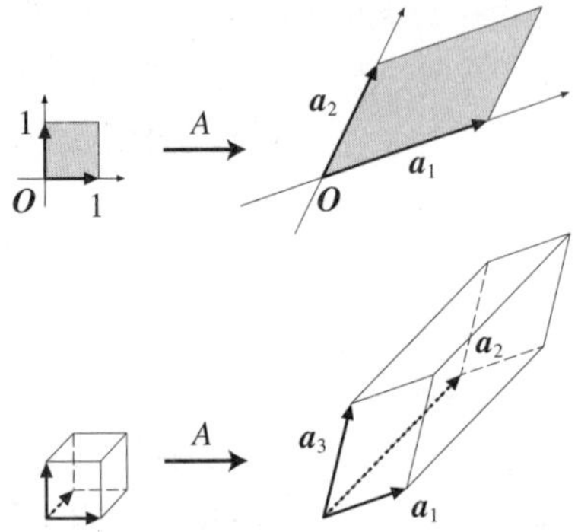

图 1.29　行列式可以看作是平行四边形的面积（2阶）或平行六面体的体积（3阶）

在对图形进行镜像翻转变换的情况下，可以用负的扩大率来表示（图 1.30）。

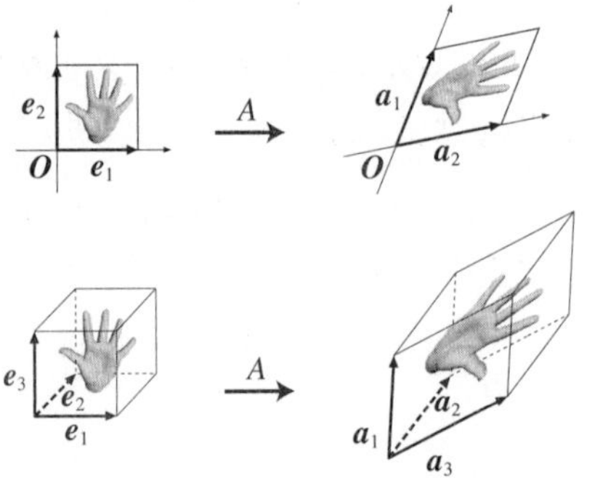

图 1.30　镜像（左手变右手）的情况下，体积扩大率（= 行列式）为负

图形扁平化的情况下，体积扩大率为 0（图 1.31）。

这里还可以参考图 1.20、图 1.21 以及综述。

---

① 令矩阵 $A = \begin{pmatrix} a & b \\ c & d \end{pmatrix}$，则 $\boldsymbol{a}_1 = (a, c)^T$，$\boldsymbol{a}_2 = (b, d)^T$。不明白的读者请复习 1.2.9 节。

② 不明白的读者请注意，$\boldsymbol{a}_1$ 和 $\boldsymbol{a}_2$ 分别是 $(1, 0)^T$ 和 $(0, 1)^T$ 在映射下的目标点（参考 1.2.3 节）。另外，如果考虑到原坐标系是斜的情况，则需要严密地说成"将基底 $(1, 0)^T$ 和 $(0, 1)^T$ 下生成的平行四边形的面积定为 $1 \cdots\cdots$"。

③ 平行四边形是对边平行，平行六面体是对面平行。也可以看作是将长方体倾斜，各面变成平行四边形得到的图形。

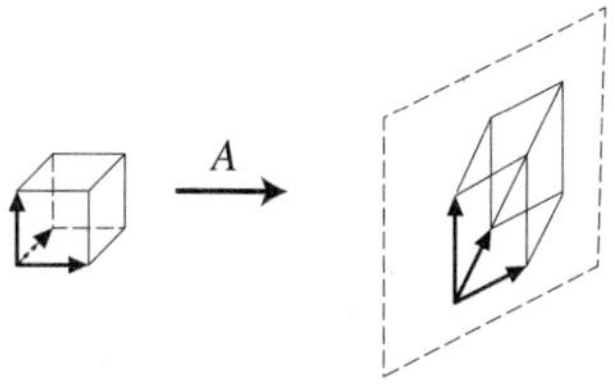

图 1.31 图形扁平化的情况下，体积扩大率（=行列式）为 0

虽然具体的计算方法也很重要，但是在这之前，需要首先理解行列式代表的含义。

? 1.34 体积扩大率的说法有什么用?

在微积分中，积分可以解释为由函数图像围成的面积，二重积分可以解释为由三元函数图像围成的体积。为此，在多重积分的换元法中，行列式起到了关键的作用。关于这一点，可以查阅微积分（或者数学分析）的教科书，关键词为雅可比矩阵（Jacobian）。

另外，在单位体积下的量，也就是"密度"问题中，行列式也起到关键作用。如果学过概率统计的话就知道，在研究概率密度函数根据随机变量的变化而产生的变化时，是要依靠行列式的。因为空间的延伸会带来密度的下降。

还有一点很重要，那就是行列式可以用来检测是否产生了退化。如图 1.31 所示的压缩扁平化变换对应的体积扩大率为 0。换句话说，压缩扁平化对应的行列式是 0。反之，行列式0对应的变换应该是压缩扁平化。总而言之，求出行列式就可以判断对应的线性变换是否压缩扁平化。还记得我们为什么这么介意这种情况吗? 如 1.2.8 节中所述，压缩扁平化意味着不存在逆矩阵。至于为什么这一点如此重要，我们会在接下来的第 2 章中好好地谈一谈。

? 1.35 "扁平化""镜像"之类的话太含糊了吧。不把行列式的计算公式写出来的话，总是感觉没有理解呢。

如果连行列式究竟是什么都不知道，就要去学计算方法，鄙人也没办法了。真正重要的事情是要"知其所以然"，这也是贯穿全书的思想。因此，计算方法之类的，我们以后再谈吧。只不过"所以然"这个东西，就算磨破嘴皮也不太可能完美地传达给读者。好吧，为了展开严密的数学讨论，也是时候"郑重其事"地给出一些定义了。难得本书中能出现这种一本正经的讲述，下面就让我们来略窥一二吧。

这里所说的"压缩扁平化"，和在 1.2.8 节中提到的一样，是指把不同的点映射到同一点的意思。换言之，存在 $\boldsymbol{x} \neq \boldsymbol{x}'$，使得 $A\boldsymbol{x} = A\boldsymbol{x}'$。在 1.3.5 节中，我们会证明这与

$\det A = 0$ 是等价的，并且该证明不依赖于直观感受①。

这里所说的“镜像”，是指从最初的状态出发，进行连续的变形（渐变）一直到最终状态，在这个过程中，无论如何都会有某一时刻是“扁平化”状态的。严格来讲，我们希望找到一个函数值为矩阵的连续函数② $F(t)$，其初始值满足 $F(0) = I$，终值满足 $F(1) = A$，并且对于中间的任意值 t，都有 $\det F(t) \neq 0$，这样的 F 是不存在的③。下面我们来证明当 $\det A < 0$ 时，满足条件的 F 是不存在的。

我们来考虑吃进去实数吐出来实数的函数 $f(t) = \det F(t)$。它的初始状态是 $f(0) = \det I = 1$，最终状态是 $f(1) = \det A < 0$。根据变化的连续性，变化途中一定会经过 $f(t) = 0$ 的状态④。也就是说，变换途中一定会有一刻是压缩到扁平状态的。

反之，也必须证明“当 $\det A > 0$ 时，这样的 F 是可以构造的”，这里我们就不再详述了。

?1.36 既然和绝对值用同样的符号，$|A|$ 是负值的话 ……

话虽这么说，但事实就是这样。顺便提一句，除了这两种表示以外，在表示集合 A 的元素个数时，也经常会记作 $|A|$。虽然使用的是同样的记号，但代表的意思可是有天壤之别。关键取决于 $|\cdot|$ 中的东西是什么，是数？是矩阵？还是集合？对于不同的对象，请自行判断记号所表达的意思。其实这也仅限于对象属性很明显的情况，一般来说还是尽量避免因为重复使用而导致歧义为好。只是在 C++、Ruby 等程序设计语言中，根据不同的对象，是可以重载相同的运算的。总之，为了避免混淆，本书中全部以 det 来表示行列式。

?1.37 如此一来，遇到 $|-7|$ 时，到底应该将其理解为数 -7 的绝对值还是 1×1 矩阵 (-7) 的行列式呢？无法区分啊！

非要这么说的话，也有一定道理。但是从程序员的角度出发，应该不能接受这种不

① 该小节中证明的是，$\det A = 0$ 与 A 的逆矩阵不存在两者等价。而“逆映射不存在”与“使得 $A\boldsymbol{x} = A\boldsymbol{x}'$ 成立的 $\boldsymbol{x} \neq \boldsymbol{x}'$ 存在”这两件事的等价性，我们会在 2.4.1 节中说明。

② 即吃进去 0 到 1 之间的实数、吐出来矩阵的函数 $F(t)$，当 t 变化时，矩阵 $F(t)$ 连续变化。关于连续的定义，这里不做说明。

③ 我们假设 A 本身没有对应“压缩扁平化”映射。另外，很抱歉没有事先声明，这里考虑的矩阵全部都是实矩阵。复矩阵的情况在接下来的 ?1.38 中马上就可以看到。

④ 根据“中值定理”。如果追求严谨性的话，还必须要证明“当 F 连续时，f 同样连续”，这里省略。

明确的东西吧? 好吧好吧 …… 在人前一直高贵冷艳的数学，这次不得不破例认栽了，还是有点人情味儿比较好，听程序员的。

?1.38 A 是复矩阵时 ……

如果说复矩阵的行列式还是体积扩大率，似乎是有点难以接受呢。后面的 1.3.3 节中我们会给出行列式的具体公式。有了公式后，复矩阵的行列式也就可以定义了。实矩阵的行列式值是实数；同样，复矩阵的行列式值一般是复数。但是，如果考虑到复矩阵的话，镜像翻转的操作就失去意义了。因为当 A 本身不是扁平化映射时，总能够构造出 ?1.35 中那样的 $F(t)$。如图 1.32 所示，我们可以想象一下，在复平面（参考附录 B）上可以绕过扁平化（行列式为 0）点到达其镜像点（行列式为负）。

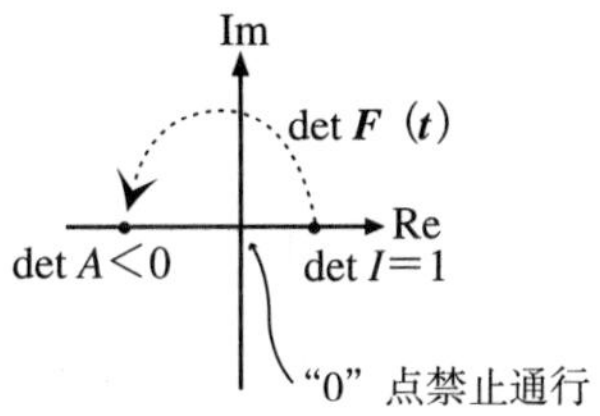

图 1.32 讨论范围扩大到复矩阵时，可以绕过扁平化（行列式为 0）点，到达镜像点（行列式为负）

?1.39 A 不是方阵时 ……

非方阵的情况下，没有行列式的定义。

1.3.2 行列式的性质

■ 简单性质

我们说过，矩阵就是映射，行列式就是体积扩大率。在这个认识的基础上，下列性质就一目了然了。

$$\det I = 1$$

$$\det(AB) = (\det A)(\det B)$$

前者是在说，因为保持不变，所以变化率当然是 1；后者是在说，首先映射 B 造成了 $\det B$

倍的变化，接下来映射 A 带来 $\det A$ 倍的变化，于是先 B 后 A 自然就造成体积扩大 $(\det A)(\det B)$ 倍。利用这两个公式，我们可以得到 $(\det A)(\det A^{-1}) = \det(AA^{-1}) = \det I = 1$，即

$$\det A^{-1} = \frac{1}{\det A} \tag{1.40}$$

从 A^{-1} 的定义（将 A 映射后的点还原回去）出发，上式也是理所当然的。我们还可以进一步得到

当 $\det A = 0$ 时，A^{-1} 不存在①

原因很简单，假如 A^{-1} 存在的话，由 $(\det A)(\det A^{-1}) = 1$ 可以得到 0 与某个数相乘等于 1，这太荒唐了。

同样，从映射的角度出发，可以得到

$$\det\big(\mathrm{diag}\,(a_1, \cdots, a_n)\big) = a_1 \cdots a_n$$

这是因为对角矩阵 $\mathrm{diag}\,(a_1, \cdots, a_n)$ 表示的映射“在第 1 轴方向上扩大 a_1 倍，在第 2 轴方向上扩大 a_2 倍 ……”②，不明白的话请回去复习 1.19 节。

另外，上一节中讲到，如果映射实现的是扁平化的操作，则有 $\det A = 0$。在这类矩阵中，有几种特别的情况需要提一下，一类是形如

$$A = \begin{pmatrix} 0 & 9 & 4 \\ 0 & 5 & 3 \\ 0 & 1 & 8 \end{pmatrix}$$

的某一列全部都是 0 的矩阵。另外一类是形如

$$A = \begin{pmatrix} 2 & 2 & 4 \\ 7 & 7 & 3 \\ 6 & 6 & 8 \end{pmatrix}$$

---

① 反之也成立，于是 $\det A = 0$ 和 A^{-1} 不存在两者是等价的。原因请参考 1.3.5 节。就算我们不去证明，而只是看看直观的动画（图 1.23），对这一点也会有所体会吧。

② 另外，对于分块对角矩阵 $A = \mathrm{diag}\,(A_1, \cdots, A_n)$，有 $\det A = (\det A_1) \cdots (\det A_n)$。下面我们以 $A = \left(\begin{array}{cc|c} a_{11} & a_{12} & 0 \\ a_{21} & a_{22} & 0 \\ \hline 0 & 0 & a_{33} \end{array}\right)$ 为例，具体说明一下理由。好了，现在请大家发挥自己的想象，把场景切换到茫茫大漠，眼前矗立着一座金字塔。这幅画面，如果用 A 去映射一下，会变成什么样呢？我们设向量的第 1、2、3 分量分别对应东西方向、南北方向以及垂直方向。从 A 的形式可以看出，地面（第 3 分量为 0 的向量 $(*, *, 0)^T$）经过变换之后依然是地面。我们暂且考虑地面上的事情，金字塔的底面在 $A' = \begin{pmatrix} a_{11} & a_{12} \\ a_{21} & a_{22} \end{pmatrix}$ 的变换之下，面积变成了原来的 $\det A'$ 倍。接下来，我们抬起头来，金字塔高已然变成了原来的 a_{33} 倍。换句话说，金字塔的体积变成了原来的 $a_{33} \det A'$ 倍。这里的体积扩大率不是别的，正是 $\det A$。

的存在某两列完全相同的矩阵。以上两种矩阵的行列式均为 0①。

■ 有用的性质

下面给出一些在后文的行列式计算中会用到的性质。

行列式中，把某一列乘以常数，加到另一列上，行列式值不变。例如：

$$\det\left(\begin{array}{c|c|c}1&1&5\\1&2&7\\1&3&6\end{array}\right)=\det\left(\begin{array}{c|c|c}1&1&5+1\cdot10\\1&2&7+2\cdot10\\1&3&6+3\cdot10\end{array}\right)=\det\left(\begin{array}{c|c|c}1&1&15\\1&2&27\\1&3&36\end{array}\right)$$

这里我们把第 2 列乘以 10 加到了第 3 列上。如果按照下图 1.33 去理解这个性质，可能会有所帮助②。

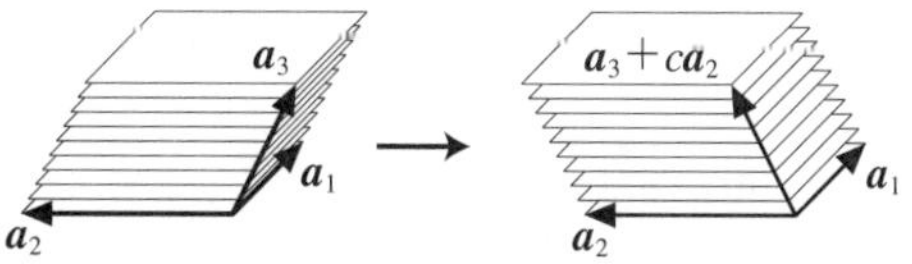

图 1.33 $\det(\boldsymbol{a}_1,\boldsymbol{a}_2,\boldsymbol{a}_3+c\boldsymbol{a}_2)=\det(\boldsymbol{a}_1,\boldsymbol{a}_2,\boldsymbol{a}_3)$ 的图解。这里是由一堆扑克牌堆成的平行六面体。显然，即使将这一平行六面体向 $\boldsymbol{a}_2$ 方向倾斜，其体积也不会发生变化。也就是说，以 $\boldsymbol{a}_1,\boldsymbol{a}_2,\boldsymbol{a}_3+c\boldsymbol{a}_2$ 为三边的平行六面体，与以 $\boldsymbol{a}_1,\boldsymbol{a}_2,\boldsymbol{a}_3$ 为三边的平行六面体体积相等

现在让我们在桌上放一堆扑克牌并堆成平行六面体的形状。设其三边分别为 $\boldsymbol{a}_1,\boldsymbol{a}_2,\boldsymbol{a}_3$。我们现在平行挪动这一堆扑克牌。横向（向 $\boldsymbol{a}_2$ 方向）挪动的话，得到的新的三边即为 $\boldsymbol{a}_1,\boldsymbol{a}_2,(\boldsymbol{a}_3+c\boldsymbol{a}_2)$（$c$ 是数）。挪动之前和之后的体积应该没有变化。因为扑克牌的张数没有增减，所以整个平行六面体不会发生压缩或者膨胀。也就是说，对于 3 阶方阵 $A=(\boldsymbol{a}_1,\boldsymbol{a}_2,\boldsymbol{a}_3)$，我们可以得到 $\det A=\det(\boldsymbol{a}_1,\boldsymbol{a}_2,\boldsymbol{a}_3+c\boldsymbol{a}_2)$③。

当矩阵具有特别的形式时，行列式可以简单地求出。如下式所示，对角线下方全部都是 0 元素的矩阵，称为**上三角矩阵**④。

$$A=\begin{pmatrix}a_{11}&a_{12}&a_{13}\\0&a_{22}&a_{23}\\0&0&a_{33}\end{pmatrix}$$

---

① 能看出这两种矩阵对应了扁平化的映射吗？前者把 $\boldsymbol{o}=(0,0,0)^T$ 和 $\boldsymbol{e}_1=(1,0,0)^T$ 移动到同一个点 $\boldsymbol{o}$，后者把 $\boldsymbol{e}_1$ 和 $\boldsymbol{e}_2=(0,1,0)^T$ 移动到同一个点 $(2,7,6)^T$。

② 如果你的代数思维比几何思维更强的话，也可以用初等变换的概念来理解。参见 ? 2.11。

③ 不明白的读者请复习 1.3.1 节。

④ 同样，对角线上方都是 0 的矩阵称为**下三角矩阵**，形如 $B=\begin{pmatrix}b_{11}&0&0\\b_{21}&b_{22}&0\\b_{31}&b_{31}&b_{33}\end{pmatrix}$。用矩阵的元素来表达就是，对于矩阵 $A=(a_{ij})$，若所有满足 $i>j$ 的元素 a_{ij} 都为 0，则 A 为上三角矩阵；反之，若所有满足 $i<j$ 的元素 a_{ij} 都为 0，则 A 为下三角矩阵。

上述矩阵的行列式为

$$\det A = a_{11}a_{22}a_{33}$$

也就是对角元素的乘积[①]。为了对此加以理解，可以运用刚刚提到的“扑克牌性质”，也可以直接去求体积。将 $A = (\boldsymbol{a}_1, \boldsymbol{a}_2, \boldsymbol{a}_3)$ 按列向量分块，我们来计算三边为 $\boldsymbol{a}_1, \boldsymbol{a}_2, \boldsymbol{a}_3$ 的平行六面体（四棱柱）的体积 V，如图 1.34 所示。

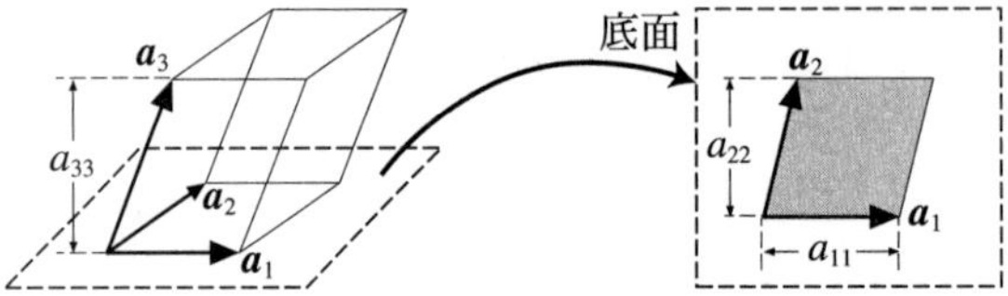

图 1.34　上三角矩阵的行列式 = 对角元素的乘积

首先，可以求出底面的平行四边形的面积 S 为

$$S = (\text{底边长 } a_{11}) \cdot (\text{高 } a_{22}) = a_{11}a_{22}$$

又知平行六面体的高为 a_{33}，于是

$$V = (\text{底面面积 } S) \cdot (\text{高 } a_{33}) = a_{11}a_{22}a_{33}$$

这里的 V 也就是矩阵 A 的行列式[②]。

? 1.40　对上面讲的体积计算还是不来电。相比看图，还是更喜欢公式。

后文 1.3.3 节中我们会讲到行列式的计算。擅长数学公式的读者，用后文中的 (1.42) 式作为行列式的定义也未尝不可（话说大部分的数学教科书中就是采用的这个定义）。下一小节中讲到的“多重线性”以及“交替性”都可以从 (1.42) 式中推导出来。用上这些性质的话，我们可以得到

$$\det(\boldsymbol{a}_1, \boldsymbol{a}_2, \boldsymbol{a}_3 + c\boldsymbol{a}_1) = \det(\boldsymbol{a}_1, \boldsymbol{a}_2, \boldsymbol{a}_3) + c\det(\boldsymbol{a}_1, \boldsymbol{a}_2, \boldsymbol{a}_1) = \det(\boldsymbol{a}_1, \boldsymbol{a}_2, \boldsymbol{a}_3)$$

其中 $\det(\boldsymbol{a}_1, \boldsymbol{a}_2, \boldsymbol{a}_1)$ 的第 1 列和第 3 列相同，因此值为 0。上三角矩阵的情况下，如下

---

① 也可以延伸为“分块上三角矩阵的行列式等于对角区块的行列式的乘积”。当然前提是每行每列的区块个数相同，并且对角区块都是方阵。所谓**分块上三角矩阵**，就是对角区块下方的区块全部都是零矩阵的矩阵。同样可以定义**分块下三角矩阵**。

② 不明白的话，请再回去复习 1.3.1 节一百遍。

例所示①。

$$
\begin{aligned}
&\det\begin{pmatrix} \boxed{1} & 4 & 5 \\ \boxed{0} & 2 & 6 \\ \boxed{0} & 0 & 3 \end{pmatrix} && \text{分别将第 1 列乘以 } -4 \text{ 和 } -5\text{，加到第 2 列、第 3 列上} \\
= \; &\det\begin{pmatrix} 1 & \boxed{0} & 0 \\ 0 & \boxed{2} & 6 \\ 0 & \boxed{0} & 3 \end{pmatrix} && \text{将第 2 列乘以 } -3\text{，加到第 3 列上} \\
= \; &\det\begin{pmatrix} 1 & 0 & 0 \\ 0 & 2 & 0 \\ 0 & 0 & 3 \end{pmatrix} && \text{变成了对角矩阵} \\
= \; &1 \cdot 2 \cdot 3 = 6
\end{aligned}
$$

1.41 有没有“左上三角矩阵”和“右下三角矩阵”？

这样的矩阵就算定义出来，实际上也没什么用，所以一般不会提到。比如，两个右上三角矩阵，或者两个左下三角矩阵的乘积，所得矩阵依然是同样的类型。

$$
\begin{pmatrix} * & * & * \\ 0 & * & * \\ 0 & 0 & * \end{pmatrix}\begin{pmatrix} * & * & * \\ 0 & * & * \\ 0 & 0 & * \end{pmatrix} = \begin{pmatrix} * & * & * \\ 0 & * & * \\ 0 & 0 & * \end{pmatrix}
$$

$$
\begin{pmatrix} * & 0 & 0 \\ * & * & 0 \\ * & * & * \end{pmatrix}\begin{pmatrix} * & 0 & 0 \\ * & * & 0 \\ * & * & * \end{pmatrix} = \begin{pmatrix} * & 0 & 0 \\ * & * & 0 \\ * & * & * \end{pmatrix}
$$

但是，左上三角矩阵和右下三角矩阵的情况下，则没有这样的特点。

$$
\begin{pmatrix} * & * & * \\ * & * & 0 \\ * & 0 & 0 \end{pmatrix}\begin{pmatrix} * & * & * \\ * & * & 0 \\ * & 0 & 0 \end{pmatrix} = \begin{pmatrix} * & * & * \\ * & * & * \\ * & * & * \end{pmatrix}
$$

① 若对角线上有 0 元素该怎么办？采用同样的方式进行计算的话，可得 $\det\begin{pmatrix} 1 & 4 & 5 \\ 0 & \underline{0} & 6 \\ 0 & \underline{0} & 3 \end{pmatrix} = \det\begin{pmatrix} 1 & \underline{0} & 0 \\ 0 & \underline{0} & 6 \\ 0 & \underline{0} & 3 \end{pmatrix}$，其中下划线的一列全部都会变成 0。也就是说，算到这一步，就可以判断行列式为 0 了。

$$\begin{pmatrix} 0 & 0 & * \\ 0 & * & * \\ * & * & * \end{pmatrix}\begin{pmatrix} 0 & 0 & * \\ 0 & * & * \\ * & * & * \end{pmatrix} = \begin{pmatrix} * & * & * \\ * & * & * \\ * & * & * \end{pmatrix}$$

关于这个问题，还可以回头参考一下关于反对角矩阵的讨论（?1.23）。

■ 转置矩阵的行列式

转置矩阵的行列式与原矩阵的行列式相等。

$$\det(A^T) = \det A$$

换言之，

行列互换之后，行列式的所有性质依然成立

比如：

- 某一行乘以常数，加到另一行，行列式的值不变
- 下三角矩阵的行列式等于对角元素的乘积

等性质都成立。由于转置矩阵的真正含义还没有揭晓，因此这里只是告诉大家结果①。

■ 关键性质

理解了行列式和体积（n 维版本）之间的关系后，下面的所谓**多重线性**的性质就比较生动了。

$$\det(c\boldsymbol{a}_1, \boldsymbol{a}_2, \cdots, \boldsymbol{a}_n) = c\det(\boldsymbol{a}_1, \boldsymbol{a}_2, \cdots, \boldsymbol{a}_n)$$
$$\det(\boldsymbol{a}_1 + \boldsymbol{a}_1', \boldsymbol{a}_2, \cdots, \boldsymbol{a}_n) = \det(\boldsymbol{a}_1, \boldsymbol{a}_2, \cdots, \boldsymbol{a}_n) + \det(\boldsymbol{a}_1', \boldsymbol{a}_2, \cdots, \boldsymbol{a}_n)$$

不只是对第 1 列，上式对于其他各列也同样成立。比如：

$$\det\begin{pmatrix} 1 & 10 & 5 \\ 1 & 20 & 7 \\ 1 & 30 & 6 \end{pmatrix} = 10\det\begin{pmatrix} 1 & 1 & 5 \\ 1 & 2 & 7 \\ 1 & 3 & 6 \end{pmatrix}$$

$$\det\begin{pmatrix} 1 & 1 & 5 \\ 1 & 2 & 7 \\ 1 & 3 & 6 \end{pmatrix} + \det\begin{pmatrix} 1 & 1 & 5 \\ 1 & 7 & 7 \\ 1 & 1 & 6 \end{pmatrix} = \det\begin{pmatrix} 1 & 1+1 & 5 \\ 1 & 2+7 & 7 \\ 1 & 3+1 & 6 \end{pmatrix} = \det\begin{pmatrix} 1 & 2 & 5 \\ 1 & 9 & 7 \\ 1 & 4 & 6 \end{pmatrix}$$

用图形来表示的话，如图 1.35 所示。

---

① 关于 $\det(A^T) = \det A$ 的证明，请参考 ?1.48，只不过其背后含义依旧不明 ……

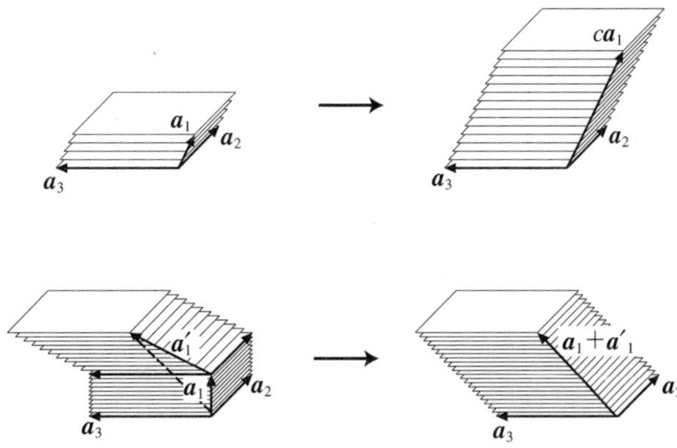

图 1.35 行列式的多重线性性质。与图 1.33 一样，来想象一叠扑克牌。(上图) $\det(c\boldsymbol{a}_1,\boldsymbol{a}_2,\boldsymbol{a}_3) = c\det(\boldsymbol{a}_1,\boldsymbol{a}_2,\boldsymbol{a}_3)$ —— $\boldsymbol{a}_1$ 扩大 c 倍则体积扩大 c 倍。(下图) $\det(\boldsymbol{a}_1+\boldsymbol{a}_1',\boldsymbol{a}_2,\boldsymbol{a}_3) = \det(\boldsymbol{a}_1,\boldsymbol{a}_2,\boldsymbol{a}_3)+\det(\boldsymbol{a}_1',\boldsymbol{a}_2,\boldsymbol{a}_3)$ —— 挪动整叠扑克牌的上半部分，总体积依然不变

根据多重线性性质，n 阶矩阵 A 乘以常数 c 之后，所得矩阵的行列式是原矩阵 A 的行列式的 c^n 倍。要注意，这里不是 c 倍！

$$\det(cA) = c^n \det A \tag{1.41}$$

原因是 A 的每一列都变成了原来的 c 倍。任何一列乘以 c，行列式都会扩大 c 倍，于是整个 n 列乘下来，也就是把 c 乘了 n 次，即 c^n。用图形来讲，就是平面图形的长宽都扩大 c 倍，则面积扩大 c^2 倍；立体图形的长宽高都扩大 c 倍，则体积扩大 c^3 倍。

? 1.42 从多重线性性质出发，下式对不对?

$$\times \quad \det(A+B) = \det A + \det B$$

错！所谓多重线性性质，是对某“一”列的操作。比如，对于 2 阶方阵 $A=(\boldsymbol{a}_1,\boldsymbol{a}_2)$ 和 $B=(\boldsymbol{b}_1,\boldsymbol{b}_2)$，可以展开如下。

$$\begin{aligned}
\det(A+B) &= \det(\boldsymbol{a}_1+\boldsymbol{b}_1,\boldsymbol{a}_2+\boldsymbol{b}_2) \\
&= \det(\boldsymbol{a}_1+\boldsymbol{b}_1,\boldsymbol{a}_2)+\det(\boldsymbol{a}_1+\boldsymbol{b}_1,\boldsymbol{b}_2) \\
&= \det(\boldsymbol{a}_1,\boldsymbol{a}_2)+\det(\boldsymbol{b}_1,\boldsymbol{a}_2)+\det(\boldsymbol{a}_1,\boldsymbol{b}_2)+\det(\boldsymbol{b}_1,\boldsymbol{b}_2) \\
&= \det A+\det(\boldsymbol{b}_1,\boldsymbol{a}_2)+\det(\boldsymbol{a}_1,\boldsymbol{b}_2)+\det B
\end{aligned}$$

我们知道行列式的正负符号对应了图形的镜像翻转，于是，交换两列会改变行列式的正负。这种性质称为**交替性**。

$$\det(\boldsymbol{a}_2, \boldsymbol{a}_1, \boldsymbol{a}_3, \cdots, \boldsymbol{a}_n) = -\det(\boldsymbol{a}_1, \boldsymbol{a}_2, \boldsymbol{a}_3, \cdots, \boldsymbol{a}_n)$$

例如：

$$\det\begin{pmatrix} 1 & 1 & 5 \\ 1 & 2 & 7 \\ 1 & 3 & 6 \end{pmatrix} = -\det\begin{pmatrix} 1 & 1 & 5 \\ 2 & 1 & 7 \\ 3 & 1 & 6 \end{pmatrix}$$

用图形来表示，如图 1.36 所示，其中

- 平行六面体的形状相同
- 并且，镜像翻转之后可以还原回去

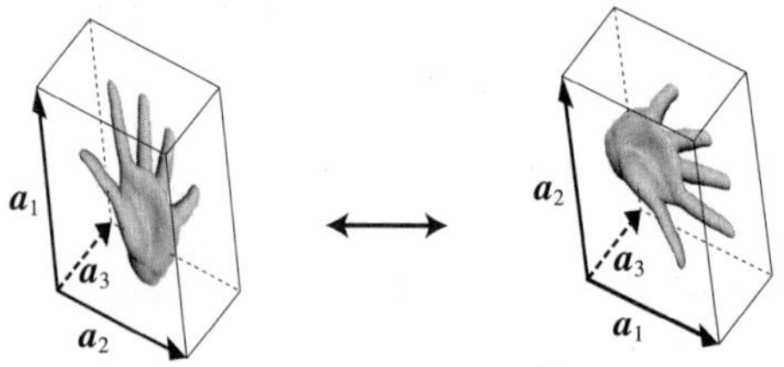

图 1.36　交替性。交换 $\boldsymbol{a}_1$ 和 $\boldsymbol{a}_2$ 的位置之后，体积保持不变（行列式的绝对值不变），只是左手变成了右手（行列式正负号改变）

另外请参考综述中的动画说明。

实际上，多重线性性质和交替性，才是行列式的关键所在。详细说明请参考 ❓1.49。

1.3.3　行列式的计算方法 (1)：计算公式 ▽

终于要面对计算问题了，在这里你们也许会遭遇线性代数学习中的一个重大挫折，点点滴滴的深入可能都要付出很多脑细胞。如果你已下定决心要掌握行列式的计算方法，或者说作为学生不得不面对考试，那就没办法了，做好心理准备迎接挑战吧！接下来的内容，同样也随处可见一些简单但是非常重要的问题。

不管怎么样，暂且只要把“**行列式 = 体积扩大率**”这一准则刻入脑海，行列式方面就问题不大了。如果在阅读下文的过程中出现头晕目眩等身体不适状况，请一定不要勉强，直接跳过本小节进入第2章即可（对于标题中含有 ▽ 的章节，读者可以根据自己的情况，选择跳过）。

考虑到一上来就是一般的 n 阶矩阵的话有点吓人，我们先来看一个 3 阶矩阵。

$$A = \begin{pmatrix} a_{11} & a_{12} & a_{13} \\ a_{21} & a_{22} & a_{23} \\ a_{31} & a_{32} & a_{33} \end{pmatrix}$$

如果把 A 的行列式写出来，就是如下形式。

$$\det A = \sum_{i,j,k} \epsilon_{ijk} a_{i1} a_{j2} a_{k3} \tag{1.42}$$

其中谜一样的系数 ϵ_{ijk} 的定义如下。

- $\epsilon_{123} = 1$
- 下标位置变换一次，则正负号变化一次，例如：

  $$\epsilon_{213} = -\epsilon_{123} = -1 \qquad \text{(1 和 2 交换)}$$
  $$\epsilon_{312} = -\epsilon_{213} = \epsilon_{123} = 1 \qquad \text{(2 和 3 交换，然后 1 和 2 交换)}$$

  等
- 下标中出现重复的标号，则结果为 0，例如：

  $$\epsilon_{113} = \epsilon_{232} = \epsilon_{333} = 0$$

  等[①]

同样，对一般的 n 阶矩阵，有

$$\det A = \sum_{i_1,\cdots,i_n} \epsilon_{i_1\cdots i_n} a_{i_1 1} \cdots a_{i_n n} \tag{1.43}$$

? 1.43 $\sum_{i,j,k}$ 是什么?

这只是 $\sum_{i=1}^3 \sum_{j=1}^3 \sum_{k=1}^3$ 的省略写法而已。上下文明确时可以省略上下标范围。

? 1.44 $\sum_{i=1}^3$[②] 是什么?

表示**求和**记号，等价于

$$\sum_{i=m}^{n} f(i) = f(m) + f(m+1) + \cdots + f(n)$$

用代码来写就是

① 从“下标位置变换一次，则正负号变化一次”的规则出发，也可以得到同样的结论。比如 $\epsilon_{113} = -\epsilon_{113}$，可以看作是第一个 1 和第二个 1 做了一次交换，于是等号两边必然都是 0。

② 因为排版的原因，正文中出现的时候一般会写成 $\sum_{i=1}^3$，而在独立成行的数学公式中通常会写成 $\displaystyle\sum_{i=1}^{3}$，意思都是一样的。

```
s = 0
for i in m..n
  s = s + f(i)
end
```

或者

```
s = 0
i = m
while (i <= n)
  s = s + f(i)
  i = i + 1
end
```

产生的运行结果 s。

? 1.45　不喜欢 $\sum$，可不可以展开写?

2 阶矩阵的话，就是

$$\begin{aligned}\det A &= \epsilon_{11}a_{11}a_{12} + \epsilon_{12}a_{11}a_{22} + \epsilon_{21}a_{21}a_{12} + \epsilon_{22}a_{21}a_{22} \\ &= 0a_{11}a_{12} + (+1)a_{11}a_{22} + (-1)a_{21}a_{12} + 0a_{21}a_{22} \\ &= a_{11}a_{22} - a_{21}a_{12}\end{aligned}$$

3 阶矩阵的话，就是

$$\begin{aligned}\det A = &+\epsilon_{123}a_{11}a_{22}a_{33} + \epsilon_{132}a_{11}a_{32}a_{23} \\ &+\epsilon_{231}a_{21}a_{32}a_{13} + \epsilon_{213}a_{21}a_{12}a_{33} \\ &+\epsilon_{312}a_{31}a_{12}a_{23} + \epsilon_{321}a_{31}a_{22}a_{13} \\ = &+(a_{11}a_{22}a_{33} + a_{21}a_{32}a_{13} + a_{31}a_{12}a_{23}) \\ &-(a_{21}a_{12}a_{33} + a_{31}a_{22}a_{13} + a_{11}a_{32}a_{23})\end{aligned}$$

4 阶矩阵的话，就是

$$\begin{aligned}\det A = &+ a_{11}a_{22}a_{33}a_{44} - a_{11}a_{22}a_{43}a_{34} \\ &+ a_{11}a_{32}a_{43}a_{24} - a_{11}a_{32}a_{23}a_{44} \\ &+ a_{11}a_{42}a_{23}a_{34} - a_{11}a_{42}a_{33}a_{24} \\ &+ a_{21}a_{12}a_{43}a_{34} - a_{21}a_{12}a_{33}a_{44} \\ &+ a_{21}a_{42}a_{33}a_{14} - a_{21}a_{42}a_{13}a_{34} \\ &+ a_{21}a_{32}a_{13}a_{44} - a_{21}a_{32}a_{43}a_{14} \\ &+ a_{31}a_{42}a_{13}a_{24} - a_{31}a_{42}a_{23}a_{14} \\ &+ a_{31}a_{12}a_{23}a_{44} - a_{31}a_{12}a_{43}a_{24} \\ &+ a_{31}a_{22}a_{43}a_{14} - a_{31}a_{22}a_{13}a_{44} \\ &+ a_{41}a_{32}a_{23}a_{14} - a_{41}a_{32}a_{13}a_{24} \\ &+ a_{41}a_{22}a_{13}a_{34} - a_{41}a_{22}a_{33}a_{14} \\ &+ a_{41}a_{12}a_{33}a_{24} - a_{41}a_{12}a_{23}a_{34}\end{aligned} \tag{1.44}$$

果然还是用上 $\sum$ 比较好吧？否则其他书都没法读了。

? 1.46 (1.44) 式这样的公式根本背不下来啊！

记不住也没关系。上一小节中讲的含义、性质比背公式重要得多。真的需要计算具体行列式值的时候，我们会有其他方法的（参考 1.3.4 节）。

? 1.47 曾经见过类似于图 1.37 的简单记忆法 ……

对于 2 阶、3 阶行列式，按照图 1.37 所示的办法，即

(「╲」方向) − (「╱」方向)

去计算是可行的[①]。但是一定要注意，对于 4 阶以上的行列式，这种方法是错的！实际上，4 阶矩阵的话，如图 1.38 所示，也会出现由不在一条斜线上的元素构成的项。对于 4 阶的情况，需要取到所有的“每行每列中都只出现一个黑色块”的情况，然后根据黑色块的具体位置决定系数 ϵ_{ijkl} 是正是负。

① 上下两端之间是可以“瞬移”的，左右两端也一样。就像角色扮演游戏中一样，这是个卷曲的世界！

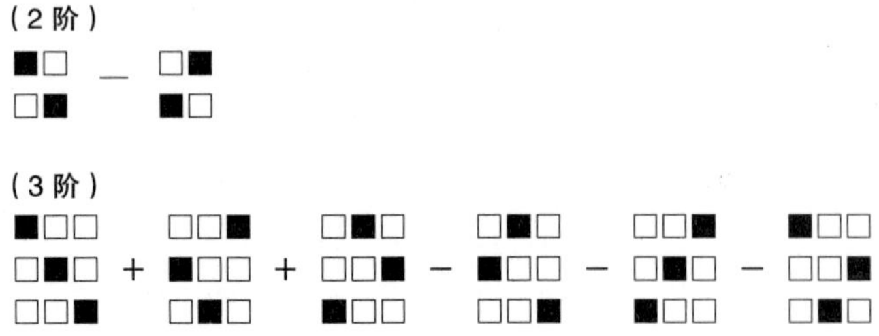

图 1.37　2 阶、3 阶行列式的展开

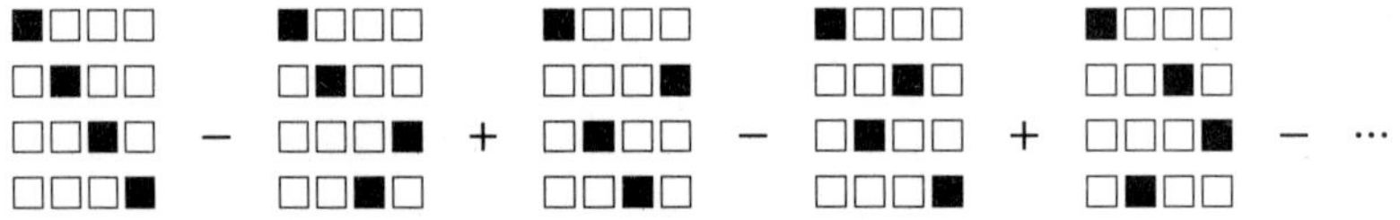

图 1.38　4 阶行列式 (1.44) 中的前 5 项

? 1.48　通过图 1.37，可以感觉到行和列的地位确实是平等的。因此 $\det(A^T) = \det A$?

没错！最终结果是将所有的“每行每列中都只出现一个黑色块”的情况①对应的乘积式相加。所以并不是说列主行从，而是并列关系。既然是平等的，那么行和列交换一下得到的结果自然一样。如果要严格证明 $\det(A^T) = \det A$ 的话，我们就不得不直面系数 ϵ_{ijk} 的符号了。好了，让我们重新定义一个新记号 ϵ_{ijk}^{123} 来表示前面的 ϵ_{ijk}。新记号表示从 123 出发，到 ijk 为止，需要进行交换的总次数的奇偶性。操作次数是偶数的话，值为 +1；次数为奇数的话，值为 −1。采用这样的记法，我们也可以用 ϵ_{ijk}^{213} 表示从 213 出发到 ijk 的交换次数的奇偶性。使用新记号改写 (1.42) 式，可得

$$\det A = \sum_{i,j,k} \epsilon_{ijk}^{123} a_{i1} a_{j2} a_{k3}$$

这种求和方式真正取到了“每行每列中都只出现一个黑色块”的所有情况，于是我们可以更加简单地写成下面这样②。

$$\det A = \sum{}' \epsilon_{ijk}^{i'j'k'} a_{ii'} a_{jj'} a_{kk'}$$

其中 $\sum'$ 在这里是一个临时的记号，用来表示对所有满足“每行每列中都只出现一个黑色块”的情况所对应的 $\{(i,i'),(j,j'),(k,k')\}$ 进行求和。要注意 $\{(1,1),(2,2),(3,3)\}$ 和

① 用中国象棋打个比方，如果黑色块是“车”，那么需要的就是“任何车都不能吃掉其他车”的局面。

② 要注意 $\epsilon_{321}^{123} = \epsilon_{231}^{213}$。因为无论左边还是右边，都表示了 1 到 3，2 到 2，3 到 1 这样一组置换，所以自然就有 $\epsilon_{321}^{123} a_{31} a_{22} a_{13} = \epsilon_{231}^{213} a_{22} a_{31} a_{13}$。

$\{(2,2),(1,1),(3,3)\}$ 两者本质上对应了同一种情况，所以不加以重复计算。要想确认这一点，可以用黑白色块图案把两者分别表示出来，一看便知。对于 A^T，同样有下式成立（参考 1.2.14 节）。

$$\det(A^T) = \sum{}' \epsilon_{ijk}^{i'j'k'} a_{i'i} a_{j'j} a_{k'k}$$

若对全部变量名都进行替换，即 $i \leftrightarrow i', j \leftrightarrow j', k \leftrightarrow k'$，所得结果不变，所以 $\det(A^T)$ 可以改写成

$$\det(A^T) = \sum{}' \epsilon_{i'j'k'}^{ijk} a_{ii'} a_{jj'} a_{kk'}$$

到此为止，经过系数的对比就可以知道，$\det A$ 和 $\det(A^T)$ 的区别仅仅在于系数 $\epsilon_{i'j'k'}^{ijk}$ 和 $\epsilon_{ijk}^{i'j'k'}$ 而已。实际上，$\epsilon_{i'j'k'}^{ijk} = \epsilon_{ijk}^{i'j'k'}$。原因在于，我们只要把 ijk 到 $i'j'k'$ 的置换操作逆过来，按照相反的顺序做一遍，就可以得到 $i'j'k'$ 到 ijk 的变换过程。所以两者的变换次数相同，奇偶性必然相同。至此我们就完成了 $\det A = \det(A^T)$ 的证明。遗憾的是，现在眼前依然一团迷雾，看不清背后的真正含义。

? 1.49 能不能告诉我到底为什么体积扩大率 $\det A$ 可以用 (1.42) 式来计算?

为了下面的说明，我们令

$$f(A) \equiv \sum_{i,j,k} \epsilon_{ijk} a_{i1} a_{j2} a_{k3}$$

（这里的 $f(A)$ 和体积扩大率 $\det A$ 到底是不是一回事，现阶段还不知道，所以暂时采用不同的名字）。实际上这个 $f(A)$ 是个非常厉害的角色[①]。

它的厉害之处在于，对于吃进去 3 阶方阵、吐出来数的函数 $g(A)$ 而言，如果 $g(A)$ 还进一步满足多重线性和交替性，那么所有的这样的 $g(A)$ 一定都是 $f(A)$ 的倍数。也就是说，可以写成 $g(A) = \alpha f(A)$ 的形式，其中 α 是常数。特别是我们在前面讲过 det 是满足多重线性和交替性的，所以可以令 $g(A) = \det A$，此时有 $\det A = \alpha f(A)$。另外，我们知道 $\det I = 1$，对于函数 f，同样可以确认 $f(I) = 1$。也就是说，比例系数 α 应该是 1。因此 $\det A = f(A)$。这就是体积扩大率可以用 (1.42) 式来计算的理由。

但是，$f(A)$ 的厉害之处我们还没证明呢。那就让我们再加把劲吧。将 A 分块成列向量 $A = (\boldsymbol{a}_1, \boldsymbol{a}_2, \boldsymbol{a}_3)$。同样，将 $g(A)$ 也按照列向量写成 $g(\boldsymbol{a}_1, \boldsymbol{a}_2, \boldsymbol{a}_3)$。由于 $\boldsymbol{a}_i = (a_{1i}, a_{2i}, a_{3i})^T$，我们将其在基底 $\boldsymbol{e}_1 = (1,0,0)^T$, $\boldsymbol{e}_2 = (0,1,0)^T$, $\boldsymbol{e}_3 = (0,0,1)^T$ 上展开，即

$$\boldsymbol{a}_i = a_{1i}\boldsymbol{e}_1 + a_{2i}\boldsymbol{e}_2 + a_{3i}\boldsymbol{e}_3$$

① 其实说起来也没那么厉害了，大家无视这个形容词吧。一时兴起而已。

于是，

$$g(A) = g\left((a_{11}\boldsymbol{e}_1 + a_{21}\boldsymbol{e}_2 + a_{31}\boldsymbol{e}_3),\ (a_{12}\boldsymbol{e}_1 + a_{22}\boldsymbol{e}_2 + a_{32}\boldsymbol{e}_3),\ (a_{13}\boldsymbol{e}_1 + a_{23}\boldsymbol{e}_2 + a_{33}\boldsymbol{e}_3)\right)$$

再利用多重线性性质，将右边展开，如下所示。

$$\begin{aligned}
g(A) &= g\left(a_{11}\boldsymbol{e}_1, (a_{12}\boldsymbol{e}_1 + a_{22}\boldsymbol{e}_2 + a_{32}\boldsymbol{e}_3), (a_{13}\boldsymbol{e}_1 + a_{23}\boldsymbol{e}_2 + a_{33}\boldsymbol{e}_3)\right) \\
&\quad + g\left(a_{21}\boldsymbol{e}_2, (a_{12}\boldsymbol{e}_1 + a_{22}\boldsymbol{e}_2 + a_{32}\boldsymbol{e}_3), (a_{13}\boldsymbol{e}_1 + a_{23}\boldsymbol{e}_2 + a_{33}\boldsymbol{e}_3)\right) \\
&\quad + g\left(a_{31}\boldsymbol{e}_3, (a_{12}\boldsymbol{e}_1 + a_{22}\boldsymbol{e}_2 + a_{32}\boldsymbol{e}_3), (a_{13}\boldsymbol{e}_1 + a_{23}\boldsymbol{e}_2 + a_{33}\boldsymbol{e}_3)\right) \\
&= \Big[g\left(a_{11}\boldsymbol{e}_1, a_{12}\boldsymbol{e}_1, (a_{13}\boldsymbol{e}_1 + a_{23}\boldsymbol{e}_2 + a_{33}\boldsymbol{e}_3)\right) \\
&\quad + g\left(a_{11}\boldsymbol{e}_1, a_{22}\boldsymbol{e}_2, (a_{13}\boldsymbol{e}_1 + a_{23}\boldsymbol{e}_2 + a_{33}\boldsymbol{e}_3)\right) \\
&\quad + g\left(a_{11}\boldsymbol{e}_1, a_{32}\boldsymbol{e}_3, (a_{13}\boldsymbol{e}_1 + a_{23}\boldsymbol{e}_2 + a_{33}\boldsymbol{e}_3)\right)\Big] + \Big[\cdots\Big] + \Big[\cdots\Big] \\
&= \Big[\{g(a_{11}\boldsymbol{e}_1, a_{12}\boldsymbol{e}_1, a_{13}\boldsymbol{e}_1) + g(a_{11}\boldsymbol{e}_1, a_{12}\boldsymbol{e}_1, a_{23}\boldsymbol{e}_2) + g(a_{11}\boldsymbol{e}_1, a_{12}\boldsymbol{e}_1, a_{33}\boldsymbol{e}_3)\} \\
&\quad + \{\cdots\} + \{\cdots\}\Big] + \Big[\cdots\Big] + \Big[\cdots\Big] \\
&= \sum_{i,j,k} g(a_{i1}\boldsymbol{e}_i, a_{j2}\boldsymbol{e}_j, a_{k3}\boldsymbol{e}_k) \\
&= \sum_{i,j,k} a_{i1}a_{j2}a_{k3}\, g(\boldsymbol{e}_i, \boldsymbol{e}_j, \boldsymbol{e}_k)
\end{aligned}$$

根据交替性可知

$$g(\boldsymbol{e}_i, \boldsymbol{e}_j, \boldsymbol{e}_k) = \epsilon_{ijk}\, g(\boldsymbol{e}_1, \boldsymbol{e}_2, \boldsymbol{e}_3)$$

这里也正是点睛之笔[①]。于是，令 $\alpha = g(\boldsymbol{e}_1, \boldsymbol{e}_2, \boldsymbol{e}_3)$，可得

$$g(A) = \sum_{i,j,k} a_{i1}a_{j2}a_{k3}\epsilon_{ijk}\alpha = \alpha f(A)$$

证明完毕。

① 我们可以分类讨论以下情况。首先，$(i,j,k) = (1,2,3)$ 的情况下一定没问题；如果 i,j,k 中的任意两个做一次交换，则左右两边都会乘以 -1，于是也没有问题；i,j,k 中如果有某两个相同，则左右两边都是 0，也没问题。对于最后一种情况，比如通过 $g(\boldsymbol{e}_1, \boldsymbol{e}_1, \boldsymbol{e}_3) = -g(\boldsymbol{e}_1, \boldsymbol{e}_1, \boldsymbol{e}_3)$ 可得 $g(\boldsymbol{e}_1, \boldsymbol{e}_1, \boldsymbol{e}_3) = 0$，这里需要做的仅仅是交换第一个 $\boldsymbol{e}_1$ 和第二个 $\boldsymbol{e}_1$。

? 1.50 ϵ_{ijk} 这个东西，按照前面讲的定义，真的可以唯一确定吗?

在上面给出的定义中，确实遗漏了两点问题有待确认。

- 有没有 ϵ_{ijk} 是定义不到的?
- 是否存在两个用不同的方法定义的 ϵ_{ijk}，而它们互相矛盾①?

首先，很容易对前者给出回答。i,j,k 中有重复的时候，我们定义 $\epsilon_{ijk}=0$。剩下的情况就是 i,j,k 两两不同，所以 i,j,k 一定是 1,2,3 的某种排列，也就是说，通过交换下标的顺序，一定可以变成 ϵ_{123}。因此，从 $\epsilon_{123}=1$ 出发，通过“下标位置变换一次，则正负号变化一次”的规则，就能够决定每一个 ϵ_{ijk} 的值。麻烦的在于后者。比如要求 ϵ_{312} 的值。我们可以找到一组变换 $312\to132\to123$，也可以找到另一组变换 $312\to213\to231\to321\to123$。虽然都可以得到 ϵ_{123} 的值，但通过这两种方式得到的 ϵ_{123} 的值会矛盾吗? 答案是：不会②。虽然采用的对换方式不同，但共同的目标是 ϵ_{123}，这一过程中对换次数的奇偶性不会改变。这样我们就可以消解上面两点疑虑了。另外，对换次数为偶数的 (123, 231, 312) 称为 123 的**偶置换**，对换次数为奇数的 (213, 132, 321) 称为 123 的**奇置换**。

1.3.4 行列式的计算方法 (2)：笔算法 ▽

当需要计算具体给定的某个行列式值时，往往不会用 (1.42) 式，而是采用下列方法（消元法，也称高斯消去法）③。我们下面要讲的依然是笔算的方法，使用计算机的算法将在3.5节中详述。

---

① 像这样，有很多种做法可选，但是无论如何选择都不会影响结果的定义，数学上称为**良定的**（well-defined）。维数的定义也是同样的道理（参考 1.1.5 节）。

② 为了方便证明，我们如下这样考虑。假设有 $f(x_1,x_2,x_3)=(x_2-x_1)(x_3-x_1)(x_3-x_2)$，此函数是由所有满足 $i>j$ 的 (x_i-x_j) 相乘得到的。对式中的变量进行一次交换，比如 $f(x_2,x_1,x_3)=(x_1-x_2)(x_3-x_2)(x_3-x_1)=-f(x_1,x_2,x_3)$，最终符号发生了变化。那么，以正文中的 312 为例，有 $f(x_3,x_1,x_2)=(x_1-x_3)(x_2-x_3)(x_2-x_1)=f(x_1,x_2,x_3)$。也就是说，经过 312 到 123 的交替变化过程之后，最终的符号还是回到了原来的 +1，变换次数是偶数次。其实，这里的 f 可以写成行列式的形式 $f(x_1,x_2,x_3)=\det\begin{pmatrix}1&1&1\\x_1&x_2&x_3\\x_1^2&x_2^2&x_3^2\end{pmatrix}$，这样的行列式称为范德蒙（Vandermonde）行列式。

③ 对于那些没有给出具体数值，而是用字母（代数式）代替数值的行列式，本小节中介绍的方法很可能就无能为力了。遇到这种情况时，要么直接用最原始的公式 (1.42) 式，要么就用 1.3.2 节中讲的性质，或者试试LU 分解（第 3 章）。如果有读者说“我再也不想受计算的罪了！”也情有可原。可以说这一部分内容本来就是为了挫伤士气而存在的，除了考试迫在眉睫的读者以外，如果你已经觉得痛苦了，那就直接进入第 2 章吧！

■ 热身：分块对角矩阵的行列式

首先，对于

$$A=\begin{pmatrix} a_{11} & 0 & 0 \\ 0 & a_{22} & a_{23} \\ 0 & a_{32} & a_{33} \end{pmatrix}$$

这种形式特殊的矩阵，有

$$\det A = a_{11}\det\begin{pmatrix} a_{22} & a_{23} \\ a_{32} & a_{33} \end{pmatrix}$$

为了计算 $\det A$，我们回过头去看一下图 1.37，把黑色块对应元素含有 0 的情况全部除去，则剩下以下两项。

$$\begin{array}{ccc} \boxed{a_{11}} & & \\ & \boxed{a_{22}} & \\ & & \boxed{a_{23}} \end{array} \quad - \quad \begin{array}{ccc} \boxed{a_{11}} & & \\ & & \boxed{a_{23}} \\ & \boxed{a_{32}} & \end{array}$$

在第 1 列中，除掉 0 元素，能选择的就只有 a_{11} 了，于是剩下的任务就是写出所有含有 a_{11} 的情况。因此每一项都会有 a_{11} 这个因子。我们把 a_{11} 提出来，得到

$$a_{11}\left(\begin{array}{cc} \boxed{a_{22}} & \\ & \boxed{a_{33}} \end{array} \quad - \quad \begin{array}{cc} & \boxed{a_{23}} \\ \boxed{a_{32}} & \end{array}\right) = a_{11}\det\begin{pmatrix} a_{22} & a_{23} \\ a_{32} & a_{33} \end{pmatrix}$$

对于 n 阶方阵 A，如果 A 是

$$A=\left(\begin{array}{c|ccc} a_{11} & 0 & \cdots & 0 \\ \hline 0 & & & \\ \vdots & & A' & \\ 0 & & & \end{array}\right)$$

这种形式，我们也可以得到

$$\det A = a_{11}\det A'$$

这也是我们在 1.3.2 节中介绍的分块对角矩阵的行列式的一种特殊情况。

■ 准备：分块三角矩阵的行列式

我们在前面的结果的基础上稍加推广，考虑形如

$$A=\left(\begin{array}{c|ccc} a_{11} & a_{12} & \cdots & a_{1n} \\ \hline 0 & & & \\ \vdots & & A' & \\ 0 & & & \end{array}\right)$$

的矩阵，也会得到

$$\det A = a_{11} \det A'$$

可以看到，$a_{12}, \cdots, a_{1n}$ 对最终答案没有影响。

原因很简单，可以使用“把行列式的某一列乘以常数，加到另一列，结果保持不变”这一性质来解释①。

如果我们

- 将第 1 列乘以 $-a_{12}/a_{11}$ 加到第 2 列上
- $\cdots$
- 将第 1 列乘以 $-a_{1n}/a_{11}$ 加到第 n 列上

矩阵 A 就可以转化成前面讲过的以下形式②。

$$\det A = \det \left(\begin{array}{c|c} a_{11} & 0 \cdots 0 \\ \hline 0 & \\ \vdots & A' \\ 0 & \end{array}\right)$$

这也是我们在 1.3.2 节中介绍的分块三角矩阵的行列式的一种特殊情况。

■ 正题：一般矩阵的行列式

那么，对于一般的方阵 A，行列式如何计算呢？首先想到的也许是行列式的性质吧——把某行乘以常数，加到另一行，行列式值不变③。例如：

$$\det \left(\begin{array}{cccc} \boxed{2} & \boxed{1} & \boxed{3} & \boxed{2} \\ \hline 6 & 6 & 10 & 7 \\ \hline 2 & 7 & 6 & 6 \\ \hline 4 & 5 & 10 & 9 \end{array}\right) \quad \text{第 1 行分别乘以 } -3、-1、-2\text{，加到第 2 行、第 3 行、第 4 行上}$$

$$= \det \left(\begin{array}{c|ccc} 2 & 1 & 3 & 2 \\ \hline \boxed{0} & 3 & 1 & 1 \\ \boxed{0} & 6 & 3 & 4 \\ \boxed{0} & 3 & 4 & 5 \end{array}\right) \quad \text{变成了特殊形式……}$$

---

① 不明白的话，请复习 1.3.2 节“有用的性质”的相关内容。

② 有一个细节需要注意。当 $a_{11} = 0$ 时，不能作为被除数，这些步骤就没意义了。怎么办呢？放心。$a_{11} = 0$ 时第 1 列全部都是 0 了，因此 $\det A = 0$。显然这时 $\det A = a_{11} \det A'$ 也成立。

③ 不明白的话，请复习 1.3.2 节中“转置矩阵的行列式”的相关内容。

$$= 2\det\left(\begin{array}{ccc} \boxed{3} & \boxed{1} & \boxed{1} \\ \hline 6 & 3 & 4 \\ \hline 3 & 4 & 5 \end{array}\right) \qquad \text{第 1 行分别乘以 } -2、-1 \text{ 倍，加到第 2 行、第 3 行上} \cdots\cdots$$

$$= 2\det\left(\begin{array}{c|cc} 3 & 1 & 1 \\ \hline \boxed{0} & 1 & 2 \\ \boxed{0} & 3 & 4 \end{array}\right) \qquad \text{又变成了特殊形式} \cdots\cdots$$

$$= 2\cdot 3\det\begin{pmatrix} 1 & 2 \\ 3 & 4 \end{pmatrix} \qquad \text{到这就可以直接用定义了}$$

$$= 2\cdot 3\cdot(1\cdot 4 - 2\cdot 3) = -12$$

但是，如果左上角的元素出现 0，就要利用交替性，把非 0 的元素换到最上面①。例如：

$$\det\left(\begin{array}{cccc} \boxed{0} & 3 & 1 & 1 \\ \hline 2 & 1 & 3 & 2 \\ \hline 2 & 7 & 6 & 6 \\ \hline 4 & 5 & 10 & 9 \end{array}\right) = -\det\left(\begin{array}{cccc} \boxed{2} & 1 & 3 & 2 \\ \hline \boxed{0} & 3 & 1 & 1 \\ \hline 2 & 7 & 6 & 6 \\ \hline 4 & 5 & 10 & 9 \end{array}\right) \qquad \text{互换第 1 行和第 2 行（注意加负号）}$$

学到这里，前面讲过的"上三角矩阵的行列式等于对角元素乘积"也就理所当然了，也就是说与*处是什么东西完全无关。例如：

$$\det\begin{pmatrix} 1 & * & * & * \\ 0 & 2 & * & * \\ 0 & 0 & 3 & * \\ 0 & 0 & 0 & 4 \end{pmatrix} \qquad \text{已经是特殊形式了}$$

$$= 1\det\begin{pmatrix} 2 & * & * \\ 0 & 3 & * \\ 0 & 0 & 4 \end{pmatrix} \qquad \text{还是特殊形式}$$

$$= 1\cdot 2\det\begin{pmatrix} 3 & * \\ 0 & 4 \end{pmatrix} \qquad \text{依旧是特殊形式}$$

$$= 1\cdot 2\cdot 3\det(4) = 1\cdot 2\cdot 3\cdot 4 = 24$$

进而，由于 $\det(A^T) = \det A$，同样可以得到"下三角矩阵的行列式等于对角元素的乘积"。

---

① 这个操作称为**选主元**（pivoting）。而要是无论如何都选不出这个非 0 元素呢？那样的话就意味着最左边一列全部都变成了 0，那我们立刻就可以断定行列式值为 0。

以上说明都是基于流程化的计算步骤，没有运用任何其他技巧。除此之外，如果能灵活应用1.3.2节中介绍的诸多性质，就可以使计算变得更加简便。比如，可以选择更容易计算的列作为相加的对象，交换行（或者列）使得左上角的元素（主元）变成 1，如果某列都是3的倍数则将公约数 3 提出去等。

1.3.5 补充：行列式按行（列）展开与逆矩阵 ▽

下面我们要讨论的是如何把逆矩阵用数学式子写出来。这也是“事故多发区”，容易让人心灰意冷，一旦感觉不适，请及时越过本小节直接进入第 2 章。

■ 行列式按行（列）展开

为了介绍逆矩阵的计算方法，我们先来了解一下行列式按行（列）展开。

下面以 3 阶矩阵 $A=(a_{ij})$ 为例加以说明。首先，由多重线性可得

$$\det A = \det\left(\begin{array}{c|c|c} a_{11} & a_{12} & a_{13} \\ a_{21} & a_{22} & a_{23} \\ a_{31} & a_{32} & a_{33} \end{array}\right)$$

$$= \det\left(\begin{array}{c|c|c} a_{11} & a_{12} & a_{13} \\ 0 & a_{22} & a_{23} \\ 0 & a_{32} & a_{33} \end{array}\right) + \det\left(\begin{array}{c|c|c} 0 & a_{12} & a_{13} \\ a_{21} & a_{22} & a_{23} \\ 0 & a_{32} & a_{33} \end{array}\right) + \det\left(\begin{array}{c|c|c} 0 & a_{12} & a_{13} \\ 0 & a_{22} & a_{23} \\ a_{31} & a_{32} & a_{33} \end{array}\right)$$

其中，第一项可以进一步简化为

$$\det\begin{pmatrix} a_{11} & a_{12} & a_{13} \\ 0 & a_{22} & a_{23} \\ 0 & a_{32} & a_{33} \end{pmatrix} = a_{11}\det\begin{pmatrix} a_{22} & a_{23} \\ a_{32} & a_{33} \end{pmatrix}$$

其他项经过行交换之后，也可以变为这种形式，如下所示。

$$\det\left(\begin{array}{ccc} 0 & a_{12} & a_{13} \\ \hline a_{21} & a_{22} & a_{23} \\ \hline 0 & a_{32} & a_{33} \end{array}\right) = -\det\left(\begin{array}{ccc} a_{21} & a_{22} & a_{23} \\ \hline 0 & a_{12} & a_{13} \\ \hline 0 & a_{32} & a_{33} \end{array}\right) = -a_{21}\det\begin{pmatrix} a_{12} & a_{13} \\ a_{32} & a_{33} \end{pmatrix}$$

$$\det\left(\begin{array}{ccc} 0 & a_{12} & a_{13} \\ \hline 0 & a_{22} & a_{23} \\ \hline a_{31} & a_{32} & a_{33} \end{array}\right) = -\det\left(\begin{array}{ccc} 0 & a_{12} & a_{13} \\ \hline a_{31} & a_{32} & a_{33} \\ \hline 0 & a_{22} & a_{23} \end{array}\right) = \det\left(\begin{array}{ccc} a_{31} & a_{32} & a_{33} \\ \hline 0 & a_{12} & a_{13} \\ \hline 0 & a_{22} & a_{23} \end{array}\right)$$

$$= a_{31}\det\begin{pmatrix} a_{12} & a_{13} \\ a_{22} & a_{23} \end{pmatrix}$$

于是，我们的展开式最后就变成了

$$\det A = \det\begin{pmatrix} a_{11} & a_{12} & a_{13} \\ a_{21} & a_{22} & a_{23} \\ a_{31} & a_{32} & a_{33} \end{pmatrix}$$

$$= a_{11}\det\begin{pmatrix} a_{22} & a_{23} \\ a_{32} & a_{33} \end{pmatrix} - a_{21}\det\begin{pmatrix} a_{12} & a_{13} \\ a_{32} & a_{33} \end{pmatrix} + a_{31}\det\begin{pmatrix} a_{12} & a_{13} \\ a_{22} & a_{23} \end{pmatrix}$$

在下面的示意图中，我们标注出了原矩阵的元素在行列式的展开式中占据了哪些位置。其中 ★ 对应了展开式中该项的系数，■ 对应了该项中的行列式的各元素。

★□□		□■■		□■■
□■■	−	★□□	+	□■■
□■■		□■■		★□□

同样，我们也可以按照第 2 列展开，结果如下所示[①]。

	□★□		■□■		■□■
−	■□■	+	□★□	−	■□■
	■□■		■□■		□★□

如果按照第 3 列展开，结果为

□□★		■■□		■■□
■■□	−	□□★	+	■■□
■■□		■■□		□□★

如果用文字来解释这些图形，就是

- 在选择的某一列中，★ 从上至下顺次推移
- 除去含有 ★ 的行和列，其余的元素在对应的行列式中出现
- ★ 每纵向移一步，系数的符号都发生一次正负变化
- ★ 每横向错一位，系数的符号都发生一次正负变化

★ 的位置与符号的关系，就如同黑白相间的方格花纹一样，如下所示。

$$\begin{matrix} + & - & + \\ - & + & - \\ + & - & + \end{matrix}$$

① 也可以交换第 1 列与第 2 列，即 $\det\left(\begin{array}{c|c|c} a_{11} & a_{12} & a_{13} \\ a_{21} & a_{22} & a_{23} \\ a_{31} & a_{32} & a_{33} \end{array}\right) = -\det\left(\begin{array}{c|c|c} a_{12} & a_{11} & a_{13} \\ a_{22} & a_{21} & a_{23} \\ a_{32} & a_{31} & a_{33} \end{array}\right)$，然后按照第 1 列展开。注意交换两列之后要加负号。

为了方便书写，我们将除去 A 的第 i 行和第 j 列得到的新行列式记为 Δ'_{ij}。于是我们就可以将前文中得到的展开式简写为

$$\begin{aligned}\det A &= a_{11}\Delta'_{11} - a_{21}\Delta'_{21} + a_{31}\Delta'_{31} \\ &= -a_{12}\Delta'_{12} + a_{22}\Delta'_{22} - a_{32}\Delta'_{32} \\ &= a_{13}\Delta'_{13} - a_{23}\Delta'_{23} + a_{33}\Delta'_{33}\end{aligned}$$

在这组式子中，正负号实在是碍眼，为此我们引入另外一个记号，如下所示①。

$$\Delta_{ij} = (-1)^{i+j}\Delta'_{ij}$$

这样我们可以得到一组整齐的公式，如下所示。

$$\begin{aligned}\det A &= a_{11}\Delta_{11} + a_{21}\Delta_{21} + a_{31}\Delta_{31} \\ &= a_{12}\Delta_{12} + a_{22}\Delta_{22} + a_{32}\Delta_{32} \\ &= a_{13}\Delta_{13} + a_{23}\Delta_{23} + a_{33}\Delta_{33}\end{aligned}$$

这里的 Δ_{ij} 称为**代数余子式**②。上面的展开方法称为**行列式按行（列）展开**或**拉普拉斯（Laplace）展开**。对一般的 n 阶方阵 $A = (a_{ij})$，同样有

$$\det A = a_{1j}\Delta_{1j} + \cdots + a_{nj}\Delta_{nj} \quad (j = 1, \cdots, n)$$

■ 逆矩阵公式

依然从 3 阶方阵 $A = (a_{ij})$ 开始说起。

定义 A 的**伴随矩阵**（adjugate matrix）③为

$$\text{adj } A = \begin{pmatrix} \Delta_{11} & \Delta_{21} & \Delta_{31} \\ \Delta_{12} & \Delta_{22} & \Delta_{32} \\ \Delta_{13} & \Delta_{23} & \Delta_{33} \end{pmatrix}$$

请注意下标的顺序。adj A 的 (i,j) 元素是 Δ_{ji}。现在我们将 A 乘在 adj A 右边，结果会是什么呢?

$$(\text{adj } A)A = \begin{pmatrix} \Delta_{11} & \Delta_{21} & \Delta_{31} \\ \Delta_{12} & \Delta_{22} & \Delta_{32} \\ \Delta_{13} & \Delta_{23} & \Delta_{33} \end{pmatrix} \begin{pmatrix} a_{11} & a_{12} & a_{13} \\ a_{21} & a_{22} & a_{23} \\ a_{31} & a_{32} & a_{33} \end{pmatrix} \equiv B$$

---

① $(-1)^{i+j}$ 的意思是说，若 $(i+j)$ 是偶数则结果为 $+1$，若是奇数则结果为 -1。i 每增加 1，正负就发生变化；同样 j 每增加 1，正负也发生变化。

② 中文中通常将 Δ'_{ij} 称为**余子式**（minor），将 Δ_{ij} 称为**代数余子式**（cofactor），请读者注意区分，因为两者的英文看起来是完全不相关的两个单词。—— 译者注

③ 之所以出现这种顺序颠倒的奇怪定义，是因为中间隐藏了一环。对于 $(\text{adj } A)^T$，其 (i,j) 元素是 Δ_{ij}，这里的 $(\text{adj } A)^T$ 称为 A 的**余子矩阵**（cofactor matrix）。在其他中文教材中，大多是先定义余子矩阵，再定义其转置为伴随矩阵。对这两个概念，还请读者在阅读其他中文材料时注意区分。—— 译者注

根据矩阵乘积的定义，B 的 $(1,1)$ 元素是

$$a_{11}\Delta_{11}+a_{21}\Delta_{21}+a_{31}\Delta_{31}$$

且慢！这不正是 $\det A$ 的行列式按行（列）展开吗？我们可以继续确认 B 的 $(2,2)$ 和 $(3,3)$ 元素也一样，也就说 B 的每个对角元素都等于 $\det A$。而非对角元素呢？比如 $(2,1)$ 元素是

$$a_{11}\Delta_{12}+a_{21}\Delta_{22}+a_{31}\Delta_{32}$$

这正是行列式

$$\det\left(\begin{array}{c|c|c} a_{11} & a_{11} & a_{13} \\ a_{21} & a_{21} & a_{23} \\ a_{31} & a_{31} & a_{33} \end{array}\right)$$

按照第 2 列展开的展开式（请自行确认）。很显然，上面的行列式因为有两列相同，值一定是 0。其他的非对角元素也一样，全部都是 0。汇总一下上面得到的结果，我们知道

$$(\text{adj } A)A=\begin{pmatrix} \det A & 0 & 0 \\ 0 & \det A & 0 \\ 0 & 0 & \det A \end{pmatrix}=(\det A)I$$

也就是说，A 的逆矩阵可以用

$$A^{-1}=\frac{1}{\det A}\text{adj } A \tag{1.45}$$

来表达。正所谓“一份耕耘，一份收获”，这么多辛苦可算没有白费！

嗯？我们是不是忘了些什么？对于扁平化映射的 A 来说，其逆矩阵应该是不存在的吧！这时候怎么办呢？在没有确认 $\det A$ 非 0 时就去做除法，实在是让人心里不踏实。正确的做法是给（1.45）式加上条件“当 $\det A\neq 0$ 时”。若 $\det A=0$，则体积扩大率为 0，于是 A 对应扁平化映射，其逆矩阵不存在。终于和前面的说法全部对上号了。

特别说一句，以上事实同样可以说明“若 $\det A\neq 0$ 则 A^{-1} 必然存在”。

这里的（1.45）式，对于一般的 n 阶方阵同样成立。只是当需要对具体给定的矩阵求逆时，我们一般不会使用（1.45）式。因为还有更好的方法，我们将在 2.2.3 节中予以介绍。

?1.51　既然 $A^{-1}A=I$ 可以用来完成以上证明，那么 $AA^{-1}=I$ 应该也没问题吧？

这也是前面 ?1.25 中所担心的问题。慎重起见，我们来算算看。首先，我们可以确认 $\text{adj }(A^T)=(\text{adj } A)^T$，于是 $(A(\text{adj } A))^T=(\text{adj } A)^T A^T=\left(\text{adj }(A^T)\right)A^T$。我们上面已经算过 $(\text{adj } \square)\square$ 就等于 $(\det\square)I$，于是有 $(A(\text{adj } A))^T=\left(\det(A^T)\right)I$。注意到 $\det(A^T)=\det A$，且显然 $I^T=I$，所以 $A(\text{adj } A)=(\det A)I$ 成立。也就是说，$AA^{-1}=I$ 也确实是成立的。

第 2 章 秩、逆矩阵、线性方程组——溯因推理

2.1 问题设定：逆问题

第 1 章中我们强调了矩阵本身就是映射。用矩阵 A 作用在向量 $\boldsymbol{x}$ 上，结果就是将其移动到另一向量 $\boldsymbol{y}=A\boldsymbol{x}$。在一般的向量到向量的映射中，这种可以用矩阵来表示的映射是极其有限的一部分①。不过在现实世界中，可以抽象为输入向量 $\boldsymbol{x}$，输出向量 $\boldsymbol{y}=A\boldsymbol{x}$ 的对象着实不少。在前文的 1.2.2 节和 1.2.10 节中，我们已经展示了一部分。另外，在第 0 章中也说过，有些研究对象不是那么严格线性，但是实际操作中可以进行有效的近似，这种情况也非常多。

通过考察现实世界中的物理体系，或者观测系统的输入输出，就有办法推测出上述的矩阵 A。在这一类系统中，如果已知原因 $\boldsymbol{x}$，要预测结果 $\boldsymbol{y}$，有了 A 也就足够了。反之，当我们只知道结果时，也经常想要推测原因。例如，已知地表的重力场分布（结果），要推测地球内部的资源分布情况（原因），或者由画质受损的图像（结果）推测原图像（原因），等等。

这类已知结果 $\boldsymbol{y}$ 去推测原因 $\boldsymbol{x}$ 的问题，称为**逆问题**。相对于逆问题，如果结果之间的对照更重要，我们会考虑从原因 $\boldsymbol{x}$ 出发去预测结果 $\boldsymbol{y}$，这样的问题称为**顺问题**。

说实话，在考虑现实问题时，往往需要考虑噪声的因素，也就是形如

$$\boldsymbol{y}=A\boldsymbol{x}+\text{（噪声）}$$

① 不能用“乘上一个矩阵”的形式表示的映射随处可见。比如对 $\boldsymbol{x}=(x_1,x_2,x_3)^T$，令

$$\boldsymbol{f}(\boldsymbol{x})=\begin{pmatrix} x_1x_2^2x_3^3+\sqrt{x_1^2+8}+\log(|\sin x_3|+|\cos x_3|) \\ x_1,x_2,x_3\ \text{中的最大值} \\ \text{北纬}\ x_1\ \text{度东经}\ x_2\ \text{度处若是陆地则取}\ x_2\text{，若是海洋则取}\ -x_3 \end{pmatrix}$$

的系统。只是这里我们暂且先无视噪声，从单纯的形如

$$\boldsymbol{y} = A\boldsymbol{x}$$

的系统谈起[①]。

2.1　x 和 y 是对等的吗？在所谓的物理世界的系统中，很可能 x 是 y 的决定因素，而在数学上，我们仅仅是从已知的一方推导未知的一方而已。到底哪个是正方向，哪个是反方向，结合现实问题背景，可能是有合理解释的，这样的话我完全可以不把数学原理当回事了……

对于 2.2 节中要讲到的"良性"的问题，这样说也不是不可以。但是对于一些"恶性"问题，就不一定了，$\boldsymbol{x}$ 和 $\boldsymbol{y}$ 也许就不能说是对等的了。在读了 2.3 节和 2.6 节之后，你可能才会同意我的观点。

2.2　所谓逆问题，其实就是线性方程组吧？

在不考虑噪声的情况下，确实如此。举个例子，

$$A = \begin{pmatrix} 1 & 2 & 3 & 4 & 5 \\ 6 & 7 & 8 & 9 & 10 \\ 11 & 12 & 13 & 14 & 15 \\ 16 & 17 & 18 & 19 & 20 \end{pmatrix}, \qquad \boldsymbol{y} = \begin{pmatrix} 3 \\ 1 \\ 4 \\ 1 \end{pmatrix}$$

设 $\boldsymbol{x} = (x_1, x_2, x_3, x_4, x_5)^T$，将 $A\boldsymbol{x} = \boldsymbol{y}$ 分别按各分量表示，可得以下方程。

$$\begin{aligned} x_1 + 2x_2 + 3x_3 + 4x_4 + 5x_5 &= 3 \\ 6x_1 + 7x_2 + 8x_3 + 9x_4 + 10x_5 &= 1 \\ 11x_1 + 12x_2 + 13x_3 + 14x_4 + 15x_5 &= 4 \\ 16x_1 + 17x_2 + 18x_3 + 19x_4 + 20x_5 &= 1 \end{aligned}$$

我们知道这是**线性（一次）方程组**，也正是本章的主题。接下来我们将讨论这类方程的解的存在性、唯一性等问题，这些问题的答案我们会在 2.3.2 节中揭晓。

① 噪声方面的内容，我们将在 2.6 节详述。

2.2 良性问题（可逆矩阵）

2.2.1 可逆性与逆矩阵

首先我们来看一些良性的问题[①]。设 $\boldsymbol{x}$ 和 $\boldsymbol{y}$ 是具有相同维数的向量，则 A 是方阵。这时，如果 A 的逆矩阵存在，问题就可以直接用公式

$$\boldsymbol{x} = A^{-1}\boldsymbol{y} \tag{2.1}$$

来表达。也就是说，我们从结果 $\boldsymbol{y}$ 知道了原因 $\boldsymbol{x}$。

如上文所述，存在逆矩阵的方阵 A，称为**正则矩阵**（可逆矩阵、非奇异矩阵）[②]。而不是正则矩阵的，则称为**奇异矩阵**[③]。

但是，对于具体给定的 A 和 $\boldsymbol{y}$，要求满足 $A\boldsymbol{x} = \boldsymbol{y}$ 的 $\boldsymbol{x}$ 时，我们不会直接去求 A 的逆矩阵再与 $\boldsymbol{y}$ 相乘。因为我们有更方便快捷的办法，后文再说。接下来我们要讨论的是，如何对具体给定的矩阵计算其逆矩阵。由此引出的讨论还包括“什么情况下存在逆矩阵”“逆矩阵不存在时怎么办”等，关于这些，我们从下一节开始再逐步展开。

2.2.2 线性方程组的解法（系数矩阵可逆的情况）▽

本小节中我们讨论线性方程组的笔算解法[④]，即对于具体给定的 A 和 $\boldsymbol{y}$，如何求满足 $A\boldsymbol{x} = \boldsymbol{y}$ 的 $\boldsymbol{x}$。首先，我们把线性代数抛在脑后，来看看普通的多元一次方程组该如何求解。将这个过程用矩阵表示出来，就是我们要讲的线性方程组的笔算解法。

---

① 现实中我们遇到的逆问题主要都是恶性（病态）的，所以有时候我们甚至不把这些良性问题称为逆问题（本书中出现的“良性”“恶性”，并非严格的数学概念，而是为了形象说明而采用的非正式说法。请读者注意这里的“良性”“恶性”与数值分析中的“良态”“病态”概念完全没有关系。实际上，关于数值分析中所讲的“病态”，我们会在 2.6 节中给予简单交代，也就是“现实中的恶性问题”。另外，请允许译者再多说一句，数值分析中矩阵的“良态”“病态”是与具体问题有关的，某些矩阵可能对解线性方程组的问题而言是病态的，而对特征值求解的问题而言却是良态的。这些讨论涉及更深奥的数值分析与误差分析原理，希望进一步了解的读者请参阅专业教材。本书中的“良性”“恶性”完全是在描述矩阵本身的性质。—— 译者注）。

② 非方阵的情况下，没有逆矩阵的定义。
中文中最常用的说法是可逆（invertible）矩阵，其次是非奇异（nonsingular）矩阵，正则（regular）矩阵的说法很少，英文中也是同样情况。所以下文中我们统一采用可逆矩阵的说法。—— 译者注

③ 可逆=非奇异（=正则），奇异=不可逆（=非正则）。在相关教材中，从“可逆”出发定义其反义词为“奇异”，以及从“奇异”出发定义其反义词为“可逆”两种做法都有。

④ 除了要应付考试以及其他内容都已经掌握了的读者，建议读者暂时跳过标有 ▽ 的章节。

■ 用消元法解多元一次方程组

为了便于理解，我们还是用具体的例子来说明。假设有

$$A = \begin{pmatrix} 2 & 3 & 3 \\ 3 & 4 & 2 \\ -2 & -2 & 3 \end{pmatrix}, \qquad \boldsymbol{y} = \begin{pmatrix} 9 \\ 9 \\ 2 \end{pmatrix} \tag{2.2}$$

我们现在来求满足 $A\boldsymbol{x} = \boldsymbol{y}$ 的 $\boldsymbol{x} = (x_1, x_2, x_3)^T$。按分量写成单个方程，可得

$$2x_1 + 3x_2 + 3x_3 = 9 \tag{2.3}$$

$$3x_1 + 4x_2 + 2x_3 = 9 \tag{2.4}$$

$$-2x_1 - 2x_2 + 3x_3 = 2 \tag{2.5}$$

下面就可以用消元法来解这组多元一次方程组了。

首先，从第一个方程 (2.3) 式可以导出

$$x_1 = -\frac{3}{2}x_2 - \frac{3}{2}x_3 + \frac{9}{2} \tag{2.6}$$

即将 x_1 用其他变量 x_2, x_3 的组合表示出来。将上式代入另外两个方程 (2.4) 式和 (2.5) 式，可得

$$3\left(-\frac{3}{2}x_2 - \frac{3}{2}x_3 + \frac{9}{2}\right) + 4x_2 + 2x_3 = 9 \tag{2.7}$$

$$-2\left(-\frac{3}{2}x_2 - \frac{3}{2}x_3 + \frac{9}{2}\right) - 2x_2 + 3x_3 = 2 \tag{2.8}$$

整理可得

$$-\frac{1}{2}x_2 - \frac{5}{2}x_3 = -\frac{9}{2} \tag{2.9}$$

$$x_2 + 6x_3 = 11 \tag{2.10}$$

于是我们得到了比原方程组少一个变量的新方程组。这是第一阶段。通过第一阶段的工作，问题规模变小了，我们取得了初步胜利。在接下来的第二阶段，采用相同的做法，由新的方程组中的第一个方程 (2.9) 式导出

$$x_2 = -5x_3 + 9 \tag{2.11}$$

得到用变量 x_3 来表示的 x_2 的表达式。将上式代入方程 (2.10) 式可得

$$(-5x_3 + 9) + 6x_3 = 11 \tag{2.12}$$

整理可得

$$x_3 = 2$$

这样我们就求出了 x_3 的值。接下来开始回溯，按照来时的顺序原路返回。将求出来的 x_3 代入第二阶段的产物（2.11）式，可得

$$x_2 = -5 \cdot 2 + 9 = -1$$

再次将已经求得的 x_2, x_3 代入第一阶段的产物（2.6）式，可得

$$x_1 = -\frac{3}{2} \cdot (-1) - \frac{3}{2} \cdot 2 + \frac{9}{2} = 3$$

结果出来了，方程的解即为

$$\boldsymbol{x} = \begin{pmatrix} x_1 \\ x_2 \\ x_3 \end{pmatrix} = \begin{pmatrix} 3 \\ -1 \\ 2 \end{pmatrix}$$

经过验算可以确定这组解满足 $A\boldsymbol{x} = \boldsymbol{y}$。

当变量的个数增加时，方法也是一样的。从一个方程出发，用变量替换的办法可以消去一个变量。反复使用这个原理，可以使得问题的规模逐渐缩小。最终得到一个一元一次方程，并求解该方程。然后返回去将得到的解逐步代入，就可以得到全部解了。

? 2.3 既然有了解法，那就这样解不行吗?

说实话笔者也有同感。但是，这种方法一定能求出解吗？如果哪里没做好的话，在运算过程中会不会遇到什么麻烦？对于这些问题，还是需要继续讨论才能给出更明确的解释。

■ 用分块矩阵表示线性方程组的求解过程

我们可以将上文中的（2.3）（2.4）（2.5）式用分块矩阵的形式改写如下①。

$$\left(\begin{array}{ccc|c} 2 & 3 & 3 & 9 \\ 3 & 4 & 2 & 9 \\ -2 & -2 & 3 & 2 \end{array}\right) \left(\begin{array}{c} x_1 \\ x_2 \\ x_3 \\ \hline -1 \end{array}\right) = \begin{pmatrix} 0 \\ 0 \\ 0 \end{pmatrix}$$

请读者自己验证上式和原方程等价。我们来看看如何用分块矩阵的形式再现解方程的整个步骤。

① 和 1.2.10 节中用到的技巧一样。

第一步，将 x_1 用 x_2,x_3 表示出来，即把 (2.3) 式变成 (2.6) 式。用分块矩阵表示就是

$$\left(\begin{array}{ccc|c} \boxed{1} & \frac{3}{2} & \frac{3}{2} & \frac{9}{2} \\ \hline 3 & 4 & 2 & 9 \\ \hline -2 & -2 & 3 & 2 \end{array}\right)\begin{pmatrix} x_1 \\ x_2 \\ x_3 \\ \hline -1 \end{pmatrix} = \begin{pmatrix} 0 \\ 0 \\ 0 \end{pmatrix}$$

即把左边矩阵的第 1 行乘以 1/2，将 x_1 对应的位置（第 1 列）变成 1[①]。

接下来的步骤是，利用 (2.6) 式，将其他方程中的 x_1 全部消去。用矩阵的语言来说，就是将第 2 列和第 3 列中 x_1 对应的位置（第 1 列）变成 0。具体做法就是将第 1 行分别乘以 −3、2，并分别加到第 2 行、第 3 行上[②]。这一步的操作结果为

$$\left(\begin{array}{ccc|c} 1 & \frac{3}{2} & \frac{3}{2} & \frac{9}{2} \\ \hline \boxed{0} & -\frac{1}{2} & -\frac{5}{2} & -\frac{9}{2} \\ \hline \boxed{0} & 1 & 6 & 11 \end{array}\right)\begin{pmatrix} x_1 \\ x_2 \\ x_3 \\ \hline -1 \end{pmatrix} = \begin{pmatrix} 0 \\ 0 \\ 0 \end{pmatrix}$$

至此，消去 x_1 的任务就完成了。

下一步是消去 x_2。用矩阵的语言来说，就是首先要把第 2 行乘以 −2，得到

$$\left(\begin{array}{ccc|c} 1 & \frac{3}{2} & \frac{3}{2} & \frac{9}{2} \\ \hline 0 & \boxed{1} & 5 & 9 \\ \hline 0 & 1 & 6 & 11 \end{array}\right)\begin{pmatrix} x_1 \\ x_2 \\ x_3 \\ \hline -1 \end{pmatrix} = \begin{pmatrix} 0 \\ 0 \\ 0 \end{pmatrix}$$

这样 x_2 对应的位置（第 2 列）就变成了 1。接下来，把第 2 行乘以 −1，加到第 3 行，于是第 3 行的 x_2 对应的位置（第 2 列）就变成了 0。结果为

$$\left(\begin{array}{ccc|c} 1 & \frac{3}{2} & \frac{3}{2} & \frac{9}{2} \\ \hline 0 & 1 & 5 & 9 \\ \hline 0 & \boxed{0} & 1 & 2 \end{array}\right)\begin{pmatrix} x_1 \\ x_2 \\ x_3 \\ \hline -1 \end{pmatrix} = \begin{pmatrix} 0 \\ 0 \\ 0 \end{pmatrix}$$

---

① 因为等号右边是 0，所以没有变化。如果还不放心的话，可以展开成单个方程加以确认。以下步骤也一样。

② 虽然和直接消元法看起来略有不同，但本质是一样的。将 (2.6) 式代入 (2.4) 式消去 x_1，换一个说法就是，把 $x_1 + \frac{3}{2}x_2 + \frac{3}{2}x_3 - \frac{9}{2} = 0$ 乘以 −3，再和 $3x_1 + 4x_2 + 2x_3 - 9 = 0$ 等号两边相加，得到 $-\frac{1}{2}x_2 - \frac{5}{2}x_3 + \frac{9}{2} = 0$，即不含有 x_1 的方程。

这时就可以求出 $x_3 = 2$ 了。这是因为上式可以写成如下形式。

$$\begin{pmatrix} x_1 + \frac{3}{2}x_2 + \frac{3}{2}x_3 - \frac{9}{2} \\ x_2 + 5x_3 - 9 \\ x_3 - 2 \end{pmatrix} = \begin{pmatrix} 0 \\ 0 \\ 0 \end{pmatrix}$$

先不管第 1 行、第 2 行，由第 3 行一看便知 $x_3 = 2$。

下面要做的是，将求得的 x_3 代回，去求 x_2。用矩阵的语言来说，就是将第 2 行的 x_3 对应的位置（第 3 列）变成 0，就可以得到 x_2。为此，我们将第 3 行乘以 -5，加到第 2 行，得

$$\left(\begin{array}{ccc|c} 1 & \frac{3}{2} & \frac{3}{2} & \frac{9}{2} \\ \hline \mathit{0} & \mathit{1} & \boxed{\mathit{0}} & \mathit{-1} \\ \hline 0 & 0 & 1 & 2 \end{array}\right) \begin{pmatrix} x_1 \\ x_2 \\ x_3 \\ \hline -1 \end{pmatrix} = \begin{pmatrix} 0 \\ 0 \\ 0 \end{pmatrix}$$

所以 $x_2 = -1$。

最后，将求得的 x_2, x_3 代回，求出 x_1。用矩阵的语言表达，就是将第 1 行中 x_2, x_3 对应的位置（第 2 列、第 3 列）变成 0，便可得到 x_1。对于 x_2，将第 2 行乘以 $(-3/2)$ 加到第 1 行，结果如下。

$$\left(\begin{array}{ccc|c} \mathit{1} & \boxed{\mathit{0}} & \mathit{\frac{3}{2}} & \mathit{6} \\ \hline 0 & 1 & 0 & -1 \\ \hline 0 & 0 & 1 & 2 \end{array}\right) \begin{pmatrix} x_1 \\ x_2 \\ x_3 \\ \hline -1 \end{pmatrix} = \begin{pmatrix} 0 \\ 0 \\ 0 \end{pmatrix}$$

接着，将第 3 行乘以 $(-3/2)$ 加到第 1 行，结果如下。

$$\left(\begin{array}{ccc|c} \mathit{1} & \mathit{0} & \boxed{\mathit{0}} & \mathit{3} \\ \hline 0 & 1 & 0 & -1 \\ \hline 0 & 0 & 1 & 2 \end{array}\right) \begin{pmatrix} x_1 \\ x_2 \\ x_3 \\ \hline -1 \end{pmatrix} = \begin{pmatrix} 0 \\ 0 \\ 0 \end{pmatrix}$$

于是我们得到 $x_1 = 3$。到此，方程的求解就全部完成了。

我们再回过头来总结一下求解的步骤。从三个方程（2.3）（2.4）（2.5）式出发，通过

- 在等式两边同时乘以 c
- 把某式的 c 倍与其他等式两边相加

的操作，最终得到 $x_1 = \bigcirc, x_2 = \triangle, x_3 = \square$（$c$ 为非零常数）。用分块矩阵写出来就是，把

$$\left(A \,\middle|\, \boldsymbol{y}\right) \begin{pmatrix} \boldsymbol{x} \\ \hline -1 \end{pmatrix} = \boldsymbol{o}$$

变形，得到

$$\left(I \,\middle|\, \boldsymbol{s}\right)\left(\frac{\boldsymbol{x}}{-1}\right) = \boldsymbol{o}$$

的形式，则 $\boldsymbol{x} - \boldsymbol{s} = \boldsymbol{o}$，也就是说，$\boldsymbol{s}$ 的各个分量就是方程中对应变量的解。

以上就是用消元法解线性方程组的矩阵解法。

? 2.4 依然不太明白，怎么办?

如果不清楚的是线性方程组的消元法与用分块矩阵表示的方法之间的对应关系的话，其实也不要紧，可以暂时放下，接着去学其他方法。在用矩阵表示方程的时候，有没有发现我们已经很少用复杂的语言来描述了呢？单纯就是某式乘以 c，或者某式乘以 c 加某式而已。反复使用这两个操作，就可以得到 $x_i = \square$ 这样的形式，然后进行求解。在后面的 2.4.4 节中，我们会导入初等变换的概念，并给出一种全新的说法，到那时再回过头来看现在的做法，就好理解多了。

? 2.5 那为什么不先讲初等变换呢? 按照逻辑顺序来讲嘛!

如果那样安排的话，我们从一开始就要陆陆续续地做很多准备工作，在冗杂的说明之后，真正要说的才会缓缓浮出水面。这样不太好吧?

■ 只用分块矩阵来解线性方程组 —— Gauss-Jordan 法

在用分块矩阵的表示来解线性方程组 $A\boldsymbol{x} = \boldsymbol{y}$ 的过程中，数值发生变化的部分仅仅是下式

$$\left(\begin{array}{ccc|c} * & * & * & * \\ * & * & * & * \\ * & * & * & * \end{array}\right)\left(\begin{array}{c} x_1 \\ x_2 \\ x_3 \\ \hline -1 \end{array}\right) = \begin{pmatrix} 0 \\ 0 \\ 0 \end{pmatrix}$$

中的 $*$ 部分而已，其他部分从始至终都是不变的。所以我们可以省略那些不变的部分，仅仅把需要处理的部分抽出来，如下所示。

$$\left(A \,\middle|\, \boldsymbol{y}\right) = \left(\begin{array}{ccc|c} 2 & 3 & 3 & 9 \\ 3 & 4 & 2 & 9 \\ -2 & -2 & 3 & 2 \end{array}\right)$$

我们处理这个分块矩阵的过程，也就是解方程的过程。

所谓处理过程，不外乎

- 某行乘以 c
- 某行乘以 c 加到其他行

这两个操作（c 为非零常数）。最终目标是把区块 A 变成单位矩阵 I。完成后，区块 $\boldsymbol{y}$ 部分自然就变成了方程组的解。

接下来我们要用别的方法把前面的例子重新算一遍，权当是热身了。下面的方法称为 **Gauss-Jordan 法**（不管是哪种方法，只要左边的区块变成 I，我们就成功了）。

$$\left(A \,\middle|\, \boldsymbol{y}\right) \tag{2.13}$$

$$= \left(\begin{array}{ccc|c} 2 & 3 & 3 & 9 \\ \hline 3 & 4 & 2 & 9 \\ \hline -2 & -2 & 3 & 2 \end{array}\right) \qquad \text{将第 1 行乘以 1/2，使左上角的元素变成 1} \tag{2.14}$$

$$\to \left(\begin{array}{ccc|c} \boxed{1} & \frac{3}{2} & \frac{3}{2} & \frac{9}{2} \\ \hline 3 & 4 & 2 & 9 \\ \hline -2 & -2 & 3 & 2 \end{array}\right) \qquad \begin{array}{l} \text{将第 1 行乘以 (−3) 加到第 2 行，使第 2 行开头变成 0} \\ \text{将第 1 行乘以 2 加到第 3 行，使第3 行开头变成 0} \\ \text{这样第 1 列的变形就完成了} \end{array} \tag{2.15}$$

$$\to \left(\begin{array}{ccc|c} 1 & \frac{3}{2} & \frac{3}{2} & \frac{9}{2} \\ \hline \boxed{0} & -\frac{1}{2} & -\frac{5}{2} & -\frac{9}{2} \\ \hline \boxed{0} & 1 & 6 & 11 \end{array}\right) \qquad \text{将第 2 行乘以 (−2)，使第 2 列的元素（对角元素）变成 1} \tag{2.16}$$

$$\to \left(\begin{array}{ccc|c} 1 & \frac{3}{2} & \frac{3}{2} & \frac{9}{2} \\ \hline 0 & \boxed{1} & 5 & 9 \\ \hline 0 & 1 & 6 & 11 \end{array}\right) \qquad \begin{array}{l} \text{第 2 行乘以 (−3/2) 加到第 1 行，使第 2 列的元素变成 0} \\ \text{第 2 行乘以 (−1) 加到第 3 行，使第 2 列的元素变成 0} \\ \text{至此第 2 列的变形就完成了} \end{array} \tag{2.17}$$

$$\to \left(\begin{array}{ccc|c} 1 & \boxed{0} & -6 & -9 \\ \hline 0 & 1 & 5 & 9 \\ \hline 0 & \boxed{0} & 1 & 2 \end{array}\right) \qquad \begin{array}{l} \text{很巧，第 3 行第 3 列（对角）的元素已经是 1 了} \\ \text{将第 3 行乘以 6 加到第 1 行，使第 3 列的元素变成 0} \\ \text{将第 3 行乘以 (−5) 加到第 2 行，使第 3 列的元素变成 0} \end{array} \tag{2.18}$$

$$\to \left(\begin{array}{ccc|c} 1 & 0 & \boxed{0} & 3 \\ 0 & 1 & \boxed{0} & -1 \\ 0 & 0 & 1 & 2 \end{array}\right) \qquad \text{第 3 列变形完成} \tag{2.19}$$

最终，我们得到了 $\boldsymbol{x} = (3, -1, 2)^T$。

然而，仅仅按照以上步骤去做，可能会遇到问题。我们希望把对角元素都变成 1，可是偏偏有时候对角元素就有 0。这时候无论怎么乘，都变不成 1。这种情况下，就该第三种操作 ——**选主元**（pivoting）出场了。

- 互换两行（选主元）

比如，像

$$\left(\begin{array}{ccc|c} 0 & 1 & 6 & 11 \\ \hline 3 & 4 & 2 & 9 \\ \hline -2 & -2 & 3 & 2 \end{array}\right) \to \left(\begin{array}{ccc|c} \mathit{3} & \mathit{4} & \mathit{2} & \mathit{9} \\ \hline \mathit{0} & \mathit{1} & \mathit{6} & \mathit{11} \\ \hline -2 & -2 & 3 & 2 \end{array}\right) \quad \text{互换第 1 行和第 2 行}$$

一样将非 0 元素换到对角线位置上，再对第 1 行乘以 1/3，这样对角元素就变成 1 了。这一步对整个方程组造成的影响，可以如下表示。

$$\left(\begin{array}{ccc|c} 0 & 1 & 6 & 11 \\ \hline 3 & 4 & 2 & 9 \\ \hline -2 & -2 & 3 & 2 \end{array}\right)\begin{pmatrix} x_1 \\ x_2 \\ x_3 \\ \hline -1 \end{pmatrix} = \begin{pmatrix} 0 \\ 0 \\ 0 \end{pmatrix} \to \left(\begin{array}{ccc|c} \mathit{3} & \mathit{4} & \mathit{2} & \mathit{9} \\ \hline \mathit{0} & \mathit{1} & \mathit{6} & \mathit{11} \\ \hline -2 & -2 & 3 & 2 \end{array}\right)\begin{pmatrix} x_1 \\ x_2 \\ x_3 \\ \hline -1 \end{pmatrix} = \begin{pmatrix} 0 \\ 0 \\ 0 \end{pmatrix}$$

也就是说，将多元一次方程组

$$\begin{aligned} x_2 + 6x_3 &= 11 \\ 3x_1 + 4x_2 + 2x_3 &= 9 \\ -2x_1 - 2x_2 + 3x_3 &= 2 \end{aligned}$$

中的第一个和第二个方程互换一下，得到

$$\begin{aligned} 3x_1 + 4x_2 + 2x_3 &= 9 \\ x_2 + 6x_3 &= 11 \\ -2x_1 - 2x_2 + 3x_3 &= 2 \end{aligned}$$

所以完全无需担心选主元的操作会影响到最终的解。

综上，解方程的基本步骤可以总结为：重复以下操作，逐列进行处理。

$$\left(\begin{array}{ccccccc|c} 1 & 0 & 0 & * & * & * & * & * \\ 0 & 1 & 0 & * & * & * & * & * \\ 0 & 0 & 1 & * & * & * & * & * \\ \hline 0 & 0 & 0 & \bigstar & * & * & * & * \\ \hline 0 & 0 & 0 & * & * & * & * & * \\ 0 & 0 & 0 & * & * & * & * & * \\ 0 & 0 & 0 & * & * & * & * & * \end{array}\right) \quad \text{为了让对角元素 } \bigstar \text{ 变成 1，整行除以 } \bigstar$$

$$\left(\begin{array}{ccccccc|c}
1 & 0 & 0 & \text{☆} & * & * & * & * \\ \hline
0 & 1 & 0 & \text{☆} & * & * & * & * \\ \hline
0 & 0 & 1 & \text{☆} & * & * & * & * \\ \hline
0 & 0 & 0 & \mathit{1} & * & * & * & * \\ \hline
0 & 0 & 0 & \text{☆} & * & * & * & * \\ \hline
0 & 0 & 0 & \text{☆} & * & * & * & * \\ \hline
0 & 0 & 0 & \text{☆} & * & * & * & *
\end{array}\right)$$

为了把非对角元素 ☆ 变成 0，在各行中分别减去上面提到的行的 ☆ 倍

不过，一旦 ★ 为 0，就要像下面这样进行行交换（选主元）。

$$\left(\begin{array}{ccccccc|c}
1 & 0 & 0 & * & * & * & * & * \\
0 & 1 & 0 & * & * & * & * & * \\
0 & 0 & 1 & * & * & * & * & * \\ \hline
0 & 0 & 0 & 0 & * & * & * & * \\ \hline
0 & 0 & 0 & \blacktriangle & * & * & * & * \\ \hline
0 & 0 & 0 & \blacktriangle & * & * & * & * \\ \hline
0 & 0 & 0 & \blacktriangle & * & * & * & *
\end{array}\right)$$

在 ▲ 的位置中找到非 0 元素，与 0 对角元素所在的行进行行交换

$$\left(\begin{array}{ccccccc|c}
1 & 0 & 0 & * & * & * & * & * \\
0 & 1 & 0 & * & * & * & * & * \\
0 & 0 & 1 & * & * & * & * & * \\ \hline
0 & 0 & 0 & \blacktriangle & * & * & * & * \\ \hline
0 & 0 & 0 & 0 & * & * & * & * \\
0 & 0 & 0 & \blacktriangle & * & * & * & * \\
0 & 0 & 0 & \blacktriangle & * & * & * & *
\end{array}\right)$$

回归正轨，依照一般步骤进行计算

这样，当竖线左边的部分变成单位矩阵的时候，右边显现出来的正好就是方程组的解。

? 2.6 有没有就算试过了行交换依然不能顺利进行的可能?

这里的意思就是说上面的 ▲ 位置全部都是 0 的情况吧。实际上，会发生这种情况的矩阵，一定对应着扁平化的映射，所以其逆矩阵根本不存在。究其原因，请参考 ?2.10。至于这种情况下会发生什么，后文 2.3 节中将会谈到。

所以说，万一遇到了计算不顺利的情况，也不要责怪自己。变形过程中走不下去，不是你的错，只能怪 A 本身①。技巧再高超的人去算，也必然会陷入相同的困境，原因同样请参考 ?2.10。

---

①但如果在某一行上乘了 0，那就是你的错了。禁止乘 0!

? 2.7 计算过程还是太复杂了，能不能更简便点？

本文中介绍的只是中规中矩的，没有任何机动性的计算步骤。有时候只要稍微动动脑筋就可以将步骤简化。特别是像考试题那种专门设计过的题目，计算步骤一般都可以变得比较简洁。比如，在 (2.16) 式中，我们可以发现矩阵的第 3 行有个 1。于是我们就可以将第 2 行和第 3 行互换，这样一来，即使不进行乘法操作，也同样能达到让对角元素等于 1 的目的①。另外，在第一步的 (2.14) 式中，我们给第 1 行乘了 1/2 之后矩阵的样子变得不太好看了。如果我们先将第 1 行乘以 (−1)，再加上第 2 行，也同样能让左上位置变成 1，而且避免了分数的出现。

$$\left(\begin{array}{ccc|c} 2 & 3 & 3 & 9 \\ \hline 3 & 4 & 2 & 9 \\ \hline -2 & -2 & 3 & 2 \end{array}\right) \to \left(\begin{array}{ccc|c} \mathit{-2} & \mathit{-3} & \mathit{-3} & \mathit{-9} \\ \hline 3 & 4 & 2 & 9 \\ \hline -2 & -2 & 3 & 2 \end{array}\right)$$

$$\to \left(\begin{array}{ccc|c} \boxed{\mathit{1}} & \mathit{1} & \mathit{-1} & \mathit{0} \\ \hline 3 & 4 & 2 & 9 \\ \hline -2 & -2 & 3 & 2 \end{array}\right)$$

? 2.8 还有一点比较介意，计算步骤和前面的消元法不太一样啊。

没错。用消元法的话，确实可以毫不费事地解决问题。尽管如此，从理解上来讲还是 Gauss-Jordan 法更容易。另外，对于规模较小的矩阵，稍微费点功夫应该也无所谓的吧。

表 2.1 解线性方程组（A 是 n 阶方阵）需要的（当 n 很大时的大概）运算次数

	Gauss-Jordan 法	消元法
乘除运算	$n^3/2$	$n^3/3$
加减运算	$n^3/2$	$n^3/3$

那么，两种方法到底差在哪里了呢？我们用图 2.1 来说明。

在应用 Gauss-Jordan 法时，我们需要从左到右依次扫过每一列。为了估算运算次数，我们来考察某一个固定的元素，比如“·”经过了多少次数值变化。如果我们回忆一下扫过某一列的过程就会知道，在扫到“·”所在的列之前，每扫过一列都需要同时更新“·”处的值。

① 要注意一点，行交换操作不能破坏已经处理完的部分。假如这时我们发现第 1 行有个 1 就去交换第 1 行和第 2 行，就会把好不容易完成的第 1 行破坏掉了。

另一方面，消元法实际上是先扫描左下三角部分，然后才是右上三角部分。就左下三角部分中的各个元素来说，数值变化的方式和 Gauss-Jordan 法相同。区别就在于右上三角部分。就这部分来说，在扫描前面的列的过程中，每扫描一列也都需要改变后面的数值，只是消元法会比 Gauss-Jordan 法更早地把“·”处的值确定下来。请大家参考图 2.1 的图示，同时回想一下消元法的计算步骤，悉心领会一下吧。

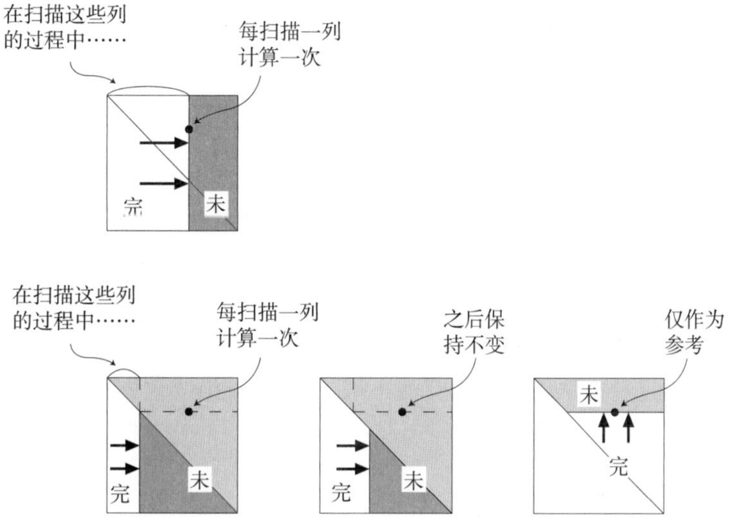

图 2.1　Gauss-Jordan 法和消元法的对比

2.2.3　逆矩阵的计算方法 ▽

在 1.3.5 节中我们给出了逆矩阵的计算公式，只是求具体给定的矩阵的逆矩阵时，使用公式太过麻烦了，所以我们也不推荐直接用公式。当然了，无论是笔算还是用计算机算，我们都有更好的办法。笔算的时候，建议应用 2.2.2 节中介绍的方法。本小节中，我们就紧接着上小节，来介绍如何用同样的方法计算逆矩阵（用计算机的计算方法会在后面的 3.7 节中讲到）。

? 2.9　为什么笔算和计算机算要采用不同的算法?

虽说无论怎么算我们都希望计算步骤越少越好，但是在笔算的时候，我们希望能用上一些性质，使得计算变得更简便，比如，我们希望计算途中尽量不出现分数。在 ? 2.7 中，我们已经举例说明了应用性质能带来的好处。一般来说，要用笔算的问题规模都比较小，所以也可以说我们现在讨论的是面向小规模问题的计算方法。

■ 应用线性方程组的解法

这种解法的原理是，如果线性方程组能解出，则逆矩阵必然可以求得。

首先，对于 n 阶方阵 A，满足 $AX = I$ 的方阵 X 就是其逆矩阵。将 X 分块成列向量 $X = (\boldsymbol{x}_1, \cdots, \boldsymbol{x}_n)$，并将其对应的单位矩阵 I 表示为 $I = (\boldsymbol{e}_1, \cdots, \boldsymbol{e}_n)$。其中 $\boldsymbol{e}_i$ 表示第 i 分量为 1、其他分量都为 0 的向量。站在分块矩阵的角度来看逆矩阵的定义 $AX = I$，可得

$$A(\boldsymbol{x}_1, \cdots, \boldsymbol{x}_n) = (A\boldsymbol{x}_1, \cdots, A\boldsymbol{x}_n) = (\boldsymbol{e}_1, \cdots, \boldsymbol{e}_n)$$

也就是说，如果我们求出了满足

$$\begin{gathered} A\boldsymbol{x}_1 = \boldsymbol{e}_1 \\ \vdots \\ A\boldsymbol{x}_n = \boldsymbol{e}_n \end{gathered}$$

的向量 $\boldsymbol{x}_1, \cdots, \boldsymbol{x}_n$，并将它们依次排列起来，就得到了 $A^{-1} = (\boldsymbol{x}_1, \cdots, \boldsymbol{x}_n)$。这里每个 $A\boldsymbol{x}_i = \boldsymbol{e}_i$ 都是一组线性方程组，而解方程的方法我们已经掌握了。

不过，如果采用这种方法的话，我们就不得不去解 n 组线性方程组。而在实际操作中，我们有更加省事的办法。

■ 应用分块矩阵表示的解法

我们将 n 组线性方程组 $A\boldsymbol{x}_i = \boldsymbol{e}_i$ $(i = 1, \cdots, n)$ 的求解过程都表示成 2.2.2 节中那样的分块矩阵的形式。也就是说，如果我们能做到如下变换，

$$\begin{gathered} (A|\boldsymbol{e}_1) \to (I|\boldsymbol{s}_1) \\ \vdots \\ (A|\boldsymbol{e}_n) \to (I|\boldsymbol{s}_n) \end{gathered}$$

那么变形后得到的区块 $\boldsymbol{s}_i$ 就是我们要的解 $\boldsymbol{x}_i$。稍加观察就会发现上面的变形都要将左边的 A 变成 I。对于这种同样的操作，如果执行 n 次的话就显得太傻了。

于是我们把上面的变换统合成

$$(A|\boldsymbol{e}_1, \cdots, \boldsymbol{e}_n) \to (I|\boldsymbol{s}_1, \cdots, \boldsymbol{s}_n)$$

再多留意一下就会发现 $(\boldsymbol{e}_1, \cdots, \boldsymbol{e}_n)$ 就是 I，而 $X \equiv (\boldsymbol{s}_1, \cdots, \boldsymbol{s}_n)$ 正是我们最终要的答案。

综上，经过形如

$$(A|I) \to (I|X)$$

的变形，区块 X 就正是我们要求的 A^{-1}。换言之，我们的操作步骤可以总结如下。

- 在 A 的右边添上单位矩阵 I
- 运用线性方程组的笔算法（2.2.2 节）中的变形方法，将左侧区块（最初 A 的部分）变成 I
- 完成后，右侧区块（最初 I 的部分）就是 A^{-1}

以上步骤也就是逆矩阵的笔算法。

我们用前面例子中的矩阵

$$A = \begin{pmatrix} 2 & 3 & 3 \\ 3 & 4 & 2 \\ -2 & -2 & 3 \end{pmatrix}$$

来具体演示一下 A^{-1} 的求解步骤。

$$(A|I)$$

$$\to \left(\begin{array}{ccc|ccc} 2 & 3 & 3 & 1 & 0 & 0 \\ \hline 3 & 4 & 2 & 0 & 1 & 0 \\ \hline -2 & -2 & 3 & 0 & 0 & 1 \end{array}\right)$$

将第 1 行乘以 1/2，使行首变成 1

$$\to \left(\begin{array}{ccc|ccc} \boxed{1} & \frac{3}{2} & \frac{3}{2} & \frac{1}{2} & 0 & 0 \\ \hline 3 & 4 & 2 & 0 & 1 & 0 \\ \hline -2 & -2 & 3 & 0 & 0 & 1 \end{array}\right)$$

将第 1 行乘以 (−3) 加到第 2 行上，使行首变成 0

将第 1 行乘以 2 加到第 3 行上行，使行首变成 0

第 1 列变形完成

$$\to \left(\begin{array}{ccc|ccc} 1 & \frac{3}{2} & \frac{3}{2} & \frac{1}{2} & 0 & 0 \\ \hline \boxed{0} & -\frac{1}{2} & -\frac{5}{2} & -\frac{3}{2} & 1 & 0 \\ \hline \boxed{0} & 1 & 6 & 1 & 0 & 1 \end{array}\right)$$

将第 2 行乘以 (−2)，使第 2 元素（对角元素）变成 1

$$\to \left(\begin{array}{ccc|ccc} 1 & \frac{3}{2} & \frac{3}{2} & \frac{1}{2} & 0 & 0 \\ \hline 0 & \boxed{1} & 5 & 3 & -2 & 0 \\ \hline 0 & 1 & 6 & 1 & 0 & 1 \end{array}\right)$$

将第 2 行乘以 (−3/2) 加到第 1 行上，使第 2 元素变成 0

将第 2 行乘以 (−1) 加到第 3 行上，使第 2 元素变成 0

第 2 列变形完成

$$\to \left(\begin{array}{ccc|ccc} 1 & \boxed{0} & -6 & -4 & 3 & 0 \\ \hline 0 & 1 & 5 & 3 & -2 & 0 \\ \hline 0 & \boxed{0} & 1 & -2 & 2 & 1 \end{array}\right)$$

运气不错，第 3 行的第 3 元素（对角元素）已经是 1 了

将第 3 行乘以 6 加到第 1 行上，使第 3 元素变成 0

将第 3 行乘以 (−5) 加到第 2 行上，

使第 3 元素变成 0

$$\to \left(\begin{array}{ccc|ccc} 1 & 0 & \boxed{0} & -16 & 15 & 6 \\ \hline 0 & 1 & \boxed{0} & 13 & -12 & -5 \\ \hline 0 & 0 & 1 & -2 & 2 & 1 \end{array}\right)$$

第 3 列变形完成

$$= (I|A^{-1})$$

所以，能够求出

$$A^{-1} = \begin{pmatrix} -16 & 15 & 6 \\ 13 & -12 & -5 \\ -2 & 2 & 1 \end{pmatrix}$$

可以验证，上面的矩阵乘以 A 的结果正是单位矩阵 I。

2.2.4 初等变换 ▽

经过上面的学习，我们已经能够求出逆矩阵了。接下来，我们引入初等变换的概念，来揭示一下上面的计算过程的本质。

笔算法的步骤可以总结为，对形如 $(A|\boldsymbol{y})$ 或 $(A|I)$ 的矩阵进行如下操作。

- 将某行乘以 c $(c \neq 0)$
- 将某行的 c 倍加到另一行上
- 交换两行

以上三种操作，都可以用“乘上一个矩阵”的形式表示出来。比如，对于矩阵

$$A = \begin{pmatrix} 2 & 3 & 3 & 9 \\ 3 & 4 & 2 & 9 \\ -2 & -2 & 3 & 2 \end{pmatrix}$$

- 将第 3 行乘以 5
  → (左) 乘“将单位矩阵的 (3,3) 元素替换成 5 得到的矩阵 $Q_3(5)$”

$$Q_3(5) = \begin{pmatrix} 1 & 0 & 0 \\ 0 & 1 & 0 \\ 0 & 0 & \boxed{5} \end{pmatrix}$$

$$Q_3(5)A = \begin{pmatrix} 1 & 0 & 0 \\ 0 & 1 & 0 \\ 0 & 0 & \boxed{5} \end{pmatrix} \begin{pmatrix} 2 & 3 & 3 & 9 \\ 3 & 4 & 2 & 9 \\ \boxed{-2} & \boxed{-2} & \boxed{3} & \boxed{2} \end{pmatrix}$$

$$= \begin{pmatrix} 2 & 3 & 3 & 9 \\ 3 & 4 & 2 & 9 \\ \boxed{-10} & \boxed{-10} & \boxed{15} & \boxed{10} \end{pmatrix}$$

- 将第 1 行乘以 10 加到第 2 行上

→（左）乘“将单位矩阵的 $(2,1)$ 元素替换成 10 得到的矩阵 $R_{2,1}(10)$”

$$R_{2,1}(10)=\begin{pmatrix}1&0&0\\ \boxed{10}&1&0\\ 0&0&1\end{pmatrix}$$

$$\begin{aligned}R_{2,1}(10)A&=\begin{pmatrix}1&0&0\\ \boxed{10}&1&0\\ 0&0&1\end{pmatrix}\begin{pmatrix}\boxed{2}&\boxed{3}&\boxed{3}&\boxed{9}\\ 3&4&2&9\\ -2&-2&3&2\end{pmatrix}\\ &=\begin{pmatrix}2&3&3&9\\ \boxed{23}&\boxed{34}&\boxed{32}&\boxed{99}\\ -2&-2&3&2\end{pmatrix}\end{aligned}$$

- 交换第 1 行和第 3 行
  →（左）乘“交换单位矩阵的第 1 行、第 3 行得到的矩阵 $S_{1,3}$”

$$S_{1,3}=\begin{pmatrix}0&0&\boxed{1}\\ 0&1&0\\ \boxed{1}&0&0\end{pmatrix}$$

$$\begin{aligned}S_{1,3}A&=\begin{pmatrix}0&0&\boxed{1}\\ 0&1&0\\ \boxed{1}&0&0\end{pmatrix}\begin{pmatrix}\boxed{2}&\boxed{3}&\boxed{3}&\boxed{9}\\ 3&4&2&9\\ \boxed{-2}&\boxed{-2}&\boxed{3}&\boxed{2}\end{pmatrix}\\ &=\begin{pmatrix}\boxed{-2}&\boxed{-2}&\boxed{3}&\boxed{2}\\ 3&4&2&9\\ \boxed{2}&\boxed{3}&\boxed{3}&\boxed{9}\end{pmatrix}\end{aligned}$$

也就是说，笔算法中的所有操作，都可以看作是在依次左乘形如 $Q_i(c), R_{i,j}(c), S_{i,j}$ 的特殊方阵。这些操作我们称为**初等（行）变换**。

有了这个意识之后，无论是解线性方程组还是求逆矩阵，我们都可以清晰地用矩阵的语言来理解了。例如，2.2.2 节中用 Gauss-Jordan 法解线性方程组的例子，就可以整理为以下过程。

$$\begin{aligned}&Q_1(1/2)\to R_{2,1}(-3)\to R_{3,1}(2)\to Q_2(-2)\to R_{1,2}(-3/2)\\ &\qquad\qquad\to R_{3,2}(-1)\to R_{1,3}(6)\to R_{2,3}(-5)\end{aligned}$$

也就是说，对于矩阵 $(A|\boldsymbol{y})$，只要左乘矩阵

$$P=R_{2,3}(-5)R_{1,3}(6)R_{3,2}(-1)R_{1,2}(-3/2)Q_2(-2)R_{3,1}(2)R_{2,1}(-3)Q_1(1/2)$$

结果便会变成 $(I|\boldsymbol{s})$ 的形式①。用公式写出来就是

$$P(A|\boldsymbol{y}) = (I|\boldsymbol{s})$$

将上式按区块展开②，即

$$PA = I$$
$$P\boldsymbol{y} = \boldsymbol{s}$$

由第一式可知 $P = A^{-1}$，由第二式可知 $\boldsymbol{s} = A^{-1}\boldsymbol{y}$。很显然，区块 $\boldsymbol{s}$ 正是 $A\boldsymbol{x} = \boldsymbol{y}$ 的解 $\boldsymbol{x}$。

逆矩阵的笔算也是同样的道理。按照例子中的步骤，将 $(A|I)$ 变成 $(I|X)$ 的过程，实际上是在构造恰当的矩阵 P，使得

$$P(A|I) = (I|X)$$

成立。按区块展开，得

$$PA = I$$
$$PI = X$$

由第一式可知 $P = A^{-1}$，由第二式可知 $X = P = A^{-1}$。

? 2.10　初等变换只有这三种吗？也就是说，是否只依靠这三种变形，就可以完成一切线性方程的求解，以及一切逆矩阵的求解呢？

你就是想问“是否任何方阵 A 都可以通过初等行变换得到单位阵 I”的吧？答案是，若 A 可逆，则一定可以；反之，若 A 不可逆（奇异），则不能。

首先，若 A 不可逆则一定不能，这是很显然的吧。若经过初等变换能得到 I，则一定可以找到使得 $PA = I$ 的矩阵 P，那么 $P = A^{-1}$ 存在（若 A^{-1} 存在，则称 A 可逆）。

其次，我们来证明 A 可逆时一定可以做到。按照我们前面介绍的步骤，只要在操作过程中不遇到 ? 2.6 中提到的那些阻碍，则 A 一定可以顺利变形到 I。这样就剩下遭遇阻碍时的情况了。实际上，若 A 可逆，则是不会遇到阻碍的。如果我们能说明这一点，证明就可以完成了③。我们采用反证法来证明。

---

① 不明白为什么要顺序颠倒的读者请复习 ? 1.17。

② 因为 $P(A|\boldsymbol{y}) = (PA|P\boldsymbol{y})$，并且右边与 $(I|\boldsymbol{s})$ 相等。不理解的读者请复习 1.2.9 节。

③ ? 2.6 中提到的责任问题，现在可以明确了。

假设我们在进行初等行变换的过程中遇到了麻烦，A 变成了 B 的形式，比如

$$B=\begin{pmatrix}1&0&0&*&*&*\\0&1&0&*&*&*\\0&0&1&*&*&*\\0&0&0&0&*&*\\0&0&0&0&*&*\\0&0&0&0&*&*\end{pmatrix}$$

下面我们来证明，当 A 可逆时会产生矛盾。

经过初等行变换后，A 变成了 B。也就是说，存在某个变换矩阵 P，使得 $PA=B$。这里我们假设 A 可逆，其实这里的 P 也可逆（后面给出证明），也就是说 $B=PA$ 也可逆①。然而 B 显然对应着“扁平化”映射，因此不存在逆矩阵②。两者矛盾，于是假设不成立。以上用反证法说明了“当 A 可逆时，不可能发生变换受阻的情况”。

上面还留个悬念，就是 P 的可逆性。首先，我们说矩阵 $Q_i(c), R_{i,j}(c), S_{i,j}$ 都是可逆的，因为

$$\begin{aligned}Q_i(1/c)Q_i(c)&=I\\R_{i,j}(-c)R_{i,j}(c)&=I\\S_{i,j}S_{i,j}&=I\end{aligned}$$

其中 $c\neq 0, i\neq j$。上面三个等式不仅很容易验算，从含义上理解也是一目了然的③。于是，我们可以直接把它们的逆矩阵写下来。

$$\begin{aligned}Q_i(c)^{-1}&=Q_i(1/c)\\R_{i,j}(c)^{-1}&=R_{i,j}(-c)\\S_{i,j}^{-1}&=S_{i,j}\end{aligned}$$

因为 P 是它们的乘积，所以 P^{-1} 一定存在④。悬念解决。

---

① 因为 A^{-1} 和 P^{-1} 都存在，所以 B 的逆矩阵应该也存在。令 $Z=A^{-1}P^{-1}$，则有 $BZ=I$，即 $Z=B^{-1}$。

② 关于“扁平化”映射，请参考 2.3.4 节。关于“扁平化”映射不存在逆映射的论述请参考 1.2.8 节以及 2.3.1 节。

③ 不明白的读者请回过头去复习第1章中介绍的矩阵乘积、逆矩阵、单位矩阵等作为映射所代表的含义。

④ 若 $P_1,\cdots,P_k$ 都存在逆矩阵，则 $P=P_1\cdots P_k$ 的逆矩阵为 $P^{-1}=P_k^{-1}\cdots P_1^{-1}$。

? 2.11　如果用初等变换的说法来表达行列式的计算的话 ……

说的是 1.3.4 节中的行列式的计算方法吧。那些变形，一样可以用初等变换解释。首先，我们可以用图 2.2 来确认以下等式。

$$\det Q_i(c) = c$$
$$\det R_{i,j}(c) = 1$$
$$\det S_{i,j} = -1$$

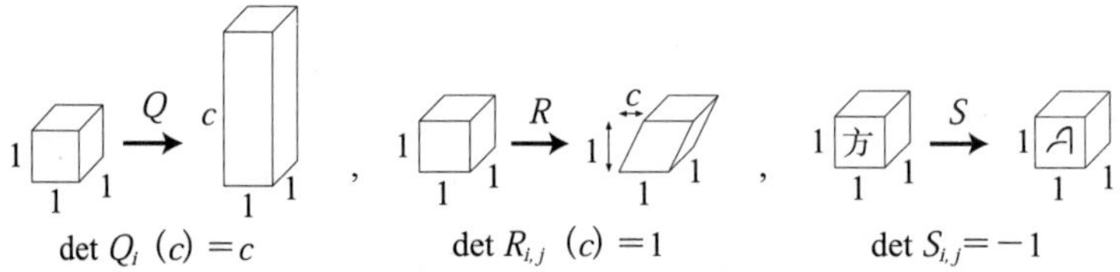

图 2.2　初等变换矩阵对应的体积扩大率

回忆一下 1.3.1 节中讲过的“行列式=体积扩大率 = 平行六面体的体积”，上图可以解释为

（左图）$Q_3(c)$ 将平行六面体的高变成了 c，于是体积也是 c

（中图）$R_{1,3}(c)$ 代表的平行六面体底面是边长为 1 的正方形，高依然是 1，因此体积是 1

（右图）$S_{1,3}$ 代表的平行六面体虽然体积与原来相同，但是经过了镜像翻转，因此体积是 -1

弄清楚以上性质之后，我们可以将行列式的性质解释如下。

- 将第 i 行乘以 c，行列式值为原来的 c 倍，等价于

$$\det(Q_i(c)A) = (\det Q_i(c))(\det A) = c \det A$$

- 将第 j 行乘以 c 加到第 i 行，行列式值不变，等价于

$$\det(R_{i,j}(c)A) = (\det R_{i,j}(c))(\det A) = \det A$$

- 交换第 i、j 行，行列式值的正负号改变，等价于

$$\det(S_{i,j}A) = (\det S_{i,j})(\det A) = -\det A$$

由公式得到的结果和行列式性质完全一致①。

① 积的行列式等于行列式的积。不明白的读者请参考 1.3.2 节“行列式的性质”。

2.3 恶性问题

前一节中我们介绍了对于良性问题如何进行求解，本节中我们要集中介绍恶性问题，看看面对这些问题时会遇到哪些阻碍，在解答过程中到底会发生什么。关于恶性问题的判定我们将在 2.4 节中讨论，关于解决问题的对策将在 2.5 节中讲解。

2.3.1 恶性问题示例

■ 线索不足的情况（矮矩阵、核）

当原因 $\boldsymbol{x} = (x_1, \cdots, x_n)^T$ 和结果 $\boldsymbol{y} = (y_1, \cdots, y_m)^T$ 两者维数不同时 $n \neq m$，该怎么办呢？这时需要面对的问题是，在已知 $y_1, \cdots, y_m$ 这 m 条线索的前提下，要解出 $x_1, \cdots, x_n$ 这 n 个未知量。线索的数量和未知量的数量不一样的话，好像就麻烦了。

首先，我们来考虑当 $\boldsymbol{y}$ 的维数比 $\boldsymbol{x}$ 的维数小时的情况 $(m < n)$。在 $\boldsymbol{y} = A\boldsymbol{x}$ 中，由于 $\boldsymbol{x}$ 是 n 维的，$\boldsymbol{y}$ 是 m 维的，于是 A 的大小是 $m \times n$。也就是说，A 是矮矩阵。

$$\begin{pmatrix} * \\ * \end{pmatrix} = \begin{pmatrix} * & * & * \\ * & * & * \end{pmatrix} \begin{pmatrix} * \\ * \\ * \end{pmatrix}$$
$$\boldsymbol{y} = A\boldsymbol{x}$$

从直观上来看，未知量有 n 个，而线索只有区区 m 条，是不是就没有办法解决了呢？实际上这么讲问题也不大，但是我们先来换个角度观察一下我们面对的状况。

为了易于大家建立想象，我们以 $m = 2, n = 3$ 的情况为例。好了，请大家回忆一下 1.2.3 节的内容。就我们这里的问题来说，A 对应的是"$\boldsymbol{x}$ 所在的 3 维空间"到"$\boldsymbol{y}$ 所在的 2 维空间"的映射。由于是从高维到低维的映射，因此对应了"压缩扁平化"的操作。所谓"压缩扁平化"的操作，实质上就是说会有多个 $\boldsymbol{x}$ 被转移到同样的 $\boldsymbol{y}$ 上。例如，在图 2.3 中，图中所示的直线上的所有点 $\boldsymbol{x}$ 都被映射到了同一个点 $\boldsymbol{y}$ 上。这时，如果有人问："已知映射后的点是 $\boldsymbol{y}$，原来的出发点 $\boldsymbol{x}$ 在哪里呢？"则无法判断直线上这么多 $\boldsymbol{x}$ 哪个才是正解。我们只能讲："要求的点应该就在这条直线上，但是至于在直线的哪个位置上，相关信息在映射 A 作用的过程中丢掉了，实在是无可奈何。"

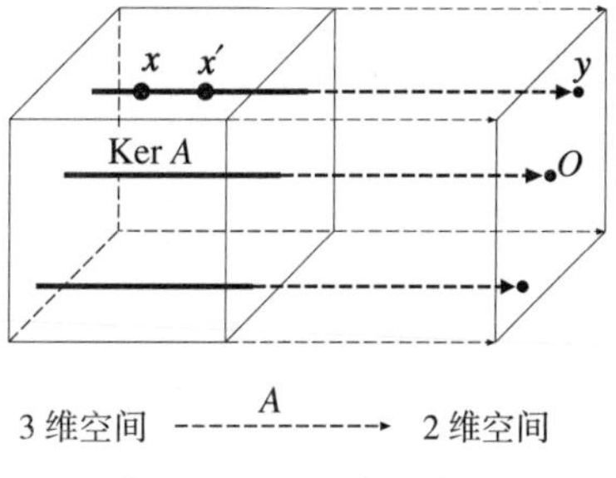

图 2.3　2×3 矩阵 A 对应的映射示例（Ker A 是 1 维的）

借此机会，我们来介绍一下正式的讲法。对于给定的 A，在映射的作用下，满足 $A\boldsymbol{x}=\boldsymbol{o}$ 的 $\boldsymbol{x}$ 的集合称为 A 的**核**（kernel），记为 Ker A①。以图 2.3 为例，Ker A 是 1 维的（直线）。而图 2.4 中的 Ker A 是 2 维的（平面）。这里的 Ker A 也表示了“压缩扁平化”的变换方向。于是，对于与 Ker A 平行的各元素，在只知道映射后的点的情况下，是无法进行还原的。请读者参考“综述 —— 通过动画学习线性代数”中“观察秩与可逆性”一节。顺便一提，对于非“压缩扁平化”的映射 A，如图 2.5 所示，Ker A 是 0 维的，由原点 O 一点构成。

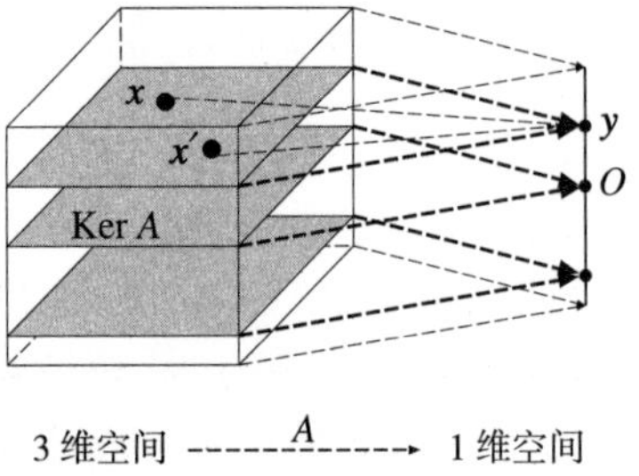

图 2.4　1×3 矩阵 A 对应的映射示例（Ker A 是 2 维的）

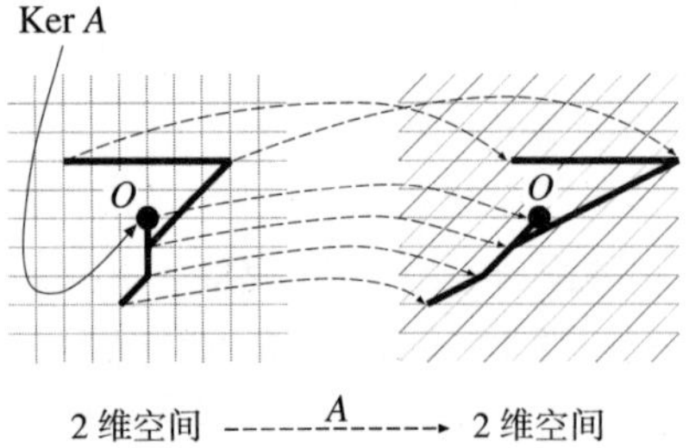

图 2.5　2×2 矩阵 A 对应的映射示例（Ker A 是 0 维的）

? 2.12 从方程 $Ax=o$ 来看，可以理解为什么要想知道 x 在 Ker A 中的位置是不可能的了，从 Ker 的定义就能明白。但是，对于 $y=Ax$ 的结果不是 o 的情况，怎么能无视呢?

这里我们令 $A\boldsymbol{x}=\boldsymbol{y}$。那么，同样在 A 的作用下被转移到 $\boldsymbol{y}$ 的那些 $\boldsymbol{x}'$，也就是满足 $A\boldsymbol{x}'=\boldsymbol{y}$ 的那些 $\boldsymbol{x}'$，到底都是哪些家伙呢？由 $A\boldsymbol{x}=A\boldsymbol{x}'=\boldsymbol{y}$ 可知，$A\boldsymbol{x}-A\boldsymbol{x}'=\boldsymbol{o}$。换句话说，

$$A(\boldsymbol{x}-\boldsymbol{x}')=\boldsymbol{o}$$

于是，我们知道 $\boldsymbol{z}=\boldsymbol{x}-\boldsymbol{x}'$ 一定位于 Ker A 中。反之，取出 Ker A 中的某向量 $\boldsymbol{z}$，令

① 也有人喜欢称之为**零空间**（null space）。

$\boldsymbol{x}' = \boldsymbol{x} + \boldsymbol{z}$，可以得到 $A\boldsymbol{x}' = A\boldsymbol{x} + A\boldsymbol{z} = A\boldsymbol{x} + \boldsymbol{o} = A\boldsymbol{x}$。这也正表明了为什么（就算知道了 $\boldsymbol{y}$）在 Ker A 中平行方向上的点无法确定具体位置。

? 2.13 可以认为在“压缩扁平化”变换的过程中丢失了一部分信息吗？

没错。Ker A 中具有平行关系的点的相关信息被丢掉了。因此，对于从映射后的位置追踪原位置的逆问题而言，压缩过程会带来很大的麻烦。但是另一方面，根据问题的目的、具体状况不同，有时候我们往往还需要积极地进行“压缩”。例如，对于相机拍下的图像[①] $\boldsymbol{x}$，我们想要判断它是否与对照样本图像 $\boldsymbol{z}$ 一致，或者是否与其他样本 $\boldsymbol{z}'$ 一致。这时，如果只是单纯地比较 $\boldsymbol{x}$ 与 $\boldsymbol{z}$，$\boldsymbol{x}$ 与 $\boldsymbol{z}'$ 之间的异同，并不能作出有效的判断。因为拍摄的方式等稍有不同，就可能会对判断结果造成不利的影响。这种情况下，如果能构造出合适的 A，然后比较 $A\boldsymbol{x}$ 与 $A\boldsymbol{z}$，$A\boldsymbol{x}$ 与 $A\boldsymbol{z}'$ 之间的异同，也不失为一种方法。那么 A 如何构造呢？它需要满足的条件是，Ker A 要对应那些“由拍摄方式等导致的细微变化”。这样一来，那些没有意义的不一样的细节部分的信息就会被舍弃，也就可以摆脱噪声的干扰，得到较好的判断结果。

■ 线索过剩的情况（长矩阵、像）

下面我们反过来考虑当 $\boldsymbol{y}$ 的维数比较大时的情况 $(m > n)$，也就是 A 是长矩阵的情况。这种情况下，要知道的量只有 n 个，而已知线索却有多达 m 个。线索多本应该高兴才对，但是，如果这些线索互相有冲突、矛盾的话，也是很费心的。

$$\begin{pmatrix} * \\ * \\ * \end{pmatrix} = \begin{pmatrix} * & * \\ * & * \\ * & * \end{pmatrix} \begin{pmatrix} * \\ * \end{pmatrix}$$
$$\boldsymbol{y} = A\boldsymbol{x}$$

我们依然把矩阵作为映射，来发挥想象力。这次我们以 $m = 3, n = 2$ 为例。

因为是从低维空间到高维空间，所以想要把目标的 3 维空间全部覆盖是不可能的。也就是说，如图 2.6 所示，对于图中的 $\boldsymbol{y}'$，以它为目的地的点 $\boldsymbol{x}$ 并不存在。但是，反正不可能得出这样的 $\boldsymbol{y}'$，不管了不行吗？如果有这么幸运当然好了。在数学上确实如此，但是不要忘了，在现实应用中，还有噪声的存在。在噪声的影响下，观测到理论上不可能出现的 $\boldsymbol{y}$ 的情况比比皆是。这时，符合所有线索 $y_1, \cdots, y_m$ 的 $\boldsymbol{x}$ 也就不存在了[②]。

---

① 将所有像素排成一列构成向量。

② 请注意不要混淆数学的论述与非数学的论述。虽然本书中大部分内容都是在讲数学，但是现在的讨论并非数学范畴。

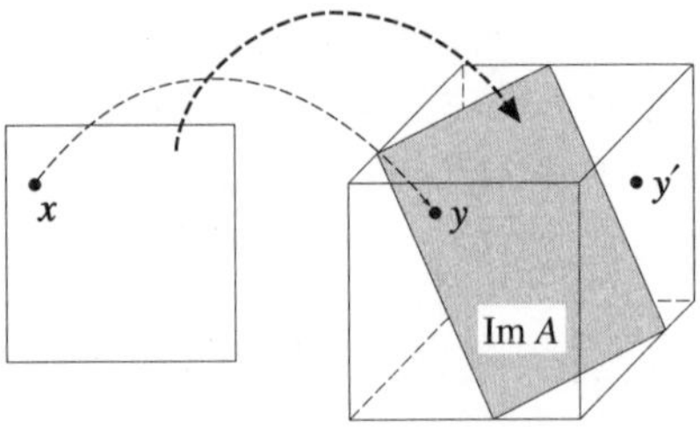

图 2.6 3×2 矩阵 A 对应的映射示例 (Im A 是 2 维的)

借此机会，我们来介绍一下数学上严格的讲法。对于给定的 A，将 $\boldsymbol{x}$ 进行各种不同的变换，在 A 的作用下，$\boldsymbol{y}=A\boldsymbol{x}$ 构成的集合，称为 A 的**像** (image)，记为 Im A[①]。换言之，像就是把原空间通过 A 变换到目标空间中时对应的领域。例如，在图 2.6 中，Im A 是 2 维的 (平面)；在图 2.7 中，Im A 是 1 维的 (直线)。对于不在 Im A 上的 $\boldsymbol{y}$，使得 $\boldsymbol{y}=A\boldsymbol{x}$ 成立的 $\boldsymbol{x}$ 是不存在的。

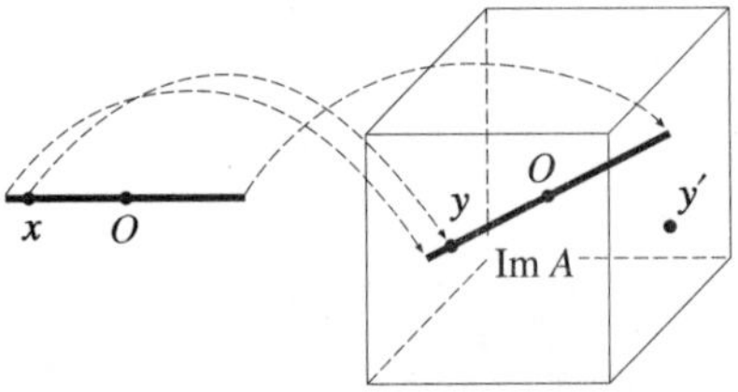

图 2.7 3×1 矩阵 A 对应的映射示例 (Im A 是 1 维的)

■ 即使线索的个数正好 ……（奇异矩阵）

如上所述，当原因 $\boldsymbol{x}$ 和结果 $\boldsymbol{y}$ 维数不同时，会导致各种问题。那么，是不是只要维数一致的话就行了呢？仅仅这样还是不够的。当 $\boldsymbol{x}$ 和 $\boldsymbol{y}$ 同为 n 维时，A 的大小为 $n\times n$，是方阵。在方阵的情况下依然会出现不利的状况。

口说无凭，眼见为实。图 2.8 中的

$$A=\begin{pmatrix}0.8 & -0.6\\ 0.4 & -0.3\end{pmatrix}$$

虽为方阵，但是在此映射的作用下，空间发生了“压缩扁平化”的变化。这里的“压缩扁平化”与“线索不足”的情况一样，在知道 $\boldsymbol{y}$ 的情况下不能从候选中唯一确定 $\boldsymbol{x}$。此外，也是

① 也有人喜欢称之为**陪域** (range)。

因为压缩的原因，$\boldsymbol{y}$ 所在的空间不能被全部映射到。因此，和“线索过剩”的情况相同，对于某些 $\boldsymbol{y}$，可能不能通过映射找到原来的出发点 $\boldsymbol{x}$。总而言之，当我们已知某点通过 A 的作用转移到了 $\boldsymbol{y}$，想要知道原来的出发点 $\boldsymbol{x}$ 在哪时，可能会出现不能把目标确定在唯一的点，或者根本不存在这样一点的情况。

图 2.8 所示为在矩阵 $A = \begin{pmatrix} 0.8 & -0.6 \\ 0.4 & -0.3 \end{pmatrix}$ 的作用下空间变形的动画演示程序的执行结果。请读者与图 2.9 中非压缩扁平化的例子做一对比。

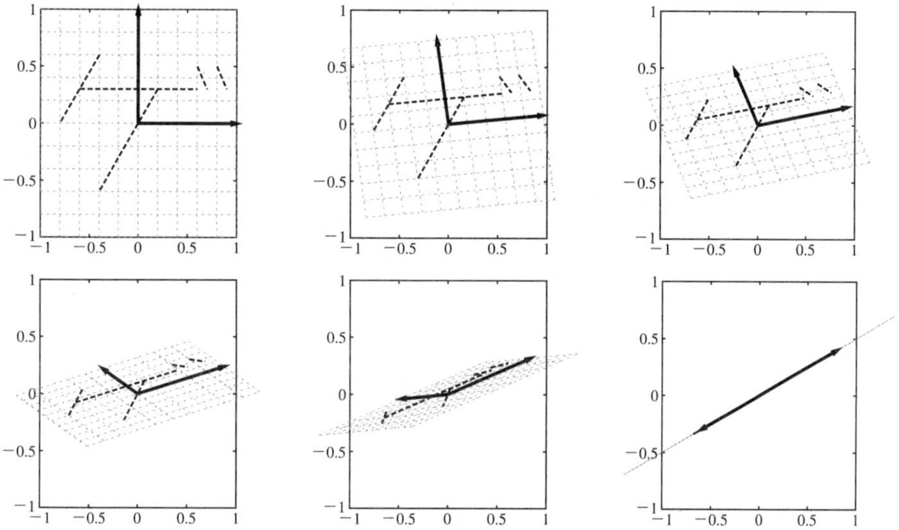

```
ruby mat_anim.rb -s=6 | gnuplot
```

图 2.8 （动画）奇异矩阵 $A = \begin{pmatrix} 0.8 & -0.6 \\ 0.4 & -0.3 \end{pmatrix}$ 对应的压缩扁平化变换

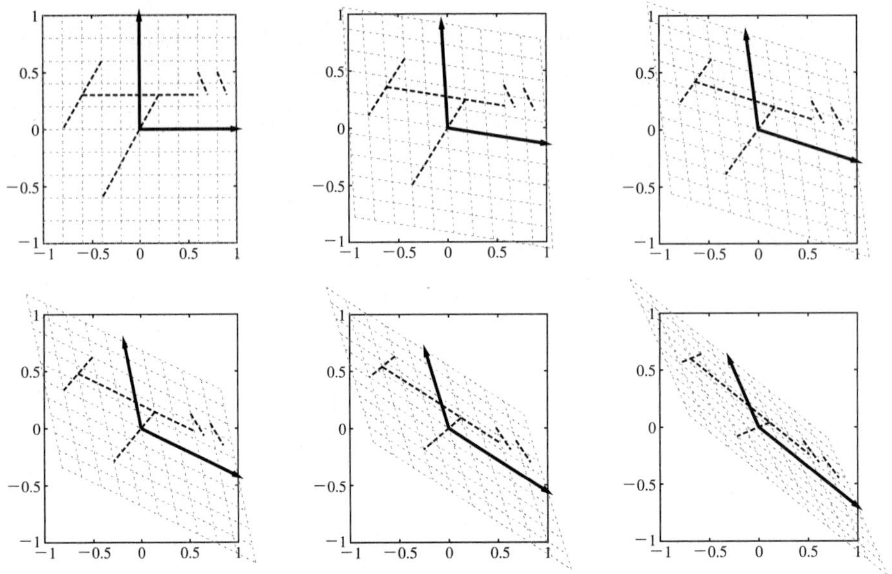


```
ruby mat_anim.rb -s=3 | gnuplot
```

图 2.9 （动画）非压缩扁平化变换的例子（$A = \begin{pmatrix} 1 & -0.3 \\ -0.7 & 0.6 \end{pmatrix}$）

综上，要想知道问题是良性还是恶性，仅凭矩阵的大小是不能轻易下结论的，本质在于核 Ker A 和像 Im A 是什么样子的。

? 2.14 线索个数不多不少时，为什么会发生这样的情况呢?

因为线索有冗余。把 $\boldsymbol{y} = A\boldsymbol{x}$ 按照分量表达出来，可以得到

$$y_1 = 0.8x_1 - 0.6x_2$$
$$y_2 = 0.4x_1 - 0.3x_2$$

其中 $\boldsymbol{y} = (y_1, y_2)^T$ 表示线索，仔细观察的话，会发现是有冗余的。因为如果知道了 y_2，那么 y_1 相关的信息有没有都不重要了，就算没有也可以知道具体值 ($y_1 = 2y_2$)。换句话说，看起来线索有 2 条，实际上只有 1 条是有效的。详情请参考 2.3.5 节。

2.3.2 问题的恶劣程度 —— 核与像

首先，我们把到目前为止的讨论结果整理一下。总结起来，要点有以下两个。

- 对于相同的结果 $\boldsymbol{y}$，引起它的原因 $\boldsymbol{x}$ 是唯一的吗①

① 换言之，两个不同的原因 $\boldsymbol{x}, \boldsymbol{x}'$ 在 A 的作用下会导致相同的结果 $\boldsymbol{y}$ 吗?

- 无论什么样的结果 $\boldsymbol{y}$，都可以找到导致它的相应的原因 $\boldsymbol{x}$ 吗[1]

当前一问的回答是肯定的时，映射 $\boldsymbol{y}=A\boldsymbol{x}$ 是**单射**[2]。当后一问回答是肯定的时，映射 $\boldsymbol{y}=A\boldsymbol{x}$ 是**满射**[3]。

当两者同时成立时，映射 $\boldsymbol{y}=A\boldsymbol{x}$ 是**双射**[4]（图 2.10）。

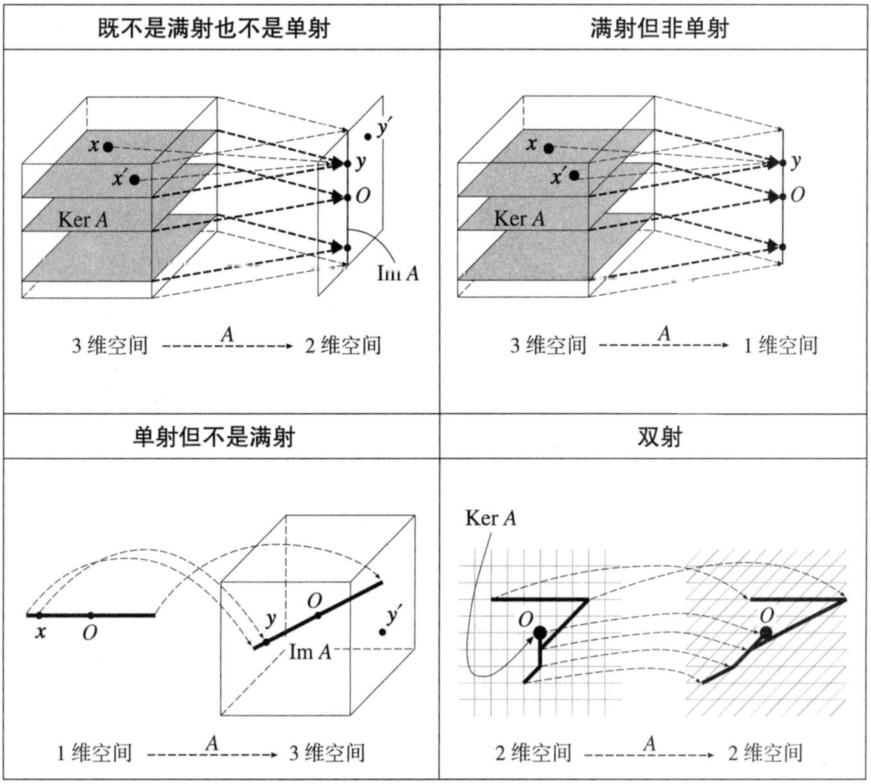

图 2.10 满射、单射、双射

利用之前引入的 Ker A、Im A 的概念，我们用正式的表达叙述一下上面提到的两个要点[5]。

- Ker A 仅包含原点 $\boldsymbol{o}$ ⇔[6] 映射为单射

---

①换言之，原空间全体（**定义域**）在 A 的作用下覆盖到的区域（Im A），与目标空间全体（**值域**）一致吗？
②也称为“**一对一映射**”或者“**一一映射**”。
③也称为“**映上的映射**”；反之，称为“**非映上的映射**”。
④也称为“**一对一映上的映射**”（在某些较老的参考书中会用“一一映射”来指代双射。—— 译者注）。
⑤慎重起见，我们来确认一下概念：Ker A 为原空间（定义域，也就是 $\boldsymbol{x}$ 所在的空间）的一部分，Im A 为目标空间（值域，也就是 $\boldsymbol{y}$ 所在的空间）的一部分。
⑥符号 ⇔ 表示左右两个条件等价。

（否则，关于 $\boldsymbol{x}$，与 Ker A 平行的方向上的点便不能确定了）

- Im A 与目标空间全体（值域）一致 $\Leftrightarrow$ 映射为满射
  （否则，对于位于 Im A 之外的点 $\boldsymbol{y}$，不存在对应的 $\boldsymbol{x}$）

以上是对“线性方程组的解的存在性和唯一性”的解答。接下来我们要讨论的话题就是：对于 Ker A 和 Im A，如何判定它们是否满足上述条件？

2.3.3　维数定理

接下来让我们整理一下头绪，看看下面这个非常有用的**维数定理（秩 – 零化度定理）**[1]。

> 对于 $m \times n$ 矩阵 A，有
> $$\dim \operatorname{Ker} A + \dim \operatorname{Im} A = n$$
> 其中 $\dim X$ 表示 X 的维数。

对上式稍加变形，可得 $n - \dim \operatorname{Ker} A = \dim \operatorname{Im} A$，从直观上看，这只不过在说理所当然的事情。$A$ 是从 n 维空间到 m 维空间的映射，那么从原来的 n 维中，压缩掉 Ker A 对应的维数，剩下的自然就是 Im A 的维数了（图 2.11）。比如，从 3 维空间中压缩掉 1 维，剩下的便是 2 维，如果压缩掉的是 2 维，剩下的就是 1 维。

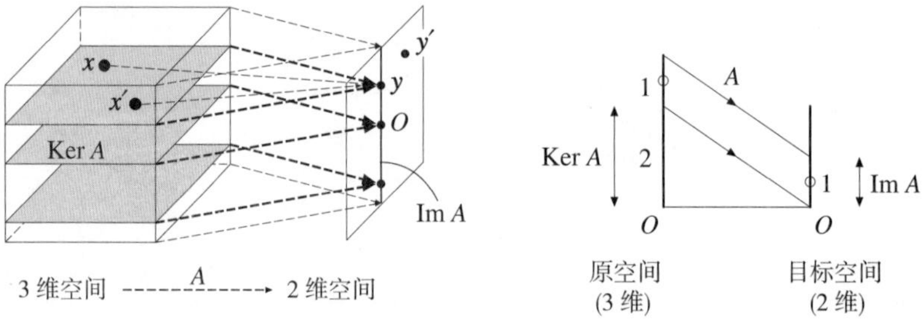

图 2.11　维数定理。从原 3 维空间中压缩掉 2 维，剩下的便是 1 维。把左图用右图的形式来表现，更加容易看懂

把前一节中所讲的内容与维数定理相结合，我们可以确认以下事实。

- 若 $m < n$（A 是矮矩阵），则 A 不会是单射
  （$\because$ Im A 是目标 m 维空间的一部分，所以 $\dim \operatorname{Im} A \leqslant m$。这时我们又假设 $m < n$，

---

[1] 关于此公式（定理），很多中文参考书中都没有专门的名称，有的数学专业资料中称之为“秩–零化度定理”(Rank-nullity theorem)。另外，有关线性代数的中文教材中常提到“维数公式”，该公式是指 $\dim(U+W) = \dim U + \dim W - \dim(U \cap W)$，其中 U、W 表示线性空间 V 的（有限维）子空间，$U+W$、$U \cap W$ 分别表示两个子空间的和、交。请读者注意区分。由于本书没有正式涉及子空间之间的运算，所以没有提及后面的公式。对此有兴趣或者有需求的读者，可以参考本书附录 C 中关于基底的补充内容，其中蕴含了子空间的“和”“补”“直和”等思想。—— 译者注

可以得到 $\dim \operatorname{Im} A < n$，根据维数定理，有 $\dim \operatorname{Ker} A > 0$)

- 若 $m > n$ (A 是长矩阵)，则 A 不会是满射
  ($\because$ 维数一定不小于 0，所以对于 $\operatorname{Ker} A$，我们有 $\dim \operatorname{Ker} A \geqslant 0$。于是，根据维数定理，有 $\dim \operatorname{Im} A \leqslant n$。进而再假设 $m > n$，就可以推出 $\dim \operatorname{Im} A < m$)

? 2.15 空间整体的维数的意义在 1.1.5 节中说明过了，不过 $\dim \operatorname{Ker} A$, $\dim \operatorname{Im} A$ 又是什么呢?

在本书中，对于“维数”这一概念，我们直观地理解就可以了。也就是说，单点为 0 维，直线为 1 维，平面为 2 维 …… 如果想要更严谨地讨论**维数**，就必须引入**线性子空间**[①] 的概念了。线性子空间是“对加法运算以及数量乘法运算封闭的区域 W”。也就是说，对于线性空间 V，若 V 内的区域 W 满足以下条件，则称 W 是 V 的线性子空间。

- 对于 W 中的向量 $\boldsymbol{x}$ 和 $\boldsymbol{x}'$，它们的和 $(\boldsymbol{x}+\boldsymbol{x}')$ 也在 W 内
- 对于 W 中的向量 $\boldsymbol{x}$ 和数 c，数量乘积 $c\boldsymbol{x}$ 也在 W 内

简而言之，就是通过原点 $\boldsymbol{o}$ 的直线、平面的高维版本。另外，仅仅原点 $\boldsymbol{o}$ 一点也被视为子空间的一种。

$\operatorname{Ker} A$、$\operatorname{Im} A$ 等也构成线性子空间。实际上，我们在前面的图中，已经可以确认 $\operatorname{Ker} A$、$\operatorname{Im} A$ 是通过原点 $\boldsymbol{o}$ 的直线、平面等的高维版本（或者仅仅是原点 $\boldsymbol{o}$ 一点）这一事实了。如果要用公式来表达的话，也不是什么难事[②]。

- 对于 Ker A
  - 若 $\boldsymbol{x}, \boldsymbol{x}'$ 在 $\operatorname{Ker} A$ 内，则 $A(\boldsymbol{x}+\boldsymbol{x}') = A\boldsymbol{x} + A\boldsymbol{x}' = \boldsymbol{o}+\boldsymbol{o} = \boldsymbol{o}$。所以，和 $(\boldsymbol{x}+\boldsymbol{x}')$ 也在 $\operatorname{Ker} A$ 内
  - 若 $\boldsymbol{x}$ 在 $\operatorname{Ker} A$ 内，则 $A(c\boldsymbol{x}) = c(A\boldsymbol{x}) = c\boldsymbol{o} = \boldsymbol{o}$。所以，数量乘积 $c\boldsymbol{x}$ 也在 $\operatorname{Ker} A$ 内
- 对于 $\operatorname{Im} A$
  - 若 $\boldsymbol{y}, \boldsymbol{y}'$ 在 $\operatorname{Im} A$ 内，则一定有满足 $\boldsymbol{y} = A\boldsymbol{x}$, $\boldsymbol{y}' = A\boldsymbol{x}'$ 的 $\boldsymbol{x}, \boldsymbol{x}'$。这样的话，有 $(\boldsymbol{y}+\boldsymbol{y}') = A\boldsymbol{x} + A\boldsymbol{x}' = A(\boldsymbol{x}+\boldsymbol{x}')$。所以，和 $(\boldsymbol{y}+\boldsymbol{y}')$ 也在 $\operatorname{Im} A$ 内
  - 若 $\boldsymbol{y}$ 在 $\operatorname{Im} A$ 内，则一定有使得 $\boldsymbol{y} = A\boldsymbol{x}$ 成立的 $\boldsymbol{x}$。这样的话，有 $c\boldsymbol{y} = cA\boldsymbol{x} = A(c\boldsymbol{x})$。所以，数量乘积 $c\boldsymbol{y}$ 也在 $\operatorname{Im} A$ 内

于是，由于加法和数量乘法都封闭，整个世界也就封闭在 W 中了，完全可以进行“线性代数”的话题了。特别是，如果只考虑 W 的小世界的话，同样可以对基底进行考

① 经常略称为**子空间**。
② 不明白的读者请回头阅读 2.3.1 节，复习一下 $\operatorname{Ker} A$ 和 $\operatorname{Im} A$ 的概念。

量。具体来说，当 W 中的向量 $\boldsymbol{e}_1,\cdots,\boldsymbol{e}_k$ 满足下列条件时，我们说 $(\boldsymbol{e}_1,\cdots,\boldsymbol{e}_k)$ 构成 W 的一组基底。

- W 中的任意向量 $\boldsymbol{x}$ 都可以表示成 $\boldsymbol{e}_1,\cdots,\boldsymbol{e}_k$ 的线性组合（参考 1.1.4 节）。也就是说，通过选择合适的数 $c_1,\cdots,c_k$，一定可以表示成 $\boldsymbol{x}=c_1\boldsymbol{e}_1+\cdots+c_k\boldsymbol{e}_k$
- 此外，以上的表示方式是唯一的

在这里，基底中的向量的个数 k，就定义为线性子空间 W 的维数 $\dim W$。

那么，坐标和基底又是什么关系呢？对此有疑问的读者请参阅附录 C 的最后一部分。

?2.16 维数定理如何证明?

如果能按照本文中的讲解，从直观上感觉出定理的“理所当然”，暂时也就可以了。我们在后面会学到秩的笔算法（参考 2.3.7 节），学过之后再回过头来审视维数定理，就非常容易理解其成立的原因了（参考 ?2.23）。不过，在不同的学习阶段，对不同说明方式的接受程度也可能不一样，所以从不同的角度进行介绍也不失为一件有意义的事。我们下面的解释，主要是面向学习过线性代数的读者。如果读者觉得理解困难，完全可以跳过。

对于 $m\times n$ 矩阵 A，设 $\dim \operatorname{Ker} A=k$, $\dim \operatorname{Im} A=r$。我们要证明 $k+r=n$。

我们先来确认一下各种状况，再慢慢进入正题。矩阵 A 所表示的映射把 n 维向量 $\boldsymbol{x}$ 通过 $\boldsymbol{y}=A\boldsymbol{x}$ 变换成 m 维向量，那么 $\operatorname{Ker} A$ 就是 $\boldsymbol{x}$ 所在的空间（n 维）的一部分，$\operatorname{Im} A$ 是 $\boldsymbol{y}$ 所在的目标空间（m 维）的一部分。于是，$\operatorname{Ker} A$, $\operatorname{Im} A$ 都构成线性子空间（参考 ?2.15）。

$\operatorname{Ker} A$ 的维数是 k，也就是说，$\operatorname{Ker} A$ 的基底由 k 个向量构成。$\operatorname{Im} A$ 也同样，由 r 个向量构成。这里我们把 $\operatorname{Ker} A$, $\operatorname{Im} A$ 的基底分别表示出来，记为 $(\boldsymbol{u}_1,\cdots,\boldsymbol{u}_k)$, $(\boldsymbol{v}'_1,\cdots,\boldsymbol{v}'_r)$。由于 $\boldsymbol{u}_1,\cdots,\boldsymbol{u}_k$ 是 $\operatorname{Ker} A$ 中的成员，所以

$$A\boldsymbol{u}_1=\cdots=A\boldsymbol{u}_k=\boldsymbol{o} \tag{2.20}$$

另外，由于 $\boldsymbol{v}'_1,\cdots,\boldsymbol{v}'_r$ 是 $\operatorname{Im} A$ 中的成员，因此，一定存在一组 n 维向量 $\boldsymbol{v}_1,\cdots,\boldsymbol{v}_r$ 在映射之后得到 $\boldsymbol{v}'_1,\cdots,\boldsymbol{v}'_r$，即

$$\boldsymbol{v}'_1=A\boldsymbol{v}_1,\quad \cdots,\quad \boldsymbol{v}'_r=A\boldsymbol{v}_r$$

如果读者阅读到这里时有不理解的地方，请回头复习相关概念之后再继续阅读。

实际上，把 $\boldsymbol{u}_1,\cdots,\boldsymbol{u}_k$ 和上面得到的 $\boldsymbol{v}_1,\cdots,\boldsymbol{v}_r$ 合起来，就得到了原空间（n 维）的一组基底。因为基底中的向量个数＝维数（参考 1.1.5 节），这也就意味着 $k+r=n$ 成立。所以，我们只要证明 $(\boldsymbol{u}_1,\cdots,\boldsymbol{u}_k,\boldsymbol{v}_1,\cdots,\boldsymbol{v}_r)$ 构成一组基底，证明就完成了。

好了，我们下面开始证明。由于我们要证的是“能构成基底”，如果不知道基底是什么，那么就没办法开始了。我们来回忆一下基底的概念（参考 1.1.4 节）。如果说 $(\boldsymbol{u}_1,\cdots,\boldsymbol{u}_k,\boldsymbol{v}_1,\cdots,\boldsymbol{v}_r)$ 构成一组基底，则满足以下两个条件。

- 对于（原空间中的）任何向量 $\boldsymbol{x}$，通过选择合适的数 $c_1,\cdots,c_k,d_1,\cdots,d_r$，都可以表示为
$$\boldsymbol{x}=c_1\boldsymbol{u}_1+\cdots+c_k\boldsymbol{u}_k+d_1\boldsymbol{v}_1+\cdots+d_r\boldsymbol{v}_r$$
的形式（每一块土地都有地址）
- 并且，以上表示方法只有一个（每一块土地的地址只有一个）

对于前者的“每一块土地都有地址”，我们证明如下。在讨论 $\boldsymbol{x}$ 本身之前，我们先来考察一下 $\boldsymbol{y}=A\boldsymbol{x}$ 这个变换后的向量 $\boldsymbol{y}$。显然 $\boldsymbol{y}$ 在 $\mathrm{Im}\,A$ 中。这样，在 $\boldsymbol{v}_1',\cdots,\boldsymbol{v}_r'$ 构成 $\mathrm{Im}\,A$ 的基底的前提下，一定可以通过选择合适的数 $d_1,\cdots,d_r$，使得

$$\boldsymbol{y}=d_1\boldsymbol{v}_1'+\cdots+d_r\boldsymbol{v}_r'$$

下面我们来考虑与之对应的

$$\tilde{\boldsymbol{x}}\equiv d_1\boldsymbol{v}_1+\cdots+d_r\boldsymbol{v}_r$$

的情况。这里的 $\tilde{\boldsymbol{x}}$ 与 $\boldsymbol{x}$ 从定义上看是两回事，而变换后的 $A\tilde{\boldsymbol{x}}$ 与 $\boldsymbol{y}=A\boldsymbol{x}$ 又是相同的。这样一来，我们把视线集中在误差 $\Delta\boldsymbol{x}\equiv\boldsymbol{x}-\tilde{\boldsymbol{x}}$ 之上。如果我们能注意到这里的 $\Delta\boldsymbol{x}$ 位于 $\mathrm{Ker}\,A$ 中，目标也就近在眼前了。实际上，根据 $A\Delta\boldsymbol{x}=A(\boldsymbol{x}-\tilde{\boldsymbol{x}})=\boldsymbol{y}-\boldsymbol{y}=\boldsymbol{o}$ 可知 $\Delta\boldsymbol{x}$ 确实在 $\mathrm{Ker}\,A$ 之中。因为我们已经假设了“$\boldsymbol{u}_1,\cdots,\boldsymbol{u}_k$ 构成 $\mathrm{Ker}\,A$ 的基底”这一前提，于是通过选取合适的数 $c_1,\cdots,c_k$，一定可以得到下面这种表示方法。

$$\Delta\boldsymbol{x}=c_1\boldsymbol{u}_1+\cdots+c_k\boldsymbol{u}_k$$

把上面两式综合起来，确实得到了以下式子。

$$\boldsymbol{x}=\Delta\boldsymbol{x}+\tilde{\boldsymbol{x}}=c_1\boldsymbol{u}_1+\cdots+c_k\boldsymbol{u}_k+d_1\boldsymbol{v}_1+\cdots+d_r\boldsymbol{v}_r$$

剩下的就是要证明“每一块土地只有一个地址”。为了证明上述命题，我们假设对于同一个 $\boldsymbol{x}$，有以下两种不同的表示方法。

$$\begin{aligned}\boldsymbol{x}&=c_1\boldsymbol{u}_1+\cdots+c_k\boldsymbol{u}_k+d_1\boldsymbol{v}_1+\cdots+d_r\boldsymbol{v}_r\\&=\tilde{c}_1\boldsymbol{u}_1+\cdots+\tilde{c}_k\boldsymbol{u}_k+\tilde{d}_1\boldsymbol{v}_1+\cdots+\tilde{d}_r\boldsymbol{v}_r\end{aligned}$$

这时有

$$A\boldsymbol{x} = d_1\boldsymbol{v}_1' + \cdots + d_r\boldsymbol{v}_r' = \tilde{d}_1\boldsymbol{v}_1' + \cdots + \tilde{d}_r\boldsymbol{v}_r'$$

也就意味着

$$d_1 = \tilde{d}_1, \quad \cdots, \quad d_r = \tilde{d}_r.$$

根据我们的前提条件，$(\boldsymbol{v}_1', \cdots, \boldsymbol{v}_r')$ 构成（Im A 的）一组基底。这样一来，我们只能得到

$$c_1\boldsymbol{u}_1 + \cdots + c_k\boldsymbol{u}_k = \tilde{c}_1\boldsymbol{u}_1 + \cdots + \tilde{c}_k\boldsymbol{u}_k$$

这也就意味着

$$c_1 = \tilde{c}_1, \quad \cdots, \quad c_k = \tilde{c}_k$$

这是因为，根据我们假设的前提条件，$(\boldsymbol{u}_1, \cdots, \boldsymbol{u}_r)$ 也构成（Ker A 的）基底。于是我们知道，同一个向量不可能有两种不同的表示方法。

综上所述，可以保证 $(\boldsymbol{u}_1, \cdots, \boldsymbol{u}_k, \boldsymbol{v}_1, \cdots, \boldsymbol{v}_r)$ 可以构成一组基底。

2.3.4 用式子表示“压缩扁平化”变换（线性无关、线性相关）

到目前为止，我们已经介绍了恶性的情况下会产生哪些问题。接下来，我们看看在已知矩阵的表达的情况下可以做些什么，我们后面的叙述将会沿着这个方向前进。

首先，来考察一下用式子表达“压缩扁平化”的变换会是什么样子[①]。

正如我们反复强调的那样，所谓“压缩扁平化”，就是把不同的 $\boldsymbol{x}$ 和 $\boldsymbol{x}'$ 变换到相同的 $\boldsymbol{y}$。这里，我们设 $\boldsymbol{x} = (x_1, \cdots, x_n)^T$、$\boldsymbol{x}' = (x_1', \cdots, x_n')^T$、$A = (\boldsymbol{a}_1, \cdots, \boldsymbol{a}_n)$[②]。这样一来，$A\boldsymbol{x} = A\boldsymbol{x}'$ 就可以写成

$$(\boldsymbol{a}_1, \cdots, \boldsymbol{a}_n)\begin{pmatrix} x_1 \\ \vdots \\ x_n \end{pmatrix} = (\boldsymbol{a}_1, \cdots, \boldsymbol{a}_n)\begin{pmatrix} x_1' \\ \vdots \\ x_n' \end{pmatrix}$$

也就是说，下式是成立的[③]。

$$x_1\boldsymbol{a}_1 + \cdots + x_n\boldsymbol{a}_n = x_1'\boldsymbol{a}_1 + \cdots + x_n'\boldsymbol{a}_n \tag{2.21}$$

---

① 稍微复习一下。所谓“非压缩扁平化”的映射，其 Ker A 中只有原点 $\boldsymbol{o}$ 一点。同样也可以说是 $\dim \operatorname{Ker} A = 0$。接下来，根据维数定理，同样可以说 $\dim \operatorname{Im} A = n$（$n$ 为矩阵 A 的列数）。

② 矩阵 A 的第 1 列向量记为 $\boldsymbol{a}_1$，第 2 列向量记为 $\boldsymbol{a}_2 \cdots\cdots$ 的意思。不明白的读者请复习 1.2.9 节中关于“分块矩阵”的内容。

③ 简而言之，同一个向量 $\boldsymbol{y}$，以 $\boldsymbol{a}_1, \cdots, \boldsymbol{a}_n$ 的线性组合的形式，得到了两种不同的表达。也就相当于同一地点赋予了两个不同的地址的状况。出现这样的状况，只能是因为 $\boldsymbol{a}_1, \cdots, \boldsymbol{a}_n$ 有问题。如果不记得“线性组合”的意义了，请参考 1.1.4 节。

结果我们看到，对于“压缩扁平化”的映射，在 $\boldsymbol{x} \neq \boldsymbol{x}'$ 的前提下，使得 (2.21) 式成立的 $\boldsymbol{x} = (x_1, \cdots, x_n)^T$ 和 $\boldsymbol{x}' = (x'_1, \cdots, x'_n)^T$ 是存在的。在这种情况下，我们称 $\boldsymbol{a}_1, \cdots, \boldsymbol{a}_n$ 为**线性相关**的。反之，不是线性相关的情况下，称 $\boldsymbol{a}_1, \cdots, \boldsymbol{a}_n$ 为**线性无关**的。有时候也经常会简单地称为**相关**、**无关**。

- A 的各个列向量线性相关 =“压缩”
- A 的各个列向量线性无关 =“不压缩”

另外，在一般的教科书中，会采用以下“聪明”的定义。

如果对于数 $u_1, \cdots, u_n$，当

$$u_1\boldsymbol{a}_1 + \cdots + u_n\boldsymbol{a}_n = \boldsymbol{o} \tag{2.22}$$

成立时有 $u_1 = \cdots = u_n = 0$，则称 $\boldsymbol{a}_1, \cdots, \boldsymbol{a}_n$ 为线性无关的。

这里的“聪明”的定义，和我们的朴素的定义是等价的。实际上，把我们的定义式 (2.21) 中的右边全部移项到左边，可得 $(x_1 - x'_1)\boldsymbol{a}_1 + \cdots + (x_n - x'_n)\boldsymbol{a}_n = \boldsymbol{o}$。在上式中，利用 $x_i - x'_i = u_i$ 进行替换，便可得到 (2.22) 式 $(i = 1, \cdots, n)$。因此，把 $\boldsymbol{x} \neq \boldsymbol{x}'$ 换一种说法就是 $(u_1, \cdots, u_n)^T \neq \boldsymbol{o}$。也就是说，如果存在满足 (2.22) 式的 $(u_1, \cdots, u_n)^T \neq \boldsymbol{o}$，则线性相关，否则则线性无关。然后，我们把“满足条件的 $(u_1, \cdots, u_n)^T \neq \boldsymbol{o}$ 不存在”换成“满足条件的仅有 $(u_1, \cdots, u_n)^T = \boldsymbol{o}$”，就得到“聪明”的定义了。好了，同样的道理其实已经讲过一遍，能想起来吗？那是在讲述构成**基底**的条件时（参考 1.1.4 节）。如果用现在的语言来讲，就是“基向量必须满足线性无关性”（图 2.12）。另外，**维数**的定义同样可以用现在的语言来描述，就是“如果最多能取得 n 个线性无关的向量，则空间的维数为 n”[①]。

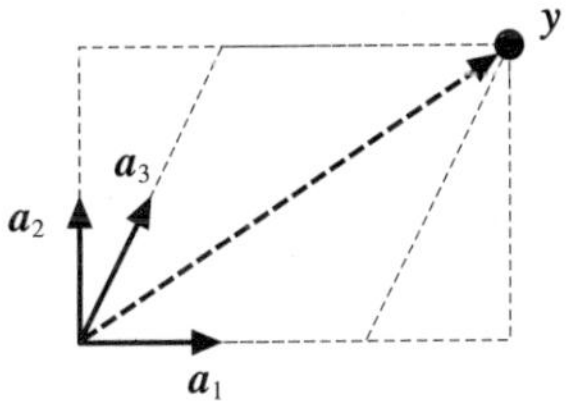

图 2.12 $\boldsymbol{a}_1, \boldsymbol{a}_2, \boldsymbol{a}_3$ 不满足线性无关性（2 维的例子。同样的 $\boldsymbol{y}$ 可以用 $\boldsymbol{y} = 3\boldsymbol{a}_1 + 2\boldsymbol{a}_2 = 2\boldsymbol{a}_1 + 2\boldsymbol{a}_3$ 两种方式表达出来）

最后我们再加把劲儿，站在不同于上面的“朴素”的定义的另一个层面上，看看问题的“本质”。这里我们设 $\boldsymbol{a}_1, \cdots, \boldsymbol{a}_n$ 线性相关。也就是说，除了当 $u_1 = \cdots = u_n = 0$ 的时候之外，也会出现 $u_1\boldsymbol{a}_1 + \cdots + u_n\boldsymbol{a}_n = \boldsymbol{o}$ 的情况。对 (2.22) 式加以变形，可得

$$u_1\boldsymbol{a}_1 = -u_2\boldsymbol{a}_2 - \cdots - u_n\boldsymbol{a}_n \tag{2.23}$$

① 如果要严格证明该定义与前面的定义等价的话，还需要其他一些讨论，具体请参考附录 C。

两边同时除以 u_1，并设 $r_i = -u_i/u_1$ $(i = 1, \cdots, n)$，可得到下式①。

$$\boldsymbol{a}_1 = r_2\boldsymbol{a}_2 + \cdots + r_n\boldsymbol{a}_n \tag{2.24}$$

这样一来，向量 $\boldsymbol{a}_1, \boldsymbol{a}_2, \cdots, \boldsymbol{a}_n$ 中的某一个 $(\boldsymbol{a}_1)$，便可以用其他向量 $\boldsymbol{a}_2, \cdots, \boldsymbol{a}_n$ 的线性组合来表示了。不知为什么，总感觉 $\boldsymbol{a}_1$ 好像有点多余了呢②。用图来表示，就是图 2.13。

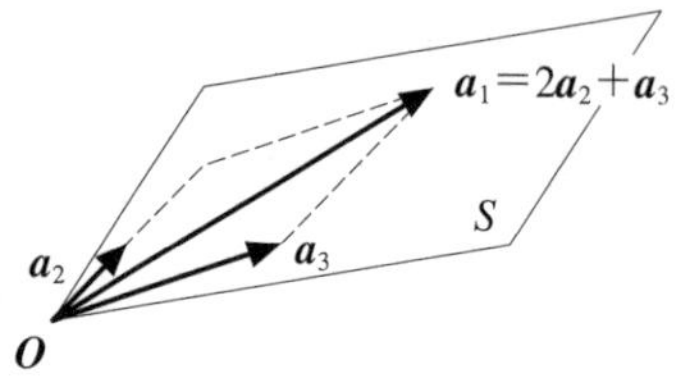

图 2.13 $\boldsymbol{a}_1$ 是“多余”的（3 维的例子。确实是有 3 个向量，但是它们全都位于平面 S 之上）

在上图中，$\boldsymbol{a}_1$ 用 $\boldsymbol{a}_2$ 和 $\boldsymbol{a}_3$ 的组合表达了出来，这就表示 $\boldsymbol{a}_1$ 位于 $\boldsymbol{a}_2$ 和 $\boldsymbol{a}_3$ 张成的平面 S 上。虽然 $\boldsymbol{a}_1$, $\boldsymbol{a}_2$, $\boldsymbol{a}_3$ 是 3 个不同的向量，但是却呈现“压缩”的状态，大家都挤在同一平面上。是不是一下明白了呢？回忆一下“矩阵就是映射”（1.2.3 节），可知 $\boldsymbol{a}_1, \cdots, \boldsymbol{a}_n$ 分别表示 $\boldsymbol{e}_1 = (1, 0, \cdots, 0, 0)^T, \cdots, \boldsymbol{e}_n = (0, 0, \cdots, 0, 1)^T$ 映射后的目的向量。观察映射后的结果，我们可以想象映射的作用方式。$\boldsymbol{a}_1, \cdots, \boldsymbol{a}_n$ 虽然是 n 个不同的向量，但是呈现出“压缩”的状态，全部挤在一个（$(n-1)$ 维版本的）平面上，也就是呈现出线性相关的情况下的画面。所以，若 $\boldsymbol{a}_1, \cdots, \boldsymbol{a}_n$ 线性相关，则 $A = (\boldsymbol{a}_1, \cdots, \boldsymbol{a}_n)$ 对应的映射一定是“压缩扁平化”的。

? 2.17 归根结底，基底和线性无关是一回事了?

不是的。基底的要求更加严格。因为附加了“每一块土地都要赋予地址”这个条件。例如，$\boldsymbol{e}_1 = (1, 0, 0)^T$ 和 $\boldsymbol{e}_2 = (0, 1, 0)^T$ 是线性无关的，但是 $(\boldsymbol{e}_1, \boldsymbol{e}_2)$ 不构成基底。因为还存在一些向量，不能写成 $\square\boldsymbol{e}_1 + \square\boldsymbol{e}_2$（$\square$ 是数）的形式。比如 $\boldsymbol{x} = (1, 1, 1)^T$。要构成基底，一定要能取出足够多的线性无关的向量。详情请参考附录 C。

下面来看几个具体例子。下面的每一个矩阵都对应着“压缩扁平化”的变换。

$$A = \begin{pmatrix} 1 & 3 \\ 2 & 6 \end{pmatrix}, \quad B = \begin{pmatrix} 1 & 3 \\ 0 & 0 \end{pmatrix}, \quad C = \begin{pmatrix} 1 & 3 \\ 2 & 6 \\ 3 & 9 \end{pmatrix}, \quad D = \begin{pmatrix} 1 & 2 & 12 \\ 1 & 3 & 13 \\ 1 & 4 & 14 \end{pmatrix}$$

---

① 事实上有问题。如果 u_1 为零怎么办呢？对于这样的情况，由于需要进行麻烦的分类讨论，因此一般就采用“聪明”的定义了。虽然写出来很麻烦，但是道理很简单，关键在于任何一项都可以写成其他各项的线性组合。例如，若 $0\boldsymbol{a}_1 + 3\boldsymbol{a}_2 + 2\boldsymbol{a}_3 - \boldsymbol{a}_4 = \boldsymbol{o}$，则 $\boldsymbol{a}_2 = (-2/3)\boldsymbol{a}_3 + (1/3)\boldsymbol{a}_4$ 等。在 $u_1, \cdots, u_n$ 中，可以确保非 0 的系数至少有 1 个，我们只需要把这个非 0 的移到左边就可以了。

② 能写成 $\boldsymbol{a}_1, \boldsymbol{a}_2, \cdots, \boldsymbol{a}_n$ 的线性组合的向量，也可以用除 $\boldsymbol{a}_1$ 之外的 $\boldsymbol{a}_2, \cdots, \boldsymbol{a}_n$ 来表达。

A, B, C 三者的共同点在于，第 2 列都是第 1 列的三倍。C 由于是长矩阵，当“压缩”发生时，自然会“扁平化”。D 的情况是 (第 3 列) = 10 (第 1 列) + (第 2 列)。像 D 这样某一列可以表达成其他各列的若干倍的加和的形式的矩阵，一定对应了“压缩扁平化”的映射，这是一个重要的特征。下面的矩阵 E 也是如此，如果用第 1，2，3 列能够表达出第 4 列的话，则对应了“压缩扁平化”的映射。这也正是 ?2.10 中我们留下的作业题。

$$E = \begin{pmatrix} 1 & 0 & 0 & * & * & * \\ 0 & 1 & 0 & * & * & * \\ 0 & 0 & 1 & * & * & * \\ 0 & 0 & 0 & 0 & * & * \\ 0 & 0 & 0 & 0 & * & * \\ 0 & 0 & 0 & 0 & * & * \end{pmatrix} \qquad * \text{是什么值都可以}$$

另外，下面的矩阵就不是“压缩扁平化”的映射。

$$F = \begin{pmatrix} 1 & 5 & 8 \\ 0 & 2 & 6 \\ 0 & 3 & 7 \\ 0 & 0 & 4 \end{pmatrix}$$

原因在于，如果

$$u_1 \begin{pmatrix} 1 \\ 0 \\ 0 \\ 0 \end{pmatrix} + u_2 \begin{pmatrix} 5 \\ 2 \\ 3 \\ 0 \end{pmatrix} + u_3 \begin{pmatrix} 8 \\ 6 \\ 7 \\ 4 \end{pmatrix} = \begin{pmatrix} 0 \\ 0 \\ 0 \\ 0 \end{pmatrix}$$

成立，则就第 4 分量来说，想要 $4u_3 = 0$ 成立，只能是 $u_3 = 0$。这样的话，由第 2 分量 $2u_2 = 0$ 以及第 3 分量 $3u_2 = 0$，可以推出 u_2 也是 0。以此类推，可知 $u_1 = 0$。利用前面提到的“聪明”的定义可知，F 的各列是线性无关的。同样的方法也可以用来考察下面的例子。

$$G = \begin{pmatrix} a & 0 & 0 \\ 0 & 0 & b \\ 0 & c & 0 \\ 0 & d & 0 \end{pmatrix} \qquad a, b, c, d \text{ 为非 0 的数}$$

我们立刻就能知道 G 不是“压缩扁平化”的映射。

? 2.18 这样容易看出来的例子是没有问题，如果矩阵更加复杂的话呢?

对于下列的 $\boldsymbol{g}_1, \boldsymbol{g}_2, \boldsymbol{g}_3$，要判断它们是线性相关还是无关，用心算就比较困难了。这种情况下，没有办法，就需要对矩阵 $G = (\boldsymbol{g}_1, \boldsymbol{g}_2, \boldsymbol{g}_3)$ 进行"秩的笔算"（参考 2.3.7 节）了。因为这里是 $\boldsymbol{g}_1, \boldsymbol{g}_2, \boldsymbol{g}_3$ 三个向量，所以如果 $\operatorname{rank} G < 3$，则可以下结论说 $\boldsymbol{g}_1, \boldsymbol{g}_2, \boldsymbol{g}_3$ 线性相关（参考 2.3.6 节）。

$$\boldsymbol{g}_1 = \begin{pmatrix} 8 \\ -3 \\ 1 \\ -2 \end{pmatrix}, \quad \boldsymbol{g}_2 = \begin{pmatrix} -3 \\ -7 \\ 11 \\ 4 \end{pmatrix}, \quad \boldsymbol{g}_3 = \begin{pmatrix} -2 \\ -8 \\ 12 \\ 4 \end{pmatrix}$$

2.3.5 线索的实际个数（秩）

上一节中，我们对矩阵是否对应"压缩扁平化"映射进行了探讨。接下来要研究的问题是"目标空间全体是否能够被全部覆盖到"。需要具体考察的问题就是"像 $\operatorname{Im} A$ 是否覆盖了空间全体"。为了回答这个问题，我们就要把焦点集中在 $\operatorname{Im} A$ 的维数上了。这个维数实际上代表了线索的实际个数。进而，一旦我们知道了这个维数，是否"压缩扁平化"的问题也就可以得到答案了。

■ 秩的定义

令 A 是 $m \times n$ 矩阵。也就是说，我们考虑把 n 维向量 $\boldsymbol{x}$ 变成 m 维向量 $\boldsymbol{y} = A\boldsymbol{x}$ 的这一映射。这里我们把像 $\operatorname{Im} A$ 的维数 $\dim \operatorname{Im} A$ 命名为矩阵 A 的**秩**（rank），记为 $\operatorname{rank} A$。用这个新符号来表达维数定理（参考 2.3.3 节），就得到

$$\dim \operatorname{Ker} A + \operatorname{rank} A = n$$

借助维数定理，知道 $\operatorname{rank} A$ 就和知道 $\operatorname{Ker} A$ 的维数是等价的。只要两者知道其一，另外一个也就可以得到了。

■ 秩与核、像与单射、满射

那么，我们最感兴趣的问题在于

- $\operatorname{Ker} A$ 是否只包含原点 $\boldsymbol{o}$ 一点?
  （否则，对于同一个 $\boldsymbol{y}$，使得 $\boldsymbol{y} = A\boldsymbol{x}$ 成立的 $\boldsymbol{x}$ 会有多个）
- $\operatorname{Im} A$ 是否覆盖了整个 m 维空间?

（否则，对于没有被覆盖到的 $\boldsymbol{y}$，使得 $\boldsymbol{y} = A\boldsymbol{x}$ 成立的 $\boldsymbol{x}$ 不存在）

上面的问题分别可以等价于下面两个问题[①]。

- Ker A 是 0 维的吗?
- Im A 是 m 维的吗?

我们用上秩的概念和维数定理，可以再次改写上面的问题。

- rank $A = n$（秩与原空间（**定义域**）的维数相等）$\Leftrightarrow$ A 是单射
- rank $A = m$（秩与目标空间（**值域**）的维数相等）$\Leftrightarrow$ A 是满射

其中 $\Leftrightarrow$ 表示等价。以上论述从直观上看也是显然的（图 2.14）。如果 n 维原空间在映射之后的目标空间中同样保持着 n 维，则一定没有遇到“压缩”的情况。另外，在映射到目标空间时，如果有着和整个目标空间相同的 m 维，那么一定也就覆盖到了空间全体。

通过上面一番论述，我们知道只要求出了秩，则问题的良性恶性也就可以判断了。这样一来，我们就需要了解秩的求解方法，但我们暂且搁置。首先让我们了解一些秩的基本性质，之后再谈计算。在还不了解秩到底是个什么东西的情况下，就去记忆求解方法，那不是好的做法。

---

① 从直观上看很明显是等价的，但是为了严谨起见，我们这里也给出抽象的证明过程。我们将基底中向量的个数称为维数（参考 1.1.5 节）。而且，维数等于空间中能取到的线性无关的向量的最大个数（附录 C）。所以，0 维空间是只包含一个零向量的空间（实际上就是一点），这样关于 Ker 的证明就完成了。另一方面，关于 Im，如果覆盖了 m 维空间全体，则显然 Im$A = m$。反之，根据附录 C 可以推出，如果 Im$A = m$，则 ImA 覆盖整个 m 维空间。

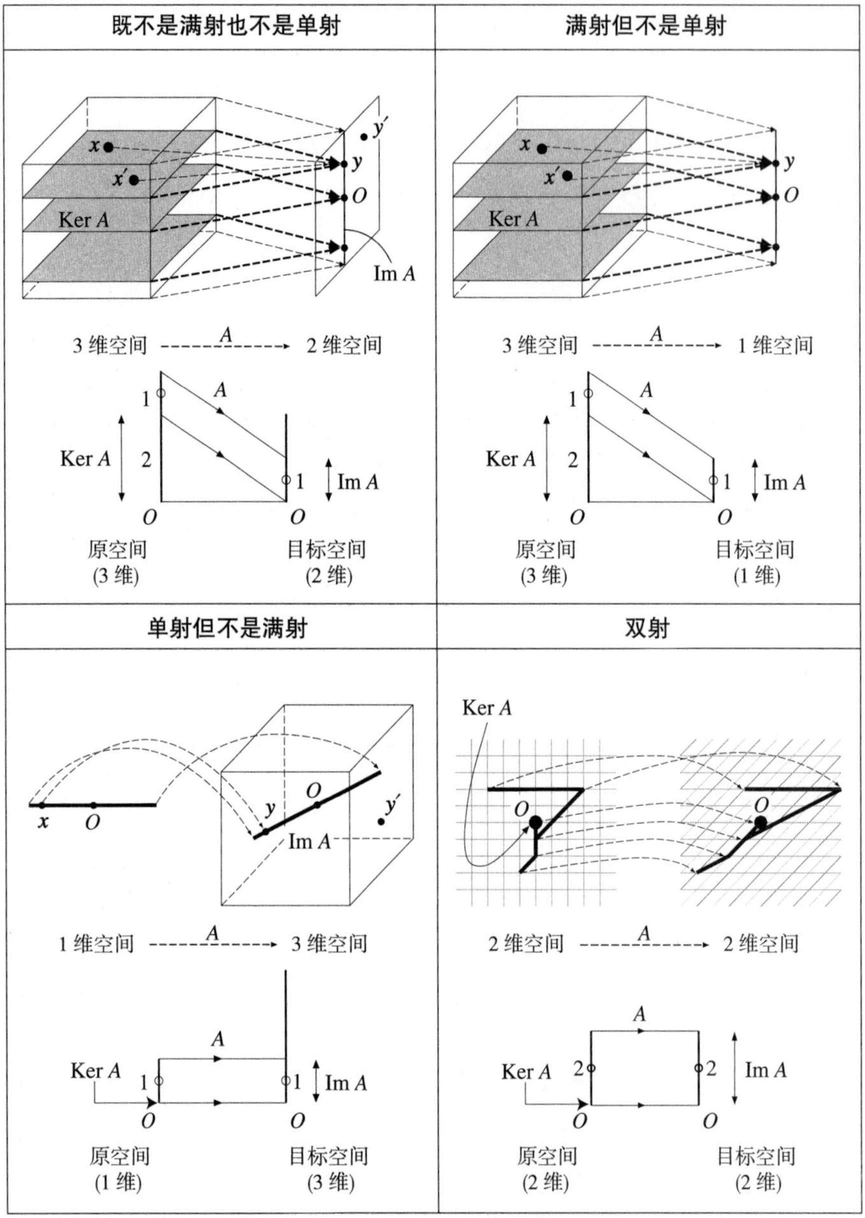

图 2.14 rank A（$=\mathrm{Im}\ A$ 的维数）与原空间相同，则映射为单射，若与目标空间相同，则为满射

■ 秩的基本性质

首先，对于 $m \times n$ 矩阵 A，有以下性质。

$$\operatorname{rank} A \leqslant m$$
$$\operatorname{rank} A \leqslant n$$

这从直观上看也是很显然的。前者成立的原因在于，从根本上讲目标空间是 m 维的，而包含在其中的 $\operatorname{Im} A$ 无论如何也不可能让自己的维数超过 m。对于后者，因为原空间是 n 维，于是把空间全体通过 A 映射过去，无论如何也不可能超过自己原来的维数 n。

另外，在乘以可逆矩阵之后，维数不发生变化。也就是说，若 P, Q 可逆，则

$$\operatorname{rank}(PA) = \operatorname{rank} A$$
$$\operatorname{rank}(AQ) = \operatorname{rank} A$$

因为可逆矩阵对应了非“压缩扁平化”的映射，所以在施加 A 的作用之前或之后插进来一个 P 或者 Q，“压缩”掉的维数、“压缩”剩下的维数都是不发生变化的。

? 2.19 嘴上说说当然简单，给出来证明看看?

首先我们来证明 $\operatorname{rank}(AQ) = \operatorname{rank} A$。先回忆下秩的定义：$\operatorname{rank} X \equiv \dim \operatorname{Im} X$。事实上，因为有 $\operatorname{Im}(AQ) = \operatorname{Im} A$，所以它们的秩当然也就相等。那么，$\operatorname{Im}(AQ) = \operatorname{Im} A$ 成立的理由呢? 所谓“向量 $\boldsymbol{y}$ 属于 $\operatorname{Im} A$”，说白了就是“存在向量 $\boldsymbol{x}$，使得 $\boldsymbol{y} = A\boldsymbol{x}$ 成立”。那么，只要我们令 $\boldsymbol{x}' \equiv Q^{-1}\boldsymbol{x}$，当然就可以得到 $(AQ)\boldsymbol{x}' = \boldsymbol{y}$。这样，我们就证明了“$\boldsymbol{y}$ 属于 $\operatorname{Im}(AQ)$”。反之，若某向量 $\boldsymbol{y}'$ 属于 $\operatorname{Im}(AQ)$，则一定存在某向量 $\boldsymbol{x}'$，使得 $\boldsymbol{y}' = (AQ)\boldsymbol{x}'$ 成立。利用这一点，我们设 $\boldsymbol{x} \equiv Q\boldsymbol{x}'$，则有 $A\boldsymbol{x} = \boldsymbol{y}'$。也就是说，凡是属于 $\operatorname{Im}(AQ)$ 的向量，都属于 $\operatorname{Im} A$。以上两点综合起来，就可以推出 $\operatorname{Im}(AQ) = \operatorname{Im} A$。

接下来，我们证明 $\operatorname{rank}(PA) = \operatorname{rank} A$。为证明方便，我们来考虑 $\operatorname{Im} A$ 的基底 $(\boldsymbol{u}_1, \cdots, \boldsymbol{u}_r)$。由于基底中的向量 $\boldsymbol{u}_i$ 都属于 $\operatorname{Im} A$，因此 $\boldsymbol{u}_i' \equiv P\boldsymbol{u}_i$ 属于 $\operatorname{Im}(PA)$ $(i = 1, \cdots, r)$。然而事实上 $(\boldsymbol{u}_1', \cdots, \boldsymbol{u}_r')$ 也构成 $\operatorname{Im}(PA)$ 的一组基底，我们通过下面两点来证明。

- 属于 $\operatorname{Im}(PA)$ 的任意向量 $\boldsymbol{y}'$ 都可以表示成 $\boldsymbol{u}_1', \cdots, \boldsymbol{u}_r'$ 的线性组合的形式。因为 $\boldsymbol{y} \equiv P^{-1}\boldsymbol{y}'$ 属于 $\operatorname{Im} A$①，通过选取合适的系数 $c_1, \cdots, c_r$，一定可以得到 $\boldsymbol{y} = c_1\boldsymbol{u}_1 + \cdots + c_r\boldsymbol{u}_r$ 的表达式。在上式中两边左乘 P，可得 $\boldsymbol{y}' = c_1\boldsymbol{u}_1' + \cdots + c_r\boldsymbol{u}_r'$，也就是线性组合的形式

① 谨慎起见，给出证明。若存在向量 $\boldsymbol{x}$ 使得 $\boldsymbol{y}' = (PA)\boldsymbol{x}$，则对于该 $\boldsymbol{x}$ 而言，$\boldsymbol{y} = A\boldsymbol{x}$。这也就意味着 $\boldsymbol{y}$ 属于 $\operatorname{Im} A$。

- 线性组合的表示是唯一的。若存在向量 $\boldsymbol{y}'$，使得

$$\boldsymbol{y}' = c_1\boldsymbol{u}_1' + \cdots + c_r\boldsymbol{u}_r' = d_1\boldsymbol{u}_1' + \cdots + d_r\boldsymbol{u}_r'$$

存在两种不同的表达，其中 $c_1, \cdots, c_r$ 和 $d_1, \cdots, d_r$ 是系数。在上式中左乘 P^{-1}，可得

$$\boldsymbol{y} = c_1\boldsymbol{u}_1 + \cdots + c_r\boldsymbol{u}_r = d_1\boldsymbol{u}_1 + \cdots + d_r\boldsymbol{u}_r$$

也就是说，在 $\mathrm{Im}\, A$ 中的向量 $\boldsymbol{y}$ 有了两种不同的表达方式。这与 $(\boldsymbol{u}_1, \cdots, \boldsymbol{u}_r)$ 构成 $\mathrm{Im}\, A$ 的基底这一前提相矛盾。根据反证法的原理，这种情况是不可能发生的

这样我们就证明了，无论是 $\mathrm{Im}\,(PA)$ 还是 $\mathrm{Im}\, A$，其基向量的个数（= 维数）都是相同的。

对于一般的矩阵 A，B[①]，有

$$\mathrm{rank}\,(BA) \leqslant \mathrm{rank}\, A$$
$$\mathrm{rank}\,(BA) \leqslant \mathrm{rank}\, B$$

对于 $\mathrm{rank}\,(BA)$，可以进行如下分解。

- 第一阶段：原空间 U 在 A 的作用下，移动到空间 V 上
- 第二阶段：空间 V 在 B 的作用下，移动到空间 W，所求即为空间 W 的维数

通过第一阶段，空间 V 的维数已经变成了 $\mathrm{rank}\, A$，接下来无论 B 如何变换，最终的维数都不会超过 $\mathrm{rank}\, A$。另外，在第二阶段中，就算空间全体都通过 B 进行了变换，最终维数也不会超过 $\mathrm{rank}\, B$，所以 V 作为空间的一部分，在 B 的作用下进行变换后，维数自然也不会超过 $\mathrm{rank}\, B$。

读者可以自己来小试牛刀。有信心全部吃透本章内容的读者，请思考一下下面这些不等式成立的理由[②]。

$$\mathrm{rank}(A+B) \leqslant \mathrm{rank}\, A + \mathrm{rank}\, B$$
$$\mathrm{rank}(AB) + \mathrm{rank}(BC) \leqslant \mathrm{rank}(ABC) + \mathrm{rank}\, B$$

① A 和 B 是不是方阵都无所谓。当然，前提是矩阵的大小要符合 AB 的乘积的定义（B 的列数与 A 的行数一致）。

② 第二问的简单解答：一般来说，因为 $\mathrm{rank}\,(XY) = \mathrm{rank}\, Y - \dim\,(\mathrm{Ker}\, X \cap \mathrm{Im}\, Y)$（也就是说，从 $\mathrm{Im}\, Y$ 的维数中减去“$\mathrm{Im}\, Y$ 中被 X 压缩掉的维数”，得到的结果就是 $\mathrm{Im}\,(XY)$ 的维数），所以有 $\mathrm{rank}\,(BC) - \mathrm{rank}\,(A(BC)) = \dim\,(\mathrm{Ker}\, A \cap \mathrm{Im}\,(BC)) \leqslant \dim\,(\mathrm{Ker}\, A \cap \mathrm{Im}\, B) = \mathrm{rank}\, B - \mathrm{rank}\,(AB)$。

■ 瓶颈型分解

下面这个事实也很好地表现了秩的本质含义，想必会令大家有所顿悟。

根据 A 的秩 r 的不同形式，可以把 A 分解成两个“瘦矩阵”的乘积，即宽仅为 r 的矩阵 B 和高仅为 r 的矩阵 C 的乘积①。

$$A = BC$$

下面的例子是秩为 2 的情况。

$$\begin{pmatrix} 1 & 2 & 3 & 4 & 5 \\ 6 & 7 & 8 & 9 & 10 \\ 11 & 12 & 13 & 14 & 15 \\ 16 & 17 & 18 & 19 & 20 \end{pmatrix} = \begin{pmatrix} 1 & 0 \\ 1 & 5 \\ 1 & 10 \\ 1 & 15 \end{pmatrix} \begin{pmatrix} 1 & 2 & 3 & 4 & 5 \\ 1 & 1 & 1 & 1 & 1 \end{pmatrix} \tag{2.25}$$

特别地，对于 $\operatorname{rank} A = 1$ 的极端情况，可以写成列向量和行向量的乘积的形式，如下所示。

$$\begin{pmatrix} 1 & 2 & 3 & 4 \\ 2 & 4 & 6 & 8 \\ 5 & 10 & 15 & 20 \end{pmatrix} = \begin{pmatrix} 1 \\ 2 \\ 5 \end{pmatrix} (1, 2, 3, 4)$$

$A = BC$ 在 $\boldsymbol{y} = A\boldsymbol{x}$ 的变换过程中，分成以下两步进行。

$\boldsymbol{z} = C\boldsymbol{x}$ —— n 维向量 $\boldsymbol{x}$“压缩”成 r 维向量 $\boldsymbol{z}$

$\boldsymbol{y} = B\boldsymbol{z}$ —— r 维向量 $\boldsymbol{z}$“扩张”成 m 维向量 $\boldsymbol{y}$

如上述过程所示，向量被一度“压缩”到低维的 $\boldsymbol{z}$（图 2.15）。就好比“金玉其表，败絮其中”，表面看起来堂堂一个 $m \times n$ 矩阵，居然漏出这样的马脚。

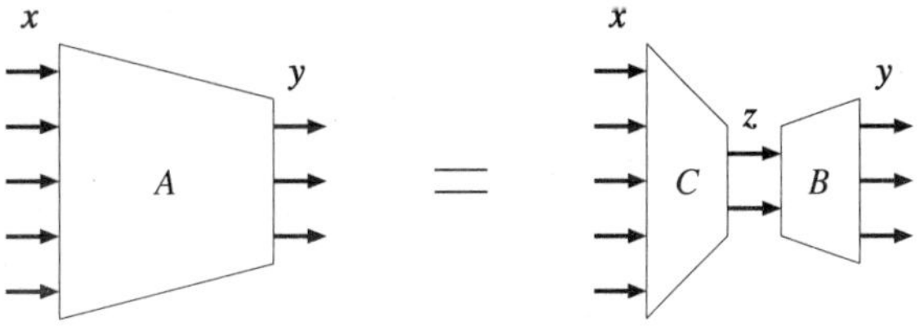

图 2.15 瓶颈型分解

反之，若矩阵可以进行这样的瓶颈型分解，则 A 的秩显然也不超过 r。只要一度被压缩到低的 r 维，无论怎么扩张，也不可能使维数增加了，因为 $\operatorname{Im} A$ 一定不超过 r 维（图 2.16）。也可以说，丢失的信息就找不回来了。

① 虽然可以保证一定能够进行分解，但是分解方法并不唯一。比如，令 $B' = (1/2)B$, $C' = 2C$，则同样有 $A = B'C'$。一般地，对于 r 阶可逆矩阵 P，令 $B' = BP^{-1}$, $C' = PC$，同样有 $A = B'C'$。

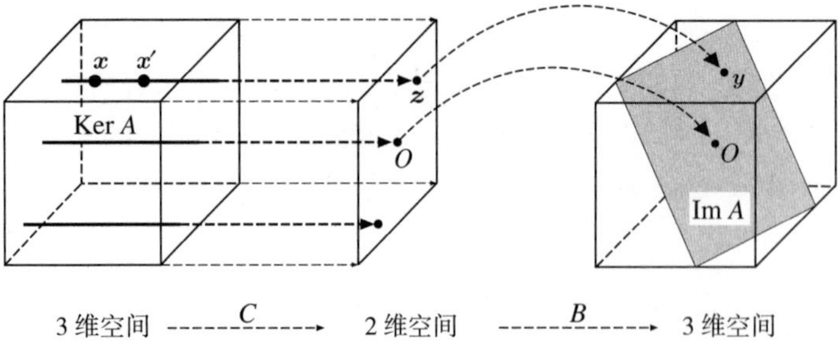

图 2.16 空间被一度压缩到了 2 维，就无法复原了。——“到底是 $\boldsymbol{x}$ 还是 $\boldsymbol{x}'$”这一重要信息在变化到 $\boldsymbol{z}$ 的途中全部丢失了。所以，就算已知由 $\boldsymbol{z}$ 确定的 $\boldsymbol{y}$ 在哪里，也无法对 $\boldsymbol{x}$ 和 $\boldsymbol{x}'$ 作出区分了

? 2.20 如何保证这种分解的可行性?

从维数的定义出发，可以直接导出结论。所谓“Im A 是 r 维的”，本质意思是，可以取得一组向量 $\boldsymbol{b}_1,\cdots,\boldsymbol{b}_r$ 作为 Im A 的基底[①]，也就是说，Im A 中的任意向量 $\boldsymbol{y}$ 都可以表示成 $\boldsymbol{y}=c_1\boldsymbol{b}_1+\cdots+c_r\boldsymbol{b}_r$ 的形式，并且此种表示是唯一的（系数 $c_1,\cdots,c_r$ 是由 $\boldsymbol{y}$ 决定的）。好了，下面我们把 $A=(\boldsymbol{a}_1,\cdots,\boldsymbol{a}_n)$ 按列分块，得到一组列向量。各个 $\boldsymbol{a}_i$ 一定在 Im A 中[②]。于是，通过选取恰当的系数 $c_{1i},\cdots,c_{ri}$，一定有

$$\boldsymbol{a}_i=c_{1i}\boldsymbol{b}_1+\cdots+c_{ri}\boldsymbol{b}_r$$

把上面关于 $\boldsymbol{a}_1,\cdots,\boldsymbol{a}_n$ 的式子综合起来写成矩阵的形式，可以得到

$$(\boldsymbol{a}_1,\cdots,\boldsymbol{a}_n)=(\boldsymbol{b}_1,\cdots,\boldsymbol{b}_r)\begin{pmatrix}c_{11} & \cdots & c_{1n}\\ \vdots & & \vdots\\ c_{r1} & \cdots & c_{rn}\end{pmatrix}$$

这正是形如 $A=BC$ 的分解。

■ 线索的实际个数

从上述形式的分解中可以知道，rank A 便是线索的实际个数。这里以 (2.25) 式为例算算看，我们看到的是以下 4 条线索。

---

① 请参考 ? 2.15。“基底是坐标吗? 不应该是有向线段吗?”—— 有此疑问的读者请参阅附录 C 的最后部分。

② 不明白的读者请复习 1.2.9 节和 1.2.3 节的相关内容。另外，Im A 的含义请参考 2.3.1 节。

$$
\begin{aligned}
y_1 &= x_1 + 2x_2 + 3x_3 + 4x_4 + 5x_5 \\
y_2 &= 6x_1 + 7x_2 + 8x_3 + 9x_4 + 10x_5 \\
y_3 &= 11x_1 + 12x_2 + 13x_3 + 14x_4 + 15x_5 \\
y_4 &= 16x_1 + 17x_2 + 18x_3 + 19x_4 + 20x_5
\end{aligned}
$$

但是，对于从 $\boldsymbol{x} = (x_1, x_2, x_3, x_4, x_5)^T$ 到 $\boldsymbol{y} = (y_1, y_2, y_3, y_4)^T$ 的这一映射，可以进行如下分解。首先，通过

$$
\begin{aligned}
z_1 &= x_1 + 2x_2 + 3x_3 + 4x_4 + 5x_5 \\
z_2 &= x_1 + x_2 + x_3 + x_4 + x_5
\end{aligned}
$$

设定中间变量 $\boldsymbol{z} = (z_1, z_2)^T$，接着由

$$
\begin{aligned}
y_1 &= z_1 \\
y_2 &= z_1 + 5z_2 \\
y_3 &= z_1 + 10z_2 \\
y_4 &= z_1 + 15z_2
\end{aligned}
$$

得到最终结果。从这个角度看，实际上线索只有 z_1, z_2 两个。表面上是 y_1, y_2, y_3, y_4，实际上用到的仅仅是 z_1, z_2 这两则信息而已。只要是从 z_1, z_2 中导出的信息，无论从哪个角度观察，都不可能得到超出 z_1, z_2 "能力范围" 的其他信息。

■ 转置矩阵的秩不变

顺便说一下，从上述分解中也可知

$$
\operatorname{rank} A^T = \operatorname{rank} A
$$

成立。若 $\operatorname{rank} A = r$，按照上面的分解，得到 $A = BC$，两边取转置，得到 $A^T = (BC)^T = C^T B^T$。也就是说，A^T 也可以写成两个 "瘦矩阵" 的乘积形式。对于复矩阵，在同样的考量下，有

$$
\operatorname{rank} A^* = \operatorname{rank} A
$$

成立。

2.3.6 秩的求解方法 (1) —— 悉心观察

在大家已经抓住秩这一概念的要点之后，我们要来谈谈被搁置起来的秩的计算方法。首先在本小节中，对于比较简单的矩阵，我们讨论一下如何直接用眼睛 "看" 出矩阵的秩。

? 2.21 如果对于一般的矩阵 A，学过了 rank A 的求法，是不是可以跳过本小节了？

笔者的意见正好相反。比起学习一般的矩阵 A 的 rank A 的求法，笔者认为更为重要的是建立起一种感觉，当面对那些理所当然的现象时，要能够理所当然地做出判断。本小节也可以作为一次很好的检验，读者可以借此看看自己是否真的透彻理解了秩这一概念的含义。另外，在信号处理、数据分析等实际应用中，线性代数作为一种道具出现时，要想运用自如，相比计算具体的矩阵的秩，理解秩的含义是首当其冲的要务①。

令 A 是 $m \times n$ 矩阵。在 A 的作用下能到达的范围 Im A，也就是当 n 维向量 $\boldsymbol{x}$ 取到各种各样的值时 $\boldsymbol{y} = A\boldsymbol{x}$ 的活动范围。将 $A = (\boldsymbol{a}_1, \cdots, \boldsymbol{a}_n)$ 按列分块，得到一组列向量。同样，将 $\boldsymbol{x}$ 写出各个分量 $\boldsymbol{x} = (x_1, \cdots, x_n)^T$，则有

$$\boldsymbol{y} = x_1\boldsymbol{a}_1 + \cdots + x_n\boldsymbol{a}_n \tag{2.26}$$

于是，“当系数 $x_1, \cdots, x_n$ 进行变化时 $x_1\boldsymbol{a}_1 + \cdots + x_n\boldsymbol{a}_n$ 随之变动的范围”便是 Im A②。这时，我们也称之为“由向量 $\boldsymbol{a}_1, \cdots, \boldsymbol{a}_n$ **张成**的线性子空间”③，记为 span $\{\boldsymbol{a}_1, \cdots, \boldsymbol{a}_n\}$。如果 $\boldsymbol{a}_1, \cdots, \boldsymbol{a}_n$ 全部都是 $\boldsymbol{o}$ 的话，则原点 $\boldsymbol{o}$ 就是 span $\{\boldsymbol{a}_1, \cdots, \boldsymbol{a}_n\}$。若不然，如果有向线段 $\boldsymbol{a}_1, \cdots, \boldsymbol{a}_n$ 全部位于同一直线上，则这条直线就是 span $\{\boldsymbol{a}_1, \cdots, \boldsymbol{a}_n\}$。再若不然，若有向线段 $\boldsymbol{a}_1, \cdots, \boldsymbol{a}_n$ 全部位于同一平面内，则该平面就是 span $\{\boldsymbol{a}_1, \cdots, \boldsymbol{a}_n\}$。总而言之就是由 $\boldsymbol{a}_1, \cdots, \boldsymbol{a}_n$ 所确定的平面（的高维版本）（图 2.17）。

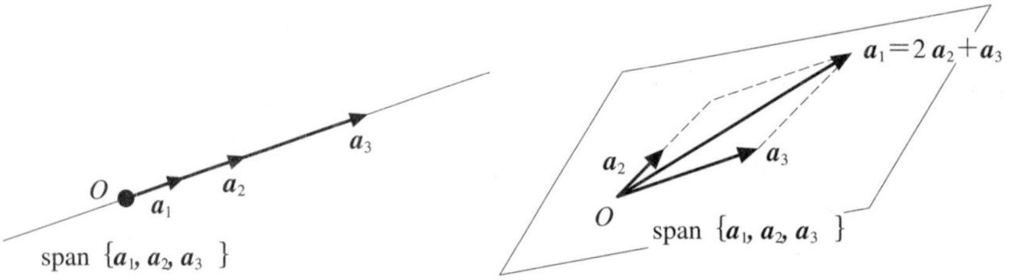

图 2.17 （左）span $\{\boldsymbol{a}_1, \boldsymbol{a}_2, \boldsymbol{a}_3\}$ 是一直线，（右）span $\{\boldsymbol{a}_1, \boldsymbol{a}_2, \boldsymbol{a}_3\}$ 是一平面

利用这个记号，我们有 Im A = span $\{\boldsymbol{a}_1, \cdots, \boldsymbol{a}_n\}$。于是，span $\{\boldsymbol{a}_1, \cdots, \boldsymbol{a}_n\}$ 的维数无非就是 rank A 了。

① 所谓“一般的”矩阵，夸张一点讲，里面的各个元素都是字母，还充斥着各种分数。面对这种情况时，除了本小节中讲的观察的方法，往往也没有更好的办法。所以，为了学会应用并理解，需要面对的也是用字母表达的代数式。正是因为这些原因，本小节的内容才显得尤其重要。

② 简而言之，就是由 $\boldsymbol{a}_1, \cdots, \boldsymbol{a}_n$ 的线性组合生成的向量全体的集合。

③ “线性子空间”的意思请参考 ? 2.15。span 能构成子空间这一事实，证明起来应该不难。如果感到困难的话，恐怕是因为对“span”以及“线性子空间”的概念还没有理解透彻。

回忆一下 2.3.4 节中的讨论，若 $\boldsymbol{a}_1, \cdots, \boldsymbol{a}_n$ 是线性无关的，则 $W = \mathrm{span}\,\{\boldsymbol{a}_1, \cdots, \boldsymbol{a}_n\}$ 是 n 维的；若是线性相关的，则 W 是小于 n 维的。更加具体一点说，在线性相关的情况下，如果我们想要知道 W 的维数，需要哪些计算呢？这就是本小节的主题了。

现在假设 n 个向量 $\boldsymbol{a}_1, \cdots, \boldsymbol{a}_n$，可以用更少的一组 $r(< n)$ 个向量 $\boldsymbol{b}_1, \cdots, \boldsymbol{b}_r$ 作为"基本素材"表示出来，如下所示（$c_{\bigcirc\Delta}$ 是数）。

$$\begin{aligned} \boldsymbol{a}_1 &= c_{11}\boldsymbol{b}_1 + \cdots + c_{r1}\boldsymbol{b}_r \\ &\vdots \\ \boldsymbol{a}_n &= c_{1n}\boldsymbol{b}_1 + \cdots + c_{rn}\boldsymbol{b}_r \end{aligned} \tag{2.27}$$

也就是说，$\boldsymbol{a}_1, \cdots, \boldsymbol{a}_n$ 全部用 $\boldsymbol{b}_1, \cdots, \boldsymbol{b}_r$ 的线性组合的形式表示出来了。这种情况下，$\mathrm{span}\,\{\boldsymbol{a}_1, \cdots, \boldsymbol{a}_n\}$ 中的向量 $\boldsymbol{y}$ 也可以用 $\boldsymbol{b}_1, \cdots, \boldsymbol{b}_r$ 表示出来。实际上，因为 $\boldsymbol{y}$ 可以表示成 (2.26) 式的形式，我们有

$$\begin{aligned} \boldsymbol{y} &= x_1\boldsymbol{a}_1 + \cdots + x_n\boldsymbol{a}_n \\ &= x_1(c_{11}\boldsymbol{b}_1 + \cdots + c_{r1}\boldsymbol{b}_r) + \cdots + x_n(c_{1n}\boldsymbol{b}_1 + \cdots + c_{rn}\boldsymbol{b}_r) \\ &= (c_{11}x_1 + \cdots + c_{1n}x_n)\boldsymbol{b}_1 + \cdots + (c_{r1}x_1 + \cdots + c_{rn}x_n)\boldsymbol{b}_r \\ &= (\text{数})\ \boldsymbol{b}_1 + \cdots + (\text{数})\ \boldsymbol{b}_r \end{aligned}$$

其中，无论 $x_1, \cdots, x_n$ 的值如何选取如何变化，$\boldsymbol{y}$ 都不会逃出 $\mathrm{span}\,\{\boldsymbol{b}_1, \cdots, \boldsymbol{b}_r\}$ 的范围。这里被包围起来的范围 $\mathrm{span}\,\{\boldsymbol{b}_1, \cdots, \boldsymbol{b}_r\}$ 可能具有的最高维数是 r①，所以 $\dim \mathrm{span}\,\{\boldsymbol{a}_1, \cdots, \boldsymbol{a}_n\} \leqslant r$。可能大家会再次出现这种感觉 —— $\boldsymbol{a}_1, \cdots, \boldsymbol{a}_n$ 也是堂堂 n 个一组的向量，居然会漏出这样的马脚②。

根据以上考察，我们可以总结出以下一点③。

> 像 (2.27) 式一样，只要找到能够把 $\boldsymbol{a}_1, \cdots, \boldsymbol{a}_n$ 表示出来的最少的"基本素材"$\boldsymbol{b}_1, \cdots, \boldsymbol{b}_r$，那么这里的数量 r 就是 $\mathrm{span}\,\{\boldsymbol{a}_1, \cdots, \boldsymbol{a}_n\}$ 的维数（即 $\mathrm{rank}\,A$）。

这里暂且先不说一般的 A，对于简单的 A，只要仔细观察，应该就可以找出作为"基本素材"的 $\boldsymbol{b}_1, \cdots, \boldsymbol{b}_r$ 了。接下来，我们就试举几例。

---

① 乍一看，可能想说"维数是 r"，但是在 $\boldsymbol{b}_1, \cdots, \boldsymbol{b}_r$ 中可能包含了一些多余的向量，所以只能说"最高 r 维"。

② 这里和 2.3.5 节中讲到瓶颈型分解时所遇到的问题本质上是一样的，只是采用了不同的说法。

③ 严格来讲，从反方面也必须加以证明。即若 $\mathrm{span}\,\{\boldsymbol{a}_1, \cdots, \boldsymbol{a}_n\}$ 是 r 维的，则作为"基本素材"的 $\boldsymbol{b}_1, \cdots, \boldsymbol{b}_r$ 也一定可以找到。当然，这一点从维数的定义（❓2.15）出发立刻就可以得到。另外，根据定义本身，$\mathrm{rank}\,O$ 定义为 0。

? 2.22 这里的“最少的基本素材”，要选出来很困难吧? 虽然自己进行了反复尝试，最后得到了某组自认为最少的“基本素材”，但还是担心如果让哪个天才来做的话，说不定会找到更少的 ……

如果 $\boldsymbol{b}_1, \cdots, \boldsymbol{b}_r$ 满足以下条件，就可以确认这是最少的了①。

- 可以按照 (2.27) 式的形式，把 $\boldsymbol{a}_1, \cdots, \boldsymbol{a}_n$ 表示出来
- $\boldsymbol{b}_1, \cdots, \boldsymbol{b}_r$ 自身属于 $\mathrm{span}\,\{\boldsymbol{a}_1, \cdots, \boldsymbol{a}_n\}$②
- $\boldsymbol{b}_1, \cdots, \boldsymbol{b}_r$ 线性无关③

原因在于，这里的 $(\boldsymbol{b}_1, \cdots, \boldsymbol{b}_r)$ 构成线性子空间（参考 ?2.15）$W = \mathrm{span}\,\{\boldsymbol{a}_1, \cdots, \boldsymbol{a}_n\}$ 的一组基底。无论是你自己得到的 $(\boldsymbol{b}_1, \cdots, \boldsymbol{b}_r)$，还是天才同学得到的 $(\boldsymbol{b}'_1, \cdots, \boldsymbol{b}'_{r'})$，两者无非都是 W 的基底而已④。所以里面的向量个数一定是相同的（参考 1.1.5 节和附录 C）。

首先是从形式上就能看出结果的例子。

$$A = \begin{pmatrix} 2 & 0 & 0 & 0 & 0 \\ 0 & 3 & 0 & 0 & 0 \\ 0 & 0 & 5 & 0 & 0 \\ 0 & 0 & 0 & 0 & 0 \end{pmatrix}, \quad B = \begin{pmatrix} 0 & 0 & 2 & 0 & 0 \\ 0 & 0 & 0 & 0 & 3 \\ 4 & 5 & 0 & 0 & 0 \\ 0 & 0 & 0 & 0 & 0 \end{pmatrix}, \quad C = \begin{pmatrix} 2 & * & * & * & * \\ 0 & 3 & * & * & * \\ 0 & 0 & 0 & 5 & * \\ 0 & 0 & 0 & 0 & 0 \end{pmatrix}$$

$*$ 的位置可以是任何数

只要我们准备了 $\boldsymbol{e}_1 = (1,0,0,0)^T$，$\boldsymbol{e}_2 = (0,1,0,0)^T$，$\boldsymbol{e}_3 = (0,0,1,0)^T$ 作为“基本素材”，则 A 的任何一列就都可以构造出来了。B 也同样，通过 $\boldsymbol{e}_1, \boldsymbol{e}_2, \boldsymbol{e}_3$ 就可以表示出所有列。接下来，C 也一样。因此，$\mathrm{rank}\ A = \mathrm{rank}\ B = \mathrm{rank}\ C = 3$⑤ 。另外要注意的是，这种最少的“基本素材”的选取方案有很多种。比如，$\boldsymbol{f}_1 = (1,0,0,0)^T$，$\boldsymbol{f}_2 = (1,1,0,0)^T$，$\boldsymbol{f}_3 = (0,1,1,0)^T$ 可以算是一种“兜圈子”的选法，但是它确实可以生成 A 的每一列。实际上，$2\boldsymbol{f}_1, (-3\boldsymbol{f}_1 + 3\boldsymbol{f}_2), (5\boldsymbol{f}_1 - 5\boldsymbol{f}_2 + 5\boldsymbol{f}_3)$ 正好与 A 的第 1, 2, 3 列分别相等。剩下的两列，都

---

① 反之亦然，最少的一组“基本素材”一定满足这些条件。

② 一旦不属于该子空间的向量混入其中，那么 $\mathrm{span}\,\{\boldsymbol{a}_1, \cdots, \boldsymbol{a}_n\}$ 以外的向量也都可以用 $\boldsymbol{b}_1, \cdots, \boldsymbol{b}_r$ 来生成了。我们现在需要尽一切可能去削减“开支”（向量个数），所以一丁点“超标”都是不允许的。我们需要的仅仅是构成 $\mathrm{span}\,\{\boldsymbol{a}_1, \cdots, \boldsymbol{a}_n\}$ 内的向量而已。—— 以上是感性的说明，理论上的证明太枯燥了，故省略。

③ 因为如果线性相关的话，里面还是存在多余的东西（还可以继续往下减）。只要回想一下线性相关的含义（参考 2.3.4 节），这一点就应该是显然的事情了。

④ 那些不能构成基底的答案，如前文所述，一定含有多余的东西，所以根本就不会“入围”。

⑤ 比这种情况更少的“基本素材”方案不存在，从直观上应该可以感受到吧。$\mathrm{Im}\,A$、$\mathrm{Im}\,B$、$\mathrm{Im}\,C$ 同样都是由形如 $(*,*,*,0)^T$ 的向量全体所组成的（$*$ 位置为任意数），所以都是 3 维的。

等于 $0\boldsymbol{f}_1 + 0\boldsymbol{f}_2 + 0\boldsymbol{f}_3$[①]。

接下来是只要好好观察数字的排列就可以知道结果的例子。

$$D = \begin{pmatrix} 2 & 3 \\ 4 & 6 \\ 6 & 9 \end{pmatrix}, \quad E = \begin{pmatrix} 1 & 1 & 11 \\ 2 & 4 & 24 \\ 3 & 7 & 37 \end{pmatrix}$$

对于 D，如果将 $(1,2,3)^T$ 作为一个"基本素材"，则通过乘以 2 和乘以 3，就可以得到矩阵的两列，所以 $\mathrm{rank}\,D = 1$。对于 E，令 $\boldsymbol{b}_1 = (1,2,3)^T$，$\boldsymbol{b}_2 = (1,4,7)^T$，则第 3 列可以通过 $10\boldsymbol{b}_1 + \boldsymbol{b}_2$ 得到[②]，所以 $\mathrm{rank}\,E = 2$。

对于用字母变量表达的矩阵，同样可以举例说明。

$$F = \begin{pmatrix} x_1y_1 & \cdots & x_1y_n \\ \vdots & & \vdots \\ x_my_1 & \cdots & x_my_n \end{pmatrix}, \quad G = \begin{pmatrix} (x_1+y_1) & \cdots & (x_1+y_n) \\ \vdots & & \vdots \\ (x_m+y_1) & \cdots & (x_m+y_n) \end{pmatrix}$$

$x_1, \cdots, x_m, y_1, \cdots, y_n$ 为两两不同的数 $(m, n \geqslant 2)$

在 F 中，每一列都可以写成 $\boldsymbol{x} = (x_1, \cdots, x_m)^T$ 的若干倍的形式。第 1 列为 y_1 倍，第 2 列为 y_2 倍 …… 由一个向量 $\boldsymbol{x}$，就可以生成所有的列，于是 F 的秩为 1。对于 G，每一列都可以利用 $\boldsymbol{x} = (x_1, \cdots, x_m)^T$ 和 $\boldsymbol{u} = (1, \cdots, 1)^T$ 构造出来。第 1 列为 $\boldsymbol{x} + y_1\boldsymbol{u}$，第 2 列为 $\boldsymbol{x} + y_2\boldsymbol{u}$ …… 以此类推。因为"基本素材" $\boldsymbol{x}$, $\boldsymbol{u}$ 的个数已经不能再少了[③]，所以 G 的秩为 2。实际上，以上两个矩阵可以分解成如下形式。

$$F = \begin{pmatrix} x_1 \\ \vdots \\ x_m \end{pmatrix} (y_1, \cdots, y_n)$$

$$G = \begin{pmatrix} x_1 & 1 \\ \vdots & \vdots \\ x_m & 1 \end{pmatrix} \begin{pmatrix} 1 & \cdots & 1 \\ y_1 & \cdots & y_n \end{pmatrix}$$

---

① 更一般地讲，如果 $\boldsymbol{b}_1, \cdots, \boldsymbol{b}_r$ 构成了一组最少的"基本素材"，则对于由它们排列而成的矩阵，在右边乘以可逆阵 Q 之后，可以得到 $B' = (\boldsymbol{b}_1, \cdots, \boldsymbol{b}_r)Q$。得到的新矩阵的各列 $\boldsymbol{b}'_1, \cdots, \boldsymbol{b}'_r$ 也不出意外地构成一组最少的"基本素材"$(B' = (\boldsymbol{b}'_1, \cdots, \boldsymbol{b}'_r))$。理由请参考 ❓2.19 中对 $\mathrm{Im}\,(AQ) = \mathrm{Im}\,A$ 的证明过程。

② 如果只选取一个向量，则不可能同时生成第 1 列和第 2 列。请参考 ❓2.22。

③ 无论怎么努力都没办法做到吧？那些不经过严密论证就不死心的读者，也只需要确认一件事——"只取一个向量 $\boldsymbol{z}$ 作为基本素材，要生成 G 的所有列是不可能的"。我们知道，由 $\boldsymbol{z}$ 生成的向量只有一种形式，就是 $\boldsymbol{z}$ 的常数倍。因此，为了构成第 1 列，$\boldsymbol{z}$ 只能是 $(x_1 + y_1, \cdots, x_m + y_1)^T$ 的若干倍，而这样的 $\boldsymbol{z}$ 是无法生成 G 的第 2 列的。可以参考 ❓2.22。

2.3.7　秩的求解方法 (2) —— 笔算

关于简单的矩阵的秩的计算，我们在上一小节中已经介绍了几种情况。本小节中，我们将着眼于之前的方法不能直接使用的、更一般的矩阵 A，讨论它的秩的求解方法。

由于矩阵乘以可逆矩阵后，秩不发生变化 (参考 2.3.5 节)，因此我们通过乘以可逆矩阵的方式，逐步对矩阵进行化简，直到将其变成能够“看”出结果的形式为止。这就是我们进行笔算的基本方针。这里还有一点可以给我们提供很大方便，就是在逆矩阵的笔算时用过的初等变换矩阵 $Q_i(c), R_{i,j}(c), S_{i,j}$ (参考 2.2.4 节)。它们全部都是可逆的，将其左乘矩阵，就分别对应了以下基本的变形操作 ($c \neq 0$)。

- 在某行上乘以 c
- 把某行的 c 倍加到另一行上
- 交换两行

虽说有这些就应该足够了，但是为了使判断变得更加容易，我们这里要导入**初等列变换**。也就是说，在矩阵上右乘初等变换矩阵 (要注意，对于可逆矩阵，无论从哪边乘，都不会改变原矩阵的秩)。右乘矩阵后，就变成了如下所示的关于列的变形操作。

- 在某列上乘以 c
- 把某列的 c 倍加到另一列上
- 交换两列

例如：

- 将第 2 列变成原来的 5 倍

$$\begin{pmatrix} 2 & \boxed{3} & 3 & 9 \\ 3 & \boxed{4} & 2 & 9 \\ -2 & \boxed{-2} & 3 & 2 \end{pmatrix} \begin{pmatrix} 1 & 0 & 0 & 0 \\ 0 & \boxed{5} & 0 & 0 \\ 0 & 0 & 1 & 0 \\ 0 & 0 & 0 & 1 \end{pmatrix} = \begin{pmatrix} 2 & \boxed{15} & 3 & 9 \\ 3 & \boxed{20} & 2 & 9 \\ -2 & \boxed{-10} & 3 & 2 \end{pmatrix}$$

- 将第 2 列的 10 倍加到第 1 列上

$$\begin{pmatrix} 2 & \boxed{3} & 3 & 9 \\ 3 & \boxed{4} & 2 & 9 \\ -2 & \boxed{-2} & 3 & 2 \end{pmatrix} \begin{pmatrix} 1 & 0 & 0 & 0 \\ \boxed{10} & 1 & 0 & 0 \\ 0 & 0 & 1 & 0 \\ 0 & 0 & 0 & 1 \end{pmatrix} = \begin{pmatrix} \boxed{32} & 3 & 3 & 9 \\ \boxed{43} & 4 & 2 & 9 \\ \boxed{-22} & -2 & 3 & 2 \end{pmatrix}$$

- 交换第 2 列和第 4 列

$$\begin{pmatrix} 2 & \boxed{3} & 3 & \boxed{9} \\ 3 & \boxed{4} & 2 & \boxed{9} \\ -2 & \boxed{-2} & 3 & \boxed{2} \end{pmatrix} \begin{pmatrix} 1 & 0 & 0 & 0 \\ 0 & 0 & 0 & \boxed{1} \\ 0 & 0 & 1 & 0 \\ 0 & \boxed{1} & 0 & 0 \end{pmatrix} = \begin{pmatrix} 2 & \boxed{9} & 3 & \boxed{3} \\ 3 & \boxed{9} & 2 & \boxed{4} \\ -2 & \boxed{2} & 3 & \boxed{-2} \end{pmatrix}$$

在实际进行秩的计算时，其实没有必要把初等变换矩阵写出来再乘上去进行计算。只要对矩阵的行或者列进行的操作可以用初等变换（左乘或右乘可逆矩阵）来解释，从而确保秩的不变性，无论写不写变换矩阵都是没问题的。

下面看几个具体例子。我们分别来演示一下对

$$A = \begin{pmatrix} 3 & 15 & -27 & -24 \\ 1 & 7 & 5 & 4 \\ -2 & -11 & 7 & 18 \end{pmatrix}, \quad B = \begin{pmatrix} 1 & 4 & 7 \\ 2 & 5 & 8 \\ 3 & 6 & 9 \end{pmatrix}, \quad C = \begin{pmatrix} 2 & -10 & 12 \\ -1 & 5 & -6 \\ -3 & 15 & -14 \end{pmatrix}$$

求秩的计算过程。

$$A = \left(\begin{array}{cccc} 3 & 15 & -27 & -24 \\ \hline 1 & 7 & 5 & 4 \\ \hline -2 & -11 & 7 & 18 \end{array}\right)$$ 第 1 行乘以 (1/3)，将对角元素变成 1

$$\to \left(\begin{array}{cccc} \boxed{1} & 5 & -9 & -8 \\ \hline 1 & 7 & 5 & 4 \\ \hline -2 & -11 & 7 & 18 \end{array}\right)$$ 将第 1 行的 (−1) 倍、2 倍分别加到第 2 行、第 3 行上，将第 1 列变成 0

$$\to \begin{pmatrix} 1 & 5 & -9 & -8 \\ \boxed{0} & 2 & 14 & 12 \\ \boxed{0} & -1 & -11 & 2 \end{pmatrix}$$ 将第 1 列的 (−5) 倍、9 倍、8 倍分别加到第 2 列、第 3 列、第 4 列上，将第 1 行变成 0

$$\to \left(\begin{array}{cccc} 1 & \boxed{0} & \boxed{0} & \boxed{0} \\ \hline 0 & 2 & 14 & 12 \\ \hline 0 & -1 & -11 & 2 \end{array}\right)$$ 第 2 行乘以 (1/2)，将对角元素变成 1

$$\to \left(\begin{array}{cccc} 1 & 0 & 0 & 0 \\ \hline 0 & \boxed{1} & 7 & 6 \\ \hline 0 & -1 & -11 & 2 \end{array}\right)$$ 将第 2 行的 1 倍加到第 3 行上，第 2 列变成 0

$$\to \begin{pmatrix} 1 & 0 & 0 & 0 \\ 0 & 1 & 7 & 6 \\ \mathit{0} & \boxed{\mathit{0}} & \mathit{-4} & \mathit{8} \end{pmatrix}$$

将第 2 列的 (−7) 倍、(−6) 倍分别加到第 3 列、第 4 列上，第 2 行变成 0

$$\to \left(\begin{array}{cccc} 1 & 0 & 0 & 0 \\ \hline 0 & 1 & \boxed{\mathit{0}} & \boxed{\mathit{0}} \\ \hline 0 & 0 & -4 & 8 \end{array}\right)$$

第 3 行乘以 (−1/4)，将对角元素变成 1

$$\to \begin{pmatrix} 1 & 0 & 0 & 0 \\ 0 & 1 & 0 & 0 \\ \mathit{0} & \mathit{0} & \boxed{\mathit{1}} & \mathit{-2} \end{pmatrix}$$

将第 3 列的 2 倍加到第 4 列，第 3 行变成 0

$$\to \begin{pmatrix} 1 & 0 & 0 & \mathit{0} \\ 0 & 1 & 0 & \mathit{0} \\ 0 & 0 & 1 & \boxed{\mathit{0}} \end{pmatrix}$$

由于已经进行到了边界，计算完成

根据 2.3.6 节中介绍的方法，我们一眼就可以看出最后得到的矩阵的秩是 3。中途的每一步计算过程都保证了秩的不变性，所以我们最终求出 $\operatorname{rank} A = 3$。

$$B = \left(\begin{array}{ccc} 1 & 4 & 7 \\ \hline 2 & 5 & 8 \\ \hline 3 & 6 & 9 \end{array}\right)$$

将第 1 行的 (−2) 倍、(−3) 倍分别加到第 2 行、第 3 行上

$$\to \begin{pmatrix} 1 & 4 & 7 \\ \boxed{\mathit{0}} & \mathit{-3} & \mathit{-6} \\ \boxed{\mathit{0}} & \mathit{-6} & \mathit{-12} \end{pmatrix}$$

将第 1 列的 (−4) 倍、(−7) 倍分别加到第 2 列、第 3 列上

$$\to \left(\begin{array}{ccc} 1 & \boxed{\mathit{0}} & \boxed{\mathit{0}} \\ \hline 0 & -3 & -6 \\ \hline 0 & -6 & -12 \end{array}\right)$$

第 2 行乘以 (−1/3)，将对角元素变成 1

$$\to \left(\begin{array}{ccc} 1 & 0 & 0 \\ \hline \mathit{0} & \boxed{\mathit{1}} & \mathit{2} \\ \hline 0 & -6 & -12 \end{array}\right)$$

将第 2 行的 6 倍加到第 3 行上

$$\to \begin{pmatrix} 1 & 0 & 0 \\ 0 & 1 & 2 \\ \mathit{0} & \boxed{\mathit{0}} & \mathit{0} \end{pmatrix}$$

将第 2 列的 (−2) 倍加到第 3 列上

$$\to \begin{pmatrix} 1 & 0 & 0 \\ 0 & 1 & \boxed{\mathit{0}} \\ 0 & 0 & 0 \end{pmatrix}$$

由于已经进行到了边界，而剩余元素都是 0，计算完成

因为最后得到的矩阵的秩是 2，所以最终求出 $\operatorname{rank} B = 2$。

$$C = \left(\begin{array}{ccc} 2 & -10 & 12 \\ \hline -1 & 5 & -6 \\ \hline -3 & 15 & -14 \end{array}\right) \qquad \text{第 1 行乘以 (1/2)，将对角元素变成 1}$$

$$\to \left(\begin{array}{ccc} \boxed{1} & -5 & 6 \\ \hline -1 & 5 & -6 \\ \hline -3 & 15 & -14 \end{array}\right) \qquad \text{将第 1 行的 1 倍、3 倍分别加到第 2 行、第 3 行上}$$

$$\to \begin{pmatrix} 1 & -5 & 6 \\ \boxed{0} & 0 & 0 \\ \boxed{0} & 0 & 4 \end{pmatrix} \qquad \text{将第 1 列的 5 倍、(−6) 倍分别加到第 2 列、第 3 列上}$$

$$\to \left(\begin{array}{ccc} 1 & \boxed{0} & \boxed{0} \\ \hline 0 & 0 & 0 \\ \hline 0 & 0 & 4 \end{array}\right)$$

按照常理，下一步应该想“在第 2 行上乘以什么，将对角元素变成 1……”，但是对角元素已经是 0 了。在这种情况下，我们在未处理的范围内，把非 0 的元素提上来（选主元）。在本例中，

$$\begin{pmatrix} \boxed{1} & \boxed{0} & \boxed{0} \\ \boxed{0} & 0 & 0 \\ \boxed{0} & 0 & 4 \end{pmatrix}$$

用 □ 圈起来的部分是已经处理过的，剩下的是未处理的。那么，

$$C \to \cdots$$

$$\to \begin{pmatrix} 1 & 0 & 0 \\ 0 & 0 & 0 \\ 0 & 0 & 4 \end{pmatrix} \qquad \text{交换第 2、第 3 行，接着交换第 2、第 3 列}$$

$$\to \left(\begin{array}{ccc} 1 & 0 & 0 \\ \hline 0 & \boxed{4} & 0 \\ \hline 0 & 0 & 0 \end{array}\right) \qquad \text{第 2 行乘以 (1/4)，将对角元素变成 1}$$

$$\to \begin{pmatrix} 1 & 0 & 0 \\ 0 & \boxed{1} & 0 \\ 0 & 0 & 0 \end{pmatrix} \qquad \text{已经进行到了边界，而剩余元素都是 0，计算完成}$$

最后得到的矩阵的秩是 2，从而最终求出 $\operatorname{rank} C = 2$。

总结一下求解的步骤①。

$$\left(\begin{array}{ccccccccc}1&0&0&0&0&0&0&0&0\\0&1&0&0&0&0&0&0&0\\0&0&1&0&0&0&0&0&0\\\hline 0&0&0&\bigstar&*&*&*&*&*\\\hline 0&0&0&*&*&*&*&*&*\\0&0&0&*&*&*&*&*&*\\0&0&0&*&*&*&*&*&*\end{array}\right)$$

为了使对角元素 ★ 变成 1，在这一行上除以 ★

$$\left(\begin{array}{ccccccccc}1&0&0&0&0&0&0&0&0\\0&1&0&0&0&0&0&0&0\\0&0&1&0&0&0&0&0&0\\\hline 0&0&0&1&*&*&*&*&*\\\hline 0&0&0&\star&*&*&*&*&*\\\hline 0&0&0&\star&*&*&*&*&*\\\hline 0&0&0&\star&*&*&*&*&*\end{array}\right)$$

为了使非对角元素 ☆ 变成 0，在后面各行上减去本行的 ☆ 倍

$$\left(\begin{array}{ccc|c|c|c|c|c|c}1&0&0&0&0&0&0&0&0\\0&1&0&0&0&0&0&0&0\\0&0&1&0&0&0&0&0&0\\0&0&0&1&\star&\star&\star&\star&\star\\0&0&0&0&*&*&*&*&*\\0&0&0&0&*&*&*&*&*\\0&0&0&0&*&*&*&*&*\end{array}\right)$$

为了使非对角元素☆变成 0，在后面各列上减去正在处理的列的 ☆ 倍（实际上，就算不进行计算，而是单单把 ☆ 替换成 0 即可）

- 基本上就是反复进行以上操作。如果计算过程中 ★ 变成了 0，则在 $*$ 之中找到一个非 0 的元素，通过行列交换，将其置换到 ★ 的位置（选主元）。如果在一番搜索之后，发现所有 $*$ 处都已经是 0 了的话，就表示条件达成，运算结束

① 这里的流程只是机械的、没有考虑任何机动性的。如果能加入其他技巧，运算会变得更加顺利。这里的技巧和求解线性方程组以及求逆矩阵中的情况是一样的（参考 ?2.7）。

经过这样一番运算，得到的矩阵

$$\begin{pmatrix} 1 & 0 & 0 & 0 & 0 & 0 & 0 & 0 & 0 \\ 0 & 1 & 0 & 0 & 0 & 0 & 0 & 0 & 0 \\ 0 & 0 & 1 & 0 & 0 & 0 & 0 & 0 & 0 \\ 0 & 0 & 0 & 1 & 0 & 0 & 0 & 0 & 0 \\ 0 & 0 & 0 & 0 & 1 & 0 & 0 & 0 & 0 \\ 0 & 0 & 0 & 0 & 0 & 0 & 0 & 0 & 0 \\ 0 & 0 & 0 & 0 & 0 & 0 & 0 & 0 & 0 \end{pmatrix} \tag{2.28}$$

中 1 的个数，就是矩阵的秩①。

? 2.23 前文中埋了个伏笔，对吧? 说"学过秩的笔算法之后，维数定理的成立就是显而易见的了"(? 2.16)

我们通过"秩的笔算法"学到的关键点在于，对于任意矩阵 A，通过选取合适的可逆阵 $P, \tilde{P}$，可以得到形如 $\tilde{P}AP =$ (2.28) 式的变换。我们应用这一点，来证明维数定理。维数定理的要点是，对于 $m \times n$ 矩阵 A，$\dim \operatorname{Ker} A + \dim \operatorname{Im} A = n$ 成立。

若 $P, \tilde{P}$ 都可逆，则有 $\operatorname{rank} A = \operatorname{rank} (\tilde{P}AP)$，这一点我们在前文中已经叙述过了 (? 2.19)。也就是说，A 和 $\tilde{P}AP$ 两者的像具有相同的维数。实际上，同样道理，它们的核也具有相同的维数②。因此，只要我们可以证明在 (2.28) 式的形式下维数定理成立，那么对于一般的 A，维数定理也就同样可以被证明。

接下来，我们就针对 (2.28) 式的形式，非常简单地展示一下维数定理的正确性。利用 Ker, Im 的定义 (参考 2.3.1 节)，我们来看看两者中包含的成员都是什么样子的。答

---

① 虽然显得有点啰嗦，我们还是要总结一下整个流程。(1) 在原矩阵上通过左乘、右乘初等变换矩阵，得到最终结果。(2) 初等变换矩阵是可逆的。(3) 乘以可逆矩阵变换后矩阵的秩不变，于是最终结果的秩与原矩阵的秩相等。(4) 最终结果的秩等于矩阵中 1 的个数 (不明白的读者请复习 2.3.6 节)。

② 原因可以有很多种解释方式。

[解释 1]：如果可逆，就不会是"压缩扁平化"的映射，那么在 P 和 $\tilde{P}$ 的作用下，就不可能发生非 $\boldsymbol{o}$ 向量变成 $\boldsymbol{o}$ 向量这种事。

[解释 2]：对于 $\boldsymbol{y} = A\boldsymbol{x}$，令 $\boldsymbol{y}' = \tilde{P}\boldsymbol{y}$, $\boldsymbol{x}' = P^{-1}\boldsymbol{x}$，则有 $\boldsymbol{y}' = \tilde{P}\boldsymbol{y} = \tilde{P}A\boldsymbol{x} = \tilde{P}AP\boldsymbol{x}'$。接下来，我们从坐标变换的角度来解释矩阵乘法 (参考 ? 1.31)。首先考虑把 $\boldsymbol{x}$ 变换到 $\boldsymbol{y} = A\boldsymbol{x}$ 的映射。对于 $\boldsymbol{x}$ 所在的原空间和 $\boldsymbol{y}$ 所在的目标空间，分别通过 P^{-1} 和 $\tilde{P}$ 进行坐标变换，那么用来表示映射的矩阵 A 也就变成了 $\tilde{P}AP$。然而，坐标变换能做到的事情永远不会超过坐标变换的能力范围。"压缩成 $\boldsymbol{o}$ 的部分占到了多少维"这种问题，本身就是与坐标系的选取无关的，所以一定有 $\dim \operatorname{Ker} A = \dim \operatorname{Ker} (\tilde{P}AP)$。

[解释 3]：与"乘以可逆阵后秩不变"的证明过程 (参考 ? 2.19) 一样，同样可以采用严密的数学语言来证明。但是太繁琐了，故省略。

案一目了然。

$$\begin{pmatrix} y_1 \\ y_2 \\ y_3 \\ y_4 \\ y_5 \\ \hline y_6 \\ y_7 \end{pmatrix} = \left(\begin{array}{ccccc|cccc} 1 & 0 & 0 & 0 & 0 & 0 & 0 & 0 & 0 \\ 0 & 1 & 0 & 0 & 0 & 0 & 0 & 0 & 0 \\ 0 & 0 & 1 & 0 & 0 & 0 & 0 & 0 & 0 \\ 0 & 0 & 0 & 1 & 0 & 0 & 0 & 0 & 0 \\ 0 & 0 & 0 & 0 & 1 & 0 & 0 & 0 & 0 \\ \hline 0 & 0 & 0 & 0 & 0 & 0 & 0 & 0 & 0 \\ 0 & 0 & 0 & 0 & 0 & 0 & 0 & 0 & 0 \end{array}\right) \begin{pmatrix} x_1 \\ x_2 \\ x_3 \\ x_4 \\ x_5 \\ \hline x_6 \\ x_7 \\ x_8 \\ x_9 \end{pmatrix}$$

$$\swarrow \qquad\qquad\qquad \searrow$$

$$\text{Im 满足} \begin{pmatrix} * \\ * \\ * \\ * \\ * \\ \hline 0 \\ 0 \end{pmatrix} \text{的形式} \qquad\qquad \text{Ker 满足} \begin{pmatrix} 0 \\ 0 \\ 0 \\ 0 \\ 0 \\ \hline * \\ * \\ * \\ * \end{pmatrix} \text{的形式}$$

即矩阵为以下形式。

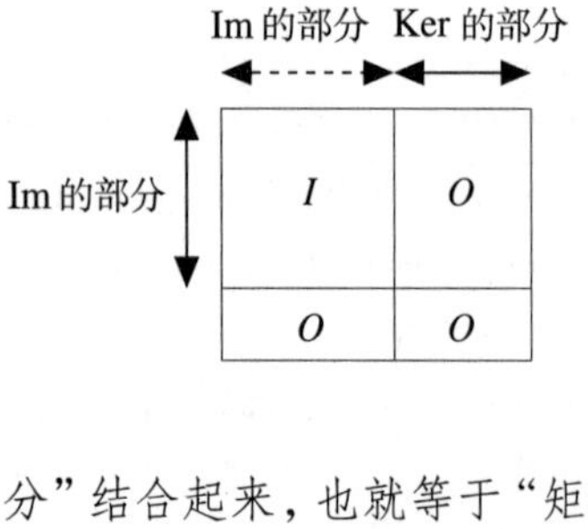

将“Im 的部分”和“Ker 的部分”结合起来，也就等于“矩阵的列数”。

2.4 良性恶性的判定（逆矩阵存在的条件）

对于给定的问题 $\boldsymbol{y} = A\boldsymbol{x}$，如何判断它是良性还是恶性的呢？首先，如果 A 不是方阵，解的存在性和唯一性两者至少有一个就被破坏了①。本节中暂时只讨论 A 是方阵的情形。

简而言之，本节的主题是“逆矩阵 A^{-1} 存在的条件”。因为必要的结论几乎都已经讲过了，所以这里只需要汇总起来整理一下。我们之前给出了层层叠叠的各种关系，现在到了把它们贯通起来的时候了。如果读者在本节中能体会到那种豁然开朗的感觉，本章的目的就达到了。

2.4.1 重点是“是不是压缩扁平化映射”

对于方阵的情况，要特别注意“是否为压缩扁平化的映射”，这是决定性的要点。对于 n 维方阵 A，我们进行如下确认。

“非压缩扁平化”可以改写成“$\mathrm{Ker}\ A$ 中只包含原点 $\boldsymbol{o}$”，或者也可以说“$\mathrm{Ker}\ A$ 是 0 维的”。根据维数定理，这与 $\mathrm{rank}\ A = n$ 是等价的。在方阵的作用下，只会从一个空间移动到另外一个同维数的空间中，所以，有压缩则维数不足，没有压缩则维数不会短缺或过量。总而言之，“非压缩扁平化映射”（单射）与“目标空间被全部覆盖”（满射）两者是等价的。

接下来，我们来确认“矩阵是压缩扁平化映射则不存在逆矩阵，是非压缩扁平化映射则存在逆矩阵”。首先，对于“压缩”的情况我们已经讲过很多了（参考 1.2.8 节、2.3.1 节）。其次，对于“非压缩”的情况，由上面的说明可以保证映射是双射，所以逆映射存在。因此，逆矩阵也就存在②。

---

① 请参考 2.3.1 节和 2.3.3 节。其中，存在性的问题在于，当 $\boldsymbol{y}$ 不那么凑巧的时候解不存在，而对于某些 $\boldsymbol{y}$ 则是可以解出来的。因此，在“A 是长矩阵，$\mathrm{Ker}\ A$ 中只包含原点，$\boldsymbol{y}$ 恰巧在 $\mathrm{Im}\ A$ 中”这种非常凑巧的情况下，就算 A 不是方阵，也能解出唯一的 $\boldsymbol{x}$。对于一般的情况（包括上述极端情况），请参考 2.5.2 节。

② 如果你已经被这番话糊弄住了，那也就算了。下面，对于没有被糊弄住的读者，给出严谨的证明。——就算可以保证逆映射存在，如果逆映射不能写成“乘上一个矩阵”的形式，那么也就没法说逆矩阵是存在的。下面我们就来证明逆映射一定可以写成矩阵的形式。我们给出两种证明方法——“朴素的方法”和“聪明的方法”。首先是“朴素的方法”。对于 $\boldsymbol{e}_1 = (1, 0, \cdots, 0)^T, \cdots, \boldsymbol{e}_n = (0, \cdots, 0, 1)$ 中的每个向量，使得 $A\boldsymbol{x}_i = \boldsymbol{e}_i$ 成立的 $\boldsymbol{x}_i$ 一定是存在的，这一点通过上述说明已经可以确定了。把这些 $\boldsymbol{x}_1, \cdots, \boldsymbol{x}_n$ 排列起来构成的方阵 $X = (\boldsymbol{x}_1, \cdots, \boldsymbol{x}_n)$，也就是 A 的逆矩阵。实际计算一下，利用分块矩阵的运算法则可得 $AX = A(\boldsymbol{x}_1, \cdots, \boldsymbol{x}_n) = (A\boldsymbol{x}_1, \cdots, A\boldsymbol{x}_n) = (\boldsymbol{e}_1, \cdots, \boldsymbol{e}_n) = I$。下面是“聪明的方法”，我们使用 ? 1.15 的结果。如果 $\boldsymbol{y} = A\boldsymbol{x}$, $\boldsymbol{y}' = A\boldsymbol{x}'$，则 $\boldsymbol{y} + \boldsymbol{y}' = A(\boldsymbol{x} + \boldsymbol{x}')$ 也成立。另外，对于数 c，有 $c\boldsymbol{y} = A(c\boldsymbol{x})$。感觉好像说了一段废话，为什么要说这些显然成立的事情呢？实际上从这两点我们可以得到“从 $\boldsymbol{y}$ 变换到 $\boldsymbol{x}$ 的映射是线性映射”这一结论。于是，该映射一定可以写成矩阵的形式。

2.4.2 与可逆性等价的条件

到这里已经没有凌乱的计算了。费了好大功夫终于到了这个开阔的位置，大家好好享受这“一览众山小”的快乐吧。

接着上文的叙述，令 A 为 n 阶方阵。若 A 的逆矩阵存在，我们说 A 是可逆的。正如我们之前讨论的那样，它和下面这些条件互相等价。

- A 表示的映射不是“压缩扁平化”的
- A 表示的映射是单射
- $\mathrm{Ker}\, A$ 中只包含原点 $\boldsymbol{o}$ 一点
- $\dim \mathrm{Ker} A = 0$

另一方面，和下面这些命题也是互相等价的。

- A 表示的映射可以覆盖到目标空间全体
- A 表示的映射是满射
- $\mathrm{Im}\, A$ 为 n 维空间全体
- $\mathrm{rank}\, A = \dim \mathrm{Im}\, A = n$

我们还可以再换一些说法。将 A 按照列向量分块表示，记为 $A = (\boldsymbol{a}_1, \cdots, \boldsymbol{a}_n)$，则非“压缩扁平化”就和下面这些命题等价。

- $\boldsymbol{a}_1, \cdots, \boldsymbol{a}_n$ 线性无关
- 使得 $A\boldsymbol{x} = \boldsymbol{o}$ 成立的只有 $\boldsymbol{x} = \boldsymbol{o}$ 一个解

关于上面的第一条，请参考 2.3.4 节。第二条仅仅是用矩阵的语言把线性无关的概念表达了出来而已①。

也可以回过头来看，非“压缩扁平化”与

- $\det A \neq 0$

也等价（参考1.3.1节和1.3.5节）。另外，尽管在这里出现有点超前，我们在 4.5.2 节中要说明：

- A 不含有 0 特征值

非“压缩扁平化”与此也是等价的。

最后，因为 $\mathrm{rank}\, A = \mathrm{rank}\, A^T$，所以 $\mathrm{rank}\, A = n$ 和 $\mathrm{rank}\, A^T = n$ 是等价的。因此，“A 可逆”与

- A^T 可逆

① 或者说，用 Ker 的定义把“Ker A 中仅包含原点一点”表达出来。

是等价的。总之，对于上述一系列等价的条件，都可以把其中的 A 替换成 A^T，得到的新命题也全部都是等价的。

2.4.3 关于可逆性的小结

这里我们来总结一下。本节内容也是本章的精华所在。对于 n 阶方阵 $A = (\boldsymbol{a}_1, \cdots, \boldsymbol{a}_n)$，以下命题全部等价。

1. 对于任何 n 维向量 $\boldsymbol{y}$，使得 $\boldsymbol{y} = A\boldsymbol{x}$ 成立的 $\boldsymbol{x}$ 都只有一个
2. A 是可逆矩阵（逆矩阵 A^{-1} 存在）
3. A 对应的映射为非“压缩扁平化”映射
   3′. A 对应的映射是单射
4. 使得 $A\boldsymbol{x} = \boldsymbol{o}$ 成立的仅有 $\boldsymbol{x} = \boldsymbol{o}$ 一个值
   4′. $\operatorname{Ker} A$ 仅包含原点 $\boldsymbol{o}$ 一点
      4″. $\dim \operatorname{Ker} A = 0$
5. A 的列向量 $\boldsymbol{a}_1, \cdots, \boldsymbol{a}_n$ 线性无关
6. 在 A 的映射作用下，目标空间可以全部被覆盖到
   6′. A 对应的映射是满射
      6″. $\operatorname{Im} A$ 是 n 维空间全体
7. $\operatorname{rank} A = \dim \operatorname{Im} A = n$
8. $\det A \neq 0$
9. A 不含 0 特征值
10. 把以上各项中的 A 替换成 A^T 得到的命题

反过来，以下事实也全部等价。

1. 对于“不好的” n 维向量 $\boldsymbol{y}$，使得 $\boldsymbol{y} = A\boldsymbol{x}$ 成立的 $\boldsymbol{x}$ 不存在。对于“好的” n 维向量 $\boldsymbol{y}$，使得 $\boldsymbol{y} = A\boldsymbol{x}$ 成立的 $\boldsymbol{x}$ 虽然存在，但是并不唯一，而是存在多个
2. A 是奇异矩阵（逆矩阵 A^{-1} 不存在）
3. A 对应的映射是“压缩扁平化”映射
   3′. A 对应的映射不是单射
4. 使得 $A\boldsymbol{x} = \boldsymbol{o}$ 成立的 $\boldsymbol{x} \neq \boldsymbol{o}$ 存在
   4′. $\operatorname{Ker} A$ 不只包含原点 $\boldsymbol{o}$
      4″. $\dim \operatorname{Ker} A > 0$
5. A 的列向量 $\boldsymbol{a}_1, \cdots, \boldsymbol{a}_n$ 线性相关
6. 在 A 的映射作用下，目标空间不会全部被覆盖到
   6′. A 对应的映射不是满射

6″. $\operatorname{Im} A$ 不构成 n 维空间全体

7. $\operatorname{rank} A = \dim \operatorname{Im} A < n$
8. $\det A = 0$
9. A 具有 0 特征值
10. 把以上各项中的 A 替换成 A^T 得到的命题

? 2.24 现在想要写个程序来判断 A 可逆与否。是不是只要调用现成的求行列式的程序（库函数等），再判断结果是不是 0 就可以了？

不可以。在使用计算机进行计算时，永远不能忘了误差的存在。对于浮点数运算，要判断其运算结果“是否恰好等于 0”等是没有意义的。因为要时刻注意计算结果中存在误差。这也是数值计算中要注意的普遍问题。我们在第 3 章的开头会加以说明。

另外，结合你提出的需求，仅仅“判断可逆与否”真的合适吗？关于这一点，请重新考虑一下。在 2.6 节中我们会谈到，在噪声包围的工程学科的世界里，那些极其接近奇异矩阵的可逆阵，往往也会被看作是奇异的。

2.5 针对恶性问题的对策

2.5.1 求出所有能求的结果 (1) 理论篇

对于“恶性的”矩阵 A，在解关于 $\boldsymbol{x}$ 的方程 $A\boldsymbol{x} = \boldsymbol{y}$ 时，可能会有“这样的 $\boldsymbol{x}$ 不存在”或者“这样的 $\boldsymbol{x}$ 有很多个”的情况发生。所以，面对这样的问题，我们不能只说“问题是恶性的，没办法做”，而是希望做到下面这种程度①。

- 对于没有解的情况，给出无解的回答
- 对于有多个解的情况，给出所有的解

下面，针对“恶性问题”的情况，我们分成理论篇和实践篇两部分进行讨论。在理论篇中，希望大家能对恶性问题中会引起的现象有个初步的印象。接着在实践篇中，希望大家掌握具体的求解方法。首先是理论篇。需要的基础知识都已经讲过了，所以我们在这里以练习题的形式提出问题，边讲边复习。

■ 解存在吗

在进入正题之前，先来确认一事。下面这段话是学生中有时出现的误解，应该也有读者有同样的想法吧？

① 与后面的“特征向量的计算”（参考 4.5.4 节）有重要关系。

“因为方阵 A 是奇异矩阵，所以关于 $\boldsymbol{x}$ 的方程 $A\boldsymbol{x}=\boldsymbol{y}$ 不存在解。理由是，$\boldsymbol{x}=A^{-1}\boldsymbol{y}$，而这时 A^{-1} 不存在啊。”

从理论上讲，只要举出一个反例，这种论点就站不住脚了。比如

- $O\boldsymbol{x}=\boldsymbol{o}\rightarrow$ 任意 $\boldsymbol{x}$ 都可以作为解
- $\begin{pmatrix}1 & -2\\3 & -6\end{pmatrix}\boldsymbol{x}=\begin{pmatrix}1\\3\end{pmatrix}\rightarrow\boldsymbol{x}=\begin{pmatrix}1\\0\end{pmatrix}$ 是一个解（还有其他解，这里省略）

但是出于教书育人的目的，还是稍加说明为好。所谓“方程的解”，也就是“代入之后使得方程成立的值”。这是最原始的定义。后来我们讲的“若 A 可逆，则解是 $\boldsymbol{x}=A^{-1}\boldsymbol{y}$”只是在此定义的基础上推导出来的性质。我们现在讨论的问题的前提是 A 是奇异矩阵，所以后者这一性质就不能再用了。正是因为忽视了最原始的定义，才会得出错误的结论。为了避免类似的错误，请读者严格遵循“先定义后定理”“先含义后计算”的准则。

下面进入正题。

对于给定的矩阵 A 和向量 $\boldsymbol{y}$，方程 $A\boldsymbol{x}=\boldsymbol{y}$ 存在解 $\boldsymbol{x}$ 的充分必要条件是，$\boldsymbol{y}$ 属于 $\operatorname{Im} A$。显而易见吧？

那么，话题基本上都会归结到“还记得 $\operatorname{Im} A$ 是什么吗”的问题上。在 A 的作用下得到的目标点的全体集合就是 $\operatorname{Im} A$，所以“$\boldsymbol{y}$ 属于 $\operatorname{Im} A$”和“使得 $A\boldsymbol{x}=\boldsymbol{y}$ 成立的 $\boldsymbol{x}$ 存在”两者等价。特别是，如果 $\operatorname{Im} A$ 正好就是空间全体，则无论 $\boldsymbol{y}$ 是什么样，解都存在①。一般是不会这样的，而是仅当 $\boldsymbol{y}$ 属于 $\operatorname{Im} A$ 时才会有解（图 2.18）。

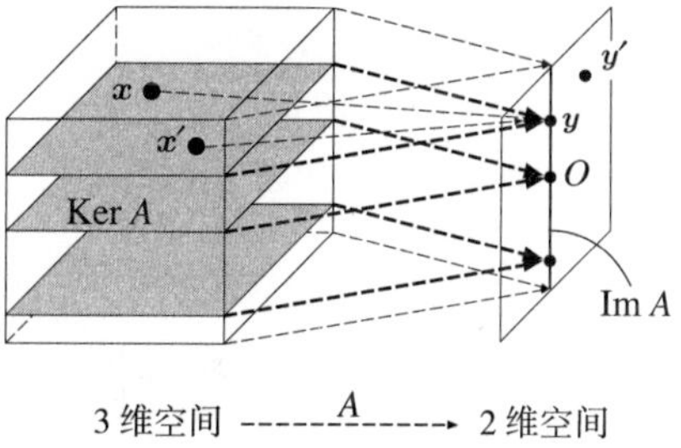

图 2.18 仅当 $\boldsymbol{y}$ 属于 $\operatorname{Im} A$ 时，才会存在解 $\boldsymbol{x}$

■ 找出所有解

只要找到 1 个解，按照下面的步骤就可以找到方程的全部解。

① 如果把问题限定在方阵的情况，那么“A 可逆”和“$\operatorname{Im} A$ 覆盖空间全体”两者是等价的。不明白的读者请复习 2.4.3 节。

在已知 $\boldsymbol{x}$ 的方程 $A\boldsymbol{x} = \boldsymbol{y}$ 的某个解（设为 $\boldsymbol{x}_0$）的前提下，对于属于 Ker A 的任何向量 $\boldsymbol{z}$，$\boldsymbol{x} = \boldsymbol{x}_0 + \boldsymbol{z}$ 也是方程的解。请证明。

那么，话题就归结到“还记得 Ker A 是什么吗”的问题上。在 A 的作用下变换到 $\boldsymbol{o}$ 的 $\boldsymbol{z}$，也就是使得 $A\boldsymbol{z} = \boldsymbol{o}$ 成立的所有 $\boldsymbol{z}$ 的集合，就是 Ker A。这样一来，通过 $A(\boldsymbol{x}_0 + \boldsymbol{z}) = A\boldsymbol{x}_0 + A\boldsymbol{z} = \boldsymbol{y} + \boldsymbol{o} = \boldsymbol{y}$，可以确认 $\boldsymbol{x} = \boldsymbol{x}_0 + \boldsymbol{z}$ 也是 $A\boldsymbol{x} = \boldsymbol{y}$ 的解。

以防万一，我们还需要对下面这点加以解释。

在上面的说明中，听起来似乎是所有线性方程都有很多个解一样。但现实是，

$$\begin{pmatrix} 5 & 3 \\ 2 & 1 \end{pmatrix} \boldsymbol{x} = \begin{pmatrix} 7 \\ 4 \end{pmatrix}$$

的解只有 $\boldsymbol{x} = (5, -6)^T$ 一个。产生矛盾了吗?

这里的矩阵是可逆的，所以能变换到零向量的也仅仅是零向量而已，也就是说，属于 Ker A 的向量只有零向量。“某个解加上零向量依然是一个解”当然是没错的，但是这并不意味着找到了另外一个解。因此，这不构成矛盾。

现在我们知道了，只要找到一个解，就可以派生出各种其他的解。但是，我们的目标更高，我们需要求出“所有”解。如果只是满足于“已经收集了很多解”的现状，甚至为解的丰富多彩而感到骄傲，那么就难免令人担心在我们视野未及的某个角落里还长眠着某些解。通过上述方法找到的解，能够确定就是“所有解”吗? 实际上答案是肯定的。

反之，任意解 $\boldsymbol{x}$ 都可以写成上述形式。也就是说，只要找到一个解，并将其固定下来，记为 $\boldsymbol{x}_0$，因为 Ker A 中的向量 $\boldsymbol{z}$ 可以任意选择任意变化，由此通过 $\boldsymbol{x}_0 + z$ 就可以得到全部解。试证明。

如果对数学上的证明流程还不太习惯的话，面对这样的问题，可能会不知所措吧。现在我们假设存在另外一个解 $\boldsymbol{x}_1$。也就是说，设 $A\boldsymbol{x}_1 = \boldsymbol{y}$。和前提中的 $A\boldsymbol{x}_0 = \boldsymbol{y}$ 做一对比，可以得到 $A\boldsymbol{x}_1 - A\boldsymbol{x}_0 = \boldsymbol{o}$。上式的左边也可以写成 $A(\boldsymbol{x}_1 - \boldsymbol{x}_0)$。也就是说，$\boldsymbol{x}_1 - \boldsymbol{x}_0$ 属于 Ker A。这里我们令 $\boldsymbol{z} \equiv \boldsymbol{x}_1 - \boldsymbol{x}_0$，就可以得到 $\boldsymbol{x}_1 = \boldsymbol{x}_0 + \boldsymbol{z}$ 的表达式，而其中的 $\boldsymbol{z}$ 属于 Ker A。这样一来，我们就证明了，无论是什么解 $\boldsymbol{x}_1$，都可以写成上述形式。实际上，这与前文 ??2.12 中的做法是一样的。关于这其中蕴含的几何意义，请复习 2.3.1节。

让我们用正规一点的数学语言重新叙述一下吧。要想列出关于 $\boldsymbol{x}$ 的方程 $A\boldsymbol{x} = \boldsymbol{y}$ 的所有解，

1. 首先想办法找到一个解，这个解 $\boldsymbol{x}_0$ 称为**特解**
2. 把原方程的右边替换成 $\boldsymbol{o}$，得到 $A\boldsymbol{z} = \boldsymbol{o}$（**齐次方程**），求出它的所有解（**通解**）。具

体来说，就是利用 Ker A 的基底 $(\boldsymbol{z}_1,\cdots,\boldsymbol{z}_k)$，则

$$\boldsymbol{z}=c_1\boldsymbol{z}_1+\cdots+c_k\boldsymbol{z}_k \qquad (c_1,\cdots,c_k\ \text{是任意数})$$

即为齐次方程 $A\boldsymbol{z}=\boldsymbol{o}$ 的通解

3. 通过“(特解) + (齐次方程的通解)”这一公式就可以求出 $A\boldsymbol{x}=\boldsymbol{y}$ 的解。也就是

$$\boldsymbol{x}=\boldsymbol{x}_0+c_1\boldsymbol{z}_1+\cdots+c_k\boldsymbol{z}_k \qquad (c_1,\cdots,c_k\ \text{是任意数})$$

以上介绍的就是“公式”上的解法①。具体的“笔算法”，请继续阅读下一节“实践篇”。

2.5.2 求出所有能求的结果 (2) 实践篇

那么，在 2.2.2 节中讲到的线性方程组的笔算法，在面对“恶性问题”时，会暴露出哪些破绽呢？让我们来试试看。

■ 线索过剩的典型例子 (无解)

我们的第一个例子如下所示。

$$2x_1-4x_2=-2 \tag{2.29}$$

$$4x_1-5x_2=2 \tag{2.30}$$

$$5x_1-9x_2=1 \tag{2.31}$$

未知数是 x_1,x_2 两个，而方程却多达 3 个。这正是 2.3.1 节中所说的“线索过剩”问题的典型例子。那么，对于这样的问题，像前面一样进行笔算，会发生什么问题呢？

$$\left(\begin{array}{cc|c} 2 & -4 & -2 \\ \hline 4 & -5 & 2 \\ \hline 5 & -9 & 1 \end{array}\right)$$

第 1 行乘以 1/2，先把左上角变成 1

$$\rightarrow\left(\begin{array}{cc|c} \boxed{1} & -2 & -1 \\ \hline 4 & -5 & 2 \\ \hline 5 & -9 & 1 \end{array}\right)$$

在第 2 行上加上第 1 行的 (−4) 倍，使行首元素变成 0
在第 3 行上加上第 1 行的 (−5) 倍，使行首元素变成 0
这样，第 1 列就完工了

$$\rightarrow\left(\begin{array}{cc|c} 1 & -2 & -1 \\ \hline \boxed{0} & 3 & 6 \\ \hline \boxed{0} & 1 & 6 \end{array}\right)$$

第 2 行乘以 1/3，把第 2 列的对角元素变成 1

$$\rightarrow\left(\begin{array}{cc|c} 1 & -2 & -1 \\ \hline 0 & \boxed{1} & 2 \\ \hline 0 & 1 & 6 \end{array}\right)$$

在第 1 行上加上第 2 行的 2 倍，使第 2 列变成 0
在第 3 行上加上第 2 行的 (−1) 倍，使第 2 列变成 0
这样，第 2 列也完工了

① 在附录 D.2 中，在讨论微分方程的解法时，会对照这里的解法进行说明。

$$\rightarrow \left(\begin{array}{cc|c} 1 & \boxed{0} & 3 \\ 0 & 1 & 2 \\ 0 & \boxed{0} & 4 \end{array}\right)$$

这时，| 左边的部分就整理完了，但是全部完工了吗？把现在得到的矩阵翻译回线性方程组的语言[①]，可以得到

$$\begin{pmatrix} 1 & 0 & 3 \\ 0 & 1 & 2 \\ 0 & 0 & 4 \end{pmatrix} \quad \Rightarrow \quad \begin{pmatrix} 1 & 0 & 3 \\ 0 & 1 & 2 \\ 0 & 0 & 4 \end{pmatrix} \begin{pmatrix} x_1 \\ x_2 \\ \hline -1 \end{pmatrix} = \begin{pmatrix} 0 \\ 0 \\ 0 \end{pmatrix} \quad \Rightarrow \quad \begin{aligned} x_1 &= 3 \\ x_2 &= 2 \\ 0 &= 4 \end{aligned} \tag{2.32}$$

最后出现了奇怪的式子 $0 = 4$。这要作何解释呢？

这时，无论 x_1 和 x_2 如何变化，都不可能满足 (2.32) 式。因为 $0 = 4$ 是无论如何也没办法成立的。也就是说，线性方程组 (2.32) 式无解。也就是说，原方程组同样无解。原因在于，通过初等行变换得到的方程与原方程等价。

一般来说，通过对 $(A|\boldsymbol{y})$ 进行初等行变换得到的结果中，如果像下面这样，有“伸出来的 $\boxed{*}$”部分，则关于 $\boldsymbol{x}$ 的方程 $A\boldsymbol{x} = \boldsymbol{y}$ 没有解。更严谨一点说，$\boxed{*}$ 的位置上只要有 1 个非 0 的值，则无解。

$$\left(\begin{array}{ccc|c} 1 & & & * \\ & \ddots & & \vdots \\ & & 1 & * \\ & & & \boxed{*} \\ & & & \vdots \\ & & & \boxed{*} \end{array}\right) \qquad \text{空白处为 } 0$$

原因和前面的具体例子是一样的。

? 2.25　线索过剩的情况下，方程依然有解的情况也是存在的吧？

没错。当 A 是长矩阵时，在非常巧的情况下，解是存在的。口说无凭，比如下面的

---

① 不明白的读者请复习 2.2.2 节。将方程 $A\boldsymbol{x} = \boldsymbol{y}$ 移项，得到 $A\boldsymbol{x} - \boldsymbol{y} = \boldsymbol{o}$，从而可以表达成分块矩阵乘法

$$\left(\begin{array}{c|c} A & \boldsymbol{y} \end{array}\right) \begin{pmatrix} \boldsymbol{x} \\ \hline -1 \end{pmatrix} = \boldsymbol{o}$$

的形式。另外，只将矩阵部分 $(A|\boldsymbol{y})$ 拿出来进行变形的算法，就是我们的笔算法。

方程

$$\begin{pmatrix} 2 & -4 \\ 4 & -5 \\ 5 & -9 \end{pmatrix} \begin{pmatrix} x_1 \\ x_2 \end{pmatrix} = \begin{pmatrix} 2 \\ 7 \\ 6 \end{pmatrix} \tag{2.33}$$

就有一组解 $(x_1, x_2)^T = (3, 1)^T$。究其原因，请参见上一节“理论篇”。

? 2.26 如果不用这里的笔算法，而是用一般方法进行消元，可以吗？

可以。这样也是没问题的。特别是对于规模比较小的问题，这样做可能更容易呢。对于上面的例子，由 (2.29) 式可得 $x_1 = 2x_2 - 1$，将其代入 (2.30) 式和 (2.31) 式，分别得到

$$4(2x_2 - 1) - 5x_2 = 2 \to x_2 = 2$$
$$5(2x_2 - 1) - 9x_2 = 1 \to x_2 = 6$$

这样一来，同时满足两个条件是不可能的。于是，解不存在。

但是要注意，不要过早地下结论。比如，从 (2.29) 式得到 $x_1 = 2x_2 - 1$。将其代入 (2.30) 式，得到 $x_2 = 2$。接下来，$x_1 = 2 \cdot 2 - 1 = 3$。完成！敢这么做就不怕出错吗？为了避免这种错误，请大家养成“确认”的习惯。

- 解方程 ⟶ 将得到的解代回原方程，确认等式是否成立
- 求逆矩阵 ⟶ 将得到的逆矩阵与原矩阵相乘，确认结果是否为单位矩阵
- 求特征值、特征向量 ⟶ 在得到的特征向量上乘以原矩阵，确认结果是否会变成特征向量的倍数，且该倍数等于特征值

■ 线索不足的典型例子（多个解）

再来看下面一个例子。

$$-x_1 + 2x_2 - x_3 + 2x_4 = 6$$
$$3x_1 - 4x_2 - 3x_3 - 2x_4 = -4$$

未知数有 x_1, x_2, x_3, x_4 四个，而方程只有 2 个。这次变成了 2.3.1 节中所说的“线索不足”的典型例子。对于这样的问题，像前面一样进行笔算，会发生什么问题呢?

$$\left(\begin{array}{cccc|c} -1 & 2 & -1 & 2 & 6 \\ \hline 3 & -4 & -3 & -2 & -4 \end{array}\right)$$

第 1 行乘以 (-1)，把行首元素变成 1

$$\rightarrow \left(\begin{array}{cccc|c} \boxed{1} & -2 & 1 & -2 & -6 \\ \hline 3 & -4 & -3 & -2 & -4 \end{array}\right)$$

在第 2 行上加上第 1 行的 (-3) 倍，使行首元素变成 0
这样，第 1 列就完工了

$$\rightarrow \left(\begin{array}{cccc|c} 1 & -2 & 1 & -2 & -6 \\ \hline \boxed{0} & 2 & -6 & 4 & 14 \end{array}\right)$$

第 2 行乘以 $(1/2)$，把第 2 列的对角元素变成 1

$$\rightarrow \left(\begin{array}{cccc|c} 1 & -2 & 1 & -2 & -6 \\ \hline 0 & \boxed{1} & -3 & 2 & 7 \end{array}\right)$$

在第 1 行上加上第 2 行的 2 倍，把第 2 列变成 0
这样，第 2 列就完工了

$$\rightarrow \left(\begin{array}{cccc|c} 1 & \boxed{0} & -5 & 2 & 8 \\ 0 & 1 & -3 & 2 & 7 \end{array}\right)$$

这样我们已经处理到了最下面一行。然而 | 左边的部分却并没有整理完毕，仍然有两列保持原状。这算完工了吗？把所得到的矩阵翻译回线性方程组的语言，可得

$$\left(\begin{array}{cccc|c} 1 & 0 & -5 & 2 & 8 \\ 0 & 1 & -3 & 2 & 7 \end{array}\right) \left(\begin{array}{c} x_1 \\ x_2 \\ x_3 \\ x_4 \\ \hline -1 \end{array}\right) = \begin{pmatrix} 0 \\ 0 \end{pmatrix} \quad \Rightarrow \quad \begin{array}{rrrl} x_1 & & -5x_3 & +2x_4 = 8 \\ & x_2 & -3x_3 & +2x_4 = 7 \end{array}$$

也就是说，要给出满足

$$x_1 = 5x_3 - 2x_4 + 8$$
$$x_2 = 3x_3 - 2x_4 + 7$$

的 x_1, x_2, x_3, x_4。可以注意到

- 如果 x_3, x_4 能定下来，则 x_1, x_2 就可以定下来了
- x_3, x_4 自身可以根据自己的喜好来选取

所以，把“自己的喜好”的值设为 c, c'，可得

$$\begin{pmatrix} x_1 \\ x_2 \\ x_3 \\ x_4 \end{pmatrix} = \begin{pmatrix} 5c - 2c' + 8 \\ 3c - 2c' + 7 \\ c \\ c' \end{pmatrix} \qquad (c, c' \text{ 为任意数}) \tag{2.34}$$

这就是方程的解。为了谨慎起见，请读者自己将其代回原方程，并检查一下，是否无论 c, c' 取何值，以上解都满足原方程。

? 2.27 自己计算之后，发现答案不一样啊？

解的表示形式不是唯一的。即使表达同一件事，有时视角也各有不同。简单举个例子，以下两者表示同一个向量。

$$(x_1, x_2)^T = (c,\ -2c+1)^T \quad c\ \text{是任意数}$$
$$(x_1, x_2)^T = (-3c'+3,\ 6c'-5)^T \quad c'\ \text{是任意数}$$

若取 $c = -3c' + 3$，则前者就变成了后者；反之，若令 $c' = -(1/3)c + 1$，则后者就可以变成前者。用图形来表示以上伎俩，就是以下情况。设 $\boldsymbol{x} = (x_1, x_2)^T$、$\boldsymbol{v} = (1, -2)^T$、$\boldsymbol{u} = (0, 1)^T$、$\boldsymbol{u}' = (3, -5)^T$，那么上面的解分别可以表示为下面这样。

$$\boldsymbol{x} = \boldsymbol{u} + c\boldsymbol{v} \quad c\ \text{为任意数} \tag{2.35}$$
$$\boldsymbol{x} = \boldsymbol{u}' - 3c'\boldsymbol{v} \quad c'\ \text{为任意数} \tag{2.36}$$

上面两个式子，都表示图 2.19 中的同一条直线。因为"从 $\boldsymbol{u}$ 出发，沿着 $\boldsymbol{v}$ 的方向走几步到达的地方"和"从 $\boldsymbol{u}'$ 出发，沿着 $\boldsymbol{v}$ 的方向走几步到达的地方"全部都位于同一直线上。

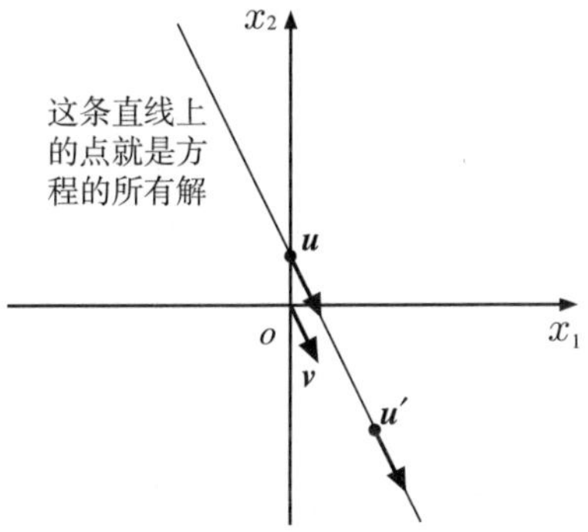

图 2.19 即使是同一条直线，表达方式也有很多种

? 2.28 理论篇中的公式"(特解) + (齐次方程的通解)"与现在的解的关系是什么？

将解 (2.34) 式改写成以下形式，就变成了符合公式"(特解) + (齐次方程的通解)"

的样子了。

$$\begin{pmatrix} x_1 \\ x_2 \\ x_3 \\ x_4 \end{pmatrix} = \begin{pmatrix} 8 \\ 7 \\ 0 \\ 0 \end{pmatrix} + c\begin{pmatrix} 5 \\ 3 \\ 1 \\ 0 \end{pmatrix} + c'\begin{pmatrix} -2 \\ -2 \\ 0 \\ 1 \end{pmatrix} \qquad c, c' \text{ 为任意数}$$

这里的 $(8,7,0,0)^T$ 是特解，剩下的部分 $c(5,3,1,0)^T + c'(-2,-2,0,1)^T$ 是齐次方程的通解。

为了让大家准确地抓住重点，我们再举一例。如果 $(A|\boldsymbol{y})$ 通过初等行变换得到了

$$\left(\begin{array}{ccccccc|c} 1 & & & & \text{赵} & \text{周} & \text{冯} & \text{子} \\ & 1 & & & \text{钱} & \text{吴} & \text{陈} & \text{丑} \\ & & 1 & & \text{孙} & \text{郑} & \text{褚} & \text{寅} \\ & & & 1 & \text{李} & \text{王} & \text{卫} & \text{卯} \end{array}\right) \qquad \text{空白处为 } 0 \tag{2.37}$$

则对应的方程就是

$$\begin{array}{ccccccccccccc} x_1 & & & & + & \text{赵}\ x_5 & + & \text{周}\ x_6 & + & \text{冯}\ x_7 & = & \text{子} \\ & x_2 & & & + & \text{钱}\ x_5 & + & \text{吴}\ x_6 & + & \text{陈}\ x_7 & = & \text{丑} \\ & & x_3 & & + & \text{孙}\ x_5 & + & \text{郑}\ x_6 & + & \text{褚}\ x_7 & = & \text{寅} \\ & & & x_4 & + & \text{李}\ x_5 & + & \text{王}\ x_6 & + & \text{卫}\ x_7 & = & \text{卯} \end{array} \tag{2.38}$$

其中 x_5, x_6, x_7 可以根据自己的喜好任意选取。这里设它们的值为 c_1, c_2, c_3，则方程的解可以表示为下面这样。

$$\begin{pmatrix} x_1 \\ x_2 \\ x_3 \\ x_4 \\ x_5 \\ x_6 \\ x_7 \end{pmatrix} = \begin{pmatrix} -\text{赵}\ c_1 - \text{周}\ c_2 - \text{冯}\ c_3 + \text{子} \\ -\text{钱}\ c_1 - \text{吴}\ c_2 - \text{陈}\ c_3 + \text{丑} \\ -\text{孙}\ c_1 - \text{郑}\ c_2 - \text{褚}\ c_3 + \text{寅} \\ -\text{李}\ c_1 - \text{王}\ c_2 - \text{卫}\ c_3 + \text{卯} \\ c_1 \\ c_2 \\ c_3 \end{pmatrix} \qquad c_1, c_2, c_3 \text{ 为任意数} \tag{2.39}$$

? 2.29 (2.39) **式中的正负号记不住啊。**

不建议读者去“背诵”，而应该在脑子中保存这样的推理过程。

$$A\boldsymbol{x} = \boldsymbol{y} \quad \rightarrow \quad A\boldsymbol{x} - \boldsymbol{y} = \boldsymbol{o} \quad \rightarrow \quad (A|\boldsymbol{y})\begin{pmatrix} \boldsymbol{x} \\ -1 \end{pmatrix} = \boldsymbol{o} \quad \rightarrow \quad (A|\boldsymbol{y})$$

在掌握了这个过程之后，从 (2.37) 式出发，经过 (2.38) 式，最终到达 (2.39) 式，自己就可以轻易地完成了。

■ 途中受阻的情况

到目前为止我们看到的例子中，经过初等行变换都到达了最后的边界。其实，在变换途中受阻的情况也时有发生。

请看下面这个例子。

$$\left(\begin{array}{cccc|c} 1 & 0 & 5 & 4 & 4 \\ 0 & 1 & 2 & 3 & 2 \\ 0 & 0 & \boxed{0} & 3 & 6 \end{array}\right)$$

这是在已经完成了前2列后，想要处理第3列的时候。这里 □ 位置（第 3 列的对角元素）变成了 0。于是，想要通过在前 2 行上加上第 3 行的若干倍，从而把第 3 列的其他元素变成 0，已经是不可能的了。因为 0 无论怎么乘都还是 0，所以就没办法了吗？实际上这样的现象并不反映本质，是可以避免的。对于现在的状况，把整个方程写出来，得到

$$\left(\begin{array}{cccc|c} 1 & 0 & 5 & 4 & 4 \\ 0 & 1 & 2 & 3 & 2 \\ 0 & 0 & 0 & 3 & 6 \end{array}\right)\left(\begin{array}{c} x_1 \\ x_2 \\ x_3 \\ x_4 \\ \hline -1 \end{array}\right) = \boldsymbol{o} \quad \rightarrow \quad \begin{array}{rrrrcr} x_1 & & +5x_3 & +4x_4 & = & 4 \\ & x_2 & +2x_3 & +3x_4 & = & 2 \\ & & & 3x_4 & = & 6 \end{array}$$

对上面的方程中的排列顺序稍作改变（x_3, x_4 的顺序做了交换），方程式本身还是原来的方程吧？

$$\rightarrow \quad \begin{array}{rrrrcr} x_1 & & +4x_4 & +5x_3 & = & 4 \\ & x_2 & +3x_4 & +2x_3 & = & 2 \\ & & 3x_4 & & = & 6 \end{array} \quad \rightarrow \quad \left(\begin{array}{cccc|c} 1 & 0 & 4 & 5 & 4 \\ 0 & 1 & 3 & 2 & 2 \\ 0 & 0 & 3 & 0 & 6 \end{array}\right)\left(\begin{array}{c} x_1 \\ x_2 \\ \boxed{x_4} \\ \boxed{x_3} \\ \hline -1 \end{array}\right) = \boldsymbol{o}$$

要注意在 x_3, x_4 的顺序进行交换的同时矩阵的第 3、4 列也进行了交换。为了防止忘记这里的交换步骤，我们先写下来。

$$(x_1, x_2, x_3, x_4)^T \rightarrow (x_1, x_2, x_4, x_3)^T$$

然后再返回到省略后的矩阵表示。这下对角元素就不是0了，我们可以继续进行初等行变换。

$$
\left(\begin{array}{cccc|c} 1 & 0 & 4 & 5 & 4 \\ \hline 0 & 1 & 3 & 2 & 2 \\ \hline 0 & 0 & \boxed{3} & 0 & 6 \end{array}\right)
\rightarrow
\left(\begin{array}{cccc|c} 1 & 0 & 4 & 5 & 4 \\ \hline 0 & 1 & 3 & 2 & 2 \\ \hline 0 & 0 & \boxed{1} & 0 & 2 \end{array}\right)
$$

$$
\rightarrow
\left(\begin{array}{cccc|c} 1 & 0 & \boxed{0} & 5 & -4 \\ \hline 0 & 1 & \boxed{0} & 2 & -4 \\ \hline 0 & 0 & 1 & 0 & 2 \end{array}\right)
$$

对第 3 行乘以 1/3，使得对角元素变成 1，接下来将第 3 行的 (-4) 倍、(-3) 倍分别加在第 1 行、第 2 行上，则第 3 列中非对角元素就全部变成了 0。至此，变形进行到了最后一行，完工。结合前面记下的 $(x_1, x_2, x_4, x_3)^T$，把完整的方程写出来。

$$
\left(\begin{array}{cccc|c} 1 & 0 & 0 & 5 & -4 \\ 0 & 1 & 0 & 2 & -4 \\ 0 & 0 & 1 & 0 & 2 \end{array}\right)
\begin{pmatrix} x_1 \\ x_2 \\ \boxed{x_4} \\ \boxed{x_3} \\ \hline -1 \end{pmatrix} = \boldsymbol{o}
\rightarrow
\begin{array}{ccccccc} x_1 & & & + 5\boxed{x_3} & = & -4 \\ & x_2 & & + 2\boxed{x_3} & = & -4 \\ & & \boxed{x_4} & & = & 2 \end{array}
$$

于是，解为

$$
\begin{pmatrix} x_1 \\ x_2 \\ x_3 \\ x_4 \end{pmatrix} = \begin{pmatrix} -5c-4 \\ -2c-4 \\ c \\ 2 \end{pmatrix} \qquad c \text{ 为任意数}
$$

一般来说，在进行初等行变换时，如果途中出现了如下所示的某对角元素以下全部为 0 的情况[①]，

$$
\left(\begin{array}{ccccccc|c} 1 & & & * & * & \cdots & * & * \\ & \ddots & & \vdots & \vdots & & \vdots & \vdots \\ & & 1 & * & * & \cdots & * & * \\ & & & \boxed{0} & \star & \cdots & \star & * \\ & & & \vdots & \vdots & & \vdots & \vdots \\ & & & \boxed{0} & \star & \cdots & \star & * \end{array}\right) \qquad \text{空白处为 } 0
$$

则采用

- 在 ☆ 的位置上找到一个不是 0 的元素

① 这样的情况下，交换两行也是没用的，依然只采用初等行变换的老套路已经行不通了。

- 将 $\boxed{0}$ 的列与该列进行交换
- 将交换的变量记下来

的回避策略，使得变形能够继续进行。在遇到异常棘手的问题时，有可能需要一而再再而三地采取这样的策略。而每进行一次交换，都要像下面这样，依次记下交换的过程。

$$
\begin{aligned}
(x_1,x_2,x_3,x_4,x_5)^T &\to (x_1,\boxed{x_4},x_3,\boxed{x_2},x_5)^T && \text{第 2 列和第 4 列交换}\\
&\to (x_1,x_4,\boxed{x_2},\boxed{x_3},x_5)^T && \text{接着，第 3 列和第 4 列交换}
\end{aligned}
$$

最后还原到原方程时，要对照的向量就是最后的 $(x_1,x_4,x_2,x_3,x_5)^T$ 了。

? 2.30 我记得在我学的时候，好像没有做过列交换啊。

纯粹使用行基本变形进行计算的也有。也就是说，最终要变换成以下形式。

$$
\left(\begin{array}{cccccccc|c}
1 & * & 0 & 0 & * & * & 0 & * & * \\
 & & 1 & 0 & * & * & 0 & * & * \\
 & & & 1 & * & * & 0 & * & * \\
 & & & & & & 1 & * & * \\
 & & & & & & & &
\end{array}\right)
\quad * \text{的位置是数，空白处为 } 0
$$

站在纯粹的数学的立场上看，如果能够仅用初等行变换就可以完成，则仅仅用行基本变换就是最好的方法。这当然更加“纯粹”，但是这种形式乍一看有点令人费解不是吗？在本书中，我们奉行“理解至上”，可能多多少少没有那么“纯粹”。

■ 途中真正受阻的情况

我们最后来看一种极端情况，也就是当上文中提出来的回避策略也不能用，真正受到了阻碍的情况。下面两个例子都是这样的真正受阻的情况。

$$
\left(\begin{array}{cccc|c}
1 & 0 & 5 & 4 & 4 \\
0 & 1 & 2 & 3 & 2 \\
0 & 0 & \boxed{0} & \boxed{0} & 6 \\
0 & 0 & \boxed{0} & \boxed{0} & 8
\end{array}\right)
\qquad
\left(\begin{array}{cccc|c}
1 & 0 & 5 & 4 & 4 \\
0 & 1 & 2 & 3 & 2 \\
0 & 0 & \boxed{0} & \boxed{0} & 0 \\
0 & 0 & \boxed{0} & \boxed{0} & 0
\end{array}\right)
$$

刚才我们提到，第一步要在 ☆ 的位置上找到一个不是 0 的元素，但是这里所有的候选位置全部都是 0，就算我们做了列交换也无济于事。这种情况下，变形就到此结束了。之后我们只需要通过观察，就可以得到答案了。

左边的例子，答案是“无解”。原因在于，当我们还原回方程的形式后，有

$$\begin{array}{rrrrcl} x_1 & & +5x_3 & +4x_4 & = & 4 \\ & x_2 & +2x_3 & +3x_4 & = & 2 \\ & & & 0 & = & 6 \\ & & & 0 & = & 8 \end{array}$$

无论我们让 x_1, x_2, x_3, x_4 取什么值，都不可能使得最后两个等式成立。

另一方面，右边的例子的情况就有所不同了。我们还原回原方程，可以看到

$$\begin{array}{rrrrcl} x_1 & & +5x_3 & +4x_4 & = & 4 \\ & x_2 & +2x_3 & +3x_4 & = & 2 \\ & & & 0 & = & 0 \\ & & & 0 & = & 0 \end{array}$$

其中最后两个等式是无条件成立的。接下来我们只需要找到满足前两个等式的 x_1, x_2, x_3, x_4，就得到了方程的解。考虑上面两个等式构成的方程，根据前面学过的方法，可以得到方程的解为

$$\begin{pmatrix} x_1 \\ x_2 \\ x_3 \\ x_4 \end{pmatrix} = \begin{pmatrix} -5c - 4c' + 4 \\ -2c - 3c' + 2 \\ c \\ c' \end{pmatrix} \qquad c, c' \text{ 为任意数}$$

■ 总结

通过初等行变换（当中途受阻时，进行列交换，并把交换的情况记下来），把 $(A|\boldsymbol{y})$ 化为下面这种形式。

$$\left(\begin{array}{cccccc|c} 1 & & & * & \cdots & * & * \\ & \ddots & & \vdots & & \vdots & \vdots \\ & & 1 & * & \cdots & * & * \\ & & & & & & \boxed{*} \\ & & & & & & \vdots \\ & & & & & & \boxed{*} \end{array}\right) \qquad \text{空白处为 } 0$$

这时，

- 若 $\boxed{*}$ 的位置全部都是 0，则有解
- 只要 $\boxed{*}$ 的位置有 1 个不是 0，则无解

在有解的情况下，只要还原回原方程，很容易就可以给出最后的答案。

顺便说一句，类似“A 是长矩阵则有多个解”“A 是矮矩阵则无解”这样的局面也有可能出现。然而，从上面的解释来看这也是理所当然的。

?2.31 在还原到方程的形式之后，少了一个变量，怎么办呢?

就是下面这种情况吧。第 5 列全部都是 0，所以 $\boldsymbol{x}_5$ 就全部消掉了。

$$\left(\begin{array}{cccccc|c} 1 & 0 & 0 & 2 & \boxed{0} & 7 & 6 \\ 0 & 1 & 0 & 9 & \boxed{0} & 5 & 8 \\ 0 & 0 & 1 & 4 & \boxed{0} & 3 & 1 \end{array}\right)\left(\begin{array}{c} x_1 \\ x_2 \\ x_3 \\ x_4 \\ x_5 \\ x_6 \\ \hline -1 \end{array}\right)=\boldsymbol{o}$$

$$\rightarrow \begin{array}{ccccccc} x_1 & & & +2x_4 & +7x_6 & = & 6 \\ & x_2 & & +9x_4 & +5x_6 & = & 8 \\ & & x_3 & +4x_4 & +3x_6 & = & 1 \end{array}$$

那么，无论 $\boldsymbol{x}_5$ 取什么值，与方程成立与否都没有任何关系，所以 $\boldsymbol{x}_5$ 可以随便取值。最后结果就是，x_4, x_5, x_6 都可以自由选取，方程的解为

$$\begin{pmatrix} x_1 \\ x_2 \\ x_3 \\ x_4 \\ x_5 \\ x_6 \end{pmatrix}=\begin{pmatrix} -2c_1-7c_3+6 \\ -9c_1-5c_3+8 \\ -4c_1-3c_3+1 \\ c_1 \\ c_2 \\ c_3 \end{pmatrix} \quad c_1, c_2, c_3 \text{ 为任意数}$$

?2.32 看起来很像的各种笔算法出现了很多次，感觉很混乱。总结一下吧。

利用初等变换作为基本工具的笔算法，在行列式、逆矩阵、秩、线性方程组（良性问题）、线性方程组（恶性问题）的计算中都已经出现过了。每种算法中用到的操作步骤都有些细微的不同，要想全部记住应该还是挺痛苦的。所以奉劝读者把每种算法背后的机理、推导过程刻入脑海。另外还有一个办法，就是在任何场合，只使用初等行变换和列交换。这样做的好处在于需要记住的东西比较少，而缺点就是可能会增加很多没有必要的运算。

现在我们来说说后面一种办法。无论矩阵是什么形式，在初等行变换和列交换之后，

一定可以得到如下形式 (参考 2.5.2 节)。

$$\begin{pmatrix} 1 & & * \cdots * \\ & \ddots & \vdots \qquad \vdots \\ & & 1 * \cdots * \\ & & \end{pmatrix} \qquad * \text{的位置是数，空白处为 } 0 \tag{2.40}$$

只要利用这一点 ……

- 行列式 (参考 1.3.4 节)：如果最终得到的形如 (2.40) 式的结果是单位矩阵 ($\det I = 1$) 的话，按照以下规则追溯变形过程
  - 某一行乘以 c，则行列式也乘以 c
  - 若进行列交换或者行交换，则行列式的正负号改变
  - 在某行加上其他行的若干倍，行列式值不变

  例如，在从原矩阵 A 到单位矩阵的变形过程中，进行了
  - "某行乘以 5" 2 次
  - "某行乘以 4" 1 次
  - "行 (列) 交换" 3 次

  则根据 $(\det A) \cdot 5^2 \cdot 4 \cdot (-1)^3 = \det I = 1$，可得 $\det A = -1/100$。此外，如果最后结果不是单位矩阵，则行列式为 0
- 逆矩阵 (参考 2.2.3 节)：禁止进行列交换。对 $(A|I)$ 进行变形，最后得到形如 (2.40) 式的结果。如果结果是 $(I|X)$，则 X 的部分就是 A^{-1}。若结果中 A 的位置上没有变成 I，或者在向 (2.40) 式的形式变换的过程中遇到了阻碍，则 A^{-1} 不存在
- 秩 (参考 2.3.7 节)：朝着 (2.40) 式的形式进行变换，最终对角线上 1 的个数就是秩
- 线性方程组 (参考 2.5.2 节)：对于 $A\boldsymbol{x} = \boldsymbol{y}$，对分块矩阵 $(A|\boldsymbol{y})$ 朝着 (2.40) 式的形式进行变换。其中，列交换只允许在 A 的各列之间进行 (不可与 $\boldsymbol{y}$ 进行交换)，并且把交换的步骤记下来。如果能得到 (2.40) 式的形式，解就很容易得到了

2.5.3 最小二乘法

要求解关于 $\boldsymbol{x}$ 的方程 $A\boldsymbol{x} = \boldsymbol{y}$，我们在前一节中的目标是"无解的话，则回答无解；有解的话，给出所有解"。然而在现实中，往往只需要单个答案。

这时，我们采取如下方针。

- 无解的情况下，至少给出一个答案 $\boldsymbol{x}$，使得 $A\boldsymbol{x}$ 尽量“接近 $\boldsymbol{y}$”
- 有很多解的情况下，从中选出一个最“合理”的解

要注意，这里我们说的“接近”“合理”都是没有定义的。根据要解决的问题的不同，对这些概念进行度量的方法也有所不同，这就不单单是数学能解决的问题了。

实际中我们经常采用以下标准。

- $A\boldsymbol{x}-\boldsymbol{y}$ 的长度越小，我们认为越“接近”
- $\boldsymbol{x}$ 的长度越小，我们认为越“合理”

在这样的标准下，基于以上方针求解问题答案的方法，称为**最小二乘法**。详情请读者参考专门的教科书。最小二乘法作为常用的道具，在**奇异值分解**、**广义逆矩阵**等的计算中发挥着重要作用。

到目前为止，本书中还没有引入“长度”的概念。单单讲线性空间，是没有长度和角度的概念的。为了给出这些概念，我们需要增加很多其他性质。关于这些内容，请参考附录 E。

2.6 现实中的恶性问题（接近奇异的矩阵）

2.6.1 问题源于哪里

在数学上，矩阵是可逆矩阵还是奇异矩阵，性质有着天壤之别。如果没有压缩扁平化变换，则可以复原；如果经过了压缩扁平化变换，则无法复原。但是，在处处考虑噪声的工程学科的世界中，对于极其接近奇异矩阵的可逆矩阵，往往会将其当作奇异矩阵进行处理（图 2.20）。直观地讲，

- 如果在 A 的映射下收缩效果非常厉害的话 ······
- 在用来还原的 A^{-1} 的作用下，放大效果会非常厉害 ······
- 随之而来的就是噪声也被夸张地放大了

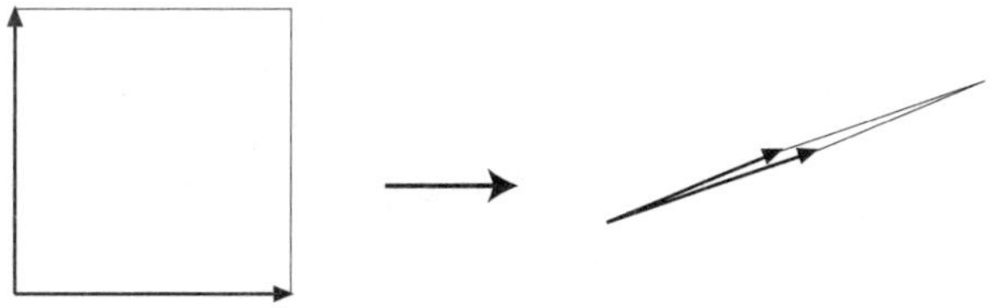

图 2.20　几乎是奇异的矩阵

让我们来考虑一个典型的实际例子，就是失焦图像的修复问题。图 2.21 简单地示意了数码相机的工作原理。被拍摄物体上的一点 P 发出的光通过镜头的折射到达图像传感器 Q

上。在对被拍摄物体的距离、镜头的焦距、传感器的距离等因素进行恰当的调整的情况下，从 P 发出的光线，从所有角度出发，都可以顺利到达传感器 Q 上。从另一点 P' 发出的光线，也可以全部传递给对应的传感器 Q'。这是准确对焦时的状况。这样一来，只需要测量各传感器中接收到的光量，就可以得到图像数据[①]。在通过图像数据显示图像时，根据光量的数据对应的亮度，把每个点描绘出来即可。比如，亮度最高的点是 □、亮度最低的是 ■，中间是与值对应的亮度的灰色。

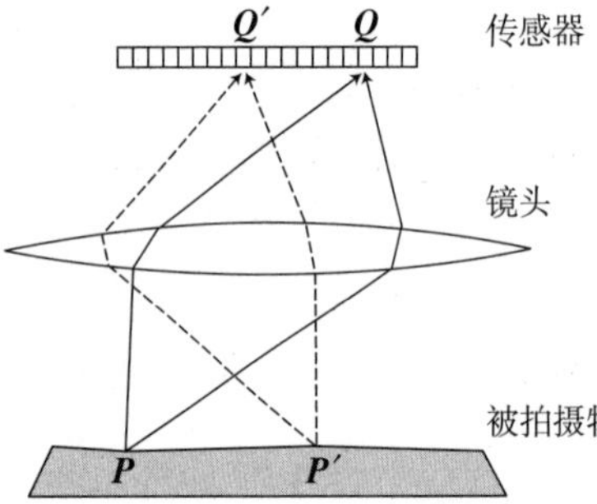

图 2.21 数码相机的工作原理

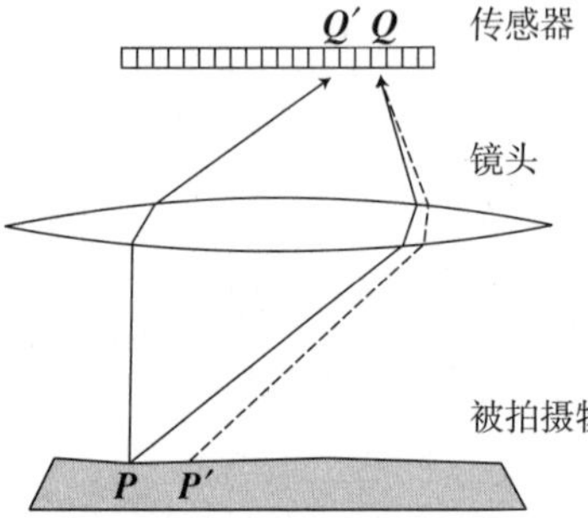

图 2.22 没有对上焦的状态

但是，如果没有对上焦，就会出现如图 2.22 所示的情况。从 P 发出的光线，有一部分到达了错误的传感器 Q'。而从 Q 的角度来看，又接收到了除 P 外的其他点，比如 P' 发出的光线。

设被拍摄物的各点的亮度为 $x_1, \cdots, x_n$，各传感器接收到的光的强度为 $y_1, \cdots, y_n$。理想的状态应该是 $x_i = y_i$，如下所示。

$$\begin{pmatrix} y_1 \\ y_2 \\ y_3 \\ y_4 \\ y_5 \end{pmatrix} = \begin{pmatrix} 1 & 0 & 0 & 0 & 0 \\ 0 & 1 & 0 & 0 & 0 \\ 0 & 0 & 1 & 0 & 0 \\ 0 & 0 & 0 & 1 & 0 \\ 0 & 0 & 0 & 0 & 1 \end{pmatrix} \begin{pmatrix} x_1 \\ x_2 \\ x_3 \\ x_4 \\ x_5 \end{pmatrix}$$

但是，一旦对焦失败，就会变成类似于下面这样的情况。

$$\begin{pmatrix} y_1 \\ y_2 \\ y_3 \\ y_4 \\ y_5 \end{pmatrix} = \begin{pmatrix} 0.40 & 0.24 & 0.05 & 0.00 & 0.00 \\ 0.24 & 0.40 & 0.24 & 0.05 & 0.00 \\ 0.05 & 0.24 & 0.40 & 0.24 & 0.05 \\ 0.00 & 0.05 & 0.24 & 0.40 & 0.24 \\ 0.00 & 0.00 & 0.05 & 0.24 & 0.40 \end{pmatrix} \begin{pmatrix} x_1 \\ x_2 \\ x_3 \\ x_4 \\ x_5 \end{pmatrix}$$

① 简单起见，暂时不考虑色彩问题，单纯研究灰度图像。

那么，从失焦（对焦失败）的图像 $\boldsymbol{y} = (y_1, \cdots, y_n)^T$ 出发，能否还原出本来的图像 $\boldsymbol{x} = (x_1, \cdots, x_n)^T$ 呢？因为有 $\boldsymbol{y} = A\boldsymbol{x}$，通过 $\boldsymbol{x} = A^{-1}\boldsymbol{y}$ 应该可以把 $\boldsymbol{x}$ 求出来，但是真的可以顺利地做到吗？图 2.23 就是采用这种方法对图像进行修复的实际例子①。如果只看这个例子的话，可以发现完成的效果简直是太好了。接下来，我们在失焦图像上稍加噪声（噪点），复原结果就变得相当糟糕了。图 2.24 就是加噪声的例子。只是在失焦图像的基础上加了一点点肉眼无法分辨的噪声，修复结果就与之前拉开了巨大的差距。

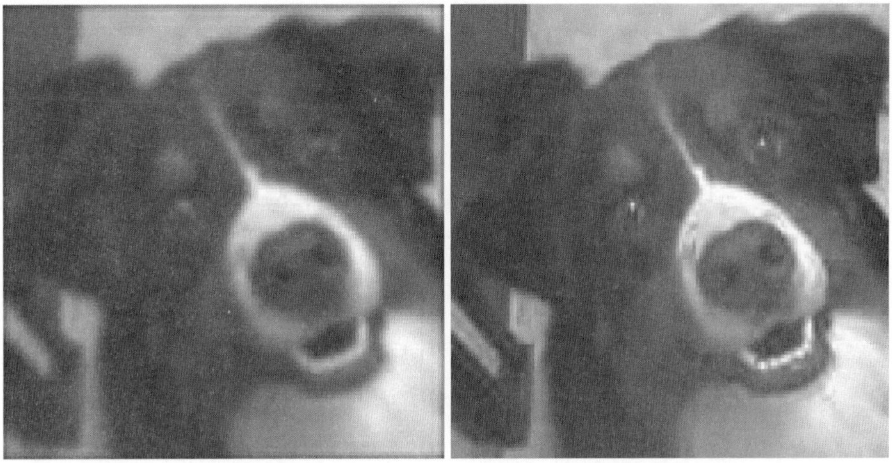

图 2.23 失焦图像（左）和复原后的图像（右）

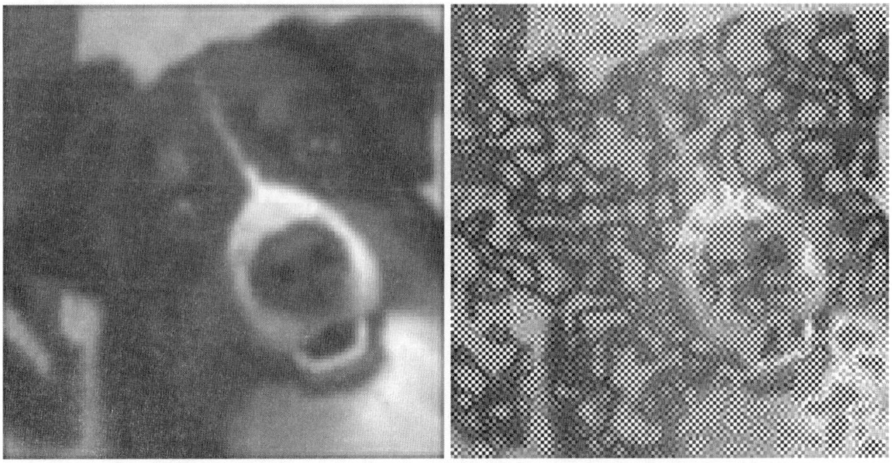

图 2.24 加入噪声的失焦图像（左）和复原后的图像（右）

① 实验的顺序如下：(1) 在准确对焦的情况下拍下图像 $\boldsymbol{x}$ (2) 如前所述，通过“糊矩阵” A 进行变换，生成失焦图像 $\boldsymbol{y} = A\boldsymbol{x}$ (3) 在失焦图像 $\boldsymbol{y}$ 的基础上乘以 A^{-1}，得到复原的图像 $\boldsymbol{z} = A^{-1}\boldsymbol{y}$。但是在现实中，要假设已知“糊矩阵”的样子，好像太奇怪了。不过这不是现在讨论的重点，请大家当作没看到好了。

? 2.33　关于图 2.22 中的 $y = Ax$，我明白它的意思。就是将数据排成 1 列，用列向量 x 和 y 表示，没错吧？但是，对于图 2.23 的情况，怎么表示呢？x 和 y 中所存储的数据并不是排成 1 列的格式，而是纵横排列的，用向量没办法表示啊。莫非这里的 x 和 y 都是矩阵吗？

不是的。可以认为它们是按照顺序，把图像数据排列成 1 列构成的。比如，以非常小的 3×3 的“图像”为例，表示如下。

$$\begin{array}{|c|c|c|}\hline x_1 & x_2 & x_3 \\ \hline x_4 & x_5 & x_6 \\ \hline x_7 & x_8 & x_9 \\ \hline\end{array} \Rightarrow \begin{pmatrix} x_1\\x_2\\x_3\\x_4\\x_5\\x_6\\x_7\\x_8\\x_9 \end{pmatrix}, \qquad \begin{array}{|c|c|c|}\hline y_1 & y_2 & y_3 \\ \hline y_4 & y_5 & y_6 \\ \hline y_7 & y_8 & y_9 \\ \hline\end{array} \Rightarrow \begin{pmatrix} y_1\\y_2\\y_3\\y_4\\y_5\\y_6\\y_7\\y_8\\y_9 \end{pmatrix}$$

对应的“糊矩阵”的例子如下所示。

$$\begin{pmatrix} y_1\\y_2\\y_3\\ \hline y_4\\y_5\\y_6\\ \hline y_7\\y_8\\y_9 \end{pmatrix} = \left(\begin{array}{ccc|ccc|ccc} 0.16 & 0.10 & 0.02 & 0.10 & 0.06 & 0.01 & 0.02 & 0.01 & 0.00\\ 0.10 & 0.16 & 0.10 & 0.06 & 0.10 & 0.06 & 0.01 & 0.02 & 0.01\\ 0.02 & 0.10 & 0.16 & 0.01 & 0.06 & 0.10 & 0.00 & 0.01 & 0.02\\ \hline 0.10 & 0.06 & 0.01 & 0.16 & 0.10 & 0.02 & 0.10 & 0.06 & 0.01\\ 0.06 & 0.10 & 0.06 & 0.10 & 0.16 & 0.10 & 0.06 & 0.10 & 0.06\\ 0.01 & 0.06 & 0.10 & 0.02 & 0.10 & 0.16 & 0.01 & 0.06 & 0.10\\ \hline 0.02 & 0.01 & 0.00 & 0.10 & 0.06 & 0.01 & 0.16 & 0.10 & 0.02\\ 0.01 & 0.02 & 0.01 & 0.06 & 0.10 & 0.06 & 0.10 & 0.16 & 0.10\\ 0.00 & 0.01 & 0.02 & 0.01 & 0.06 & 0.10 & 0.02 & 0.10 & 0.16 \end{array}\right) \begin{pmatrix} x_1\\x_2\\x_3\\ \hline x_4\\x_5\\x_6\\ \hline x_7\\x_8\\x_9 \end{pmatrix}$$

这里 x_1 的位置和 y_4 比较接近，所以产生的影响也就更大（矩阵的 (4,1) 元素为 0.10），而对于 x_1 而言，y_3 离得比较远，所以影响力就比较弱（矩阵的 (3,1) 元素为 0.02）。当然，现实中的数值根据相机的不同而不同。

2.6.2　对策示例 —— 提克洛夫规范化

造成问题的原因我们清楚了，那么该怎么解决呢？我们在 2.5.3 节中介绍了最小二乘法的方法，但是在 A 可逆的情况下，使用最小二乘法得到的结果和直接进行 $\boldsymbol{x} = A^{-1}\boldsymbol{y}$ 运算得到的结果没有什么区别，在这里也就用不上了。

针对这样的问题，经常用到的方法如下。

- 测定出 $A\boldsymbol{x}$ 与 $\boldsymbol{y}$ 的“偏差”
- 测定出 $\boldsymbol{x}$ 本身的“合理性”。同理，或者测定出 $\boldsymbol{x}$ 的“不协调性”
- 求出使得“偏差”与“不协调性”两者总和最小的 $\boldsymbol{x}$ 作为解答

以失焦图像的复原为例，其原理可以表达如下。

> 前面的失败例中，仅仅考虑了“偏差”。如果按照 $\boldsymbol{x} = A^{-1}\boldsymbol{y}$ 去复原，虽然“偏差”为 0，但是得出的图像的“不协调性”却非常惊人。对于添加了噪声的“不正确的” $\boldsymbol{y}$，这个“偏差”值太好的话也是不行的。只有在“偏差”和“不协调性”两者之间取到平衡点，才能得到更好的复原结果。

但是这里的“偏差”和“不协调性”都是没有定义的概念。到底如何对其进行度量，这就要根据具体问题而定了。

实际上，我们经常采用以下方式①。

- 用 $A\boldsymbol{x} - \boldsymbol{y}$ 的长度 $\|A\boldsymbol{x} - \boldsymbol{y}\|$ 来度量“偏差”
- 用 $\boldsymbol{x}$ 的长度 $\|\boldsymbol{x}\|$ 来度量“不协调性”

例如，我们可以取某个正的常数 α，去求解使得 $\|A\boldsymbol{x} - \boldsymbol{y}\|^2 + \alpha\|\boldsymbol{x}\|^2$ 最小的 $\boldsymbol{x}$，实际上，这里 $\boldsymbol{x} = (A^TA + \alpha I)^{-1}A^T\boldsymbol{y}$（提克洛夫规范化，Tikhonov regularization）。将 α 设定得越大，修复时对“不协调性”的处理所占的比重也越大。图 2.25 所示为当 $\alpha = 0.03$ 时的复原结果（128×128 像素，原图像的灰度值为 0 到 255）。

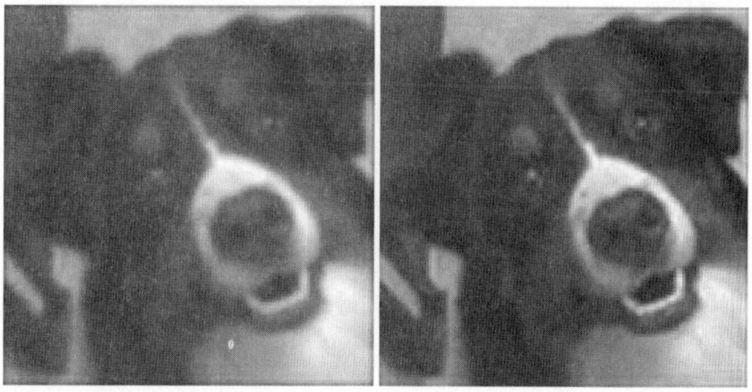

图 2.25 加入噪声的失焦图像（左）和通过提克洛夫规范化方法得到的复原图像（右）

关于这些话题的详细讲解，还请参考专门的教科书。

① 要注意，我们到目前为止并未导入“长度”的概念，这一点和最小二乘法（参考 2.5.3 节）时的情况一样。在下面的段落中，我们假定取到一组标准正交基，对于 $\boldsymbol{x} = (x_1, \cdots, x_n)^T$，令 $\|\boldsymbol{x}\|^2 = x_1^2 + \cdots + x_n^2$。

第 3 章

计算机上的计算（1）—— LU 分解

3.1 引言

3.1.1 切莫小看数值计算

本章中要谈的主题是，对于给定具体数值的矩阵，如何用计算机实现我们已经学过的各种计算方法，特别是对于规模巨大的矩阵，如何有效地进行各种计算。这里，我们首先要特别明确一点：

千万不要小看数值计算

数值计算本身就是一个独立的研究方向，远远不止是和线性代数擦边那么简单。仅仅是大概学了点线性代数，就大谈如何进行大规模矩阵的计算，那就有点自信过头了。

和在纸面上演算代数式的“数学”相比，在用计算机进行具体的数值计算时，我们必须要注意以下两点。

- 数值的精度只有有限位
- 尽量减少运算量和内存消耗

仅仅是为了以上两点，我们就有各种各样的技巧。比如，从数学角度看，近似公式 A 比近似公式 B 要更精确，但因为数值计算的精度是有限的，所以只要 B 的累积误差不大也是可以接受的；另外，要意识到处理器的缓存容量也是有限的，为了使缓存能容纳一次性处理的数据，程序上也要进行相应的处理；再有一种情况是，当矩阵中的大多数元素都是 0 时[①]，我们不会用到处都是 0 的二维数组存储，而只是用一张表来记录非 0 元素的位置和数值 ……

① 经常会遇到这种情况。比如，实际生活中比较有意思的物理现象很多都是用偏微分方程来描述的。当我们用计算机来模拟这些现象时，往往需要对偏微分方程进行离散化处理后求数值解，这时，就会出现几乎处处为 0 的大规模矩阵（**大规模稀疏矩阵**）。

类似这样的技巧还有很多，上面提到的只是冰山一角。为了向读者展示数值计算内行的“门道”，我们列出了参考文献 [8]。特征值计算作为数值计算的另外一大问题，本书后文中也会着重加以介绍。

本章中只是从线性代数的立场出发讨论一些基本的矩阵算法。但是要上手处理实际问题，仅凭这点内容可能还是不够的。要想学习真正的数值计算，还是要参考专业书籍，本章仅仅是起到了敲门砖的作用。

3.1.2　关于本书中的程序

为了帮助读者理解，本书提供了用于矩阵的加减乘运算以及 LU 分解的程序。至于如何获取程序源代码，请参考前言 (e)。本节中不会给出完整的代码，只是精选了需要特别说明的部分。

我们给出的代码，只能算是“学习用”版本。关于代码，还请注意以下几点。

- 相比效率和容错性，我们优先采用简单、可读性强的代码，所以我们的程序并不一定适合用于实战场合
- 程序采用的是 Ruby 语言，但是我们回避了语言特有的方便的用法，而是采用了更一般化的、类似于传统程序设计语言的写法。这是因为本书的目的并不是讲解某种特定语言的用法。因此，使用其他语言的读者请不要担心，同样可以像读伪代码一样无障碍阅读（参考前言 (e)）。但是，一定请读者注意，不要误认为 Ruby 语言很弱哦！
- 在 Ruby 中，“#” 之后表示注释

另外，当需要“实战用”的程序时，最好还是使用现成的软件包。实际上对于非数值分析专业的读者来讲，要想亲自实现这些算法压力也确实太大了。为此，这里推荐著名的线性代数的数值计算包 LAPACK[1]。最后补充说明一点，在Ruby的标准库中也包含了专门处理矩阵计算问题的类库 —— matrix.rb。

3.2　热身：加减乘运算

虽说本章的主题是 LU 分解，但作为热身，我们先来试试加减乘的计算。另外，对于代码中用到的 1 维和 2 维数组，我们默认是已有定义的[2]。

向量和矩阵的运算，基本上全部采用 for 循环对每个分量（元素）进行操作。例如，向量求和的程序如下所示。

```
# 和 (将向量 b 加到向量 a 上:a←a+b)
def vector_add(a, b)          #  定义函数 (到 end 为止)
  a_dim = vector_size(a)      #  得到各向量的维数
```

① http://www.netlib.org/lapack/

② 因为根据语言的不同，声明和定义的方式大有不同，要是每种语言的情况都详加说明也没什么好处吧。

```
  b_dim = vector_size(b)
  if (a_dim != b_dim)          # 如果维数不相等 (到 end 为止)
    raise 'Size mismatch.'     # 返回错误
  end
  for i in 1..a_dim           # 循环 (到 end 为止): i = 1, 2, ⋯, a_dim
    a[i] = a[i] + b[i]         # 按分量相加
```

同样，在实现矩阵和向量的乘积时，我们要用到如下的二重循环。

```
# 将矩阵 a 和向量 v 的乘积存入向量 r
def matrix_vector_prod(a, v, r)
  # 取得矩阵规模和向量维数
  a_rows, a_cols = matrix_size(a)
  v_dim = vector_size(v)
  r_dim = vector_size(r)
  # 确认是否满足乘积的定义
  if (a_cols != v_dim or a_rows != r_dim
    raise 'Size mismatch.'
  end
  # 从这里开始进入正题
  for i in 1..a_rows          # 关于 a 的各行……
    # 将 a 与 v 的对应分量相乘后累加
    s = 0
    for k in 1..a_cols
      s = s + a[i,k] * v[k]
    end
    # 将结果存入 r
    r[i] = s
  end
end
```

矩阵之间的乘法就要用到三重循环了。可以预见到矩阵之间的乘积需要一定的计算量，要尽可能地避免大的矩阵之间的乘法（参考 1.2.13 节）。

```
  # 矩阵 a 和矩阵 b 的乘积存入矩阵 r
  def matrix_prod(a, b, r)
    # 得到矩阵的规模，并确认满足乘积的定义
    a_rows, a_cols = matrix_size(a)
    b_rows, b_cols = matrix_size(b)
    r_rows, r_cols = matrix_size(r)
    if (a_cols != b_rows or a_rows != r_rows or b_cols != r_cols)
      raise 'Size mismatch.'
    end
    # 从这里开始进入正题
    for i in 1..a_rows          # 关于 a 的各行、b 的各列……
    for j in 1..b_cols
      # 将 a 和 b 对应的元素相乘后累加
      s = 0
      for k in 1..a_cols
        s = s + a[i,k] * b[k,j]
      end
      # 将结果存入 r
      r[i,j] = s
    end
  end
end
```

? 3.1 不过是这个水平的计算，就算是实战中，自己写算法不也可以吗?

如果要追求运算速度或者说要处理巨大规模的矩阵，回答是否定的。还是要用专业的软件包。至于如何设计才是最优的，这与计算机的体系结构也有关系，所以还需要考虑与系统的搭配。

3.3 LU 分解

线性代数的入门级教科书中，极少有涉及 LU 分解的。实际上，在用计算机进行数值计算时，LU 分解不单是最常用的方法之一，还是众多算法的基础。

3.3.1 定义

给定矩阵 A，将 A 表示成下三角矩阵 L 和上三角矩阵 U 的乘积，称为 **LU 分解**①。也就是说，在如下（例如 A 是 5×5 矩阵）形式中，要准确快速地确定“■”位置的数值。

$$A = \begin{pmatrix} \blacksquare & 0 & 0 & 0 & 0 \\ \blacksquare & \blacksquare & 0 & 0 & 0 \\ \blacksquare & \blacksquare & \blacksquare & 0 & 0 \\ \blacksquare & \blacksquare & \blacksquare & \blacksquare & 0 \\ \blacksquare & \blacksquare & \blacksquare & \blacksquare & \blacksquare \end{pmatrix} \begin{pmatrix} \blacksquare & \blacksquare & \blacksquare & \blacksquare & \blacksquare \\ 0 & \blacksquare & \blacksquare & \blacksquare & \blacksquare \\ 0 & 0 & \blacksquare & \blacksquare & \blacksquare \\ 0 & 0 & 0 & \blacksquare & \blacksquare \\ 0 & 0 & 0 & 0 & \blacksquare \end{pmatrix} \equiv LU \tag{3.1}$$

进一步说，我们希望 L 的对角元素都是 1②，也就是如下形式。

$$A = \begin{pmatrix} 1 & 0 & 0 & 0 & 0 \\ \blacksquare & 1 & 0 & 0 & 0 \\ \blacksquare & \blacksquare & 1 & 0 & 0 \\ \blacksquare & \blacksquare & \blacksquare & 1 & 0 \\ \blacksquare & \blacksquare & \blacksquare & \blacksquare & 1 \end{pmatrix} \begin{pmatrix} \blacksquare & \blacksquare & \blacksquare & \blacksquare & \blacksquare \\ 0 & \blacksquare & \blacksquare & \blacksquare & \blacksquare \\ 0 & 0 & \blacksquare & \blacksquare & \blacksquare \\ 0 & 0 & 0 & \blacksquare & \blacksquare \\ 0 & 0 & 0 & 0 & \blacksquare \end{pmatrix} \equiv LU \tag{3.2}$$

① 也称为 **LR 分解**。

② 让 L 的对角元素是 1 只是习惯而已。同样可以把U的对角元素全部变成 1。顺便说一下，形如 $A = LDU$ 的 **LDU 分解**，本质上也是一样的（L 是下三角矩阵，D 是对角矩阵，U 是上三角矩阵，其中 L 和 U 的对角元素都是 1）。

对于非正方矩阵 B 和 C，我们希望得到以下形式。

$$B = \begin{pmatrix} 1 & 0 & 0 & 0 \\ \blacksquare & 1 & 0 & 0 \\ \blacksquare & \blacksquare & 1 & 0 \\ \blacksquare & \blacksquare & \blacksquare & 1 \\ \blacksquare & \blacksquare & \blacksquare & \blacksquare \\ \blacksquare & \blacksquare & \blacksquare & \blacksquare \\ \blacksquare & \blacksquare & \blacksquare & \blacksquare \end{pmatrix} \begin{pmatrix} \blacksquare & \blacksquare & \blacksquare & \blacksquare \\ 0 & \blacksquare & \blacksquare & \blacksquare \\ 0 & 0 & \blacksquare & \blacksquare \\ 0 & 0 & 0 & \blacksquare \end{pmatrix}$$

$$C = \begin{pmatrix} 1 & 0 & 0 & 0 \\ \blacksquare & 1 & 0 & 0 \\ \blacksquare & \blacksquare & 1 & 0 \\ \blacksquare & \blacksquare & \blacksquare & 1 \end{pmatrix} \begin{pmatrix} \blacksquare & \blacksquare & \blacksquare & \blacksquare & \blacksquare & \blacksquare \\ 0 & \blacksquare & \blacksquare & \blacksquare & \blacksquare & \blacksquare \\ 0 & 0 & \blacksquare & \blacksquare & \blacksquare & \blacksquare \\ 0 & 0 & 0 & \blacksquare & \blacksquare & \blacksquare \end{pmatrix}$$

举个例子，$\left(\begin{smallmatrix} 2 & 6 & 4 \\ 5 & 7 & 9 \end{smallmatrix}\right)$ 的 LU 分解如下所示。

$$\begin{pmatrix} 2 & 6 & 4 \\ 5 & 7 & 9 \end{pmatrix} = \begin{pmatrix} 1 & 0 \\ 2.5 & 1 \end{pmatrix} \begin{pmatrix} 2 & 6 & 4 \\ 0 & -8 & -1 \end{pmatrix}$$

如果不由分说就要分解成某种形式，想必大家也很难接受吧。也许马上就会有很多问题涌上心头，比如：

- 这样的分解能带来什么好处？
- 这样的分解真的可以做到吗？
- 分解时需要的计算量如何？

下面，我们就来依次解决这些疑问。

? 3.2 分解成 (3.1) 式还不够好吗？为什么需要 (3.2) 式？

其实要补全 (3.1) 式中所有未知的“■”也可以，只是暂时还没有这个必要。比如说，将下式中的“△”全部乘以 10，同时将“▽”全部乘以1/10，结果（根据矩阵乘积的计算法立刻可以得到）A 是不变的。

$$A = \begin{pmatrix} \blacksquare & 0 & 0 & 0 & 0 \\ \blacksquare & \triangle & 0 & 0 & 0 \\ \blacksquare & \triangle & \blacksquare & 0 & 0 \\ \blacksquare & \triangle & \blacksquare & \blacksquare & 0 \\ \blacksquare & \triangle & \blacksquare & \blacksquare & \blacksquare \end{pmatrix} \begin{pmatrix} \blacksquare & \blacksquare & \blacksquare & \blacksquare & \blacksquare \\ 0 & \triangledown & \triangledown & \triangledown & \triangledown \\ 0 & 0 & \blacksquare & \blacksquare & \blacksquare \\ 0 & 0 & 0 & \blacksquare & \blacksquare \\ 0 & 0 & 0 & 0 & \blacksquare \end{pmatrix}$$

所以，一旦得到形如 (3.1) 式的分解，我们就可以直接将其转换成 (3.2) 式的样子①。反之，如果一开始就决定要得到形如 (3.2) 式的分解，那么就可以直奔主题了②。也就是说，我们不必依次求出 (3.1) 式中所有 30 个“■”的值，而只需要得到 (3.2) 式中的 25 个“■”就足够了 (顺便说一下，这也是分解形式的唯一性带来的好处)。

3.3.2 分解能带来什么好处

一旦完成了 LU 分解，利用 L 和 U 的性质，再去求行列式的值或者解线性方程组，那就简单多了 (后面我们会给予展示)。这里说的“简单”，是指花费“更少的计算次数”。

正所谓“工欲善其事，必先利其器”，事前在分解上稍下工夫，之后便事半功倍！因此，LU 分解作为基本工具，在各种数值计算问题中被广泛应用。特别是当我们面对形形色色的 $\boldsymbol{b}$，一次次地求解线性方程组 $A\boldsymbol{x} = \boldsymbol{b}$ 时，只需要做一次 $A = LU$ 的分解，后面就可以反复使用 L 和 U 了。

3.3.3 LU 分解真的可以做到吗

乍一看似乎这样的分解令人难以置信，但是沉下心来想一想，要分解成 L 和 U 的乘积，确实是可行的。

下面我们以 4×5 矩阵为例，展示给大家看。我们的任务是什么呢? 是用合适的数值替换下式中的“■”，使得等式左边的乘积结果等于右边的矩阵。

$$\begin{pmatrix} 1 & 0 & 0 & 0 \\ \blacksquare & 1 & 0 & 0 \\ \blacksquare & \blacksquare & 1 & 0 \\ \blacksquare & \blacksquare & \blacksquare & 1 \end{pmatrix} \begin{pmatrix} \blacksquare & \blacksquare & \blacksquare & \blacksquare & \blacksquare \\ 0 & \blacksquare & \blacksquare & \blacksquare & \blacksquare \\ 0 & 0 & \blacksquare & \blacksquare & \blacksquare \\ 0 & 0 & 0 & \blacksquare & \blacksquare \end{pmatrix} = \begin{pmatrix} * & * & * & * & * \\ * & * & * & * & * \\ * & * & * & * & * \\ * & * & * & * & * \end{pmatrix}$$

首先，我们实际计算一下第一行看看。下式中的“赵”“周”“冯”“蒋”“朱”显然可以直接确定，答案就是 赵 = 笊，周 = 粥，冯 = 蜂，蒋 = 酱，朱 = 煮。

$$\begin{pmatrix} 1 & 0 & 0 & 0 \\ \blacksquare & 1 & 0 & 0 \\ \blacksquare & \blacksquare & 1 & 0 \\ \blacksquare & \blacksquare & \blacksquare & 1 \end{pmatrix} \begin{pmatrix} \boxed{\text{赵}} & \boxed{\text{周}} & \boxed{\text{冯}} & \boxed{\text{蒋}} & \boxed{\text{朱}} \\ 0 & \blacksquare & \blacksquare & \blacksquare & \blacksquare \\ 0 & 0 & \blacksquare & \blacksquare & \blacksquare \\ 0 & 0 & 0 & \blacksquare & \blacksquare \end{pmatrix} = \begin{pmatrix} \text{笊} & \text{粥} & \text{蜂} & \text{酱} & \text{煮} \\ * & * & * & * & * \\ * & * & * & * & * \\ * & * & * & * & * \end{pmatrix}$$

---

① 严格地说，对角元素中有 0 的情况除外。

② 数学上，当我们做什么假设的时候，一定要有根据。所谓假设，也就是限定了求解的范围，所以一定要首先确认在这个范围内解是存在的。如果不假思索地随便假设，可能会陷入“实际上有解，但由于乱做假设却找不到解”的窘境。

已知了“赵”，那么“钱”“孙”“李”也就可以知道了。因为“钱 × 赵 = 芡”“孙 × 赵 = 笄”“李 × 赵 = 梨”，所以有“钱 = 芡/赵”“孙 = 笄/赵”“李 = 梨/赵”。那么，第 1 行和第 1 列我们就完成了。

$$\begin{pmatrix} 1 & 0 & 0 & 0 \\ \boxed{\text{钱}} & 1 & 0 & 0 \\ \boxed{\text{孙}} & \blacksquare & 1 & 0 \\ \boxed{\text{李}} & \blacksquare & \blacksquare & 1 \end{pmatrix} \begin{pmatrix} \text{赵} & \text{周} & \text{冯} & \text{蒋} & \text{朱} \\ 0 & \blacksquare & \blacksquare & \blacksquare & \blacksquare \\ 0 & 0 & \blacksquare & \blacksquare & \blacksquare \\ 0 & 0 & 0 & \blacksquare & \blacksquare \end{pmatrix} = \begin{pmatrix} * & * & * & * & * \\ \text{芡} & * & * & * & * \\ \text{笄} & * & * & * & * \\ \text{梨} & * & * & * & * \end{pmatrix}$$

下面来求“吴”“陈”“沈”“秦”。因为“钱 × 周 + 吴 = 蜈”，所以我们可以得到“吴 = 蜈 − 钱 × 周”，其中“蜈”是预先给定的，“钱”“周”是我们已经求出来的。“陈”“沈”“秦”的求法也可以如法炮制，请读者自己试一试。

$$\begin{pmatrix} 1 & 0 & 0 & 0 \\ \text{钱} & 1 & 0 & 0 \\ \text{孙} & \blacksquare & 1 & 0 \\ \text{李} & \blacksquare & \blacksquare & 1 \end{pmatrix} \begin{pmatrix} \text{赵} & \text{周} & \text{冯} & \text{蒋} & \text{朱} \\ 0 & \boxed{\text{吴}} & \boxed{\text{陈}} & \boxed{\text{沈}} & \boxed{\text{秦}} \\ 0 & 0 & \blacksquare & \blacksquare & \blacksquare \\ 0 & 0 & 0 & \blacksquare & \blacksquare \end{pmatrix} = \begin{pmatrix} * & * & * & * & * \\ * & \text{蜈} & \text{抻} & \text{参} & \text{禽} \\ * & * & * & * & * \\ * & * & * & * & * \end{pmatrix}$$

接下来求“郑”“王”。在“孙 × 周 + 郑 × 吴 = 蒸”中，除了“郑”外都是已知的了，所以自然也就能求出“郑”来了。

$$\begin{pmatrix} 1 & 0 & 0 & 0 \\ \text{钱} & 1 & 0 & 0 \\ \text{孙} & \boxed{\text{郑}} & 1 & 0 \\ \text{李} & \boxed{\text{王}} & \blacksquare & 1 \end{pmatrix} \begin{pmatrix} \text{赵} & \text{周} & \text{冯} & \text{蒋} & \text{朱} \\ 0 & \text{吴} & \text{陈} & \text{沈} & \text{秦} \\ 0 & 0 & \blacksquare & \blacksquare & \blacksquare \\ 0 & 0 & 0 & \blacksquare & \blacksquare \end{pmatrix} = \begin{pmatrix} * & * & * & * & * \\ * & * & * & * & * \\ * & \text{蒸} & * & * & * \\ * & \text{网} & * & * & * \end{pmatrix}$$

像这样，按照第 1 行、第 1 列、第 2 行、第 2 列 …… 的顺序，根据前面求出来的值，顺藤摸瓜就能得到后面的。换句话说，只要按顺序来，很自然地就能依次得到所有“■”的值了（这时就算不写成方程组的形式也无所谓了）。

值得一提的是，上述说明其实是有点瑕疵的，发现了吗？在求“钱”“孙”“李”时，如果“赵”是 0 会如何[①]？

碰上这种不走运的情况，确实没办法顺利分解成 $A = LU$ 了。因为实在没办法，所以我们会对 LU 的样子稍做改变再进行分解，详见 3.8 节。

总而言之，对于大部分 A 而言，形如 $A = LU$ 的分解都是可以做到的，于是我们暂且先讨论这种“一般的”情况。

① 同样地，求“郑”“王”时，若“吴”是 0 也有同样的问题。

3.3.4 LU 分解的运算量如何

对矩阵 A 进行 LU 分解时，需要进行多少次加减乘除运算呢? 我们来数一数。为了简单起见，假设 A 为 n 阶方阵。读者读到后面也会发现，在实际应用中，LU 分解的对象也主要是方阵。

首先，把矩阵写成元素的形式，如 $A = (a_{ij}), L = (l_{ij}), U = (u_{ij})$[1]。请回忆一下刚才我们是怎么做的。由

$$l_{i1}u_{1j} + \cdots + l_{i,(i-1)}u_{(i-1),j} + u_{ij} = a_{ij} \tag{3.3}$$

可以得到（满足 $i \leqslant j$ 的）u_{ij} 的值。

$$u_{ij} = a_{ij} - l_{i1}u_{1j} - \cdots - l_{i,(i-1)}u_{(i-1),j} \tag{3.4}$$

注意 $l_{ii} = 1$。运算次数为：乘法 $(i-1)$ 次，减法 $(i-1)$ 次。另外，（满足 $i > j$ 的）l_{ij} 的值可以通过

$$l_{i1}u_{1j} + \cdots + l_{i,(j-1)}u_{(j-1),j} + l_{ij}u_{jj} = a_{ij}$$

得到，即

$$l_{ij} = (a_{ij} - l_{i1}u_{1j} - \cdots - l_{i,(j-1)}u_{(j-1),j})/u_{jj}$$

运算次数为：乘法 j 次，减法 $(j-1)$ 次。括号里的运算完成之后，对于每个 j，各进行除法运算 1 次[2]。

为了便于理解，我们以 4 阶方阵为例，把计算 L 和 U 的每个元素所需要的运算次数写在矩阵的对应位置上，如下所示。

$$\text{除法次数：}\begin{pmatrix} & & & \\ 1 & & & \\ 0 & 1 & & \\ 0 & 0 & 1 & \end{pmatrix}\begin{pmatrix} 0 & 0 & 0 & 0 \\ & 0 & 0 & 0 \\ & & 0 & 0 \\ & & & 0 \end{pmatrix}$$

$$\text{乘法次数：}\begin{pmatrix} & & & \\ 1 & & & \\ 1 & 2 & & \\ 1 & 2 & 3 & \end{pmatrix}\begin{pmatrix} 0 & 0 & 0 & 0 \\ & 1 & 1 & 1 \\ & & 2 & 2 \\ & & & 3 \end{pmatrix}$$

---

① 根据 L 和 U 的定义可知，若 $i < j$ 则 $l_{ij} = 0$，若 $i = j$ 则 $l_{ij} = 1$，若 $i > j$ 则 $u_{ij} = 0$。简单来说就是需要求 $l_{\text{大小}}, u_{\text{小大}}$。

② 如果先计算 $1/u_{jj}$ 并存储结果，之后的除法运算就可以直接视为乘以 $1/u_{jj}$。一般来讲，除法比乘法需要的运算更多，所以我们才做这样的处理。

$$
\text{减法次数：}\begin{pmatrix} & & & \\ 0 & & & \\ 0 & 1 & & \\ 0 & 1 & 2 & \end{pmatrix}\begin{pmatrix} 0 & 0 & 0 & 0 \\ & 1 & 1 & 1 \\ & & 2 & 2 \\ & & & 3 \end{pmatrix} \tag{3.5}
$$

把上面的次数合计一下，可以得到下表。

表 3.1　对 n 阶方阵进行 LU 分解需要的运算次数 (当 n 很大时的概数)

除法	n
乘法	$n^3/3$
减法	$n^3/3$

顺便可以与 2.2 节中提过的方法比较一下，如下所示①。

表 3.2　当方阵为 n 阶时的运算次数 (当 n 很大时的概数)

	用消元法解线性方程组	用 Gauss-Jordan 法解线性方程组	矩阵求逆
除法	n	n	n
乘法	$n^3/3$	$n^3/2$	n^3
减法	$n^3/3$	$n^3/2$	n^3

可以看出，LU 分解的运算次数不会超过上面那些计算。实际上，即使我们把

- LU 分解的运算次数
- 用得到的 L 和 U 去解线性方程组（或者求逆矩阵）的运算次数

这两者合计起来，与上面的原始方法比较，也不会更差。

? 3.3 仅仅进行 LU 分解，就和消元法的计算次数一样了，再用 L 和 U 去解一次线性方程组，怎么会不差呢?

因为用 L 和 U 去解线性方程组会非常轻松，和 LU 分解所需的运算次数相比，也就是个零头而已。上表中列出来的运算次数，对这种零头是忽略不计的。

① 除法运算也与上一个脚注进行同样的处理。

? 3.4 LU 分解需要的运算次数具体是经过什么样的计算求出来的呢？

除法次数一目了然，所以剩下就是减法和乘法的问题了。比如，(3.5) 式中，我们把非空白部分写在一起，如下所示。

$$\begin{pmatrix} 0 & 0 & 0 & 0 \\ 0 & 1 & 1 & 1 \\ 0 & 1 & 2 & 2 \\ 0 & 1 & 2 & 3 \end{pmatrix}$$

这就好比我们有一堆方块积木，现在开始往上面的表格上堆。写有 1 的地方放1块，写有 2 的地方放2块，以此类推。堆放的积木总块数也就是我们要求的运算次数。

在阶比较小的情况下，我们去一个一个地数也未尝不可。但是我们现在关心的是 n 很大的情况，这时那些零头不计也罢了。于是，把凹凸不平的积木的边缘看作是直线，所堆放的积木的体积就可以近似为图 3.1 所示的四棱锥的体积。

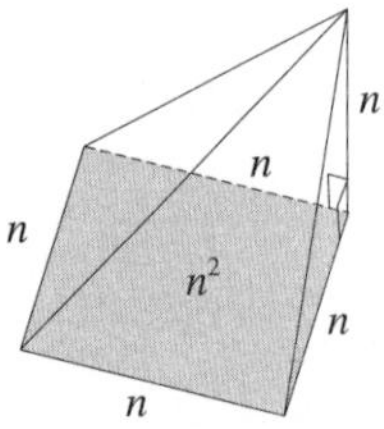

图 3.1 这个四棱锥的体积就是运算次数

由公式可得，体积等于 (底面积 $n^2 \times$ 高 n)/3 $= n^3/3$。这样我们就得到了表中的 $n^3/3$。

3.4 LU 分解的步骤（1）一般情况

我们把上一节中讲解的 LU 分解的步骤总结一下，用形式化的数学语言表达出来。

对于 $m \times n$ 矩阵 $A = (a_{ij})$，令 $s = \min(m, n)$①，考虑形如 $A = LU$ 的 LU 分解（其中，L 为 $m \times s$ 阶的下三角矩阵，U 为 $s \times n$ 阶的上三角矩阵）。为了增强中间计算过程的可读性，

① 令 s 等于 m 和 n 中较小的一个。若 $m \leqslant n$ 则 $s = n$，若 $m > n$ 则 $s = n$。如果每次都把 A 为“矮矩阵”和“长矩阵”两种情况写出来的话，就太麻烦了，所以才希望能够统一讨论。如果觉得理解起来有困难，在阅读时暂且可以认为 $m = n = s$。

我们将矩阵按每行（每列）进行分块，如下所示。

$$L = (\boldsymbol{l}_1, \cdots, \boldsymbol{l}_s), \qquad U = \begin{pmatrix} \boldsymbol{u}_1^T \\ \vdots \\ \boldsymbol{u}_s^T \end{pmatrix} \tag{3.6}$$

有了这样的分块，就可以表示成下面这样[①]。

$$A = \boldsymbol{l}_1 \boldsymbol{u}_1^T + \cdots + \boldsymbol{l}_s \boldsymbol{u}_s^T \tag{3.7}$$

首先，对于 $A \equiv A(1) = (a_{ij}(1))$，令

$$\boldsymbol{l}_1 = \frac{1}{a_{11}(1)} \begin{pmatrix} a_{11}(1) \\ \vdots \\ a_{m1}(1) \end{pmatrix}, \qquad \boldsymbol{u}_1^T = (a_{11}(1), \cdots, a_{1n}(1)) \tag{3.8}$$

$$\text{则 } A(1) - \boldsymbol{l}_1 \boldsymbol{u}_1^T = \left(\begin{array}{c|ccc} 0 & 0 & \cdots & 0 \\ \hline 0 & & & \\ \vdots & & A(2) & \\ 0 & & & \end{array}\right), \text{即 } A = \boldsymbol{l}_1 \boldsymbol{u}_1^T + \left(\begin{array}{c|ccc} 0 & 0 & \cdots & 0 \\ \hline 0 & & & \\ \vdots & & A(2) & \\ 0 & & & \end{array}\right) \tag{3.9}$$

像这样，剩下的“零头”矩阵的第 1 行和第 1 列就都变成了 0。将非 0 部分的区块命名为 $A(2)$。具体计算 $A(2)$ 的过程也无非就是求 $A - \boldsymbol{l}_1 \boldsymbol{u}_1^T$。这样一来，对于规模小了 1 阶的 $A(2) = (a_{ij}(2))$，同样令

$$\boldsymbol{l}(2) = \frac{1}{a_{11}(2)} \begin{pmatrix} a_{11}(2) \\ \vdots \\ a_{m'1}(2) \end{pmatrix}, \qquad \boldsymbol{u}(2)^T = (a_{11}(2), \cdots, a_{1n'}(2))$$

其中 $m' = m - 1, n' = n - 1$，可得

$$A(2) - \boldsymbol{l}(2)\boldsymbol{u}(2)^T = \left(\begin{array}{c|ccc} 0 & 0 & \cdots & 0 \\ \hline 0 & & & \\ \vdots & & A(3) & \\ 0 & & & \end{array}\right),$$

$$\text{即} \quad A(2) = \boldsymbol{l}(2)\boldsymbol{u}(2)^T + \left(\begin{array}{c|ccc} 0 & 0 & \cdots & 0 \\ \hline 0 & & & \\ \vdots & & A(3) & \\ 0 & & & \end{array}\right),$$

---

① 不明白的读者请参考 1.2.9 节“分块矩阵”的内容。

这里的“零头”矩阵的第 1 行和第 1 列又变成了 0。这时我们把省略掉的 0 加回到每行和每列的最前面，恢复到原矩阵的规模，如下所示。

$$\boldsymbol{l}_2 = \left(\begin{array}{c} 0 \\ \hline \\ \boldsymbol{l}(2) \\ \\ \end{array}\right), \qquad \boldsymbol{u}_2^T = (0,\ \boldsymbol{u}(2)^T\ )$$

可得

$$\left(\begin{array}{c|ccc} 0 & 0 & \cdots\quad\cdots & 0 \\ \hline 0 & & & \\ \vdots & & A(2) & \\ \vdots & & & \\ 0 & & & \end{array}\right) = \boldsymbol{l}_2\boldsymbol{u}_2^T + \left(\begin{array}{cc|ccc} 0 & 0 & 0 & \cdots & 0 \\ 0 & 0 & 0 & \cdots & 0 \\ \hline 0 & 0 & & & \\ \vdots & \vdots & & A(3) & \\ 0 & 0 & & & \end{array}\right)$$

进一步可以写成

$$A = \boldsymbol{l}_1\boldsymbol{u}_1^T + \boldsymbol{l}_2\boldsymbol{u}_2^T + \left(\begin{array}{cc|ccc} 0 & 0 & 0 & \cdots & 0 \\ 0 & 0 & 0 & \cdots & 0 \\ \hline 0 & 0 & & & \\ \vdots & \vdots & & A(3) & \\ 0 & 0 & & & \end{array}\right) \tag{3.10}$$

如果还不放心的话，我们再来降 1 阶。对于规模小了 2 阶的 $A(3) = (a_{ij}(3))$，若令

$$\boldsymbol{l}(3) = \frac{1}{a_{11}(3)}\begin{pmatrix} a_{11}(3) \\ \vdots \\ a_{m''1}(3) \end{pmatrix}, \qquad \boldsymbol{u}(3)^T = (a_{11}(3), \cdots, a_{1n''}(3))$$

$$\boldsymbol{l}_3 = \left(\begin{array}{c} 0 \\ 0 \\ \hline \\ \boldsymbol{l}(3) \\ \\ \end{array}\right), \qquad \boldsymbol{u}_3^T = (0, 0,\ \boldsymbol{u}(3)^T\ )$$

其中 $m'' = m-2, n'' = n-2$，可以得到

$$A = \boldsymbol{l}_1\boldsymbol{u}_1^T + \boldsymbol{l}_2\boldsymbol{u}_2^T + \boldsymbol{l}_3\boldsymbol{u}_3^T + \left(\begin{array}{ccc|ccc} 0 & 0 & 0 & 0 & \cdots & 0 \\ 0 & 0 & 0 & 0 & \cdots & 0 \\ 0 & 0 & 0 & 0 & \cdots & 0 \\ \hline 0 & 0 & 0 & & & \\ \vdots & \vdots & \vdots & & A(4) & \\ 0 & 0 & 0 & & & \end{array}\right)$$

上式中的区块 $A(4)$ 的规模进一步缩小了，已经比最开始的矩阵 A 缩小了 3 阶。依此类推，一直进行到第 s 步，可以得到

$$A = \boldsymbol{l}_1\boldsymbol{u}_1^T + \cdots + \boldsymbol{l}_s\boldsymbol{u}_s^T + O$$

最终右下角的“零头”矩阵变成零矩阵，和 (3.7) 式的形式契合。然后将众 $\boldsymbol{l}_i$ 和众 $\boldsymbol{u}_i^T$ 按照 (3.6) 式的样子分别拼接成 L 和 U，LU 分解就完成了。

值得一提的是，如果在上面的计算过程中出现了除数为 0 的情况就麻烦了。对于这种不利情况，我们将在 3.8 节中加以说明。

? 3.5 原来如此。要是写成代码的话，LU 分解简直就是小菜一碟嘛。

非也。需要注意的地方还有不少呢。

- 如果把 L 和 U 分别作为单独的矩阵来存储，那会既费时费力又浪费内存。0 元素和对角线上的 1 元素，完全没有存储的必要。其实只要按照下面的方式把两个矩阵拼接为一个矩阵来存储就够了

$$\begin{pmatrix} 1 & & & \\ \square & 1 & & \\ \square & \square & 1 & \\ \square & \square & \square & 1 \end{pmatrix} \begin{pmatrix} \blacksquare & \blacksquare & \blacksquare & \blacksquare & \blacksquare \\ & \blacksquare & \blacksquare & \blacksquare & \blacksquare \\ & & \blacksquare & \blacksquare & \blacksquare \\ & & & \blacksquare & \blacksquare \end{pmatrix} \to \begin{pmatrix} \blacksquare & \blacksquare & \blacksquare & \blacksquare & \blacksquare \\ \square & \blacksquare & \blacksquare & \blacksquare & \blacksquare \\ \square & \square & \blacksquare & \blacksquare & \blacksquare \\ \square & \square & \square & \blacksquare & \blacksquare \end{pmatrix}$$

- 用 L 和 U 拼起来的矩阵和分解前的矩阵 A 具有完全相同的大小。注意到这一点之后，甚至不用另外准备空间来存储分解结果，而是在 A 本身的存储空间上覆盖就可以了 (关于令对角元素为 1 的好处，请参考 ? 3.2)

以下代码就是用上面提到的两点实现 LU 分解的。

```
# LU 分解 (没有“选主元”)
# 分解结果用原变量 mat 存储，左下部分为 L，右上部分为 U
```

```
def lu_decomp(mat)
  rows, cols = matrix_size(mat)
# 令 s 为行数 (rows) 和列数 (cols) 中较小的一个
  if (rows < cols)
    s = rows
  else
    s = cols
  end
# 从这里开始进入正题
  for k in 1..s                   # (a)
    x = 1.0 / mat[k,k]            # (b)
    for i in (k+1)..rows
      mat[i,k] = mat[i,k] * x     # (c)
    end
    for i in (k+1)..rows          # (d)
      for j in (k+1)..cols
        mat[i,j] = mat[i,j] - mat[i,k] * mat[k,j]
      end
    end
  end
end
```

(a) 阶段的 mat 如下所示 (u、l 分别为 U、L 的完成部分，r 为剩余部分)。

```
u u u u u u
l u u u u u
l l r r r r ← 第 k 行
l l r r r r
l l r r r r
```

这时 U 的第 k 行还未完成，不需要对这部分做任何操作。

(c) 这一行所进行的处理是计算 L 的第 k 列。这里为了减少除法运算次数，用到了一个小技巧 (没有写 mat[i,k] / mat[k,k]，而是用 mat[i,k]=mat[i,k] * x)。因为一般来讲除法运算会更费时。

接下来，在 (d) 中对剩余部分进行更新。

另外我们说过，如果原模原样地用上面的程序的话，某些矩阵的情况下可能会出现除零错误 (若为 0，在 (b) 时就会出现除零错误)。关于这类问题的处理办法，我们将在 3.8 节中加以说明。

3.5 利用 LU 分解求行列式值

对于方阵 A，若已经有形如 $A = LU$ (L 为下三角，U 为上三角，两者都是方阵) 的 LU 分解，则立即可以得到行列式值 $\det A$。不能立即反应出来的读者请复习 1.3.2 节中讲解的行列式的性质。

首先，已知积的行列式等于行列式的积，即

$$\det A = \det(LU) = (\det L)(\det U) \tag{3.11}$$

于是只需要求出 $\det L$ 和 $\det U$ 即可。而下三角矩阵和上三角矩阵的行列式就是对角元素的乘积。这里 $\det L$ 恰好等于 1，于是

$$\det A = (U \text{ 的对角元素的乘积}) \tag{3.12}$$

用代码写出来，如下所示。

```
# 行列式（原来存储的矩阵的变量会被破坏掉）
def det(mat)
  # 确认矩阵为方阵
  rows, cols = matrix_size(mat)
  if (rows != cols)
    raise 'Not square.'
  end
  # 从这里开始进入正题。进行 LU 分解……
  lu_decomp(mat)
  # 返回 U 的对角元素的乘积
  x = 1
  for i in 1..rows
    x = x * mat[i,i]
  end
  return x
end
```

3.6 利用 LU 分解求解线性方程组

■ 基本原理

我们考虑一下 2.2 节中提到的“良性问题”对应的线性方程组。也就是说，给定 n 阶方阵 A 和 n 维向量 $\boldsymbol{y}$，要求出满足 $A\boldsymbol{x} = \boldsymbol{y}$ 的向量 $\boldsymbol{x}$。

这里如果将 A 进行 LU 分解，记为 $A = LU$，则解方程的问题可以分为两个步骤。把等式 $LU\boldsymbol{x} = \boldsymbol{y}$ 翻译一下，就是先对 $\boldsymbol{x}$ 乘以 U，在此基础上再乘以 L，所得结果为 $\boldsymbol{y}$。

$$\boldsymbol{y} \overset{L}{\longleftarrow} \boldsymbol{z} \overset{U}{\longleftarrow} \boldsymbol{x}$$

这样的 $\boldsymbol{x}$ 可以通过以下两个步骤得到。

1. 求出满足 $L\boldsymbol{z} = \boldsymbol{y}$ 的 $\boldsymbol{z}$
2. 求出满足 $U\boldsymbol{x} = \boldsymbol{z}$ 的 $\boldsymbol{x}$

正如我们希望的一样，求得的 $\boldsymbol{x}$ 满足

$$A\boldsymbol{x} = LU\boldsymbol{x} = L(U\boldsymbol{x}) = L\boldsymbol{z} = \boldsymbol{y}$$

■ 解法

分解之后有什么好处呢? 乍一看变成了求解和原来同规模的两个方程的问题。

事实上, 由于 L 和 U 都是具有特殊形式的矩阵, 因此求解 $L\boldsymbol{z}=\boldsymbol{y}$ 和 $U\boldsymbol{x}=\boldsymbol{z}$ 也比求解一般的 $A\boldsymbol{x}=\boldsymbol{y}$ 要简单得多。实际上, 若有

$$\begin{pmatrix} 1 & & & \\ \text{钱} & 1 & & \\ \text{孙} & \text{郑} & 1 & \\ \text{李} & \text{王} & \text{卫} & 1 \end{pmatrix}\begin{pmatrix} z_1 \\ z_2 \\ z_3 \\ z_4 \end{pmatrix}=\begin{pmatrix} \text{子} \\ \text{丑} \\ \text{寅} \\ \text{卯} \end{pmatrix} \qquad \text{空白处为 } 0$$

则

$$\begin{array}{rcrcrcrcl} & z_1 & & & & & & = & \text{子} \\ \text{钱}\, z_1 & + & z_2 & & & & & = & \text{丑} \\ \text{孙}\, z_1 & + & \text{郑}\, z_2 & + & z_3 & & & = & \text{寅} \\ \text{李}\, z_1 & + & \text{王}\, z_2 & + & \text{卫}\, z_3 & + & z_4 & = & \text{卯} \end{array}$$

由第 1 式可以直接得到 $z_1=$ 子。接着代入第 2 式, 可以求得 z_2。然后把这些结果代入第 3 式, 可得 z_3。最后代入第 4 式, 得到 z_4。上三角矩阵也是一样, 比如对于

$$\begin{pmatrix} 3 & 8 & 1 & -3 \\ & 7 & 3 & -1 \\ & & 2 & -2 \\ & & & 5 \end{pmatrix}\begin{pmatrix} x_1 \\ x_2 \\ x_3 \\ x_4 \end{pmatrix}=\begin{pmatrix} -1 \\ 3 \\ 4 \\ 10 \end{pmatrix} \qquad \text{空白处为 } 0$$

- 由最后一式 $5x_4=10$ 可得 $x_4=2$
- 将所得结果代入第 3 式, 由 $2x_3-2\cdot 2=4$ 可得 $x_3=4$
- 将所得结果代入第 2 式, 由 $7x_2+3\cdot 4-1\cdot 2=3$ 可得 $x_2=-1$
- 将所得结果代入第 1 式, 由 $3x_1+8\cdot(-1)+1\cdot 4-3\cdot 2=-1$ 可得 $x_1=3$

依照以上顺序, 可得方程的解 (核心思想和 2.2.2 节中的消元法的逐项代回步骤相同)。

■ 运算量

下面让我们考虑上例的一般情况, 估算运算次数。给定 $n\times n$ 阶上三角矩阵 U 和 n 维向量 $\boldsymbol{z}$, 在求满足 $U\boldsymbol{x}=\boldsymbol{z}$ 的 $\boldsymbol{x}$ 的过程中, 为了求出倒数第 k 个未知变量, 需要 $k-1$ 次减法运算, $k-1$ 次乘法运算和 1 次除法运算 $(k=1,\cdots,n)$。将求解所有变量需要的运算次数累加, 可知求 $\boldsymbol{x}$ 需要的总计算次数为减法 $n^2/2$ 次+乘法 $n^2/2$ 次 + 除法 n 次。求解 $L\boldsymbol{z}=\boldsymbol{y}$ 的过程也大体相同。当 n 很大时, 相比消元法以及 LU 分解, 计算次数可以说是很小的 (n^3 永远比 n^2 大)。

表 3.3 对 n 阶方阵进行计算时所需的运算次数 (n 很大时的概数)

	消元法	Gauss-Jordan 法 ($A\boldsymbol{x}=\boldsymbol{y}$)	LU 分解	解 $L\boldsymbol{z}=\boldsymbol{y}$	解 $U\boldsymbol{x}=\boldsymbol{z}$
除法	n	n	n	0	n
乘法	$n^3/3$	$n^3/2$	$n^3/3$	$n^2/2$	$n^2/2$
减法	$n^3/3$	$n^3/2$	$n^3/3$	$n^2/2$	$n^2/2$

特别是当需要解很多 A 相同而 $\boldsymbol{y}$ 不同的方程组 $A\boldsymbol{x}=\boldsymbol{y}$ 时，事先进行 LU 分解会带来非常大的优势。

■ 源代码

上述流程的代码实现如下所示。与 ?3.5 中所描述的一样，用同一个矩阵的空间来存储分解的结果 L 和 U。

```
# 解方程 Ax=y (A: 方阵, y: 向量)
# 解的过程中 A 会被破坏, 解保存在y中.
def sol(a, y)
  # 省略判断矩阵规模的步骤

  lu_decomp(a)          # 首先进行LU分解
  sol_lu(a, y)          # 封装, 交给后面了
end

# (接上) 解方程 LUx=y. 解保存在 y 中.
def sol_lu(lu, y)
  n = vector_size(y)    # 得到 y 的维数
  sol_l(lu, y, n)       # 解 Lz=y, 解 z 保存在 y 中.
  sol_u(lu, y, n)       # 解 Ux=y (y 中存储的是 z 的值), 解 x 保存在 y 中.
end

# (接上) 解 Lz=y. 解 z 保存在 y 中. n 为 y 的维数.
def sol_l(lu, y, n)

  for i in 1..n
    # 计算 z[i]=y[i]-L[i,1]z[1]-…-L[i,i-1]z[i-1]
    # 将已求出的解 z[1],…,z[i-1] 全部保存入 y[1],…,y[i-1]

    for j in 1..(i-1)
      y[i] = y[i] - lu[i,j] * y[j]      # 实际为 y[i]-L[i,j]*z[j]
    end
  end
end

# (接上) 解 Ux=y. 解 x 保存入 y. n 为 y 的维数
def sol_u(lu, y, n)
  # 按照 i = n, n-1,…, 1 的逆序进行处理
```

```
    for k in 0..(n-1)
      i = n - k
      # 计算 x[i]=(y[i]-U[i,i+1]x[i+1]-⋯-U[i,n]x[n])/U[i,i]
      # 将已求出的解 x[i+1],⋯,x[n] 全部保存入 y[i+1],⋯,y[n]

      for j in (i+1)..n
        y[i] = y[i] - lu[i,j] * y[j]      # 实际为 y[i]-U[i,j]*x[j]
      end
      y[i] = y[i] / lu[i,i]
    end
  end
```

? 3.6 这里和 2.2.2 节中的笔算法有什么区别?

这里的做法本质上和 2.2.2 节中的消元法是一样的。用分块矩阵表示消元法的前半（变量消除完成之前）就是对 $(A|\boldsymbol{y})$ 进行初等行变换，使其变成 $(U|\boldsymbol{z})$ 的形式，其中 U 为上三角矩阵①。在当时讲的是，为了使得 U 的对角元素都变成 1，需要时会随时对某一行乘以 c。如果不进行这种操作，而仅仅是采用"将某行的 c 倍加其他行"的做法，同样可以得到上三角的 $(U|\boldsymbol{z})$②。

请注意，矩阵的初等变换是可以用矩阵乘法来表示的。我们这里用到的变换矩阵全部都是 $R_{i,j}(c)$ 型的。并且其代表性的操作全部都是把上面的行的 c 倍加到下面的行上。换句话说，就是对 A 逐个乘以具有

- $R_{i,j}(c)$ 是下三角矩阵
- $R_{i,j}(c)$ 的对角元素全部为 1

这两条性质（暂且称之为"性质 L"）的 $R_{i,j}(c)$，就可以变形成上三角矩阵 U。

$$（具有性质L的矩阵\ R_{i,j}(c)\ 的乘积）A = U$$

于是可以推导出

$$A = （具有性质\ L\ 的矩阵\ R_{i,j}(c)\ 的逆矩阵\ R_{i,j}(c)^{-1}\ 的乘积）U$$

其中，以下两点可以很容易地得到确认。

- 若 $R_{i,j}(c)$ 具有性质 L，则 $R_{i,j}(c)^{-1} = R_{i,j}(1/c)$ 也具有性质 L
- 具有性质 L 的矩阵的乘积，同样具有性质 L

① 选主元的问题在 3.8节之前暂时搁置不谈。

② 如果不限定 U 的对角元素为 1 的话。做法和当时讲的一样，逐列进行消除即可。如果觉得这种做法难以理解的话，可以这样认为：把 A 换成 A^T 进行 LU 分解，然后把结果进行转置。

因此可以得到以下分解。

$$A = (\text{具有性质 L 的矩阵})\, U \equiv LU$$

而这恰恰不是别的，正是 LU 分解。

在消元法中，这里的矩阵 L 并没有给出，而是在一步步地直接进行计算（即解 $L\boldsymbol{z} = \boldsymbol{y}$）。

? 3.7 一开头就在强调数值计算有多深奥，现在看来也不过如此嘛。

就算是把讨论范围限制在解线性方程组的问题之内，内容也远不止这些呢。比如，可以将求出的解作为“初始值”，从头再来进行计算，从而得到精确度更高的“迭代改进”方法。而这里说的“迭代”（即选取合适的初始值，在此基础上反复进行某些操作，从而使得每一次得到的解向着精确解的方向收敛）需要用到本书以外的数学知识。本书中只是抓住重点进行介绍，这些扩展的内容就交给专业书籍了。

3.7 利用 LU 分解求逆矩阵

如果线性方程组可以解了，按说逆矩阵也就可以求了。记 n 阶方阵 A 的逆矩阵为 X。将 $X = (\boldsymbol{x}_1, \cdots, \boldsymbol{x}_n)$ 按列分块，则 $AX = I$ 可以写成

$$A(\boldsymbol{x}_1, \cdots, \boldsymbol{x}_n) = (\boldsymbol{e}_1, \cdots, \boldsymbol{e}_n) \tag{3.13}$$

$\boldsymbol{e}_i$ 表示第 i 分量为 1、其他分量都是 0 的向量。按分量展开写，就是

$$A\boldsymbol{x}_1 = \boldsymbol{e}_1, \quad \cdots, \quad A\boldsymbol{x}_n = \boldsymbol{e}_n \tag{3.14}$$

其中每一个等式都对应了一个解线性方程的问题。如果事先对 A 进行了 LU 分解，那么就可以快速地解 $A\boldsymbol{x} = \boldsymbol{b}$ 了。由于现在需要做的仅仅是处理 $A\boldsymbol{x}_1 = \boldsymbol{e}_1$ 到 $A\boldsymbol{x}_n = \boldsymbol{e}_n$ 的方程，而它们的左边完全相同，不同的仅仅是右边而已。因此，只需要做一次 LU 分解，之后解方程时便一劳永逸。这便是 LU 分解带来的好处。通过计算得到 $\boldsymbol{x}_1, \cdots, \boldsymbol{x}_n$ 后，结合起来就可以得到 $A^{-1} = X = (\boldsymbol{x}_1, \cdots, \boldsymbol{x}_n)$ 了。

话又说回来，真的需要求 A^{-1} 吗？在实际应用中并非如此。往往需要的只是对于给定的向量 $\boldsymbol{y}$，求 $A^{-1}\boldsymbol{y}$ 的值。在这种情况下，不会先去求 A^{-1} 然后乘到 $\boldsymbol{y}$ 上，而是直接去解方程 $A\boldsymbol{x} = \boldsymbol{y}$。从运算量和精度控制（避免累积误差）的角度来讲，后者都是更好的。

综上，一来我们希望尽可能地避免去求逆矩阵，二来因为涉及不同编程语言的特性，代码可读性不高，所以这里就不提供代码了。

3.8 LU 分解的步骤（2）意外发生的情况

3.8.1 需要整理顺序的情况

3.4 节中对 LU 分解步骤的讨论都是在一个前提下进行的，那就是计算途中不会掉入出错（除 0）的陷阱。虽然大部分情况是可以处理了，但是对于一部分矩阵 A，确实会出现计算中途遇险的状况。具体来说，如果 3.4 节中介绍的步骤中出现的矩阵 $A(k)$ 的 (1,1) 元素 $a_{11}(k)$ 是 0，就无法计算 $1/a_{11}(k)$ 了 $(k=1,\cdots,s)$。这样运气不好的时候，$A=LU$ 的分解就不能顺利进行了。

下面就从理论和实现两个方面来说说如何应对这类情况。

■ 理论

要克服这个困难，我们就需要在计算行列式（参考 1.3.4 节）以及求解线性方程组（参考 2.2.2 节）的过程中用到的选主元的方法。这里采用和 3.4 节中相同的记号。比如，假设进行到 (3.10) 式之前，$A(3)=(a_{ij}(3))$ 的左上角元素 $a_{11}(3)$ 变成了 0。这样的话，就需要在同一列的下面寻找非 0 的元素，找到之后与该行整体进行交换（A 是 6 阶方阵的例子）。

$$A=\boldsymbol{l}_1\boldsymbol{u}_1^T+\boldsymbol{l}_2\boldsymbol{u}_2^T+\left(\begin{array}{cc||cccc} 0 & 0 & 0 & 0 & 0 & 0\\ 0 & 0 & 0 & 0 & 0 & 0\\ \hline\hline 0 & 0 & \boxed{\mathit{0}} & \text{周} & \text{冯} & \text{蒋}\\ \hline 0 & 0 & \boxed{\text{钱}} & \text{吴} & \text{陈} & \text{沈}\\ \hline 0 & 0 & \boxed{\text{孙}} & \text{郑} & \text{褚} & \text{韩}\\ \hline 0 & 0 & \boxed{\text{李}} & \text{王} & \text{卫} & \text{杨} \end{array}\right) \tag{3.15}$$

例如，假设和 $\boxed{\text{孙}}$ 行进行交换。从大局考虑，因为 $A,\boldsymbol{l}_1,\boldsymbol{l}_2$ 也受到了牵连，所以需要一同进行行交换。将交换后得到的矩阵用带有撇号的字母表示。

$$A'=\boldsymbol{l}_1'\boldsymbol{u}_1^T+\boldsymbol{l}_2'\boldsymbol{u}_2^T+\left(\begin{array}{cc||cccc} 0 & 0 & 0 & 0 & 0 & 0\\ 0 & 0 & 0 & 0 & 0 & 0\\ \hline\hline 0 & 0 & \boxed{\text{孙}} & \text{郑} & \text{褚} & \text{韩}\\ \hline 0 & 0 & \text{钱} & \text{吴} & \text{陈} & \text{沈}\\ \hline 0 & 0 & \boxed{\mathit{0}} & \text{周} & \text{冯} & \text{蒋}\\ \hline 0 & 0 & \text{李} & \text{王} & \text{卫} & \text{杨} \end{array}\right) \tag{3.16}$$

因为这里对整个矩阵的第 3 行和第 5 行进行了交换，用 2.2.4 节中初等变换的记法来解释，就是在（3.15）式的两边同时左乘 $S_{3,5}$，得到（3.16）式，即 $A' = S_{3,5}A$。做完这一切之后，依然回到正常的步骤进行计算，一直到顺利完成 LU 分解的全部过程。结果得到 $A' = LU$ 的分解。于是 $A = S_{3,5}LU$（因为 $S_{3,5}^2 = I$，所以 $S_{3,5}^{-1} = S_{3,5}$）。

更一般的情况下，因为有可能进行多次选主元操作，所以有如下形式。

$$A = PLU$$

$$P = S_{*,*}S_{*,*}\cdots S_{*,*}$$

举例说明，假设矩阵 P 是下面这个样子的，

$$P = \begin{pmatrix} 0 & 0 & 1 & 0 & 0 & 0 \\ 1 & 0 & 0 & 0 & 0 & 0 \\ 0 & 0 & 0 & 1 & 0 & 0 \\ 0 & 0 & 0 & 0 & 1 & 0 \\ 0 & 1 & 0 & 0 & 0 & 0 \\ 0 & 0 & 0 & 0 & 0 & 1 \end{pmatrix}$$

矩阵 P 的每一行中恰好有一个 1，每一列中也恰好有一个 1，其他元素都是 0，这样的矩阵称为**置换矩阵**。之所以有这个名字，是因为将置换矩阵乘以任何向量，所得结果都相当于将向量的各个分量进行重新排列。各个 $S_{*,*}$ 相乘所得的矩阵一定是置换矩阵，这一点从 $S_{*,*}$ 的基本定义来看也是显然的。反之，任何置换矩阵也一定可以写成若干 $S_{*,*}$ 乘积的形式。

利用 $A = PLU$ 的分解，同样可以非常简单地计算行列式值、求解线性方程组等。对于行列式问题，有

$$\det A = (\det P)(\det L)(\det U) = (\det P)(U \text{ 的对角元素的乘积})$$

又已知 $\det S_{*,*} = -1$，有

$$\det P = \begin{cases} +1 & (\text{当选主元次数为偶数时}) \\ -1 & (\text{当选主元次数为奇数时}) \end{cases}$$

因此计算非常简便。另外，对于线性方程组问题，将分解结果代入 $A\boldsymbol{x} = \boldsymbol{y}$，得到 $PLU\boldsymbol{x} = \boldsymbol{y}$，由于 $P^{-1} = P^T$①，因此只需要用前述方法解

$$LU\boldsymbol{x} = \boldsymbol{y}' \qquad (\boldsymbol{y}' \equiv P^T\boldsymbol{y})$$

即可（$P^T\boldsymbol{y}$ 的计算实际上只是向量中分量的重新排列）。

---

① 以前面列举的 P 的例子作为练习，自行确认一下 $P^TP = I$ 成立。计算中会发现，运用“每一行和每一列中只有 1 个 1”的性质，不难理解 $P^TP = I$。

■ 实现

从数学角度说问题是解决了，但是还没考虑到在程序中如何实现呢。

第一个问题是“交换两行”。真正要交换两行的数值的话，需要花费不少时间，这是我们不希望看到的。这里我们有一种替代的办法，就是认为“就当是”进行了行交换。即当面对第 ○ 行的时候，实际上操作的是第 △ 行。用计算机的语言来讲就是间接引用。具体来说就是另外准备一张表，记录哪一行和哪一行进行了交换，在选主元时通过这张表进行替换即可。

另外一个问题是“若分量为 0”。在计算机上处理实数时，实际上只是将其作为一个有限位的近似小数，所以“是否正好等于 0”这种判定就是没有意义的。在这个问题上，一种做法是选定适当的阈值，当数值小于阈值时就认为该数为 0。另一种更加聪明的做法是，每次都选择最“优”的那一行进行交换。关于这里的优劣判定，可以简单定义绝对值最大的为最优，当然也有更加有技巧性的方法可用来作为标准。

下面给出示范代码。这段代码执行的结果为 $A' = LU$（A' 为 A 进行行交换之后的矩阵，L 为上三角矩阵，U 为下三角矩阵）的分解。整个过程中到底进行了哪些交换由返回值 p 记录。A' 的第 i 行为原矩阵 A 的第 p[i] 行。以下代码中，可以通过 p_ref(mat, i, j, p) 得到 $L(i > j)$ 或者 $U(i \leqslant j)$ 的 (i, j) 元素。

```
# LU分解（有选主元）
# 将结果保存在原变量 mat 中，返回值为选主元表（向量 p）

def plu_decomp(mat)
  rows, cols = matrix_size(mat)

  p = make_vector(rows)              # (a)
  for i in 1..rows
    p[i] = i                         # (b)
  end

  # 令 s 为行数（rows）和列数（cols）中较小的一个
  if (rows < cols)
    s = rows
  else
    s = cols
  end

# 这里开始进入正题
for k in 1..s
  p_update(mat, k, rows, p)        # (c)
  x = 1.0 / p_ref(mat, k, k, p)
  for i in (k+1)..rows             # (d)
    y = p_ref(mat, i, k, p) * x
    p_set(mat, i, k, p, y)
  end
  for i in (k+1)..rows             # (e)
    for j in (k+1)..cols
    y = p_ref(mat, i, j, p)  - p_ref(mat, i, k, p)
                             * p_ref(mat, k, j, p)
```

```
        p_set(mat, i, j, p, y)
      end
    end
  end

  return(p)                           # (f)
end

  # 进行选主元操作

  def p_update(mat, k, rows, p)

    max_val = -777
    max_index = 0
    for i in k..rows                  # (g)
      x = abs(p_ref(mat, i, k, p))
      if (x > max_val)
        max_val = x
        max_index = i
      end
    end

    pk = p[k]                         # (h)
    p[k] = p[max_index]
    p[max_index] = pk
  end

  # 返回选主元后的矩阵的 (i, j) 元素
  def p_ref(mat, i, j, p)
    return(mat[p[i], j])
  end

  # 将选主元后的矩阵的 (i, j) 元素值变更为val
  def p\UU{}set(mat, i, j, p, val)
    mat[p[i], j] = val
  end
```

（a）中，准备选主元表。选主元表中记录了选主元后的矩阵的每一行对应了原矩阵的哪一行，从而避免了直接操作 `mat[i,j]`，而是通过 `p_ref` 函数（值引用）和 `p_set` 函数（值变更）来访问选主元之后的矩阵。这样一来，原先的 `lu_decomp` 代码就可以复用了。选主元表的初始值为“第 `i` 行换到第 `i` 行”（b）。

（c）中，通过 `p_update` 调用主元，在随后的实际处理中，只是将 `lu_decomp` 进行了如下替换。

- `mat[i,j]` → `p_ref(mat, i, j, p)`
- `mat[i,j] = y` → `p_set(mat, i, j, p, y)`

`U` 的第 `k` 行在这时还是未处理状态，不需要任何操作。仅仅计算 `L` 的第 `k` 列（d），并且更新对应的未完成部分（e）。

最后返回选主元表（f）。

实际上对主元的选择，选取的是第 k 列未处理部分中绝对值最大的元素，这个操作由 p_update 负责。

具体来讲，就是在所有候选（第 k 列的未处理部分）元素中，找到绝对值最大的元素（暂且称之为冠军元）(g)，然后将当前的第k行与冠军元所在的行（第 max_index 行）进行交换 (h)。为选出冠军元，在 (g) 时需要逐一检查候选，如果候选能战胜现在的冠军，则候补选手晋级为新一届冠军，如此反复①。

3.8.2 重新整理顺序也无济于事的状况

有时候，就算按照前一节中所述的办法进行了选主元，可能依然不能顺利进行。例如 (3.15) 式中第 3 列未处理部分全部为 0 的情况。在这种情况下，如果可能的话，就需要允许进行列交换了。这时需要“周”～“杨”中有非 0 元②。这样一来，就会得到形如下式的分解。

$$A = PLUP' \qquad (P, P' \text{ 为置换矩阵})$$

条件放宽到这一步，所有的 A 便都可以分解了。实际上，如果“周”～“杨”中的所有元素都是 0，那么进行到这一步，“零头”部分的区块已经是零矩阵了。也就是说，分解已经完成。

但是从应用的角度来讲，前一节中介绍的行交换就已经足够用了（当然，根据不同的任务会有所区别）。究其原因，只要 A 是可逆方阵，就一定可以分解成 $A = PLU$ 的形式。对于方阵，一旦分解途中出现了问题，就说明该方阵是奇异的。于是乎 ……

- 对于行列式 $\det A$ 的计算，一旦分解途中出现障碍，可以直接得出 $\det A = 0$ 的结论
- 对于解方程组 $A\boldsymbol{x} = \boldsymbol{y}$ 的问题，一旦分解途中出现障碍，可以直接归结为“恶性问题”（参考 2.3 节）

之所以可以这样下结论，只要明白受阻的原因便可以理解。在 (3.15) 式中，若“钱”“孙”“李”全部都是 0，则只用 $\boldsymbol{l}_1, \boldsymbol{l}_2$, (周, 吴, 郑, 王)^T, (冯, 陈, 褚, 卫)^T, (蒋, 沈, 韩, 杨)^T 这 5 个向量去构造线性组合，就可以得到 A 的任何一列，这说明 $\operatorname{rank} A \leqslant 5$，比 A 的阶 6 要小，所以可以断定 A 一定不可逆。

---

① 当 max_val 的初始值为负数时（比任何人都弱的初代冠军），可以省略比较（检查是否能够蝉联）的步骤。

② 这种行列交换都允许的过程，称为**完全选主元**。相对地，只允许行交换或者只允许列交换的过程称为**部分选主元**。

第 4 章

特征值、对角化、Jordan 标准型——判断是否有失控的危险

4.1 问题的提出：稳定性

假设有一个"魔法箱"（图 4.1），如果值 u 进入这个箱子，就会变成值 ξ 出来①。打个比方，把 $u = 2.4$ 放进去，会有 $\xi = 7.7$ 出来，就像这样子。这个魔法箱每时每刻都在不停地输入 u 输出 ξ。当需要强调时间变化时，我们会写成 $u(t)$ 和 $\xi(t)$。

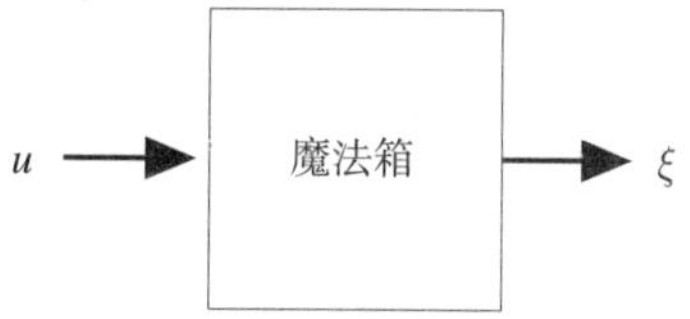

图 4.1 魔法箱

如果只是简单地将输入的 u 对应到 ξ 的话，那不过就是函数 $\xi = f(u)$ 而已。但是这里我们的魔法箱不一样，输出 $\xi(t)$ 不仅仅与当前的输入 $u(t)$ 有关，还与过去输入的 u 有关系。在现实中有很多东西都可以比作这种魔法箱（如果不太理解下面的具体例子的话也没关系。对此的详细说明已经超过本书的范围，有兴趣的读者可以有针对性地参阅相关的专业书籍）。

- 控制系统模型
  设 u 为踩油门的力度，ξ 为汽车的速度

① ξ 是希腊字母，读作"可西"（参考附录 A），对应的大写字母是 Ξ。注意下面要开启真正的"数学"模式了，和高中学过的数学不一样哦。

→ 放开油门的状态下，记为 $u=0$，但这一瞬间汽车的速度 ξ 并不是 0，而是在慢慢减小

- 信号传输模型

  设 u 为无线通信中发出的信号，ξ 为接收到的信号

  → 虽然理想状态下是 $\xi(t)=u(t)$，但实际上传输过程中会发生衰减、延迟、扭曲甚至反射（绕了一圈回来接收到晚了一个周期的信号），最终接收到的信号也会受到相应的影响

- 预测模型

  设 u 为现在的股价，ξ 为 24 小时后的股价（好比要设计这种魔法箱）

  → 预测不仅仅需要现在的股价，还要参考过去的股价信息（假设箱内有存储器）

- 滤波

  设 u 为原始声音信号，ξ 为添加回声之后的声音信号（好比要设计这种魔法箱）

  → 余音（还能听到些许之前留下的响声）

这里的时间 t，根据所处理的问题的不同，有不同的解释。当考虑物理问题时，把时间 t 当作连续的数值（实数）处理是最自然的。但是，在用计算机处理问题时，往往把时间 t 当作离散的数值（整数）$0,1,2,\cdots$ 来考虑会比较恰当。

在这样的箱子中，可以允许从简单到复杂的各种各样的设定。而其中最基础的类型莫过于所谓的**自回归模型**①了。比如下面这样。

- 离散时间的例子：今天的 $\xi(t)$ 是由昨天的 $\xi(t-1)$、前天的 $\xi(t-2)$、大前天的 $\xi(t-3)$ 以及今天的 $u(t)$ 按照以下规则来决定的②（图 4.2 左）

$$\xi(t)=-0.5\xi(t-1)+0.34\xi(t-2)+0.08\xi(t-3)+2u(t) \tag{4.1}$$

$$\text{初始条件} \qquad \xi(0)=0.78,\ \xi(-1)=0.8,\ \xi(-2)=1.5$$

- 连续时间的例子：在考虑摩擦的情况下，给弹簧牵引的物体施加 $u(t)$ 的力，考虑其运动；或者在连接了电阻、电容和线圈的电路中施加 $u(t)$ 的电压，考虑电路系统的行为。这些例子都遵从如下形式的微分方程（图 4.2 右）

$$\frac{\mathrm{d}^2}{\mathrm{d}t^2}\xi(t)=-3\frac{\mathrm{d}}{\mathrm{d}t}\xi(t)-2\xi(t)+2u(t)$$

$$\text{初始条件} \qquad \text{当 } t=0 \text{ 时，} \xi=-1,\ \frac{\mathrm{d}}{\mathrm{d}t}\xi=3$$

---

① 也称为 AR（AutoRegressive）模型。如果读者去学习信号处理、控制论、时间序列分析等，就会很快接触到的。

② “今天”“昨天”这些说法，只是打比方而已。比起写成“第 $(t-1)$ 步”，这样更直观，也更容易理解。当然，根据具体的应用的不同，所谓的每一步所对应的数值也不同，一步可能是一个月，也可能是 1.4 毫微秒，也说不定就没有定值。

我们眼下只看离散时间的情况，连续时间的问题，我们会在后文中讨论。如果目前对上面提到的微分方程没有感觉，也不必担心。

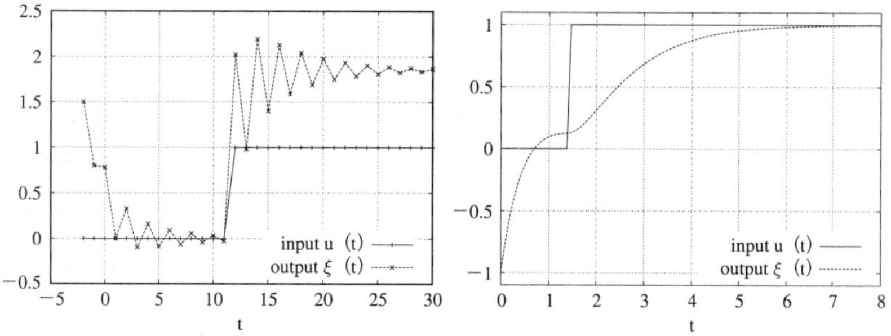

图 4.2 自回归模型的例子（左: 离散时间，右: 连续时间）

本书中，我们始终假设输入 $u(t)$ 为 0，并研究 $\xi(t)$ 的行为，这也是为了简化模型，从而凸显最基本的性质。我们感兴趣的是这个模型是否有失控的危险。换句话说，是否无论从何种状态出发，$\xi(t)$ 都不会超出有限的范围（不会失控）？还是说运气不好的话，从某些状态出发，$|\xi(t)|$ 会趋近于无穷大（失控）？

不会失控的典型例子有 $\xi(t) = 0.5\xi(t-1)$。由于每次都取前面值的一半，因此肯定不会失控。反之，失控的典型例子有 $\xi(t) = 2\xi(t-1)$。由于每次都会在前面值的基础上翻倍，因此会逐步发散（图 4.3）。

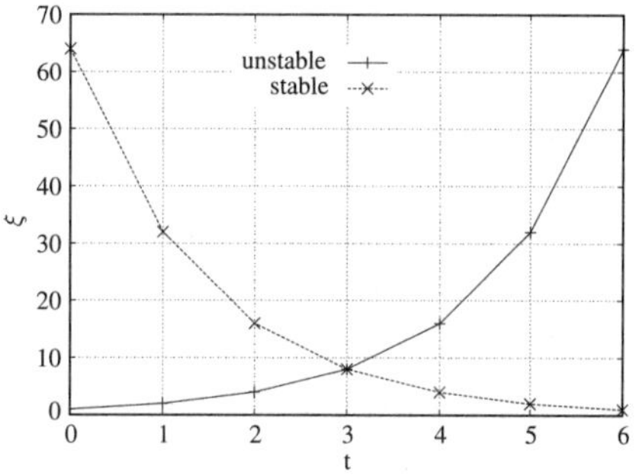

图 4.3 失控与不会失控的典型例子

对于给出的模型，例如 (4.1) 式，判断其是否具有“失控”的性质，是本章的目标。可能有读者会说“试一试不就知道了”，但是我们希望保证从任何状态出发都不会有失控的危险，因此，仅仅通过试验，得到几个安全的结果，是远不能让人放心的。如果不能从理论上得到保证，还是不敢放心大胆地用呢。

4.1 会不会失控，就那么重要吗?

确实很重要。试想一下扩音器的回声现象。好比拿起麦克风说话，发出的声音就被扩大一次，再用麦克风去接收这种扩大的声音，声音就会变得更大 …… 再比如核反应堆的临界事故。一个中子被吸收发生裂变，释放出更多的中子，这些中子再去引起更多的裂变 …… 再比如全球变暖。气温上升引起冰川融化，导致光的折射率下降，太阳光更容易被吸收，进而气温上升 …… 这些例子都印证了“昨天的值”的增长累计在“今天的值”上这种情况（正反馈）其实很危险，不是吗? 除了这些赤裸裸的例子，像那些“前几天的情况都会影响今天”的模型，可能变化趋势并非那么明显，但研究之后会发现真的是在“扩大”。这也是本章中要讨论的内容。

从数学的角度讲，本章的主题是“特征值、特征向量”“对角化”“Jordan 标准型”。在考试的重压之下，或许大家更想早点把计算方法之类的死记硬背下来。但说实在的，背下来也是枉然，还是劝大家把理解消化数学概念作为重点。期待大家能理解这些概念的来龙去脉。

那么，让我们回忆一下 1.2.10 节中的相关内容，把 (4.1) 式用矩阵表达出来，这样就把问题拉到我们的舞台中了[①]。令 $\boldsymbol{x}(t)=(\xi(t),\xi(t-1),\xi(t-2))^T$，$u(t)=0$，则有

$$\boldsymbol{x}(t)=\begin{pmatrix}-0.5 & 0.34 & 0.08\\ 1 & 0 & 0\\ 0 & 1 & 0\end{pmatrix}\boldsymbol{x}(t-1),\qquad \boldsymbol{x}(0)=\begin{pmatrix}0.78\\ 0.8\\ 1.5\end{pmatrix}$$

对此表示疑惑的读者请回头复习。本章中我们来考虑更一般化的模型，如下所示。

$$\boldsymbol{x}(t)=A\boldsymbol{x}(t-1) \tag{4.2}$$

这里，$\boldsymbol{x}(t)=(x_1(t),\cdots,x_n(t))^T$ 是 n 维向量，A 是 $n\times n$ 矩阵。对于这样的模型，我们要做的是判断是否对于任何初始值 $\boldsymbol{x}(0)$，$\boldsymbol{x}(t)$ 的各分量都不超过一定范围（不会失控），还是说对于不当的初始值 $\boldsymbol{x}(0)$，$\boldsymbol{x}(t)$ 的分量会逐渐趋于无穷大（失控）[②]。

我们这里先剧透一下吧。用第 1 章中的说法来解释 (4.2) 式。把前一次的状态 $\vec{x}(t-1)$ 移动到现在的状态 $\vec{x}(t)$ 的映射 f，(在某个基底之下) 可以用矩阵 A 来表示。这时，我们来找其他更好的基底，对 $\boldsymbol{x}$ 进行坐标变换。这样一来，在新的基底下，映射 f 就可以用更加简

① 直接用原来的差分方程的形式，把方程解出来，同样可以讨论是否失控的问题。如果只是讨论自回归模型，这样的做法比较简便。但是用矩阵表示，在应用层面更加有效。

② 正确的说法是“$\boldsymbol{x}(t)$ 的某些分量的绝对值是否会发散到无穷大”。也就是说，$x_1(t),\cdots,x_n(t)$ 中只要有一个发散，就称之为失控。例如，$x_1(t)$ 不发散但 $x_2(t)$ 发散，那么对于整个向量来说，就是失控了。

洁的矩阵来表示。用 1.2.11 节中出现的图来表示，如下所示。

(原来的基底)	问题		答案
	⇕		⇕
(“好的”基底)	问题′	→	答案′

这样一来，为了选出“好的”基底，特征向量就要登场了。这也是特征向量发挥作用的典型例子。

? 4.2 “失控”和“稳定”的正确定义是什么?

“失控”只是本书中采用的一种说法而已。严密地写出来，所谓“不失控”，指的是对于任意初始值 $\boldsymbol{x}(0)$，总可以找到一个足够大的数 M（根据 $\boldsymbol{x}(0)$ 的不同，选择的值可能不同，但是该常数与 t 无关），使得在任何时刻 t（特别是，t 可以任意大），总能保证 $|x_i(t)| < M$ 成立 $(i = 1, \cdots, n)$。与之相关的还有一个概念 ——“稳定”。所谓某点 $\boldsymbol{c}$ 稳定，是指从离 $\boldsymbol{c}$ 极其接近的地方出发，无论什么时候看，状态总能保持在 $\boldsymbol{c}$ 的附近[①]。更准确的说法如下。

> 为了标定“保持在附近”的基准距离[②]，我们定义如下。无论指定多么小的 $\epsilon > 0$，都能够选择与之对应的足够小的 $\delta > 0$，使之满足下面的条件：从与 $\boldsymbol{c}$ 距离不超过 δ 的点 $\boldsymbol{x}(0)$ 出发，在任何时刻 t，$\boldsymbol{c}$ 与 $\boldsymbol{x}(t)$ 之间的距离都永远保持在 ϵ 以下（δ 的选择可以根据 ϵ 的不同而变化，但是关于时刻 t，该数必须是恒定的）。

如果不满足上面的定义，我们就称之为**“不稳定”**。

“不失控”是个全局性的概念，而“稳定”则是局部性的概念，两者有很大区别。也就是说，“不失控”是空间全体上的性质，而“稳定”仅仅是一点 $\boldsymbol{c}$ 周围的性质。实际上，对于形如 $\boldsymbol{x}(t) = A\boldsymbol{x}(t-1)$ 以及 $\frac{\mathrm{d}}{\mathrm{d}t}\boldsymbol{x}(t) = A\boldsymbol{x}(t)$ 的模型，从“不失控”可以推出“在原点 $\boldsymbol{o}$ 处稳定”；反之，“在原点 $\boldsymbol{o}$ 处稳定”也意味着“不失控”。于是，当我们仅仅考虑这类问题时，可以把“不失控”和“在原点 $\boldsymbol{o}$ 处稳定”等同起来。一般来讲两者并不一定等价。

为了更容易抓住重点，本书中硬是把“不失控”作为主题来讨论了。实际应用中，用“稳定”的情况远远多于使用“不失控”的情况。究其原因主要有如下两点。

- 相比“不发散”，我们更希望看到的性质是“即使有噪声干扰，也不会偏离目标”
- 除了形如 $\boldsymbol{x}(t) = A\boldsymbol{x}(t-1)$ 的模型外，对于更一般的情况，“稳定性”更容易判定（不用考察全部可能的初始值，只需要关注某点 $\boldsymbol{c}$ 的周边就好了。对于良性的问

① 也称为“李亚普诺夫（Lyapunov）稳定”（为了与后文中出现的“渐近稳定”相区别）。

② 本书中没有给出“距离”的定义。请参考 1.1.3 节和附录 E。

题，经常使用的技巧是，将问题近似成 $\boldsymbol{x}(t) = A\boldsymbol{x}(t-1)$ 的形式，进而判断其稳定性[①])

? 4.3 如果魔法箱的输出不是数，而是向量，并且每一步的值都依赖于前面三步的话，应该怎么办呢?

这也就是 $\boldsymbol{\xi}(t) = A_1\boldsymbol{\xi}(t-1) + A_2\boldsymbol{\xi}(t-2) + A_3\boldsymbol{\xi}(t-3)$ 时的情况呗。这里 $\boldsymbol{\xi}(t) = (\xi_1(t), \cdots, \xi_n(t))^T$ 是 n 维向量，A_1, A_2, A_3 是 $n \times n$ 矩阵。这种情况下我们同样可以用分块矩阵。

$$\begin{pmatrix} \boldsymbol{\xi}(t) \\ \hline \boldsymbol{\xi}(t-1) \\ \hline \boldsymbol{\xi}(t-2) \end{pmatrix} = \left(\begin{array}{c|c|c} A_1 & A_2 & A_3 \\ \hline I & O & O \\ \hline O & I & O \end{array}\right) \begin{pmatrix} \boldsymbol{\xi}(t-1) \\ \hline \boldsymbol{\xi}(t-2) \\ \hline \boldsymbol{\xi}(t-3) \end{pmatrix} \quad \rightarrow \quad \boldsymbol{x}(t) = A\boldsymbol{x}(t-1)$$

把向量 $\boldsymbol{\xi}(t), \boldsymbol{\xi}(t-1), \boldsymbol{\xi}(t-2)$ 纵向排列起来，作为 $3n$ 维向量 $\boldsymbol{x}(t)$ 即可。

4.2 一维的情况

除我们讨论的课题之外，当遇到其他问题时，也同样可以采用以下通用策略。

- 首先考虑比较简单的情况
- 对于一般的情况，也可以想办法变换表达方式，使其归结为简单的情况

按照这个思路，我们先来考虑一维的情况。

例如下面这个系统。

$$x(t) = 7x(t-1)$$

无论 $t=1$ 还是 $t=93$ 还是任意的 t，上式都是成立的。为了简单起见，我们就不一一写明了。于是，$x(t-1) = 7x(t-2)$ 以及 $x(t-2) = 7x(t-3)$ 都是对的。以此类推，我们还可以得到下式。

$$x(t) = 7x(t-1) = 7 \cdot 7x(t-2) = 7 \cdot 7 \cdot 7x(t-3) = \cdots = 7^t x(0)$$

反之，我们可以验证当 $x(t) = 7^t x(0)$ 时[②]，$x(t) = 7x(t-1)$ 也是成立的。并且，由于 $7^0 = 1$，因此 $x(0)$ 的值在上式的表达中也不会有问题。这样一来，只要给定初始值 $x(0)$，由上式就

① 需要注意的是，这种近似也是局部的近似。也就是说，将弯曲的部分近似成其切线，从而简化问题。请参考 0.2 节。

② 这表示 7 的 t 次方，而非 7 的转置。本书中一律采用大写字母 T 来表示转置，例如 A^T。

可以计算出 $x(t)$。要注意，当 $t \to \infty$ 时，$7^t \to \infty$。除了 $x(0) = 0$ 的情况外，$t \to \infty$ 都会导致 $|x(t)| \to \infty$。所以，上式所表达的系统是会失控的。

再来看一个例子，比如下式。

$$x(t) = 0.2x(t-1)$$

这种情况下会怎么样呢? 用同样的方法，我们可以得到 $x(t) = 0.2^t x(0)$。这里，当 $t \to \infty$ 时，有 $0.2^t \to 0$。无论如何设置初始值 $x(0)$，当 $t \to \infty$ 时都有 $x(t) \to 0$，于是这个系统是不会失控的。

一般来讲，对于形如

$$x(t) = ax(t-1)$$

的系统，我们已经可以下结论了：上式等价于 $x(t) = a^t x(0)$①，$|a| > 1$ 则失控，$|a| \leqslant 1$ 则不失控②

4.3 对角矩阵的情况

下面我们要讨论的情况，看起来好像是高维的，挺吓人的，实际上都是纸老虎。比如，设 $\boldsymbol{x}(t) = (x_1(t), x_2(t), x_3(t))^T$，那么下式的情况如何呢?

$$\boldsymbol{x}(t) = \begin{pmatrix} 5 & 0 & 0 \\ 0 & -3 & 0 \\ 0 & 0 & 0.8 \end{pmatrix} \boldsymbol{x}(t-1)$$

右边确实装模作样地摆了一个矩阵，但是只要一计算就变成了下面这样。

$$\begin{pmatrix} x_1(t) \\ x_2(t) \\ x_3(t) \end{pmatrix} = \begin{pmatrix} 5x_1(t-1) \\ -3x_2(t-1) \\ 0.8x_3(t-1) \end{pmatrix}$$

---

① 当 $a = 0$ 时，我们也设定 $a^0 = 1$（这里仅仅是为了简单起见才进行如此规定，更一般的讨论请参考 ?1.21）。

② $|a|$ 表示 a 的绝对值（例如 $|7| = 7$、$|-3| = 3$ 这样，绝对值是去掉数字前面的正负号得到的结果。当 a 是复数时，请参考附录 B）。由绝对值的性质可知 $|a^t x(0)| = |a|^t |x(0)|$，于是当 $t \to \infty$ 时，$|a| > 1$ 则 $|a^t| \to \infty$，$|a| = 1$ 则 $|a^t| = 1$，$0 \leqslant |a| < 1$ 则 $|a^t| \to 0$。另外要注意，当 $a = -1$ 时，会出现

$$x(100) = x(0), \quad x(101) = -x(0), \quad x(102) = x(0), \quad x(103) = -x(0), \quad \cdots$$

这样的数值反复跳动的现象。在这种情况下，当然 $|x(t)|$ 不会跳到无穷大去，自然就属于“不会失控”之列。如果不算这种情况，而是考虑所有数值朝着一定的目标点渐渐变化的系统，我们有专门的术语，称之为“**渐进稳定**”。所谓“点 $\boldsymbol{c}$ 是渐进稳定的”是指，只要初始点 $\boldsymbol{x}(0)$ 和观测点 $\boldsymbol{c}$ 之间的距离在常数 $\epsilon > 0$ 以内，当 $t \to \infty$ 时，$x(t)$ 必收敛于 $\boldsymbol{c}$。

也就是说，仅仅是把以下三个式子组合起来写在了一起而已。

$$x_1(t) = 5x_1(t-1)$$
$$x_2(t) = -3x_2(t-1)$$
$$x_3(t) = 0.8x_3(t-1)$$

分别解出每个式子，答案就是

$$x_1(t) = 5^t x_1(0)$$
$$x_2(t) = (-3)^t x_2(0)$$
$$x_3(t) = 0.8^t x_3(0)$$

换个包装，我们还可以写成下面这样（对此表示疑惑的读者请复习 1.2.7 节的相关内容）。

$$\boldsymbol{x}(t) = \begin{pmatrix} 5^t & 0 & 0 \\ 0 & (-3)^t & 0 \\ 0 & 0 & 0.8^t \end{pmatrix} \boldsymbol{x}(0) = \begin{pmatrix} 5 & 0 & 0 \\ 0 & -3 & 0 \\ 0 & 0 & 0.8 \end{pmatrix}^t \boldsymbol{x}(0)$$

只要初始值 $\boldsymbol{x}(0)$ 不满足 $x_1(0) = x_2(0) = 0$，当 $t \to \infty$ 时，$x_1(t)$ 和 $x_2(t)$ 都会越走越远，于是这个系统是会失控的。

？4.4 设 $\boldsymbol{x}(0) = (0, 0, 3)^T$，有 $\boldsymbol{x}(t) = (0, 0, 3 \cdot 0.8^t)^T$，也并没有失控啊？

本章中讨论的重点在于，是否可以保证无论初始值 $\boldsymbol{x}(0)$ 怎么选系统都不会跑丢。于是，只要发现一个倒霉的初始值可以让整个系统越走越远，我们就判断它有失控的危险。实际上我们这个系统，不会走丢的情况是比较少的（仅仅当 $\boldsymbol{x}_1(0)$ 和 $\boldsymbol{x}_2(0)$ 都恰好为 0 时）。除非巧妙地选取 $\boldsymbol{x}(0)$，否则大多数情况下都是会失控的。

？4.5 所谓“解出”，是指用 $x(0)$ 来表达吗？

根据上下文，是这样没错。也就是将 $\boldsymbol{x}(t)$ 写成 t 和 $\boldsymbol{x}(0)$ 的函数。如果可以做到这一点，诸如“无论初始值 $\boldsymbol{x}(0)$ 如何设定云云”之类的原本无法判断的问题，就都可以解决了。一般来讲，给定初始值 $\boldsymbol{x}(0)$，求 $\boldsymbol{x}(t)$ 的问题统称为“**初始值问题**”。

能简单地判断一个系统失控与否的关键在于，系数矩阵是对角矩阵。我们来看下式。

$$\boldsymbol{x}(t) = A\boldsymbol{x}(t-1)$$
$$A = \mathrm{diag}\,(a_1, \cdots, a_n)$$
$$\boldsymbol{x}(t) = (x_1(t), \cdots, x_n(t))^T$$

因为乘积 $A\boldsymbol{x}$ 仅仅是向量 $(a_1x_1,\cdots,a_nx_n)^T$，所以上式无非是以下各式的矩阵表示而已。

$$\begin{aligned} x_1(t) &= a_1x_1(t-1) \\ &\vdots \\ x_n(t) &= a_nx_n(t-1) \end{aligned}$$

于是，马上就能解出

$$\begin{aligned} x_1(t) &= a_1^t x(0) \\ &\vdots \\ x_n(t) &= a_n^t x(0) \end{aligned}$$

或者换个包装，写成如下形式。

$$\boldsymbol{x}(t) = \begin{pmatrix} a_1^t & & \\ & \ddots & \\ & & a_n^t \end{pmatrix} \boldsymbol{x}(0) = \begin{pmatrix} a_1 & & \\ & \ddots & \\ & & a_n \end{pmatrix}^t \boldsymbol{x}(0) \qquad \text{其中空白处均为 } 0$$

只要 $|a_1|,\cdots,|a_n|$ 中有一个值大于 1，系统就会失控。如果 $|a_1|,\cdots,|a_n| \leqslant 1$①，则不失控。

4.4 可对角化的情况

根据前一节的叙述，如果 A 是对角矩阵，问题就可以迎刃而解。那么，对于一般的 A，是不是可以想办法归结成对角矩阵的问题呢？答案是，大部分情况下是可以的。这也是本章中主要讨论的对象。下面我们要采用三种不同的表达方式来进行说明，分别是变量替换、坐标变换、乘方计算。读者可以根据自己的喜好，选择最容易的方式来理解我们的方法。

4.4.1 变量替换

首先映入脑海的想法或许是如何把 $x_1,\cdots,x_n$ 一一写出，各个击破。我们再次给出下图，下面就依照图上的思路，把解答过程呈现给大家②。

(原来的变量)	问题		答案
	⇕		⇕
(“好的”变量)	问题′	→	答案′

① “$|a_1| \leqslant 1$ 且 $|a_2| \leqslant 1$ 且 ……”的意思。

② 该图上一次出现是关于“原来的基底”和“好的基底”的，它们本质上是一样的。原因请参考 ? 1.31。

■ 从一个例子开始

考虑下面这个系统。

$$\begin{pmatrix} x_1(t) \\ x_2(t) \end{pmatrix} = \begin{pmatrix} 5 & 1 \\ 1 & 5 \end{pmatrix} \begin{pmatrix} x_1(t-1) \\ x_2(t-1) \end{pmatrix}$$

把矩阵展开写成各个方程，即

$$x_1(t) = 5x_1(t-1) + x_2(t-1)$$
$$x_2(t) = x_1(t-1) + 5x_2(t-1)$$

但是面对这种形式，我们没办法下手。提示一下，其实可以考虑如下方程。

$$y_1(t) = x_1(t) + x_2(t) \tag{4.3}$$
$$y_2(t) = x_1(t) - x_2(t) \tag{4.4}$$

于是我们可以得到下面这样一组漂亮的结果。

$$\begin{aligned} y_1(t) &= x_1(t) + x_2(t) \\ &= (5x_1(t-1) + x_2(t-1)) + (x_1(t-1) + 5x_2(t-1)) \\ &= 6x_1(t-1) + 6x_2(t-1) \\ &= 6y_1(t-1) \\ y_2(t) &= x_1(t) - x_2(t) \\ &= (5x_1(t-1) + x_2(t-1)) - (x_1(t-1) + 5x_2(t-1)) \\ &= 4x_1(t-1) - 4x_2(t-1) \\ &= 4y_2(t-1) \end{aligned}$$

y_1 仅用 y_1 来表达，y_2 仅用 y_2 来表达。这样一来就变成 4.3 节中那样的问题了。由

$$y_1(t) = 6^t y_1(0)$$
$$y_2(t) = 4^t y_2(0)$$

很容易知道 y_1, y_2 都会失控。

接下来，只要把 y_1, y_2 还原成 x_1, x_2，我们就完工了。如果要还原，只需利用 (4.3) (4.4) 式把 x_1, x_2 解出，变成下面这样即可①。

$$x_1(t) = \frac{y_1(t) + y_2(t)}{2}$$
$$x_2(t) = \frac{y_1(t) - y_2(t)}{2}$$

---

① 把 (4.3) (4.4) 式视为线性方程组来解。由 (4.3) 式可得 $x_1(t) = y_1(t) - x_2(t)$，将其代入 (4.4) 式，得到 $y_2(t) = (y_1(t) - x_2(t)) - x_2(t) = y_1(t) - 2x_2(t)$，从而就得到了 $x_2(t) = (y_1(t) - y_2(t))/2$。类似地，对于 x_1 同样可以得到 $x_1(t) = y_1(t) - x_2(t) = y_1(t) - (y_1(t) - y_2(t))/2 = (y_1(t) + y_2(t))/2$。更高明一点的办法是，看到两式的形式，就想到把 (4.3) (4.4) 式的两边相加再除以 2，立即就得到 x_1 的表达式。同样，(4.3) 式减 (4.4) 式，再两边除以 2，可得 x_2 的表达式。

把已求出的 $y_1(t), y_2(t)$ 代入上式，得到

$$\begin{aligned} x_1(t) &= \frac{6^t y_1(0) + 4^t y_2(0)}{2} \\ &= \frac{6^t(x_1(0)+x_2(0)) + 4^t(x_1(0)-x_2(0))}{2} \\ &= \left(\frac{6^t+4^t}{2}\right) x_1(0) + \left(\frac{6^t-4^t}{2}\right) x_2(0) \\ x_2(t) &= \frac{6^t y_1(0) - 4^t y_2(0)}{2} \\ &= \frac{6^t(x_1(0)+x_2(0)) - 4^t(x_1(0)-x_2(0))}{2} \\ &= \left(\frac{6^t-4^t}{2}\right) x_1(0) + \left(\frac{6^t+4^t}{2}\right) x_2(0) \end{aligned}$$

好了，我们首战告捷。这里，当 $t \to \infty$ 时，有 $(6^t \pm 4^t)/2 \to \infty$，所以果不其然，关于 x_1, x_2 的系统也一样会失控。

■ 用矩阵的语言表达

我们把刚才的问题翻译成矩阵的语言。

$$\boldsymbol{y}(t) = C\boldsymbol{x}(t), \qquad C = \begin{pmatrix} 1 & 1 \\ 1 & -1 \end{pmatrix}$$

如上把向量 $\boldsymbol{x}(t) = (x_1(t), x_2(t))^T$ 变成 $\boldsymbol{y}(t) = (y_1(t), y_2(t))^T$，则原问题的 $\boldsymbol{x}(t) = A\boldsymbol{x}(t-1)$ 就变成了下面这种形式①。

$$\boldsymbol{y}(t) = \Lambda \boldsymbol{y}(t-1), \qquad \Lambda = \begin{pmatrix} 6 & 0 \\ 0 & 4 \end{pmatrix}$$

因为这里的 Λ 是对角矩阵，所以很容易就可以解出

$$\boldsymbol{y}(t) = \Lambda^t \boldsymbol{y}(0) = \begin{pmatrix} 6^t & 0 \\ 0 & 4^t \end{pmatrix} \begin{pmatrix} y_1(0) \\ y_2(0) \end{pmatrix} = \begin{pmatrix} 6^t y_1(0) \\ 4^t y_2(0) \end{pmatrix}$$

接下来，把 $\boldsymbol{y}$ 还原成 $\boldsymbol{x}$ 即可。还原时使用的变换

$$\begin{pmatrix} x_1(t) \\ x_2(t) \end{pmatrix} = \begin{pmatrix} \frac{y_1(t)+y_2(t)}{2} \\ \frac{y_1(t)-y_2(t)}{2} \end{pmatrix}$$

本质上其实是

$$\boldsymbol{x}(t) = C^{-1}\boldsymbol{y}(t) = \begin{pmatrix} 1/2 & 1/2 \\ 1/2 & -1/2 \end{pmatrix} \begin{pmatrix} y_1(t) \\ y_2(t) \end{pmatrix}$$

① Λ 是希腊字母 λ 的大写。关于希腊字母请参考附录 A。

使用上面的矩阵还原 $\boldsymbol{x}$，可得

$$\begin{aligned}\begin{pmatrix}x_1(t)\\x_2(t)\end{pmatrix}&=\begin{pmatrix}1/2&1/2\\1/2&-1/2\end{pmatrix}\begin{pmatrix}y_1(t)\\y_2(t)\end{pmatrix}\\&=\begin{pmatrix}1/2&1/2\\1/2&-1/2\end{pmatrix}\begin{pmatrix}6^t&0\\0&4^t\end{pmatrix}\begin{pmatrix}y_1(0)\\y_2(0)\end{pmatrix}\\&=\begin{pmatrix}6^t/2&4^t/2\\6^t/2&-4^t/2\end{pmatrix}\begin{pmatrix}y_1(0)\\y_2(0)\end{pmatrix}\end{aligned}$$

其中，初始值自然也满足 $\boldsymbol{y}(0)=C\boldsymbol{x}(0)$，于是有

$$\begin{aligned}\begin{pmatrix}x_1(t)\\x_2(t)\end{pmatrix}&=\begin{pmatrix}6^t/2&4^t/2\\6^t/2&-4^t/2\end{pmatrix}\begin{pmatrix}1&1\\1&-1\end{pmatrix}\begin{pmatrix}x_1(0)\\x_2(0)\end{pmatrix}\\&=\begin{pmatrix}\frac{6^t+4^t}{2}&\frac{6^t-4^t}{2}\\\frac{6^t-4^t}{2}&\frac{6^t+4^t}{2}\end{pmatrix}\begin{pmatrix}x_1(0)\\x_2(0)\end{pmatrix}\end{aligned}$$

综上，我们用矩阵运算的方式，得到了同样的结果。

■ 一般化

上面的例子如何推广到一般情况呢？让我们总结一下刚才的流程。

1. 选定某矩阵 C，用其将 $\boldsymbol{x}(t)$ 变成另一组变量 $\boldsymbol{y}(t)=C\boldsymbol{x}(t)$
2. 把关于 $\boldsymbol{x}(t)$ 的差分方程（图 4.1 中的魔法箱）改写成关于 $\boldsymbol{y}(t)$ 的方程
3. 新的方程的系数矩阵如果是对角矩阵，那么就容易求解了
4. 把解出的 $\boldsymbol{y}(t)$ 还原成 $\boldsymbol{x}(t)$。大功告成

整个过程的关键在于，变换后的关于 $\boldsymbol{y}(t)$ 的方程要具有对角矩阵的形式。那么问题来了，要达成这样的目标，满足条件的 C 去哪里找呢？

首先，并非随随便便什么 C 都可以，它一定要在 $\boldsymbol{x}$ 和 $\boldsymbol{y}$ 之间架起一一对应（双射）。否则 $\boldsymbol{x}$ 和 $\boldsymbol{y}$ 之间没有了约束，不能顺利变换和还原，那么就麻烦了。假如求得了 $\boldsymbol{y}(t)$，接下来就轮到把 $\boldsymbol{y}(t)$ 还原成对应的 $\boldsymbol{x}(t)$ 了，这时候再说“好像没有对应的 $\boldsymbol{x}(t)$ 啊 ……”或者“可以对应的 $\boldsymbol{x}(t)$ 有一大群啊 ……”的话，那就是当头一棒了①。所以，为了保证一一对应，我们需要 C 是可逆的。不能理解的读者请复习第 2 章。

那么从现在开始，各位，不好意思，要用式子了。到目前为止，我们考虑的问题是

$$\begin{aligned}\boldsymbol{y}(t)&=C\boldsymbol{x}(t)\\\boldsymbol{x}(t)&=C^{-1}\boldsymbol{y}(t)\end{aligned}$$

① 实际上，在之前的“用 $\boldsymbol{y}(t)$ 改写”这一步就会遇到问题了，右边会变不成 $\boldsymbol{y}$ 的函数。

也就是“$\boldsymbol{x} \to \boldsymbol{y}$ 为顺，$\boldsymbol{y} \to \boldsymbol{x}$ 为逆”的形式。我们将其改写成如下所示的

$$\boldsymbol{x}(t) = P\boldsymbol{y}(t)$$
$$\boldsymbol{y}(t) = P^{-1}\boldsymbol{x}(t)$$

“$\boldsymbol{y} \to \boldsymbol{x}$ 为顺，$\boldsymbol{x} \to \boldsymbol{y}$ 为逆”的形式。很显然可以看出

$$C = P^{-1}$$
$$P = C^{-1}$$

两者意义相同。当我们着眼于 C 时，当然没有问题，$\boldsymbol{x} \to \boldsymbol{y}$ 为顺的设定也很自然。但我们后面需要解释这个矩阵到底是什么，这时把 P 作为焦点会更方便一点。

好了，让我们打起精神。现在对于原变量 $\boldsymbol{x}(t)$，给定某个矩阵 P，用如下变换来得到新的变量 $\boldsymbol{y}(t)$。

$$\boldsymbol{x}(t) = P\boldsymbol{y}(t)$$

这时，差分方程（魔法箱）$\boldsymbol{x}(t) = A\boldsymbol{x}(t-1)$ 会变成什么样呢？这里的 $\boldsymbol{x}(t) = P\boldsymbol{y}(t)$ 变换，换句话讲就是 $\boldsymbol{y}(t) = P^{-1}\boldsymbol{x}(t)$。于是有

$$\begin{aligned}\boldsymbol{y}(t) &= P^{-1}\boldsymbol{x}(t) = P^{-1}A\boldsymbol{x}(t-1)\\ &= P^{-1}A\left(P\boldsymbol{y}(t-1)\right) = \left(P^{-1}AP\right)\boldsymbol{y}(t-1)\end{aligned}$$

从 $\boldsymbol{y}$ 的角度看，这个魔法箱 $\boldsymbol{x}(t) = A\boldsymbol{x}(t-1)$ 呈现出了以下形态[①]。

$$\boldsymbol{y}(t) = \Lambda\boldsymbol{y}(t-1)$$
$$\Lambda = P^{-1}AP$$

更进一步，若这个 Λ 是对角矩阵，则可以按照上一节中的方法，用

$$\boldsymbol{y}(t) = \Lambda^t\boldsymbol{y}(0)$$

就可以简单地求出 $\boldsymbol{y}(t)$[②]。接下来，根据 $\boldsymbol{x}(t) = P\boldsymbol{y}(t)$ 和 $\boldsymbol{y}(0) = P^{-1}\boldsymbol{x}(0)$，可以由下式得到最终所需的 $\boldsymbol{x}$[③]。

$$\boldsymbol{x}(t) = P\boldsymbol{y}(t) = P\Lambda^t\boldsymbol{y}(0) = P\Lambda^tP^{-1}\boldsymbol{x}(0)$$

那么问题的重点就是如何选择合适的可逆矩阵 P，使得 $P^{-1}AP$ 是对角矩阵。

---

① 一般来说，对于方阵 A 和某个可逆矩阵 P，$P^{-1}AP$ 称为 A 的**相似变换**。

② 当 $\Lambda = \operatorname{diag}(\lambda_1, \cdots, \lambda_n)$ 时，$\Lambda^t = \operatorname{diag}(\lambda_1^t, \cdots, \lambda_n^t)$ 成立。

③ 写成 $P\Lambda^tP^{-1}$ 的时候，是 $P(\Lambda^t)(P^{-1})$ 的意思，要注意与 $(P\Lambda^tP)^{-1}$ 区分。

如果每次都说“选择合适的可逆矩阵 P，使得 $P^{-1}AP$ 是对角矩阵”实在是太麻烦，我们以后就把这种操作简称为**对角化**。曾经学习过线性代数的读者，是不是已经有各种回忆涌上心头了呢？诸如为了考试死记硬背对角化的算法之类。当时或许也会有这样的疑问：“怎么会想到两边乘上 P，并且一边还是逆矩阵，这种奇怪的变换到底是为什么？”现在我们就让问题的答案水落石出。

? 4.6　$P^{-1}AP$ 到底是什么？对此完全没有感觉。

看看下图如何？从 $\boldsymbol{y}(t-1)$ 到 $\boldsymbol{y}(t)$ 的变化中，我们的路径是先 P 再 A，然后是“P 的逆”，也就是 $P^{-1}AP$，可以这样理解吧？有读者可能会问：“PAP^{-1} 好像顺序不对吧？”请有此疑问的读者回头复习 1.2.4 节。

$$\begin{array}{lccc}
\text{(原来的变量)} & \boldsymbol{x}(t-1) & \xrightarrow{A} & \boldsymbol{x}(t) \\
\hline
 & \Uparrow P & & \Uparrow P \\
\text{(“好的”变量)} & \boldsymbol{y}(t-1) & \overset{\Lambda}{\dashrightarrow} & \boldsymbol{y}(t)
\end{array}$$

? 4.7　对角化方法只有一种吗？

如果不考虑得到的对角矩阵中对角元素的顺序的话，本质上对角化方法是唯一的。例如，假设有下述矩阵。

$$P^{-1}AP = \begin{pmatrix} 3 & 0 & 0 \\ 0 & 3 & 0 \\ 0 & 0 & 7 \end{pmatrix}$$

这时我们可以得到另一个矩阵 P'，使得

$$P'^{-1}AP' = \begin{pmatrix} 3 & 0 & 0 \\ 0 & 7 & 0 \\ 0 & 0 & 3 \end{pmatrix}$$

其中只有对角元素的排列顺序不同①。但是，无论什么样的矩阵 P''，都不可能得到形如

$$\times \qquad P''^{-1}AP'' = \begin{pmatrix} 2 & 0 & 0 \\ 0 & 3 & 0 \\ 0 & 0 & 4 \end{pmatrix}$$

---

① 如果用 2.2.4 节中定义过的初等变换所对应的矩阵 $S_{i,j}$ 来描述的话，就是 $P' = PS_{2,3}$。左乘 $S_{i,j}$ 对应行交换，右乘 $S_{i,j}$ 对应列交换（参考 2.3.7 节）。另外，因为 $S_{i,j}^2 = I$，所以 $S_{i,j}^{-1} = S_{i,j}$（参考 ? 2.10）。

的对角元素不同的对角矩阵。原因在于，对角元素的本质是“特征方程的解”，这是矩阵本身的固有性质（参考 4.5.3 节），所以没有任何人为操作的余地。

? 4.8 直接用前面学过的初等变换不行吗？直接用初等变换也可以把 A 变成 $\mathrm{diag}\,(1,1,1,0,0)$ 这样的形式啊？

没错，通过初等行列变换确实可以得到对角矩阵的形式（参考 2.3.7 节）。但是，在我们现在的问题中，对 A 进行初等变换的意义是什么呢？如果好好思考一下这个问题，就应该能够理解为什么在第 2 章中可谓无所不能的初等变换在这里就不能用了。

首先，为了对比，我们来明确一下本章中的变量替换到底是什么含义。前文中的 $\boldsymbol{x}(t) = P\boldsymbol{y}(t)$，如果不嫌麻烦地一个一个写出来，就是

$$\begin{aligned} \boldsymbol{x}(0) &= P\boldsymbol{y}(0) \\ \boldsymbol{x}(1) &= P\boldsymbol{y}(1) \\ \boldsymbol{x}(2) &= P\boldsymbol{y}(2) \\ &\vdots \end{aligned}$$

这里所有的 $\boldsymbol{x}(0), \boldsymbol{x}(1), \boldsymbol{x}(2), \cdots$ 都是通过同一个 P 同时进行变换的。因此，在 $\boldsymbol{x}(t) = A\boldsymbol{x}(t-1)$ 中，无论是左边的 $\boldsymbol{x}(t)$ 还是右边的 $\boldsymbol{x}(t-1)$，都需要经过同一个 P 进行变换。

另一方面，初等变换又是怎么回事呢？矩阵初等变换要在 A 的左右两边“分别”乘以可逆矩阵 C 和 P[①]，得到以下形式[②]。

$$CAP = \begin{pmatrix} 1 & 0 & 0 & 0 & 0 \\ 0 & 1 & 0 & 0 & 0 \\ 0 & 0 & 1 & 0 & 0 \\ 0 & 0 & 0 & 0 & 0 \\ 0 & 0 & 0 & 0 & 0 \end{pmatrix} = \Gamma$$

对于我们的问题（$\boldsymbol{x}(t) = A\boldsymbol{x}(t-1)$），可以像下面这样用初等变换来解释。为了更加直观，我们把 t 替换成具体数值，来看看 $t = 7$ 的情况。

① 对此不理解的读者请复习 2.3.7 节。

② Γ 是希腊字母 γ 的大写。请参考附录 A。

对于 $\boldsymbol{x}(7) = A\boldsymbol{x}(6)$ 这个魔法箱，对左边的 $\boldsymbol{x}(7)$ 进行 $\boldsymbol{z}(7) = C\boldsymbol{x}(7)$ 的变换，对右边的 $\boldsymbol{x}(6)$ 进行 $\boldsymbol{z}(6) = P^{-1}\boldsymbol{x}(6)$ 的变换，得到

$$\begin{aligned}\boldsymbol{z}(7) &= C\boldsymbol{x}(7)\\ &= CA\boldsymbol{x}(6)\\ &= CAP\boldsymbol{z}(6)\\ &= \Gamma\boldsymbol{z}(6)\end{aligned}$$

同样，还可以得到 $\boldsymbol{z}(6) = \Gamma\boldsymbol{z}(5)$，$\boldsymbol{z}(5) = \Gamma\boldsymbol{z}(4)$ 等。这里的 Γ 也是形式简单的矩阵，于是 $\boldsymbol{z}(t)$ 也可以不费力地求出 …… 嗯?

哪里有些不对劲呢，发现了吗? 实际上在讲 $\boldsymbol{z}(7) = \Gamma\boldsymbol{z}(6)$ 的时候，其中蕴含了 $\boldsymbol{z}(6) = P^{-1}\boldsymbol{x}(6)$ 变换。但是在 $\boldsymbol{z}(6) = \Gamma\boldsymbol{z}(5)$ 中，蕴含的是 $\boldsymbol{z}(6) = C\boldsymbol{x}(6)$ —— 另一个变换! 为了防止混淆，我们用加撇号的变量加以区分，如下所示。

$$\begin{aligned}\boldsymbol{z}(t) &= C\boldsymbol{x}(t)\\ \boldsymbol{z}'(t) &= P^{-1}\boldsymbol{x}(t)\end{aligned}$$

这样就不会再被障眼法蒙蔽了。我们可以得到下面一系列变换。

$$\begin{aligned}\boldsymbol{z}(7) &= \Gamma\boldsymbol{z}'(6)\\ \boldsymbol{z}(6) &= \Gamma\boldsymbol{z}'(5)\\ \boldsymbol{z}(5) &= \Gamma\boldsymbol{z}'(4)\\ &\vdots\end{aligned}$$

由于左边的诸 $\boldsymbol{z}$ 和右边的诸 $\boldsymbol{z}'$ 并不一样，就算排列起来了，也没办法处理。

总之，由 A 确定的映射 $\boldsymbol{x}(t) = A\boldsymbol{x}(t-1)$ 作用之前的 $\boldsymbol{x}(t-1)$ 和作用之后的 $\boldsymbol{x}(t)$ 需要“同时”以同样的方式进行变换，这是问题的关键。初等变换并不能保证这一点，而是对作用前后的对象分别施加了不同的映射。如果我们仅仅对其中的一步 $\boldsymbol{x}(6) \to \boldsymbol{x}(7)$ 感兴趣的话，初等变换的做法也许没有问题，但是如果我们讨论 $\cdots \to \boldsymbol{x}(5) \to \boldsymbol{x}(6) \to \boldsymbol{x}(7) \to \cdots$ 这个包含多个步骤的整体，初等变换就不再合适了。

4.4.2 变量替换的求法

那么，使 $P^{-1}AP$ 成为对角矩阵的这种“合适的” P 能不能构造呢？答案是肯定的，大部分方阵 A 都是可以做到的。

为了将问题解释清楚，我们把 P 分解成列向量来考虑。

$$P = (\boldsymbol{p}_1, \cdots, \boldsymbol{p}_n)$$

也就是说，把 P 理解为 n 个 n 维列向量的横向排列[①]。

我们的任务是找到对角化所需的 P。

$$P^{-1}AP \equiv \Lambda = \operatorname{diag}(\lambda_1, \cdots, \lambda_n)$$

对上式稍加变形，两边左乘 P，就变成了 $AP = P\Lambda$，也就是

$$A(\boldsymbol{p}_1, \cdots, \boldsymbol{p}_n) = (\boldsymbol{p}_1, \cdots, \boldsymbol{p}_n) \begin{pmatrix} \lambda_1 & & \\ & \ddots & \\ & & \lambda_n \end{pmatrix} \qquad \text{空白处为 } 0$$

按照分块矩阵的乘法，分别计算左右两边，可以得到

$$(A\boldsymbol{p}_1, \cdots, A\boldsymbol{p}_n) = (\lambda_1 \boldsymbol{p}_1, \cdots, \lambda_n \boldsymbol{p}_n)$$

把上式中的每一列单独拿出来看，可得

$$\begin{aligned} A\boldsymbol{p}_1 &= \lambda_1 \boldsymbol{p}_1 \\ &\vdots \\ A\boldsymbol{p}_n &= \lambda_n \boldsymbol{p}_n \end{aligned}$$

问题就转化成了如何求这里的向量 $\boldsymbol{p}_1, \cdots, \boldsymbol{p}_n$ 和数 $\lambda_1, \cdots, \lambda_n$。

曾经学习过线性代数的读者，是不是恍然大悟了呢？对于一般的方阵 A，满足

$$A\boldsymbol{p} = \lambda \boldsymbol{p}$$
$$\boldsymbol{p} \neq \boldsymbol{o}$$

的数 λ 和向量 $\boldsymbol{p}$ 分别称为“**特征值**”和“**特征向量**”[②]。

求“合适的” P 的过程，可以分解为以下两步。

---

① 不明白的读者请复习 1.2.9 节。

② 若 $\boldsymbol{p} = \boldsymbol{o}$，则任意 A, λ 都满足 $A\boldsymbol{o} = \lambda \boldsymbol{o}$，没有意义，所以 $\boldsymbol{p} = \boldsymbol{o}$ 的情况不予考虑。

1. 求 A 的特征值 $\lambda_1, \cdots, \lambda_n$ 及其对应的特征向量 $\boldsymbol{p}_1, \cdots, \boldsymbol{p}_n$
2. 将求得的特征向量排列起来，即 $P = (\boldsymbol{p}_1, \cdots, \boldsymbol{p}_n)$

于是有

$$P^{-1}AP = \operatorname{diag}(\lambda_1, \cdots, \lambda_n)$$

这样一来，剩下的问题就是如何求特征值和特征向量。这个我们后文中再说。

不过，我们上面的说明严格来讲是不正确的。在没有确认 P 是否奇异的情况下，就用 P^{-1} 是不行的。实际上，如果 A 有 n 个不同的特征值 $\lambda_1, \cdots, \lambda_n$ 的话，那么对应的 $P = (\boldsymbol{p}_1, \cdots, \boldsymbol{p}_n)$ 必可逆，对角化可以顺利进行。否则，就没办法得到这样"合适的" P[①]。这一点我们后面也会慢慢加以说明（参考 4.7 节）。

下面看个具体例子。对于

$$A = \begin{pmatrix} 5 & 3 & -4 \\ 6 & 8 & -8 \\ 6 & 9 & -9 \end{pmatrix}$$

$\boldsymbol{x}(t) = A\boldsymbol{x}(t-1)$ 是否有失控的危险呢? 实际上，A 的特征值是 $-1, 2, 3$，对应的特征向量分别是

$$\begin{pmatrix} 1 \\ 2 \\ 3 \end{pmatrix}, \begin{pmatrix} 1 \\ 3 \\ 3 \end{pmatrix}, \begin{pmatrix} 1 \\ 2 \\ 2 \end{pmatrix}$$

通过计算就可以确认，如下所示。

$$\begin{pmatrix} 5 & 3 & -4 \\ 6 & 8 & -8 \\ 6 & 9 & -9 \end{pmatrix}\begin{pmatrix} 1 \\ 2 \\ 3 \end{pmatrix} = -\begin{pmatrix} 1 \\ 2 \\ 3 \end{pmatrix}, \begin{pmatrix} 5 & 3 & -4 \\ 6 & 8 & -8 \\ 6 & 9 & -9 \end{pmatrix}\begin{pmatrix} 1 \\ 3 \\ 3 \end{pmatrix} = 2\begin{pmatrix} 1 \\ 3 \\ 3 \end{pmatrix}, \begin{pmatrix} 5 & 3 & -4 \\ 6 & 8 & -8 \\ 6 & 9 & -9 \end{pmatrix}\begin{pmatrix} 1 \\ 2 \\ 2 \end{pmatrix} = 3\begin{pmatrix} 1 \\ 2 \\ 2 \end{pmatrix}$$

于是，我们把三个特征向量排列起来，得到

$$P = \left(\begin{array}{c|c|c} 1 & 1 & 1 \\ 2 & 3 & 2 \\ 3 & 3 & 2 \end{array}\right)$$

以及

$$P^{-1} = \begin{pmatrix} 0 & -1 & 1 \\ -2 & 1 & 0 \\ 3 & 0 & -1 \end{pmatrix}$$

---

① 不可对角化的 A 的最简单的例子是 $\begin{pmatrix} 0 & 1 \\ 0 & 0 \end{pmatrix}$。

我们算一下 $P^{-1}AP$，如下所示，确实没错[①]。

$$\Lambda \equiv P^{-1}AP = \operatorname{diag}(-1,2,3)$$

这里，$\boldsymbol{y}(t) = P^{-1}\boldsymbol{x}(t)$ 具体来讲就是

$$\boldsymbol{y}(t) = \begin{pmatrix} (-1)^t y_1(0) \\ 2^t y_2(0) \\ 3^t y_3(0) \end{pmatrix} = \begin{pmatrix} (-1)^t & 0 & 0 \\ 0 & 2^t & 0 \\ 0 & 0 & 3^t \end{pmatrix} \boldsymbol{y}(0)$$

于是，有

$$\begin{aligned} \boldsymbol{x}(t) &= \begin{pmatrix} 1 & 1 & 1 \\ 2 & 3 & 2 \\ 3 & 3 & 2 \end{pmatrix} \begin{pmatrix} (-1)^t & 0 & 0 \\ 0 & 2^t & 0 \\ 0 & 0 & 3^t \end{pmatrix} \begin{pmatrix} 0 & -1 & 1 \\ -2 & 1 & 0 \\ 3 & 0 & -1 \end{pmatrix} \boldsymbol{x}(0) \\ &= \begin{pmatrix} 3\cdot 3^t - 2\cdot 2^t & 2^t - (-1)^t & (-1)^t - 3^t \\ 6\cdot 3^t - 6\cdot 2^t & 3\cdot 2^t - 2\cdot(-1)^t & 2\cdot(-1)^t - 2\cdot 3^t \\ 6\cdot 3^t - 6\cdot 2^t & 3\cdot 2^t - 3\cdot(-1)^t & 3\cdot(-1)^t - 2\cdot 3^t \end{pmatrix} \boldsymbol{x}(0) \end{aligned}$$

比如我们取 $\boldsymbol{y}(0) = (0,1,0)^T$ 作为初始值，则有 $\boldsymbol{y}(t) = (0,2^t,0)^T$，当 $t \to \infty$ 时发散。站在 $\boldsymbol{x}$ 的角度看，初始值设为 $\boldsymbol{x}(0) = P\boldsymbol{y}(0) = (1,3,3)^T$ 的情况下，$\boldsymbol{x}(t) = P\boldsymbol{y}(t) = 2^t(1,3,3)^T$ 发散。于是，此系统（魔法箱 $\boldsymbol{x}(t) = A\boldsymbol{x}(t-1)$）有失控的危险。

假如特征值、特征向量就能够决定系统是否有可能失控，那么下面的核心问题就是特征值和特征向量的求法了。慢着，先别急，窃以为还有东西比求法更重要，那就是其背后的内涵。我们在后面的 4.5 节中，就按照内涵、性质、求法的顺序，对特征值、特征向量加以详细讲解。

4.4.3 从坐标变换的角度来解释

上一小节中我们用变量替换的说法解释了对角化。本小节中我们继续这个话题，从坐标变换的角度来理解。由于仅仅是换个角度看同一个问题（参考 **?** 1.31），因此读者可以选择自己喜欢的口味来消化。

请读者注意，我们提到的形如 $\boldsymbol{v} = (v_1,\cdots,v_n)^T$ 的坐标，默认采用基底 $(\vec{e}_1,\cdots,\vec{e}_n)$，不过文章中会将基底省略（参考 1.1.6 节）。用实体的有向线段来表达，即

$$\vec{v} = v_1\vec{e}_1 + \cdots + v_n\vec{e}_n$$

---

① 这里只是为了验证而进行的计算。实际上就算不具体求 P^{-1} 和 $P^{-1}AP$ 的值，也可以得到 $P^{-1}AP = \operatorname{diag}(-1,2,3)$ 的结论。不理解的读者请从头复习本小节（关于逆矩阵 P^{-1} 的存在性，请参考 4.5.2 节）。

另外，我们将矩阵 A 所表达的映射（从有向线段到有向线段的移动）记为 $\mathcal{A}(\vec{v})$[①]。使用这种书写方式时，我们考虑的系统

$$\boldsymbol{x}(t) = A\boldsymbol{x}(t-1) \qquad \text{其中} \quad \boldsymbol{x}(t) = (x_1(t), \cdots, x_n(t))^T$$

的实体就是下面这样[②]。

$$\vec{x}(t) = \mathcal{A}(\vec{x}(t-1)) \qquad \text{其中} \quad \vec{x}(t) = x_1(t)\vec{e}_1 + \cdots + x_n(t)\vec{e}_n$$

那么，设 $\mathcal{A}$ 的特征值是 $\lambda_1, \cdots, \lambda_n$，用 $\vec{p}_1, \cdots, \vec{p}_n$ 表示其对应的特征向量[③]。把这里的 $(\vec{p}_1, \cdots, \vec{p}_n)$ 作为一组基底[④]，则 $\vec{x}(t)$ 可以表示为

$$\vec{x}(t) = y_1(t)\vec{p}_1 + \cdots + y_n(t)\vec{p}_n$$

这时，有

$$\begin{aligned}\mathcal{A}(\vec{x}(t-1)) &= \mathcal{A}(y_1(t-1)\vec{p}_1) + \cdots + \mathcal{A}(y_n(t-1)\vec{p}_n) \\ &= \lambda_1 y_1(t-1)\vec{p}_1 + \cdots + \lambda_n y_n(t-1)\vec{p}_n\end{aligned}$$

换言之，在施加了 $\mathcal{A}$ 之后，各个 $y_1, \cdots, y_n$ 都分别变成了原来的 $\lambda_1, \cdots, \lambda_n$ 倍[⑤]。所以，立刻可得到

$$\begin{gathered}y_1(t) = \lambda_1^t y_1(0) \\ \vdots \\ y_n(t) = \lambda_n^t y_n(0)\end{gathered}$$

到底发生了什么样的变化呢? 我们可以通过动画来看看（图 4.4、图 4.5）。可以看到，就算是同一个映射，视角（= 基底的选取方式 = 坐标的选取方式 = 格子的画法）不同，呈现的景象也不同。矩阵 $A = \begin{pmatrix} 1 & -0.3 \\ -0.7 & 0.6 \end{pmatrix}$ 所对应的映射 $\mathcal{A}$ 在默认基底 $(\vec{e}_1, \vec{e}_2)$ 下，变换比较“扭曲”（图 4.4），而在精心选取的基底 $(\vec{p}_1, \vec{p}_2)$ 之下，只有单纯的沿坐标轴的伸缩（图 4.5）。我们知道，如果只是沿坐标轴的伸缩的话，对于反复的作用，就可以简单地把握变换的规律。所谓沿着坐标轴伸缩，请读者回忆一下，正是对角矩阵的性质（参考 1.2.7 节）。这样一来，变换过程中发生了什么，就一清二楚了。

---

① 对 $\boldsymbol{v} = (v_1, \cdots, v_n)^T$，若 $A\boldsymbol{v} = \boldsymbol{w} = (w_1, \cdots, w_n)^T$，则有 $\mathcal{A}(\vec{v}) = \vec{w}$，其中 $\vec{v} = v_1\vec{e}_1 + \cdots + v_n\vec{e}_n$，$\vec{w} = w_1\vec{e}_1 + \cdots + w_n\vec{e}_n$。根据 ?1.15 中讲过的内容，$\mathcal{A}(\vec{v} + \vec{v}') = \mathcal{A}(\vec{v}) + \mathcal{A}(\vec{v}')$ 以及 $A(c\vec{v}) = cA(\vec{v})$ 成立（c 是数）。

② 对于矩阵和映射，用不同字体的 A 加以区分。

③ 满足 $\mathcal{A}(\vec{p}) = \lambda\vec{p}$, $\vec{p} \neq \vec{o}$ 的数 λ 和向量 $\vec{p}$ 称为线性映射 $\mathcal{A}$ 的特征值和特征向量。线性映射的含义请参考 ?1.15。

④ 假定 $\vec{p}_1, \cdots, \vec{p}_n$ 线性不相关。对于大多数 $\mathcal{A}$ 而言，可以取得线性不相关的 $\vec{p}_1, \cdots, \vec{p}_n$。

⑤ 正规一点写出来就是 $\boldsymbol{y}(t) = \Lambda\boldsymbol{y}(t-1)$，$\Lambda = \mathrm{diag}\ (\lambda_1, \cdots, \lambda_n)$。于是 $\boldsymbol{y}(t) = \Lambda^t\boldsymbol{y}(0)$，$\Lambda^t = \mathrm{diag}\ (\lambda_1^t, \cdots, \lambda_n^t)$。

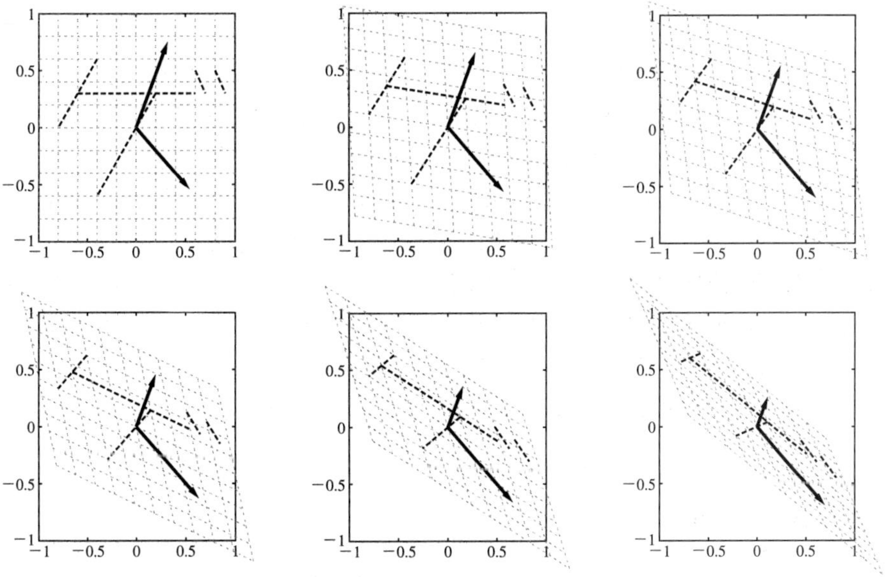

ruby mat_anim.rb -s=4 | gnuplot

图 4.4 （动画）矩阵 $A = \begin{pmatrix} 1 & -0.3 \\ -0.7 & 0.6 \end{pmatrix}$ 对应的空间的变化。在默认基底 $(\vec{e}_1, \vec{e}_2)$ 下，变形比较“扭曲”

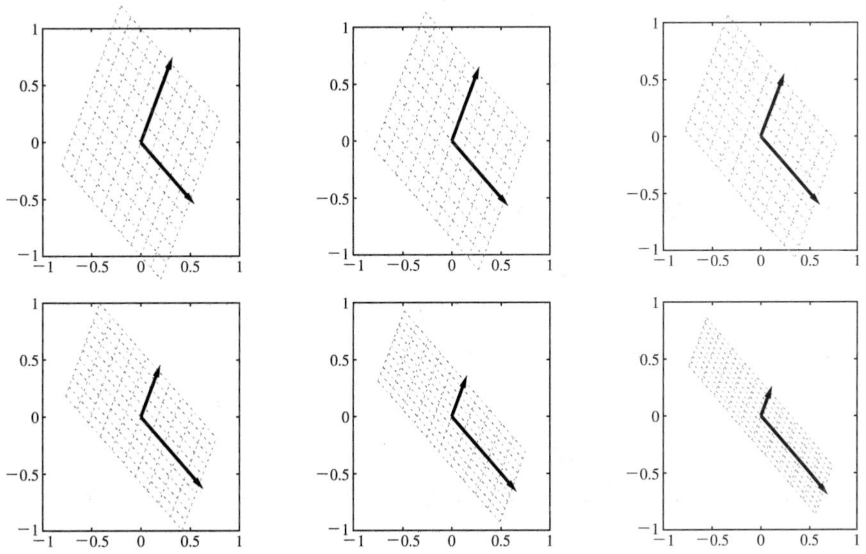

ruby mat_anim.rb -s=5 | gnuplot

图 4.5 （动画）和图 4.4 一样，矩阵 $A = \begin{pmatrix} 1 & -0.3 \\ -0.7 & 0.6 \end{pmatrix}$ 对应的空间的变化。在精心选取的基底 $(\vec{p}_1, \vec{p}_2)$ 下（选择合适的方向放置坐标轴并描格子），变形仅仅是沿着坐标轴的伸缩

使用有向线段 $\vec{p}_1, \vec{p}_2$，初始位置 $\vec{x}(0)$ 可以表达为"从原点出发向 $\vec{p}_1$ 方向走 $y_1(0)$ 步，向 $\vec{p}_2$ 方向走 $y_2(0)$ 步"。基于此，在 $\mathcal{A}$ 的作用下，$\vec{x}(1) = \mathcal{A}(\vec{x}(0))$ 的位置可以表达为"向 $(\lambda_1\vec{p}_1)$ 方向走 $y_1(0)$ 步，向 $(\lambda_2\vec{p}_2)$ 方向走 $y_2(0)$ 步"，即"向 $\vec{p}_1$ 方向走 $\lambda_1 y_1(0)$ 步，向 $\vec{p}_2$ 方向走 $\lambda_2 y_2(0)$ 步"。每作用一次 $\mathcal{A}$，步长变成原来的 λ_1 倍和 λ_2 倍。以此类推，在 $\mathcal{A}$ 作用过 t 次之后，$\vec{x}(t)$ 的位置可以表达为"向 $\vec{p}_1$ 方向走 $\lambda_1^t y_1(0)$ 步，向 $\vec{p}_2$ 方向走 $\lambda_2^t y_2(0)$ 步"。

接下来要做的是把得到的结果在默认基底 $(\vec{e}_1, \cdots, \vec{e}_n)$ 下还原出来。还原的关键是 $\boldsymbol{x}$ 和 $\boldsymbol{y} = (y_1, \cdots, y_n)^T$ 之间的变换。这个变换的本质，就是基底 $(\vec{e}_1, \cdots, \vec{e}_n)$ 和基底 $(\vec{p}_1, \cdots, \vec{p}_n)$ 之间的关系。这时 1.2.11 节中讲过的"坐标变换"就该出场了。

由于在基底 $(\vec{e}_1, \cdots, \vec{e}_n)$ 下，特征向量的坐标为 $\boldsymbol{p}_j = (p_{1j}, \cdots, p_{nj})^T$，因此有

$$\vec{p}_j = p_{1j}\vec{e}_1 + \cdots + p_{nj}\vec{e}_n \quad (j = 1, \cdots, n)$$

即如下对应关系（$n = 3$ 时）。

$$\boldsymbol{y} = \begin{pmatrix} 1 \\ 0 \\ 0 \end{pmatrix} \longleftrightarrow \boldsymbol{x} = \begin{pmatrix} p_{11} \\ p_{21} \\ p_{31} \end{pmatrix} = \boldsymbol{p}_1$$

$$\boldsymbol{y} = \begin{pmatrix} 0 \\ 1 \\ 0 \end{pmatrix} \longleftrightarrow \boldsymbol{x} = \begin{pmatrix} p_{12} \\ p_{22} \\ p_{32} \end{pmatrix} = \boldsymbol{p}_2$$

$$\boldsymbol{y} = \begin{pmatrix} 0 \\ 0 \\ 1 \end{pmatrix} \longleftrightarrow \boldsymbol{x} = \begin{pmatrix} p_{13} \\ p_{23} \\ p_{33} \end{pmatrix} = \boldsymbol{p}_3$$

回忆一下 ?1.30 中讲过的内容，马上就可以得到下式。

$$\boldsymbol{x} = P\boldsymbol{y}$$

$$P = (\boldsymbol{p}_1, \boldsymbol{p}_2, \boldsymbol{p}_3) = \left(\begin{array}{c|c|c} p_{11} & p_{12} & p_{13} \\ p_{21} & p_{22} & p_{23} \\ p_{31} & p_{32} & p_{33} \end{array}\right)$$

当然，逆变换就是 $\boldsymbol{y} = P^{-1}\boldsymbol{x}$。从已经求出的 $\boldsymbol{y}(t)$ 出发，经由变换 P，可以得到 $\boldsymbol{x}(t) = P\boldsymbol{y}(t)$，大功告成。总结一下，$\boldsymbol{x}(t) = P\boldsymbol{y}(t) = P\Lambda^t\boldsymbol{y}(0) = P\Lambda^t P^{-1}\boldsymbol{x}(0)$，和用变量替换得到的结果是一样的。

和上一小节中讲过的一样，一定要注意确认 P 是否可逆，也就是 $\boldsymbol{p}_1, \cdots, \boldsymbol{p}_n$ 是否线性无关。虽然一般来讲不会出什么问题，但是根据 A 的不同，有时候确实也没法取到 n 个不相关的特征向量。

? 4.9 前面学过的初等变换还是不能用吗? 虽然已经读过前面 ? 4.8 中的解释, 但是从坐标变换的角度怎么解释呢?

$\mathcal{A}$ 是由 n 维向量到 n 维向量的映射。换句话说, 是从 n 维空间到 n 维空间的映射, 于是我们的“原空间”(定义域) 和“目标空间”(值域) 才是关键所在。可以认为我们现在讨论的相似变换的原空间和目标空间是同一空间(这也解释了为什么同一变换可以反反复复地作用)。再换句话说, 我们可以认为讨论的是 n 维空间 V 到自身的映射。一旦改变空间 V 的基底, 无论是原空间还是目标空间, 都要同步进行坐标变换。那么, 初等变换呢? 它的原空间和目标空间是不同的。也就是说, 初等变换可以看作是 n 维空间 V 到另外的 n 维空间 W 的映射。原空间的坐标变换, 对应到目标空间, 就是其他变换了。之后的道理就和 ? 4.8 一样了。像这样对两边进行不同的坐标变换, 对我们考虑多个步骤的问题是完全没有好处的。

4.4.4 从乘方的角度来解释

下面再介绍一种解释方法。该方法看似出乎意料、十分巧妙, 不过稍加讲解, 理解起来也并不困难。

我们的目标依然是求 $\boldsymbol{x}(t)$。如果沿用一维的方式来思考 (参考 4.2 节) 的话, 会得到

$$\boldsymbol{x}(t) = A\boldsymbol{x}(t-1) = AA\boldsymbol{x}(t-2) = AAA\boldsymbol{x}(t-3) = \cdots = A^t\boldsymbol{x}(0) \tag{4.5}$$

那么话说回来, 只要能求出 A 的 t 次方 (A^t) 就可以了①。如果 A 是对角矩阵 $\mathrm{diag}\,(a_1, \cdots, a_n)$, 那么 $A^t = \mathrm{diag}\,(a_1^t, \cdots, a_n^t)$, 这我们在第 1 章中就讲过。但若 A 不是对角矩阵呢? 这时, 如果可以找到合适的可逆矩阵 P, 使得 $P^{-1}AP$ 变成对角矩阵 $\Lambda = \mathrm{diag}\,(\lambda_1, \cdots, \lambda_n)$ 的话, 也就可以求出 A^t 了。如下所示。

$$(P^{-1}AP)^2 = (P^{-1}AP)(P^{-1}AP) = P^{-1}APP^{-1}AP = P^{-1}A^2P$$
$$(P^{-1}AP)^3 = (P^{-1}AP)(P^{-1}AP)(P^{-1}AP) = P^{-1}APP^{-1}APP^{-1}AP = P^{-1}A^3P$$

以此类推, 我们发现

$$(P^{-1}AP)^t = P^{-1}A^tP$$

上式左边是对角矩阵的乘方, 很容易得到

$$(P^{-1}AP)^t = \Lambda^t = \mathrm{diag}\,(\lambda_1^t, \cdots, \lambda_n^t)$$

① 这里我们规定 $A^0 = I$。关于 0 次方的问题请参考 ? 1.21。

这样一来，式子就变成了 $\Lambda^t = P^{-1}A^tP$，左边和右边分别乘以 P 和 P^{-1}，可以得到

$$P\Lambda^tP^{-1} = A^t$$

只需要计算左边就可以得到 A^t 了。

最终答案是

$$\boldsymbol{x}(t) = P\Lambda^tP^{-1}\boldsymbol{x}(0).$$

4.4.5 结论：关键取决于特征值的绝对值

无论采用哪种解释，如果 A 可对角化，最后就都归结成了对角矩阵的问题。这里所说的对角矩阵，正是由 A 的特征值 $\lambda_1, \cdots, \lambda_n$ 作为对角元素排列而成的 $\Lambda = \mathrm{diag}\,(\lambda_1, \cdots, \lambda_n)$。"原 $\boldsymbol{x}(t)$ 是否会越跑越远（当 $t \to \infty$ 时，$\boldsymbol{x}(t)$ 的某个分量（的绝对值）发散）"和"变换后的 $\boldsymbol{y}(t) = P^{-1}\boldsymbol{x}(t)$ 是否会越跑越远"实际上是一码事。最后，在可对角化的前提下，我们可以得出以下结论①。

- $|\lambda_1|, \cdots, |\lambda_n|$ 之中只要有一个大于 1，那么就有失控的危险
- 若 $|\lambda_1|, \cdots, |\lambda_n| \leqslant 1$，则没有失控的危险

4.5 特征值、特征向量

如前一节中所述，特征值、特征向量是判断是否有失控危险的关键所在。本节中我们讲述特征值、特征向量的性质和计算方法。在本节开头，我们再来复习一下特征值和特征向量的定义。

一般而言，对于方阵 A，满足

$$A\boldsymbol{p} = \lambda\boldsymbol{p} \tag{4.6}$$

$$\boldsymbol{p} \neq \boldsymbol{o} \tag{4.7}$$

的数 λ 和向量 $\boldsymbol{p}$ 分别称为**特征值**和**特征向量**。

4.5.1 几何学意义

从几何学意义上讲，特征向量乘上 A 之后，除了长度会有伸缩变化，方向不发生改变。这里的长度变化倍率，便是特征值。

我们从动画来看便一目了然。图 4.6 演示了在 $A = \begin{pmatrix} 1 & -0.3 \\ -0.7 & 0.6 \end{pmatrix}$ 的作用下，A 的特征向量会发生何种变化。

---

① 这里只是可对角化时的结论。当不可对角化时，$|\lambda_i| = 1$ 这种"边界上"的情况很微妙，需要谨慎判断（参考 4.7.4 节）。

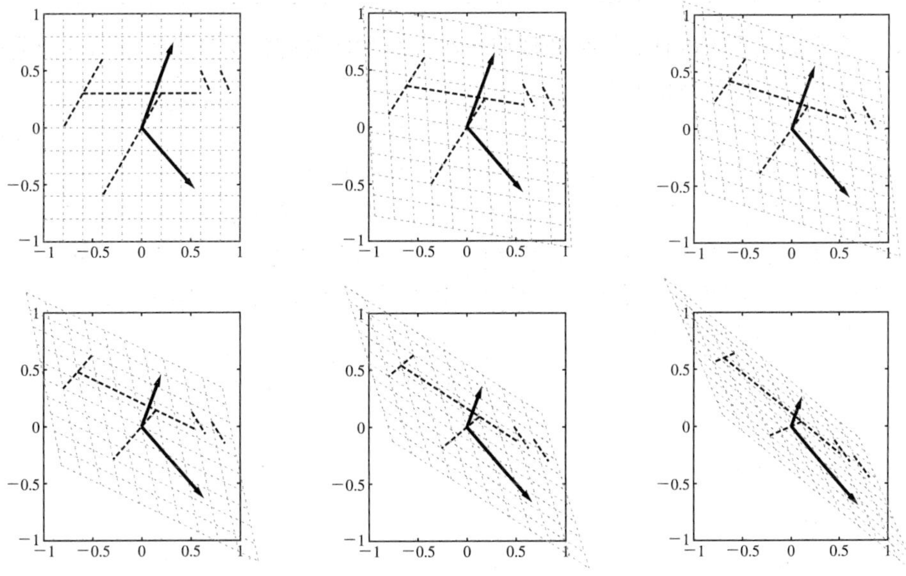


```
ruby mat_anim.rb -s=4 | gnuplot
```

图 4.6 （动画）乘以 $A=\begin{pmatrix}1 & -0.3\\ -0.7 & 0.6\end{pmatrix}$ 之后，只有长度的伸缩变化而方向保持不变的是 A 的特征向量（如图中有向线段所示）。特征向量的伸缩倍率就是特征值（伸长时为 1.3，缩短时为 0.3）

? 4.10 $A=\begin{pmatrix}0 & -1\\ 1 & 0\end{pmatrix}$ 时，就没有特征向量了吗？

如果只考虑实数范围就没有特征向量。如果把复数也考虑进来的话，就有了。首先来明确一下矩阵 A 表示了一个什么样的映射。它把 $(1,0)^T$ 转移到 $(0,1)^T$，把 $(0,1)^T$ 转移到 $(-1,0)^T$，所以它对应了"以原点为中心，向逆时针方向旋转 90 度"的变换①。因为所有向量都发生了 90 度旋转，所以特征向量（方向不变的向量）是无论如何也找不出来的。

然而，一旦我们引入了复数，就会发现

- 特征值 $+\mathrm{i}$ 的特征向量是 $\boldsymbol{p}_+=(\mathrm{i},+1)^T$
- 特征值 $-\mathrm{i}$ 的特征向量是 $\boldsymbol{p}_-=(\mathrm{i},-1)^T$

请读者自己验证上述事实②。这样看来，**即便是实矩阵，其特征值、特征向量也可能出现复数**。特征值、特征向量的具体计算方法，我们会在后面的 4.5.3 节和 4.5.4 节中讲解。

---

① 不明白的读者请复习 1.2.3 节的内容。在图 1.14 和图 1.15 中提到的"旋转后拉伸"和"旋转后压缩"操作中，同样使用过这个矩阵。但是说句不好听的，我们目前为止还没有定义什么叫"角度"，所以我们谈到"旋转"时，全部省略了一个默认条件，那就是所选择的基底一定是标准正交基（参考附录 E.1.4）。

② 不明白的读者请复习特征向量的定义——(4.6) 式和 (4.7) 式。显然它们都不是零向量，那么只需要验证 $A\boldsymbol{p}_+=+\mathrm{i}\boldsymbol{p}_+$，$A\boldsymbol{p}_-=-\mathrm{i}\boldsymbol{p}_-$ 就可以了。

? 4.11 特征值是复数的话，怎么处理前一小节中的问题呢？现实问题中的物理量中应该不会出现复数的吧？

失控危险的判断完全不受影响。现实世界中如何也无需担心。问题的最终解答一定会把虚数部分消掉的（关于复数的补充说明请参见附录 B）。

这里的要点在于，如果实方阵 A 有特征值 λ 和特征向量 $\boldsymbol{p}$，那么其复共轭 $\overline{\lambda}, \overline{\boldsymbol{p}}$ 同样是 A 的特征值和特征向量。实际上，对 $A\boldsymbol{p} = \lambda\boldsymbol{p}$ 两边取共轭，可得 $\overline{A\boldsymbol{p}} = \overline{\lambda\boldsymbol{p}}$，也就是说 $\overline{A}\overline{\boldsymbol{p}} = \overline{\lambda}\overline{\boldsymbol{p}}$ 也成立。因为 A 的元素全部都是实数，所以 $\overline{A} = A$，故 $A\overline{\boldsymbol{p}} = \overline{\lambda}\overline{\boldsymbol{p}}$。这说明 $\overline{\lambda}, \overline{\boldsymbol{p}}$ 的确是 A 的特征值和特征向量。

比如说，当 A 为 3 阶实方阵时，令特征值为 λ_1，λ_2，λ_3，让我们来考虑同时满足以下条件时的情况。

- λ_1 不是实数
- $\lambda_2 = \overline{\lambda}_1$
- λ_3 是实数

假设 λ_1, λ_3 对应的特征向量分别为 $\boldsymbol{p}_1$，$\boldsymbol{p}_3$，则 $\boldsymbol{p}_2 = \overline{\boldsymbol{p}}_1$ 为特征值 $\lambda_2 = \overline{\lambda}_1$ 对应的特征向量。我们构造一个矩阵 $P = (\boldsymbol{p}_1, \boldsymbol{p}_2, \boldsymbol{p}_3) = (\boldsymbol{p}_1, \overline{\boldsymbol{p}}_1, \boldsymbol{p}_3)$，那么根据以下（含有复数的）等式，也就可以推出形如 $P^{-1}AP = \mathrm{diag}\,(\lambda_1, \overline{\lambda}_1, \lambda_3)$ 的对角化结果。

$$AP = A(\boldsymbol{p}_1, \overline{\boldsymbol{p}}_1, \boldsymbol{p}_3) = (\boldsymbol{p}_1, \overline{\boldsymbol{p}}_1, \boldsymbol{p}_3)\begin{pmatrix} \lambda_1 & & \\ & \overline{\lambda}_1 & \\ & & \lambda_3 \end{pmatrix} = P\mathrm{diag}\,(\lambda_1, \overline{\lambda}_1, \lambda_3)$$

下面让我们将其变形，整理成只含有实数的式子。设 $r = |\lambda_1|$、$\theta = \arg \lambda_1$，我们有

$$\lambda_1 = re^{\mathrm{i}\theta} = r\cos\theta + \mathrm{i}r\sin\theta$$

接着，对于特征向量 $\boldsymbol{p}_1$，分别写出实部和虚部。

$$\boldsymbol{p}_1 = \boldsymbol{p}' + \mathrm{i}\boldsymbol{p}'' \qquad (\boldsymbol{p}', \boldsymbol{p}'' \text{ 为实向量})$$

因为 $A\boldsymbol{p}_1 = \lambda_1\boldsymbol{p}_1$，所以我们可以得到下式。

$$\begin{aligned} A\boldsymbol{p}' + \mathrm{i}A\boldsymbol{p}'' &= (r\cos\theta + \mathrm{i}r\sin\theta)(\boldsymbol{p}' + \mathrm{i}\boldsymbol{p}'') \\ &= \{(r\cos\theta)\boldsymbol{p}' - (r\sin\theta)\boldsymbol{p}''\} + \mathrm{i}\{(r\sin\theta)\boldsymbol{p}' + (r\cos\theta)\boldsymbol{p}''\} \end{aligned}$$

分别对比等式两边的实部和虚部，可知

$$A\boldsymbol{p}' = (r\cos\theta)\boldsymbol{p}' - (r\sin\theta)\boldsymbol{p}''$$
$$A\boldsymbol{p}'' = (r\sin\theta)\boldsymbol{p}' + (r\cos\theta)\boldsymbol{p}''$$

这里，我们设矩阵 $P' = (\boldsymbol{p}'', \boldsymbol{p}', \boldsymbol{p}_3)$，可知

$$AP' = A(\boldsymbol{p}'', \boldsymbol{p}', \boldsymbol{p}_3) = (\boldsymbol{p}'', \boldsymbol{p}', \boldsymbol{p}_3)\begin{pmatrix} r\cos\theta & -r\sin\theta & 0 \\ r\sin\theta & r\cos\theta & 0 \\ 0 & 0 & \lambda_3 \end{pmatrix}$$

也就是说，我们用实矩阵 P' 作为变换矩阵，可以把 A 变成如下所示的分块对角的实矩阵①。

$$P'^{-1}AP' = \left(\begin{array}{cc|c} r\cos\theta & -r\sin\theta & 0 \\ r\sin\theta & r\cos\theta & 0 \\ \hline 0 & 0 & \lambda_3 \end{array}\right)$$

对于一般的实方阵 A,(若 A 可对角化) 选取合适的实矩阵 P'，可以得到如下变换。

$$P'^{-1}AP' = \left(\begin{array}{cc|c|cc|c} r_1\cos\theta_1 & -r_1\sin\theta_1 & & & & \\ r_1\sin\theta_1 & r_1\cos\theta_1 & & & & \\ \hline & & \ddots & & & \\ & & \ddots & & & \\ \hline & & & r_k\cos\theta_k & -r_k\sin\theta_k & \\ & & & r_k\sin\theta_k & r_k\cos\theta_k & \\ \hline & & & & & * \\ & & & & & \ddots \\ & & & & & * \end{array}\right) \equiv D$$

这里 D 是分块对角的实矩阵。$*$ 的位置代表实特征值。

那么，已经知道 $\boldsymbol{x}(t) = A^t\boldsymbol{x}(0)$ (参考 4.4.4 节)，为了考察系统行为，我们还想要知道 A^t 的信息。又因为 $A^t = P'D^tP'^{-1}$，所以求出了 D^t 也就得到了 A^t。这里，要求分块对角矩阵 D 的乘方，只需要对各个区块分别乘方即可 (参考 1.2.9 节)。问题最终归结为以下矩阵的 t 次方等于什么。

$$R(\theta) \equiv \begin{pmatrix} \cos\theta & -\sin\theta \\ \sin\theta & \cos\theta \end{pmatrix}$$

---

① 由于可逆矩阵 P 乘以可逆矩阵还是可逆的，因此根据下式可以保证 P' 的可逆性。不明白的读者请复习 1.2.8 节的内容。

$$\boldsymbol{p}' = (\boldsymbol{p}_1 + \boldsymbol{p}_2)/2,\ \boldsymbol{p}'' = (\boldsymbol{p}_1 - \boldsymbol{p}_2)/(2i),\ 即\ P' = P\begin{pmatrix} 1/(2i) & 1/2 & 0 \\ -1/(2i) & 1/2 & 0 \\ 0 & 0 & 1 \end{pmatrix}.$$

实际上这个矩阵表示以原点为中心，旋转 θ 弧度的变换①。参考图 4.7，是不是可以理解了？

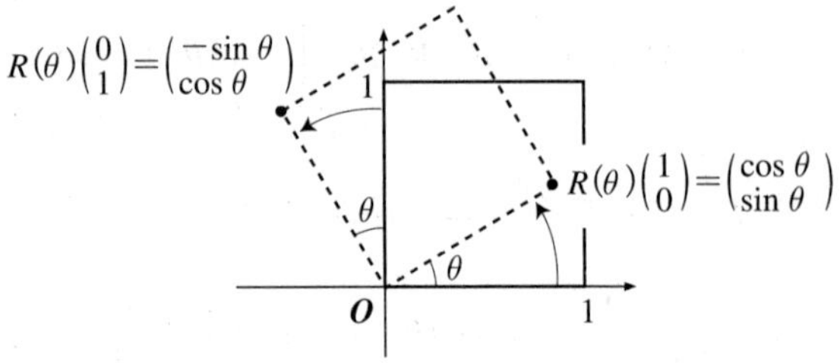

图 4.7 矩阵 $R(\theta)$ 表示以原点为中心，旋转 θ 弧度的变换

那么 $R(\theta)^t$ 就表示把同样的旋转变换进行 t 次，结果相当于旋转 $t\theta$ 弧度，即

$$R(\theta)^t = R(t\theta)$$

于是我们就得到了对角区块的乘方。

$$\{r_j R(\theta_j)\}^t = r_j^t R(t\theta_j), \qquad j = 1, \cdots, k$$

我们用图 4.8 来说明 $\boldsymbol{y}(t) = rR(\theta)\boldsymbol{y}(t-1)$ 的行为。这里，$|r| > 1$ 则发散（左图），$r = 1$ 则绕原点旋转（中图），$|r| < 1$ 则向原点方向收敛（右图）。

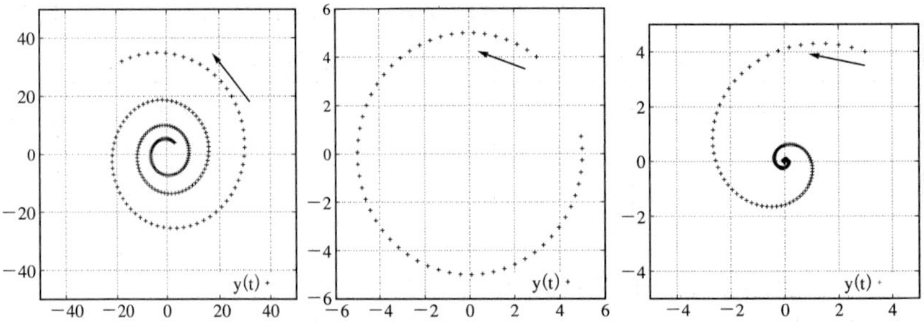

图 4.8 系统 $\boldsymbol{y}(t) = rR(\theta)\boldsymbol{y}(t-1)$ 的行为

于是，在出现非实数特征值 λ 时，其对应的分量（特征值 λ 和 $\overline{\lambda}$ 对应的特征向量的方向）如下所示②。

- $|\lambda| > 1$ 则螺旋状发散
- $|\lambda| = 1$ 则绕原点旋转
- $|\lambda| < 1$ 则向原点方向收敛

① 2π 弧度 $= 360$ 度。

② 这里当然仅仅是"λ 所对应的分量"的行为。当 $|\lambda| < 1$ 时，"就此分量来说"向原点方向收敛，假如有其他分量是发散的，那么从整个系统的角度看，依然可能会失控。

4.5.2 特征值、特征向量的性质

■ 一目了然的性质

只要还记得特征值、特征向量的定义 ——(4.6) 式和 (4.7) 式，那么下列性质就应该是"一目了然"的吧①。令 $\lambda, \boldsymbol{p}$ 为方阵 A 的特征值和特征向量，α 为任意数，则

- "A 有 0 特征值"等价于"A 是奇异矩阵"②。也就是说，"A 没有 0 特征值"等价于"A 非奇异 (可逆)"
- $1.7\boldsymbol{p}$, $-0.9\boldsymbol{p}$ 等也是 A 的特征向量③。一般而言，对于 $\alpha \neq 0$, $\alpha\boldsymbol{p}$ 也是 A 的特征向量 (它们对应的特征值都是 λ)
- 若对于特征值 λ，另有向量 $\boldsymbol{q}$ 也是其特征向量，那么 $\boldsymbol{p}+\boldsymbol{q}$ 也是 A 的特征向量 (对应的特征值为 λ)。这里不包括 $\boldsymbol{p}+\boldsymbol{q}=\boldsymbol{o}$ 的情况
- $\boldsymbol{p}$ 也是 $1.7A$, $-0.9A$ 等的特征向量 (对应的特征值分别为 1.7λ, -0.9λ)。一般而言，$\boldsymbol{p}$ 也是 αA 的特征向量 (对应的特征值为 $\alpha\lambda$)
- $\boldsymbol{p}$ 同样是 $A+1.7I$, $A-0.9I$ 等的特征向量 (对应的特征值分别为 $\lambda+1.7$, $\lambda-0.9$)。一般而言，$\boldsymbol{p}$ 也是 $A+\alpha I$ 的特征向量 (对应的特征值为 $\lambda+\alpha$)
- $\boldsymbol{p}$ 同样是 A^2, A^3 等的特征向量 (对应的特征值分别为 λ^2, λ^3)。一般而言，对于 $k=1,2,3,\cdots$, $\boldsymbol{p}$ 也是 A^k 的特征向量 (对应的特征值为 λ^k)④
- $\boldsymbol{p}$ 也是 A^{-1} 的特征向量 (当 A^{-1} 存在时⑤)，对应的特征值为 $1/\lambda$
- 对角矩阵 diag $(5,3,8)$ 的特征值为 $5,3,8$。对应的特征向量为 $(1,0,0)^T$, $(0,1,0)^T$, $(0,0,1)^T$。一般而言，对角矩阵 diag $(a_1,\cdots,a_n)$ 的特征值为 $a_1,\cdots,a_n$。对应的特征向量为 $\boldsymbol{e}_1,\cdots,\boldsymbol{e}_n$ ($\boldsymbol{e}_i$ 表示第 i 分量为 1，其他都为 0 的 n 维向量)⑥

最后一个性质是关于分块矩阵的。对于形如

$$D=\begin{pmatrix} A & O & O \\ O & B & O \\ O & O & C \end{pmatrix}$$

---

① 这些都不是"背"下来的。如果不觉得这些性质是理所当然的，请再次复习 (4.6) 式和 (4.7) 式的定义。

② 这里稍加解释。所谓"A 有 0 特征值"，就是说存在满足 $A\boldsymbol{p}=\boldsymbol{o}$ 的向量 $\boldsymbol{p}\neq\boldsymbol{o}$。那么，一个非零向量在乘 A 之后变成了零向量，说明了什么呢 (参考 2.4.3 节)?

③ 因为 $A(1.7\boldsymbol{p})=1.7A\boldsymbol{p}=1.7\lambda\boldsymbol{p}=\lambda(1.7\boldsymbol{p})$，其他情况也是同理。

④ 小试牛刀：请试着证明 $\boldsymbol{p}$ 是 A^3+4A^2-A+7I 的特征向量，并求出对应的特征值。不明白的读者请再次复习特征值、特征值的定义 (4.6) (4.7) 式。

⑤ 这时必然有 $\lambda\neq 0$。

⑥ 代入 (4.6) 式之后一算便知。从几何角度出发，如果脑海里能浮现出对角矩阵所表示的映射 (参考 1.2.7 节)，也能很直观地理解了吧。

的分块对角矩阵，若 $\boldsymbol{p}$ 是 A 的特征向量（特征值 λ），$\boldsymbol{q}$ 是 B 的特征向量（特征值 μ），$\boldsymbol{r}$ 是 C 的特征向量（特征值 ν），则

$$\begin{pmatrix} \boldsymbol{p} \\ \boldsymbol{o} \\ \boldsymbol{o} \end{pmatrix}, \quad \begin{pmatrix} \boldsymbol{o} \\ \boldsymbol{q} \\ \boldsymbol{o} \end{pmatrix}, \quad \begin{pmatrix} \boldsymbol{o} \\ \boldsymbol{o} \\ \boldsymbol{r} \end{pmatrix}$$

是 D 的特征向量（对应的特征值分别是 λ, μ, ν）。以上性质也可以从特征值、特征向量的定义中推出。总结一下，我们可以有下面的结论。

- 对于分块对角矩阵，只需要依次考察各个分块的特征值、特征向量即可

实际上，“对角元素＝特征值” 这一性质，对于上三角、下三角矩阵同样成立。

- 对于上三角、下三角矩阵来说，特征值就等于对角元素（很遗憾，特征向量的形式就没有对角矩阵那么简单了）

以上两点仅仅对特殊形式的矩阵成立，并不适用于所有方阵，请读者注意。

? 4.12 上三角矩阵和下三角矩阵的对角元素就是特征值，为什么呢?

只要按照定义算一下就知道了。比如说，对于

$$A = \begin{pmatrix} 5 & * & * \\ 0 & 3 & * \\ 0 & 0 & 8 \end{pmatrix}$$

令其特征值和特征向量分别为 λ 和 $\boldsymbol{p} = (p_1, p_2, p_3)^T$（$*$ 处填什么都可以。）$A\boldsymbol{p} = \lambda\boldsymbol{p}$ 成立的话，则

$$5p_1 + *p_2 + *p_3 = \lambda p_1 \tag{4.8}$$

$$3p_2 + *p_3 = \lambda p_2 \tag{4.9}$$

$$8p_3 = \lambda p_3 \tag{4.10}$$

从 (4.10) 式中可以得到

- $\lambda = 8$
- 或者 $p_3 = 0$。这时 (4.9) 式就变成了 $3p_2 = \lambda p_2$，于是
  - $\lambda = 3$
  - 或者 $p_2 = 0$。这时 (4.8) 式就变成了 $5p_1 = \lambda p_1$，于是
    - $\lambda = 5$

• 或者 $p_1=0$。这时，最终有 $\boldsymbol{p}=\boldsymbol{o}$，是不能作为特征向量的

按照以上流程，我们得到 $\lambda=5,3,8$①。

顺便提一句，我们知道上三角、下三角矩阵的行列式就等于对角元素的乘积（参考 1.3.2 节）。然而，在后文中我们会提到“行列式就是特征值的积”。请读者结合这里的结果体会一下。

另外，下列性质也是显而易见的。

- 对于大小和 A 相同的可逆矩阵 S，$S^{-1}\boldsymbol{p}$ 是 $S^{-1}AS$ 的特征向量（对应的特征值为 λ）② 。因此，A 和 $S^{-1}AS$ 具有相同的特征值 —— 相似变换下特征值不变③

进而，还有下面的性质。

- 行列式等于特征值的乘积。也就是说，当 $n\times n$ 矩阵 A 的特征值为 $\lambda_1,\cdots,\lambda_n$ 时，有 $\det A=\lambda_1\cdots\lambda_n$（其中，有重根的情况下也计入了对应的重数④ ）

在可对角化的情况下，上述性质理解起来很简单。如果我们采用和上一节中相同的记号，则是下面这样⑤ 。

$$\det(P^{-1}AP)=\det(P^{-1})\det A\det P=\frac{1}{\det P}\det A\det P=\det A$$

另一方面，还有

$$\det(P^{-1}AP)=\det\Lambda=\lambda_1\cdots\lambda_n$$

这是从代数角度出发的解释。

从几何的角度来讲其实更为直观。正如我们在 4.4.3 节中介绍的那样，如果能够巧妙地选取坐标轴，A 对应的映射就可以变成单纯的沿着坐标轴的伸缩变换。由于沿着各轴的伸缩倍率正是特征值 $\lambda_1,\cdots,\lambda_n$，因此图中各格子的面积（$n$ 维版本的体积）当然也就变成了原来的 $\lambda_1\cdots\lambda_n$ 倍。关于这一点，请参考“综述 —— 通过动画学习线性代数”。

---

① 其实上面的说明还不全面。因为现在我们只能证明“除了 5，3，8 之外不存在其他候选的特征值”。另外，至于是否存在满足 $A\boldsymbol{p}=5\boldsymbol{p}$ 的 $\boldsymbol{p}\neq\boldsymbol{o}$，则必须另外说明，这里暂且省略（请参考 4.5.3 节开头关于特征方程的说明）。

② 请读者自己验证 $(S^{-1}AS)(S^{-1}\boldsymbol{p})=\lambda(S^{-1}\boldsymbol{p})$。

③ 请注意，相似变换仅仅用“坐标变换”就可以解释（参考 4.4.3 节）。而特征值的定义与坐标系的选取无关（即使不出现坐标，而是仅采用有向线段（参考 1.1 节）作为实体，同样也可以定义特征值），当然在坐标变换之下，特征值就不变了。

④ 例如，当 $A=\operatorname{diag}(5,2,2,2)$ 时，特征值为 5 和 2（3 重根），行列式为 $5\cdot 2^3=40$。另外，这里所谓的“重数”，实际上是后文中要言及的“代数重数”（参考 4.5.3 节）。

⑤ 因为 $\det X$ 是一个数，所以乘积的顺序可以任意交换。

? 4.13 不可对角化的时候怎么理解呢?

在学完 Jordan 标准型之后 (参考 4.7.2 节), 就变得和可对角化时的情况 (的代数解释) 一样容易理解了。要点是 Jordan 标准型是上三角矩阵, 而上三角矩阵的行列式是对角元素的乘积。如果觉得把 Jordan 标准型搬出来是点杀鸡用牛刀, 那么我们也可以用特征多项式 $\phi_A(\lambda)$ (参考 4.5.3 节) 来进行如下解释 (对多项式的掌握没有自信的读者可以跳过本段)。特征值 λ 是 $\phi_A(\lambda)=0$ 的解。那么, 假设 3 阶方阵 A 的特征值为 5、5、8 (其中 5 是 2 重根), 那么可以因式分解得到 $\phi_A(\lambda)=(\lambda-5)(\lambda-5)(\lambda-8)$①。请特别注意, $\phi_A(0)$ 的值正是 "各个特征值的相反数" 的乘积, 即 $(-5)(-5)(-8)=(-1)^3 5\cdot5\cdot8$。其中 $(-1)^3$ 的次数 3, 正是矩阵 A 的阶数。另外, 我们从定义 $\phi_A(\lambda)=\det(\lambda I-A)$ 中也可以得到 $\phi_A(0)=\det(-A)=(-1)^3\det A$。这里的 3 也不是别的, 正是 A 的阶数②。这样, 我们就验证了 $\det A=5\cdot5\cdot8$ 为特征值的乘积。简而言之, 我们上面的验证工作用到的实际上正是所谓的 **"根与系数的关系"**③。

■ 特征向量的线性无关性

除了上述 "一目了然" 的性质之外, 还有一条重要的性质 —— 不相等的特征值对应的特征向量线性无关。

冷不丁地出来这么一条性质, 可能大家还不太明白。那么, 首先我们来验证一个理所当然的事实: 若特征值不同, 则对应的特征向量具有不同的方向。严格来讲, 对于方阵 A, 令它的两个不同的特征值 λ, μ 对应的特征向量分别为 $\boldsymbol{p}, \boldsymbol{q}$, 则不可能出现 $\boldsymbol{q}=\alpha\boldsymbol{p}$ (α 是数) 的情况。我们知道 $\alpha\boldsymbol{p}$ 同样也是 λ 对应的特征向量④, 如果它同时也是 μ 的特征向量的话, 那就太诡异了。这样一想, 大概就可以理解了吧⑤。

上面对 2 个特征值的情况进行了解释, 实际上, 对于 3 个、4 个乃至多个特征值的情况, 上述性质同样成立。准确的说法如下。

- 设 $\lambda_1,\cdots,\lambda_k$ 是 $n\times n$ 矩阵 A 的特征值, $\boldsymbol{p}_1,\cdots,\boldsymbol{p}_k$ 是对应的特征向量。若 $\lambda_1,\cdots,\lambda_k$ 两两不同, 则 $\boldsymbol{p}_1,\cdots,\boldsymbol{p}_k$ 两两线性无关 —— (*)

---

① 显然可以因式分解为 $\phi_A(\lambda)=\square(\lambda-5)(\lambda-5)(\lambda-8)$。问题就是系数 □ 是多少。只要考虑 $\phi_A(\lambda)=\det(\lambda I-A)$ 中 λ^3 的系数, 就可以得到 □ 为 1。不明白的读者请复习 1.3.3 节的内容。

② 对于 n 阶方阵 A 和数 c, 有 $\det(cA)=c^n A$。不明白的读者请复习 1.3.2 节的内容。

③ 又称为 "韦达定理"。—— 译者注

④ 不明白的读者请复习本节开头的内容。还在担心 $\alpha=0$ 的情况的读者, 请重新审视特征向量的定义。若 $\alpha=0$, 则有 $\boldsymbol{q}=\boldsymbol{o}$, 这与 $\boldsymbol{q}$ 是特征向量的前提条件相矛盾。于是 $\alpha=0$ 的情况我们根本不考虑了。

⑤ 正规的证明如下。假设存在某个满足上述条件的 α。由题设可知 $A\boldsymbol{q}=\mu\boldsymbol{q}$。另一方面, 若 $\boldsymbol{q}=\alpha\boldsymbol{p}$, 则 $A\boldsymbol{q}=\alpha A\boldsymbol{p}=\alpha\lambda\boldsymbol{p}=\lambda\boldsymbol{q}$。所以我们推出 $\mu\boldsymbol{q}=\lambda\boldsymbol{q}$, 移项得 $(\mu-\lambda)\boldsymbol{q}=\boldsymbol{o}$。由已知条件中的 $\boldsymbol{q}$ 是特征向量, 可知 $\boldsymbol{q}\neq\boldsymbol{o}$。于是, 为了使等式成立, 只有 $\mu-\lambda=0$。这与 $\mu\neq\lambda$ 的前提条件矛盾。简而言之, 由反证法可知, 这样的 α 不存在。

也就是上述性质的 k 元版[①]。特别地，由此性质可以推广出下面一条性质[②]（在 4.4.2 节中已经做过介绍）。

- 若 $n \times n$ 矩阵 A 有 n 个互不相同的特征值 $\lambda_1, \cdots, \lambda_n$，则由其对应的特征向量 $\boldsymbol{p}_1, \cdots, \boldsymbol{p}_n$ 组成的矩阵 $P = (\boldsymbol{p}_1, \cdots, \boldsymbol{p}_n)$ 可逆，并且通过 $P^{-1}AP = \mathrm{diag}\,(\lambda_1, \cdots, \lambda_n)$ 可以将 A 对角化

要注意逆命题并不成立。在有重复特征值的情况下，也有可能可以对角化（极端的例子：$A = I$）。

? 4.14 听起来好像是把同一件事用两种方式分别表达了一遍。为何故意换个说法又讲一遍?

"特征值不同则特征向量的方向不同"和"不同的特征值对应的特征向量线性无关"可不是一回事。后者是比前者更强的命题。请各位回过头去看一下 2.3.4 节的内容，回忆一下线性无关性的本质是什么。在图 2.12 和图 2.13 中，我们展示了 3 个方向互不相同的向量并非线性无关的例子。所以说，仅仅是方向不同，并不能保证线性无关。

? 4.15 (∗) 作何解释?

可对角化的情况下，对角化之后很容易就看出来了吧。正如 4.4.3 节中的做法一样，我们可以用坐标变换来解释对角化，也就是将同样的对象（有向线段）在不同的视角（基底）下展现。所以，我们可以用对角化之后的形式来验证 (∗) 的性质[③]。矩阵 A 所对应的映射 $\mathcal{A}$，在精心选取的基底下，可以表达为对角矩阵 Λ。例如，当

$$\Lambda = \begin{pmatrix} 5 & 0 & 0 & 0 \\ 0 & 3 & 0 & 0 \\ 0 & 0 & 8 & 0 \\ 0 & 0 & 0 & 8 \end{pmatrix}$$

① 不明白的读者请复习 2.3.4 节中线性无关的定义。
② 不明白的读者请复习 2.4.3 节的内容。
③ 特征值、特征向量以及线性无关的概念，与基底的选择完全无关。也正因为如此，我们才能够用有向线段的实体来定义，而无视坐标。

时，显然特征值为 5、3、8、8（其中 8 为 2 重根）。那么对应的特征向量分别为

$$
\boldsymbol{p}_5 = \begin{pmatrix} * \\ 0 \\ 0 \\ 0 \end{pmatrix}, \quad \boldsymbol{p}_3 = \begin{pmatrix} 0 \\ * \\ 0 \\ 0 \end{pmatrix}, \quad \boldsymbol{p}_8 = \begin{pmatrix} 0 \\ 0 \\ * \\ * \end{pmatrix}
$$

（其中每个 $*$ 都可以是任意数，但要注意特征向量不能为零向量）。显然这里的 $\boldsymbol{p}_5, \boldsymbol{p}_3, \boldsymbol{p}_8$，线性无关[①]。对角化之后，由于不同特征值对应的特征向量的非零分量对应的位置不同，因此显然是线性无关的。

对于不可对角化的情况，在学习了 Jordan 标准型（参考 4.7.2 节）之后，就可以和对角化的情况做同样的处理。矩阵 A 所对应的映射 $\mathcal{A}$，在精心选取的基底下，可以表达为 Jordan 标准型的矩阵 J。例如，当

$$
J = \left(\begin{array}{cc|ccc} 3 & 1 & & & \\ & 3 & & & \\ \hline & & 5 & 1 & \\ & & & 5 & 1 \\ & & & & 5 \end{array}\right) \qquad \text{（空白处为 0）}
$$

时，特征值有 3 和 5。对应的特征向量分别如下（参考 4.7.3 节）。

$$
\boldsymbol{p}_3 = \begin{pmatrix} * \\ 0 \\ 0 \\ 0 \\ 0 \end{pmatrix}, \quad \boldsymbol{p}_5 = \begin{pmatrix} 0 \\ 0 \\ * \\ 0 \\ 0 \end{pmatrix}
$$

上式中，每个 $*$ 都可以是任意数，但要注意特征向量不能为零向量。那么根据和对角化的情况相同的理由，这里的 $\boldsymbol{p}_3$ 和 $\boldsymbol{p}_5$ 的线性无关性也就一目了然了。

? 4.16 如何证明 (*)?

? 4.15 的解释中用到了还没学过的 Jordan 标准型，并且出现了随便选取坐标系等一

① 因为要使 $\square \boldsymbol{p}_5 + \square \boldsymbol{p}_3 + \square \boldsymbol{p}_8 = \boldsymbol{o}$ 成立，系数 □ 只能全部为 0。不明白的读者请复习 2.3.4 节中线性无关的性质和例子。

系列做法，似乎也不太合适。我们下面给出一套更为清晰的证明。证明很长，初次接触的读者可以暂时跳过不看[①]。下面的证明综合运用了反证法和归纳法。

假设 $\boldsymbol{p}_1, \cdots, \boldsymbol{p}_k$ 不满足线性无关性。根据线性无关性的定义，我们可以把以上假设等价为存在 $(c_1, \cdots, c_k) \neq (0, \cdots, 0)$，使得

$$c_1\boldsymbol{p}_1 + \cdots + c_k\boldsymbol{p}_k = \boldsymbol{o} \tag{4.11}$$

在上式两边同时左乘 A，可得

$$c_1A\boldsymbol{p}_1 + \cdots + c_kA\boldsymbol{p}_k = \boldsymbol{o}$$

因为 $\boldsymbol{p}_1, \cdots, \boldsymbol{p}_k$ 是特征向量[②]，所以有

$$\lambda_1c_1\boldsymbol{p}_1 + \cdots + \lambda_kc_k\boldsymbol{p}_k = \boldsymbol{o} \tag{4.12}$$

注意把 (4.11) 式和 (4.12) 式联立起来，我们就可以消掉一个变量。消掉哪个变量可以任选，为了避免麻烦，我们就选最后的 $\boldsymbol{p}_k$ 好了。具体步骤是，用 (4.12) 式减去 (4.11) 式的 λ_k 倍，消去 $\boldsymbol{p}_k$ 项，得到

$$(\lambda_1 - \lambda_k)c_1\boldsymbol{p}_1 + \cdots + (\lambda_{k-1} - \lambda_k)c_{k-1}\boldsymbol{p}_{k-1} = \boldsymbol{o}$$

换个形式，就是

$$c_1'\boldsymbol{p}_1 + \cdots + c_{k-1}'\boldsymbol{p}_{k-1} = \boldsymbol{o}$$

对比可知，这正是比 (4.11) 式“小一号”（少一个变量）的形式（$c_i' = (\lambda_i - \lambda_k)c_i$）。于是，$(c_1', \cdots, c_{k-1}') \neq (0, \cdots, 0)$ 同样也成立[③]。

好了，这样我们就得到了少了一个变量的等式。

$$c_1'\boldsymbol{p}_1 + \cdots + c_{k-1}'\boldsymbol{p}_{k-1} = \boldsymbol{o}$$
$$(c_1', \cdots, c_{k-1}') \neq (0, \cdots, 0)$$

咦？好像哪里有些不对劲呢。

如法炮制，我们可以继续消元，进而又得到一个变量更少的等式。

① 读者可以跟随我们的思路去理解证明的过程，理解之后，如果可以用自己的语言重新组织一遍证明过程，就会得到一次真正的“数学”上的训练。

② 特征向量的定义 (4.6) 式刻入你的脑海了吗？

③ 理由如下。假设 $c_1' = \cdots = c_{k-1}' = 0$ 成立。根据 $\lambda_1, \cdots, \lambda_k$ 互不相同这个已知条件，一定有 $\lambda_1 - \lambda_k \neq 0$，$\lambda_2 - \lambda_k \neq 0$ 等。那么，要使得 $c_1' = \cdots = c_{k-1}' = 0$ 成立，只能是 $c_1 = \cdots = c_{k-1} = 0$。但是又因为 $c_1, \cdots, c_k$ 中必须至少有一个不为 0，那么就是 $c_k \neq 0$。这样一来，根据 (4.11) 式可知 $c_k\boldsymbol{p}_k = 0$，所以有 $\boldsymbol{p}_k = 0$。这与 $\boldsymbol{p}_k$ 是特征向量这一前提相矛盾（特征向量的定义 (4.7) 式映入脑海了吗）。既然出现了矛盾，就说明我们之前的假设 $c_1' = \cdots c_{k-1}' = 0$ 是不成立的。

$$c_1''\boldsymbol{p}_1 + \cdots + c_{k-2}''\boldsymbol{p}_{k-2} = \boldsymbol{o}$$
$$(c_1'', \cdots, c_{k-2}'') \neq (0, \cdots, 0)$$

按照同样的方法逐步消元，我们最终可以得到

$$c_1'''\boldsymbol{p}_1 = \boldsymbol{o}$$
$$c_1''' \neq 0$$

从而推出 $\boldsymbol{p}_1 = \boldsymbol{o}$，这与 $\boldsymbol{p}_1$ 是特征向量的前提条件相矛盾①。既然导出了矛盾，就说明我们假设 $\boldsymbol{p}_1, \cdots, \boldsymbol{p}_k$ 不满足线性无关性是不可以的。也就是说，我们只能得到 $\boldsymbol{p}_1, \cdots, \boldsymbol{p}_k$ 线性无关的结论。

4.5.3　特征值的计算：特征方程

关于如何用计算机求解特征值，我们将在第 5 章中介绍。本节中要讲的是如何用纸和笔计算特征值②。

所谓向量 $\boldsymbol{p}$ 是 $n \times n$ 矩阵 A 的特征向量（特征值 λ），是什么情况呢？将定义（4.6）式移项，可得

$$(\lambda I - A)\boldsymbol{p} = \boldsymbol{o}$$

这可并不是随随便便就可以满足的（对这里的讲解存有疑惑的读者请复习 2.4.3 节关于可逆性的内容）。在非 $\boldsymbol{o}$ 的向量 $\boldsymbol{p}$ 上左乘 $(\lambda I - A)$ 后结果变成了 $\boldsymbol{o}$，也就是说，矩阵 $(\lambda I - A)$ 对应了“压缩扁平化”操作，是奇异矩阵。这种矩阵的行列式一定是 0（行列式对应了体积扩大率，而压缩扁平化的映射体积扩大率为 0）。反之，如果 $\det(\lambda I - A) = 0$ 则 $(\lambda I - A)$ 是奇异阵，这时，存在某非 $\boldsymbol{o}$ 向量，在乘上 $(\lambda I - A)$ 后可以变为 $\boldsymbol{o}$。综上所述，λ 是 A 的特征值，与

$$\phi_A(\lambda) \equiv \det(\lambda I - A)$$

的值为 0 两者等价。这里的 $\phi_A(\lambda)$ 称为**特征多项式**，关于 λ 的方程 $\phi_A(\lambda) = 0$ 称为**特征方程**③。实际上，行列式的计算方法（参考 1.3.3 节）保证了 $\phi_A(\lambda)$ 是变量 λ 的 n 次**多项式**④。

---

① 特征向量的定义是 ……（不用我再重复了吧）。

② 关于计算机算法和笔算算法有所区别的原因，请参考 ? 2.9。

③ 有的教科书中采用 $\phi_A(\lambda) = \det(A - \lambda I)$ 这样的定义。只要使用时前后一致、始终如一，那么无论哪种定义本质上都是一样的。

④ 例如，形如 $7\lambda^3 + 5\lambda^2 - 8\lambda - 2$ 的是 λ 的 3 次多项式。所谓“3 次”，是指在式子中 λ 的指数最高为 3。顺便说一下，即使是 $2\lambda^5$ 这样只有一项的式子，我们也习惯称之为多项式（有的人会对此比较介意，便称之为“整式”，本书中统一称为多项式）。但是要注意，像 3^λ 这样的就不叫多项式了。只有形如 $c_n\lambda^n + c_{n-1}\lambda^{n-1} + \cdots + c_1\lambda + c_0$ 的才是多项式（$c_n, \cdots, c_0$ 为常数）。

下面举例说明。

1. 首先是对角矩阵的情况。

$$A = \begin{pmatrix} 5 & 0 & 0 \\ 0 & 3 & 0 \\ 0 & 0 & 8 \end{pmatrix}$$

因为

$$\begin{aligned} \phi_A(\lambda) &= \det \begin{pmatrix} \lambda - 5 & 0 & 0 \\ 0 & \lambda - 3 & 0 \\ 0 & 0 & \lambda - 8 \end{pmatrix} \\ &= (\lambda - 5)(\lambda - 3)(\lambda - 8) \end{aligned}$$

所以特征方程 $\phi_A(\lambda) = 0$ 的解为 $\lambda = 5, 3, 8$。这也验证了前一节中讲的“对角矩阵的特征值就是对角元素”这一事实

2. 接下来依然是对角矩阵。当

$$A = \begin{pmatrix} 5 & 0 & 0 \\ 0 & 3 & 0 \\ 0 & 0 & 5 \end{pmatrix}$$

时，会怎样呢？我们有 $\phi_A(\lambda) = (\lambda - 3)(\lambda - 5)^2$，特征方程 $\phi_A(\lambda) = 0$ 的解为 $\lambda = 3, 5$（2 重根）。所以特征值是 3 和 5。但是，当出现重根时，就需要提高警惕了。只考虑特征值的话确实可以到此为止了，但是对应的特征向量是什么样的呢（幸运的是我们这个例子中不会出现什么麻烦的事情）？详情我们下一小节见

3. 三角矩阵的情况下，同样可以轻松计算。因为上三角矩阵、下三角矩阵的行列式等于对角元素的乘积①。例如，当

$$A = \begin{pmatrix} 5 & * & * \\ 0 & 3 & * \\ 0 & 0 & 8 \end{pmatrix}$$

时，无论 $*$ 处分别是什么数，都同样有

$$\phi_A(\lambda) = \det \begin{pmatrix} \lambda - 5 & * & * \\ 0 & \lambda - 3 & * \\ 0 & 0 & \lambda - 8 \end{pmatrix} = (\lambda - 5)(\lambda - 3)(\lambda - 8)$$

特征值为 5, 3, 8。这也验证了前一节中讲的“上三角矩阵的特征值就是对角元素”这一事实。下三角矩阵同理

① 不明白的读者请参考 1.3.2 节的内容。

4. 再来看一个稍微需要动动脑筋的例子①。

$$A = \begin{pmatrix} 3 & -2 \\ 1 & 0 \end{pmatrix}$$

的特征多项式为

$$\phi_A(\lambda) = \det \begin{pmatrix} \lambda - 3 & 2 \\ -1 & \lambda \end{pmatrix} \tag{4.13}$$

$$= (\lambda - 3)\lambda - 2 \cdot (-1) = \lambda^2 - 3\lambda + 2 = (\lambda - 1)(\lambda - 2) \tag{4.14}$$

所以其特征值是 1 和 2

5. 最后是一个有警示意义的例子。

$$A = \begin{pmatrix} 0 & -1 \\ 1 & 0 \end{pmatrix}$$

我们在 ?4.10 中讲过，这个矩阵对应了“绕原点逆时针旋转 90 度”的变换，按照一般的几何意义去考虑，特征向量（方向不变的向量）是不存在的。那么，我们强行计算看看。其特征多项式为

$$\phi_A(\lambda) = \det \begin{pmatrix} \lambda & 1 \\ -1 & \lambda \end{pmatrix}$$

$$= \lambda^2 - 1 \cdot (-1) = \lambda^2 + 1$$

使得上式等于 0 的解是 $\lambda = \pm\mathrm{i}$（其中 i 是虚数单位。$\mathrm{i}^2 = -1$）。实际上，对于向量 $\boldsymbol{p}_+ = (\mathrm{i}, +1)^T$ 和 $\boldsymbol{p}_- = (\mathrm{i}, -1)^T$，有 $A\boldsymbol{p}_+ = +\mathrm{i}\boldsymbol{p}_+$，$A\boldsymbol{p}_- = -\mathrm{i}\boldsymbol{p}_-$。所以确实有特征值 $\pm\mathrm{i}$ 及其对应的特征向量 $\boldsymbol{p}_\pm$。说起来好像有点诡异，不过我们一旦把探索范围扩大到复数，确实找到了“方向不变”的向量。综上，**实矩阵 A 的特征值、特征向量也可能是复数**

因为 n 阶方阵的特征方程是 n 次方程②，所以必然有 n 个解③。这里说的解的个数包括重根。当有重根时，“互不相同的”特征值的个数便小于 n 了④。因此，我们得出结论：**n 阶方阵 A 的特征值，在包括重根的情况下恰好有 n 个**（互不相同的特征值的个数不超过 n）。

---

① 这可不是上三角矩阵（参考 ?1.41）。

② 准确地说是“n 次代数方程”，也就是“n 次多项式 $= 0$”形式的方程。

③ 因为（系数是复数的）n 次代数方程在复数范围内恰好有 n 个解。这正是大名鼎鼎的**代数基本定理**。这里的 n 个包括了重根。例如，假设 2 和 9 是非重根（单根），4 是 2 重根，7 是 4 重根，那么我们说方程的解是 2, 9, 4, 4, 7, 7, 7, 7，一共 8 个根。

④ 当 λ 为 $\phi_A(\lambda) = 0$ 的 k 重根时，我们说特征值 λ 的**代数重数**为 k。请注意与后面要提到的几何重数进行对比。

? 4.17 特征多项式 $\phi_A(\lambda)$ 的常数项 $\phi_A(0)$ 就等于 $\det A$（加上适当的正负号）。这一点我们在 4.5.2 节中讲特征值、特征向量的性质时已经学过了 —— $\det A$ 就等于特征值的积。那么，其他的项都是什么呢?

我们把 n 阶方阵 A 的特征方程展开成 $\phi_A(\lambda) = \lambda^n - a_{n-1}\lambda^{n-1} + a_{n-2}\lambda^{n-2} - \cdots + (-1)^{n-1}a_1\lambda + (-1)^n a_0$ 来研究。这里出现的系数 $a_{n-1}, \cdots, a_0$ 都是相似变换下的**不变量**。也就是说，在对 A 施加了相似变换之后，这些值依然和原先 A 对应的值一样。实际上，对于和 A 大小相同的任何可逆矩阵 P，经过 P 的相似变换，特征方程都是不变的。

$$
\begin{aligned}
\phi_{P^{-1}AP}(\lambda) &= \det(\lambda I - P^{-1}AP) \\
&= \det(P^{-1}(\lambda I - A)P) \\
&= \det(P^{-1})\det(\lambda I - A)\det P \\
&= \frac{1}{\det P}\phi_A(\lambda)\det P \\
&= \phi_A(\lambda)
\end{aligned}
$$

换言之，系数 $a_{n-1}, \cdots, a_0$ 是不变的（参考 4.5.2 节）。

在这些不变量中，最有名的当属常数项 a_0 了，因为它对应了行列式 $\det A$。实际上，因为 $\phi_A(0) = \det(0I - A) = \det(-A) = (-1)^n \det A$，所以 $a_0 = \det A$。

第二有名的便是最高次项的系数 a_{n-1} ，称为**迹**（trace）[①]。记为

$$
\mathrm{Tr}\, A, \quad \mathrm{tr}\, A, \quad \mathrm{trace}\, A \tag{4.15}
$$

等。迹的值等于对角元素的和，如下例所示。

$$
A = \begin{pmatrix} 3 & 1 \\ 4 & 2 \end{pmatrix} \to \mathrm{Tr}\, A = 3 + 2 = 5 \tag{4.16}
$$

$$
A = \begin{pmatrix} 2 & 9 & 4 \\ 7 & 5 & 3 \\ 6 & 1 & 8 \end{pmatrix} \to \mathrm{Tr}\, A = 2 + 5 + 8 = 15 \tag{4.17}
$$

这里我们给出迹的几个基本性质。对于数 c 和矩阵 A、B，有

- $\mathrm{Tr}\,(A+B) = \mathrm{Tr}\, A + \mathrm{Tr}\, B$, $\quad \mathrm{Tr}\,(cA) = c\mathrm{Tr}\, A$
- $\mathrm{Tr}\,(AB) = \mathrm{Tr}\,(BA)$

① 也称为**迹数**。

- Tr A 等于 A 的所有特征值的和[①]（重根也包括在内）

根据上面的第二条性质，可以得到 Tr (ABC) = Tr (BCA) = Tr (CAB) 以及 Tr $(ABCD)$ = Tr $(BCDA)$ = Tr $(CDAB)$ = $(DABC)$ 都成立[②]。也就是说，矩阵乘法的顺序循环滚动，并不影响迹的值。特别地，对于可逆矩阵 P，有 Tr $(P^{-1}AP)$ = Tr (APP^{-1}) = Tr A。换言之，相似变换下 Tr 的不变性由此性质也可以证明（前提是每一步中矩阵乘积都有定义，也就是说，所有参与运算的矩阵都是方阵，并且大小相等）。上述第三条性质为我们验算特征值的计算结果提供了方便。如果所有特征值的和不等于对角元素的和，那一定是算错了。

剩下的 a_k $(k = 1, 2, \cdots, n-2)$ 就没 det 和 Tr 那么有名了。但它们依然与特征值有着紧密的联系。具体来讲，我们考虑从所有特征值中选出 $(n-k)$ 个相乘，将所有可能的选法对应的乘积累加，得到的值便是 a_k。

? 4.18 在学习凯莱 – 哈密顿（Cayley-Hamilton）定理 $\phi_A(A) = O$ 时，我被提醒要注意此定理并不是 $\det(AI - A) = \det O = 0$ 的意思。这一点到现在也不太理解。

一旦误解了 $\phi_A(A)$ 的含义，定理的含义肯定也理解不对了。因此，我们在解释定理内容之前，先消除误解。例如，我们考虑 $f(\lambda) = \det(\lambda I)$。$I$ 为 n 阶单位矩阵。按照行列式进行计算后，我们得到 $f(\lambda) = \lambda^n$[③]，等式右边是多项式。接着，我们写出这个多项式的矩阵版，即 $f(A) = A^n$。这个等式与 $\det(AI) = \det A$ 有着天壤之别。关键点在于，对于吃进去的是数、吐出来的也是数的函数 f，一般情况下是不允许喂矩阵的（把矩阵 A 代入数 λ 的位置）。所以，只能作为多项式来考察其矩阵版。首先把 $f(\lambda)$ 写成多项式的形式，然后把 λ 置换成 A，变成“矩阵的多项式”。因为矩阵有和、数量乘法、乘方等定义，所以从多项式的角度是可以解释其“矩阵版”的。另举一例，比如 $g(\lambda) = \lambda^3 + 4\lambda^2 + 7$，则矩阵版为 $g(A) = A^3 + 4A^2 + 7I$（常数项 $7 \to 7I$）。

好了，误会消除了，我们来解释**凯莱 – 哈密顿（Cayley-Hamilton）定理**[④]。对于方阵 A 的特征多项式 $\phi_A(\lambda)$，将 λ 置换为 A，我们来考察得到的多项式 $\phi_A(A)$。定理告诉我们，这里的 $\phi_A(A)$ 一定等于零矩阵 O。试举一例。

---

① 对 A 进行对角化后便知。a_{n-1} = Tr A 作为相似变换的不变量，对角化后是不变的，于是可以选取满足 $P^{-1}AP \equiv \Lambda$ 的 P，那么 Tr A = Tr Λ。这里的 Λ 是什么呢？是所有特征值排列在对角线上所生成的对角矩阵。不明白的读者请复习 4.4.2 节的内容。另外，对于 A 不可对角化的情况，后文中我们会讲到，变成 Jordan 标准型即可。

② 因为 Tr (ABC) = Tr $(A(BC))$ = Tr $((BC)A)$ = Tr (BCA)。

③ 不明白的读者请复习 1.3.3 节和 1.3.4 节中的计算方法，更重要的还有“体积扩大率”的含义（1.3.1 节和 1.3.2 节）。矩阵 λI 所表示的映射，在各轴方向上都扩大 λ 倍，所以体积扩大 λ^n 倍。

④ 有时也称为哈密顿 – 凯莱定理。

$$
\begin{aligned}
A &= \begin{pmatrix} 2 & -1 \\ 4 & 3 \end{pmatrix} \\
\phi_A(\lambda) &= \det \begin{pmatrix} \lambda - 2 & 1 \\ -4 & \lambda - 3 \end{pmatrix} \\
&= (\lambda - 2)(\lambda - 3) - 1 \cdot (-4) \\
&= \lambda^2 - 5\lambda + 10 \\
\phi_A(A) &= \begin{pmatrix} 2 & -1 \\ 4 & 3 \end{pmatrix} \begin{pmatrix} 2 & -1 \\ 4 & 3 \end{pmatrix} - 5 \begin{pmatrix} 2 & -1 \\ 4 & 3 \end{pmatrix} + 10 \begin{pmatrix} 1 & 0 \\ 0 & 1 \end{pmatrix} \\
&= \begin{pmatrix} 0 & -5 \\ 20 & 5 \end{pmatrix} + \begin{pmatrix} -10 & 5 \\ -20 & -15 \end{pmatrix} + \begin{pmatrix} 10 & 0 \\ 0 & 10 \end{pmatrix} \\
&= O
\end{aligned}
$$

A 是对角矩阵时，定理一定成立，这里简单说明如下。例如，假设 $A = \mathrm{diag}\,(2, 3, 5)$，则 $\phi_A(\lambda) = (\lambda - 2)(\lambda - 3)(\lambda - 5) = \lambda^3 - (2 + 3 + 5)\lambda^2 + (2 \cdot 3 + 3 \cdot 5 + 5 \cdot 2)\lambda - 2 \cdot 3 \cdot 5$，于是可以得到下式①。

$$
\begin{aligned}
\phi_A(A) &= A^3 - (2+3+5)A^2 + (2 \cdot 3 + 3 \cdot 5 + 5 \cdot 2)A - 2 \cdot 3 \cdot 5 I \\
&= \begin{pmatrix} 2^3 & 0 & 0 \\ 0 & 3^3 & 0 \\ 0 & 0 & 5^3 \end{pmatrix} - (2+3+5) \begin{pmatrix} 2^2 & 0 & 0 \\ 0 & 3^2 & 0 \\ 0 & 0 & 5^2 \end{pmatrix} \\
&\quad + (2 \cdot 3 + 3 \cdot 5 + 5 \cdot 2) \begin{pmatrix} 2 & 0 & 0 \\ 0 & 3 & 0 \\ 0 & 0 & 5 \end{pmatrix} - 2 \cdot 3 \cdot 5 \begin{pmatrix} 1 & 0 & 0 \\ 0 & 1 & 0 \\ 0 & 0 & 1 \end{pmatrix} \\
&= \begin{pmatrix} \phi_A(2) & 0 & 0 \\ 0 & \phi_A(3) & 0 \\ 0 & 0 & \phi_A(5) \end{pmatrix} \\
&= \begin{pmatrix} (2-2)(2-3)(2-5) & 0 & 0 \\ 0 & (3-2)(3-3)(3-5) & 0 \\ 0 & 0 & (5-2)(5-3)(5-5) \end{pmatrix} \\
&= O
\end{aligned}
$$

① 不明白的读者请复习 1.2.7 节中关于对角矩阵的内容。当然，有些读者可能习惯把 $\phi_A(\lambda) = (\lambda - 2)(\lambda - 3)(\lambda - 5)$ 这种形式也直接看作是多项式，这时直接去计算 $\phi_A(A) = (A - 2I)(A - 3I)(A - 5I) = \cdots$ 也很简单。

当 A 可对角化时，同样可以验证。例如，假设 $D = P^{-1}AP$ 是对角矩阵（P 为可逆矩阵）。注意 $\phi_A(\lambda) = \det(\lambda I - A)$ 和 $\phi_D(\lambda) = \det(\lambda I - D)$ 是相等的（参考 ?4.17）。由于上面已经验证过对于对角矩阵 D，有 $\phi_D(D) = O$，因此可知 $\phi_A(D) = O$。接着，$\phi_A(D) = \phi_A(P^{-1}AP) = P^{-1}\phi_A(A)P$ 也成立①，即 $P^{-1}\phi_A(A)P = O$。左右两边分别乘以 P 和 P^{-1}，可得 $\phi_A(A) = O$。

进一步说，若 A 不可对角化，定理同样成立。在学过 Jordan 标准型（参考 4.7.2 节）之后，就可以进行和可对角化时的情况类似的处理，也很容易理解。尽管如此，由于在 Jordan 标准型的相关证明中也可能会使用到凯莱 – 哈密顿定理，所以我们这里不用 Jordan 标准型，而用其他方法来给予解释（如果觉得麻烦的话可以跳过）。我们要介绍的巧妙方法，使用的是 1.3.5 节中讲到的“伴随矩阵”。

让我们来考虑矩阵 $F(\lambda) = (\lambda I - A)$ 的伴随矩阵 $\mathrm{adj}\, F(\lambda)$。一般而言，伴随矩阵和原矩阵的乘积满足 $(\mathrm{adj}\, F(\lambda))\, F(\lambda) = \det(F(\lambda))\, I$。由于 $\det(F(\lambda))$ 正是 $\phi_A(\lambda)$，因此我们有 $(\mathrm{adj}\, F(\lambda))\, F(\lambda) = \phi_A(\lambda) I$。请注意，无论 λ 是什么值，这个等式恒成立。上式的左边和右边都可以展开成 $\square\lambda^n + \square\lambda^{n-1} + \cdots + \square\lambda + \square$ 的形式，其中 $\square$ 为不含 λ 的矩阵②。这样一展开，左边 $(\mathrm{adj}\, F(\lambda))\, F(\lambda)$ 和右边 $\phi_A(\lambda) I$ 都成了关于 λ 的“多项式”，然而里面的系数并非数，而是矩阵。我们知道这个等式对于任何 λ 都成立，也就是说，左边和右边本质上是同一个多项式。既然是“多项式”，我们就可以把数 λ 换成矩阵 A，变成“矩阵的多项式”。这样一来，右边就成了 $\phi_A(A)$③，而左边就变成了 O④。综上，我们完成了 $\phi_A(A) = O$ 的证明。

?4.19 那凯莱 – 哈密顿定理有什么用呢?

用途之一是计算矩阵的乘方⑤。例如，在根据凯莱 – 哈密顿定理已知 $A^3 - A + 2I = O$ 的情况下，我们要求 A^7。因为 $A^3 = A - 2I$，所以可得到下式⑥。

① 我们在 4.4.4 节中用到过这样的技巧，即 $(P^{-1}AP)^k = P^{-1}A^kP$。

② $\mathrm{adj}\, F(\lambda)$ 的各个元素都是从 $F(\lambda)$ 中分割出来的某些部分的行列式，所以也一定是 λ 的多项式。

③ 若 $\phi_A(\lambda) = \lambda^n + c_{n-1}\lambda^{n-1} + \cdots + c_1\lambda + c_0$，则有 $\phi_A(\lambda)I = I\lambda^n + (c_{n-1}I)\lambda^{n-1} + \cdots + (c_1I)\lambda + (c_0I)$，把 λ 换成 A 之后，上式便和 $\phi_A(A)$ 完全一致了。

④ 利用展开式 $\mathrm{adj}\, F(\lambda) = C_{n-1}\lambda^{n-1} + \cdots + C_1\lambda + C_0$（$C_{n-1}, \cdots, C_1, C_0$ 为矩阵），可得 $(\mathrm{adj}\, F(\lambda))\, F(\lambda) = (C_{n-1}\lambda^{n-1} + \cdots + C_1\lambda + C_0)(\lambda I - A) = (C_{n-1}\lambda^n + \cdots + C_1\lambda^2 + C_0\lambda) - (C_{n-1}A\lambda^{n-1} + \cdots + C_1A\lambda + C_0A)$。把这里的 λ 置换成 A，可得 $(C_{n-1}A^n + \cdots + C_1A^2 + C_0A) - (C_{n-1}A^n + \cdots + C_1A^2 + C_0A)$，即相同的项相减，结果为 O。

⑤ 相比前文中讲的对角化方法（参考 4.4 节）及后面要讲的 Jordan 标准型方法（参考 4.7 节），这种方法的好处在于不用先解出所有特征值。所以，当特征值不是特别“整齐漂亮”的数的时候，当要求的乘方次数“比较小”的时候，利用凯莱 – 哈密顿定理可能更方便快捷。但是，当乘方次数“比较大”，或者不针对具体次数，而是要求一般的 t 次方时，还是用对角化或者 Jordan 标准型的方法比较合适。

⑥ 本质上讲，计算 A^7 除以 $(A^3 - A + 2I)$ 的余数比较妥当，但由于只有熟悉多项式代数的读者才能接受这种讲法，因此我们这里给读者展示了直接计算的方法。

$$
\begin{aligned}
A^7 &= A^3A^3A \\
&= (A-2I)(A-2I)A = (A^2-4A+4I)A = A^3-4A^2+4A \\
&= (A-2I)-4A^2+4A = -4A^2+5A-2I
\end{aligned}
$$

这样一来，麻烦的矩阵乘积只需要计算一次即可，即 A^2。

另外一个常见的应用就是用来判断线性系统的可控性（觉得困难的话可以跳过本段）。本书之前出现的系统都是没有输入的系统，这里我们考虑带有输入 $\boldsymbol{u}(t)$ 的系统 $\boldsymbol{x}(t) = A\boldsymbol{x}(t-1) + B\boldsymbol{u}(t)$。这里 A 是 n 阶方阵，$\boldsymbol{x}(t)$ 是 n 维向量，简单起见，我们令初始值 $\boldsymbol{x}(0) = \boldsymbol{o}$。矩阵 B 表示输入对系统状态的影响。那么，我们要做的就是巧妙地调节输入 $\boldsymbol{u}(t)$，使得状态 $\boldsymbol{x}(t)$ 向着目标值 $\boldsymbol{w}$ 的方向前进。但是，首先摆在面前的问题是，我们的设想真的可以达成吗？根据 $\boldsymbol{w}$ 的不同，会不会有无论怎么调整 $\boldsymbol{u}(t)$ 都没办法做到的时候？

通过调整输入 $\boldsymbol{u}(t)$，使得状态 $\boldsymbol{x}(t)$ 可以达到任何我们希望的目标值 $\boldsymbol{w}$，我们称这种性质为**可控性**。关于可控与否，我们可以通过以下方法来判断。令

$$
\Phi(t) \equiv (B, AB, A^2B, \cdots, A^{t-1}B), \qquad \boldsymbol{v}(t) \equiv \begin{pmatrix} \boldsymbol{u}(t) \\ \vdots \\ \boldsymbol{u}(1) \end{pmatrix}
$$

我们来考察 $\boldsymbol{x}(t) = \Phi(t)\boldsymbol{v}(t)$①。当 $\boldsymbol{u}(1), \cdots, \boldsymbol{u}(t)$ 任意取值时（即 $\boldsymbol{v}(t)$ 任意取值时），$\boldsymbol{x}(t)$ 能取到的所有值正好就是 $\operatorname{Im}\Phi(t)$。于是，当 t 充分大时，如果满足 $\operatorname{rank}\Phi(t) = n$，则系统可控②。

但是，"t 充分大"是多大呢？要算到多大为止呢？实际上，到 $t = n$ 就可以了，而这一点恰恰是由凯莱 – 哈密顿定理所保证的。由凯莱 – 哈密顿定理可知，一定存在形如 $A^n = c_{n-1}A^{n-1} + \cdots + c_1A + c_0I$ 的等式，利用该等式，我们可以得到以下形式。

$$
\begin{aligned}
\Phi(n+1) &= (B, \cdots, A^{n-1}B, A^nB) \\
&= (B, \cdots, A^{n-1}B) \begin{pmatrix} I & & & c_0 I \\ & \ddots & & \vdots \\ & & I & c_{n-1}I \end{pmatrix} \qquad \text{空白部分为 } O \\
&= \Phi(n) \begin{pmatrix} \text{某矩阵} \end{pmatrix}
\end{aligned}
$$

① 按照 $\boldsymbol{x}(1) = A\boldsymbol{o} + B\boldsymbol{u}(1) = B\boldsymbol{u}(1)$、$\boldsymbol{x}(2) = A(B\boldsymbol{u}(1)) + B\boldsymbol{u}(2) = AB\boldsymbol{u}(1) + B\boldsymbol{u}(2)$、$\boldsymbol{x}(3) = A(AB\boldsymbol{u}(1) + B\boldsymbol{u}(2)) + B\boldsymbol{u}(3) = A^2B\boldsymbol{u}(1) + AB\boldsymbol{u}(2) + B\boldsymbol{u}(3)$ 的模式，$\boldsymbol{x}(t) = A^{t-1}B\boldsymbol{u}(1) + A^{t-2}B\boldsymbol{u}(2) + \cdots + B\boldsymbol{u}(t)$。

② 这里 $\operatorname{Im}\Phi(t)$ 对应了全空间。请参考附录 C。

由上式可知，rank $\Phi(n+1) = \text{rank}\ \Phi(n)$[①]。之后也是同样道理，任意 A^t 都可以写成 $A^{n-1}, \cdots, A, I$ 的线性组合 $(t = n, n+1, n+2, \cdots)$。这样一来，就没有必要费力气去考察所有 rank $\Phi(t)$ 了，考察到 rank $\Phi(n)$ 为止就足够了。

4.5.4　特征向量的计算 ▽

一旦求出了矩阵 A 的特征值 λ，之后要做的就只剩下根据定义 (4.6) 式和 (4.7) 式，求出满足定义的特征向量 $\boldsymbol{p}$ 了。下面我们先看几个例子。

■ 例 1：用 2×2 矩阵练练手

首先我们继续看前一小节中出现过的矩阵。

$$A = \begin{pmatrix} 3 & -2 \\ 1 & 0 \end{pmatrix}$$

我们已经知道特征值为 $\lambda = 1, 2$。设特征向量为 $\boldsymbol{p} = (p_1, p_2)^T$，让我们来试着求出满足 $A\boldsymbol{p} = \lambda\boldsymbol{p}$ 的 p_1, p_2。

对于特征值 $\lambda = 1$，有

$$\begin{pmatrix} 3 & -2 \\ 1 & 0 \end{pmatrix} \begin{pmatrix} p_1 \\ p_2 \end{pmatrix} = \begin{pmatrix} p_1 \\ p_2 \end{pmatrix}$$

即

$$3p_1 - 2p_2 = p_1$$
$$p_1 = p_2$$

第二个等式告诉我们，特征向量必须是 $\boldsymbol{p} = (\alpha, \alpha)^T$ 的形式。另一方面，这种形式的特征向量也自动满足了第一个等式。于是，特征值 $\lambda = 1$ 对应的特征向量为

$$\boldsymbol{p} = \alpha \begin{pmatrix} 1 \\ 1 \end{pmatrix} \qquad \alpha \text{ 为 0 以外的任意数}$$

对于 α 的取值一定要当心。因为零向量是不允许的，所以一定不要省略 $\alpha \neq 0$ 的条件。

---

① 由 2.3.5 节中秩的基本性质的相关内容可知，rank $\Phi(n+1) = \text{rank}\ (\Phi(n)(\text{某矩阵})) \leqslant \text{rank}\ \Phi(n)$。另一方面，由于 $\Phi(n) = (\Phi(n), A^n B)(I, O)^T = \Phi(n+1)(I, O)^T$，又可以得到 rank $\Phi(n) \leqslant \text{rank}\ \Phi(n+1)$。两不等式同时满足，所以 rank $\Phi(n+1) = \text{rank}\ \Phi(n)$。另外，为了便于理解，我们可以像下面这样来解释 rank $\Phi(n) \leqslant \text{rank}\ \Phi(n+1)$。$\Phi(n+1)$ 实际上是在 $\Phi(n)$ 的右侧添加若干列得到的，而 rank X 实际上相当于为支撑起 X 中的列向量所需的“骨架”的最小数量（参考 2.3.6 节）。然而，因为 $\Phi(n+1)$ 中“容量”增加了，所以所需的“骨架”数量自然不可能比 $\Phi(n)$ 少。

对于特征值 $\lambda = 2$，同样可以得到

$$\begin{pmatrix} 3 & -2 \\ 1 & 0 \end{pmatrix} \begin{pmatrix} p_1 \\ p_2 \end{pmatrix} = 2 \begin{pmatrix} p_1 \\ p_2 \end{pmatrix}$$

即

$$\begin{aligned} 3p_1 - 2p_2 &= 2p_1 \\ p_1 &= 2p_2 \end{aligned}$$

从第二个等式可以得到 $\boldsymbol{p} = (2\alpha, \alpha)^T$。满足这种形式的特征向量也自动满足第一个等式。于是，对应的特征向量为

$$\boldsymbol{p} = \alpha \begin{pmatrix} 2 \\ 1 \end{pmatrix} \qquad \alpha \text{ 为 } 0 \text{ 以外的任意数}$$

■ 例 2：正经来试试 3×3 的矩阵

下面是 3×3 矩阵的例子。流程是一样的。

$$A = \begin{pmatrix} 6 & -3 & 5 \\ -1 & 4 & -5 \\ -3 & 3 & -4 \end{pmatrix}$$

首先是特征值的计算。到这里可能已经有点倦怠，我们再加把劲，求一下它的特征方程，可以得到[①]

$$\begin{aligned} \phi_A(\lambda) = \det \begin{pmatrix} \lambda - 6 & 3 & -5 \\ 1 & \lambda - 4 & 5 \\ 3 & -3 & \lambda + 4 \end{pmatrix} &= (\lambda - 6)(\lambda - 4)(\lambda + 4) + 3 \cdot 5 \cdot 3 + (-5)1(-3) \\ &\quad - (\lambda - 6)5(-3) - (-5)(\lambda - 4)3 - 3 \cdot 1(\lambda + 4) \\ &= \lambda^3 - 6\lambda^2 + 11\lambda - 6 \\ &= (\lambda - 3)(\lambda - 2)(\lambda - 1) \end{aligned}$$

这样一来，令 $\phi_A(\lambda) = 0$，可以得到三个特征值 $\lambda = 3, 2, 1$。

---

① 对一般的多项式进行因式分解是很困难的，但是因为大家一般面对的都是精心设计好的题目，所以大多可以得到简练的结果。对于这种问题，有一招往往很有效，就是试试常数项的约数。比如本例中的多项式，常数项 6 的约数有 $6, 3, 2, 1$。另外，它们的相反数 $-6, -3, -2, -1$ 有时也能派上用场。将其依次代入多项式，代入 3 时我们会发现 $\phi_A(3) = 3^3 - 6 \cdot 3^2 + 11 \cdot 3 - 6 = 27 - 54 + 33 - 6 = 0$，结果为 0。代入之后结果为 0，也就意味着多项式具有 $\phi_A(\lambda) = (\lambda - 3)(\lambda^2 + c_1\lambda + c_0)$ 的形式。把右边展开，与左边的系数进行对比，进而可以得到 $c_1 = -3$, $c_0 = 2$。接下来只需要对 $\lambda^2 - 3\lambda + 2$ 进行因式分解就可以了。

接着是特征向量的计算。设特征向量为 $\boldsymbol{p} = (p_1, p_2, p_3)^T$，对于特征值 $\lambda = 3$，有

$$\begin{pmatrix} 6 & -3 & 5 \\ -1 & 4 & -5 \\ -3 & 3 & -4 \end{pmatrix} \begin{pmatrix} p_1 \\ p_2 \\ p_3 \end{pmatrix} = 3 \begin{pmatrix} p_1 \\ p_2 \\ p_3 \end{pmatrix}$$

即

$$\begin{aligned} 6p_1 - 3p_2 + 5p_3 &= 3p_1 \\ -p_1 + 4p_2 - 5p_3 &= 3p_2 \\ -3p_1 + 3p_2 - 4p_3 &= 3p_3 \end{aligned}$$

移项整理可得

$$\begin{aligned} 3p_1 - 3p_2 + 5p_3 &= 0 \\ -p_1 + p_2 - 5p_3 &= 0 \\ -3p_1 + 3p_2 - 7p_3 &= 0 \end{aligned}$$

以上正是一组线性方程组，完全可以用 2.5.2 节中讲解的系统化的笔算法进行求解。只是，区区这种规模的问题，随便用用一般的消元法就能做了吧。我们发现第一式和第三式相加可以得到 $-2p_3 = 0$。也就是说，我们求出一个变量 $p_3 = 0$。将其代回各方程，可得

$$\begin{aligned} 3p_1 - 3p_2 &= 0 \\ -p_1 + p_2 &= 0 \\ -3p_1 + 3p_2 &= 0 \end{aligned}$$

虽然依然有三个等式，但是每个等式都在表达同一个意思 $p_1 = p_2$①。因此，只要 $p_1 = p_2$，就可以满足上面三个等式。综上，我们得到 $\boldsymbol{p} = (p_1, p_2, p_3)^T = (\alpha, \alpha, 0)^T$。虽说 α 是任意数，但如果 $\alpha = 0$，则 $\boldsymbol{p} = \boldsymbol{o}$，这不符合特征向量的定义。所以我们得到的最终答案

$$\boldsymbol{p} = \alpha \begin{pmatrix} 1 \\ 1 \\ 0 \end{pmatrix} \qquad \alpha \text{ 为 0 以外的任意数}$$

为特征值 $\lambda = 3$ 对应的特征向量。

---

① 这也就是 2.3 节中讲的“恶性问题”，但是这个恶性是意料之中的事。我们现在要解的方程实际上是 $A\boldsymbol{p} = 3\boldsymbol{p}$，也就是 $(3I - A)\boldsymbol{p} = \boldsymbol{o}$。然而系数矩阵 $(3I - A)$ 是不可逆的。这一点我们通过 $\phi_A(3) = \det(3I - A) = 0$ 可以得到（原本我们是通过求 $\phi_A(\lambda) = 0$ 找到 $\lambda = 3$ 的）。不明白的读者请复习 2.4.3 节。

对于特征值 $\lambda = 2$，方法是相同的，由

$$\begin{pmatrix} 6 & -3 & 5 \\ -1 & 4 & -5 \\ -3 & 3 & -4 \end{pmatrix} \begin{pmatrix} p_1 \\ p_2 \\ p_3 \end{pmatrix} = 2 \begin{pmatrix} p_1 \\ p_2 \\ p_3 \end{pmatrix}$$

可得

$$\begin{aligned} 4p_1 - 3p_2 + 5p_3 &= 0 \\ -p_1 + 2p_2 - 5p_3 &= 0 \\ -3p_1 + 3p_2 - 6p_3 &= 0 \end{aligned}$$

通过观察可以发现，第一式和第三式相加得到 $p_1 - p_3 = 0$。也就是 $p_1 = p_3$。将其代回各方程，可得

$$\begin{aligned} -3p_2 + 9p_3 &= 0 \\ 2p_2 - 6p_3 &= 0 \\ 3p_2 - 9p_3 &= 0 \end{aligned}$$

以上三个等式都等价于 $p_2 = 3p_3$。这样一来，特征值 $\lambda = 2$ 对应的特征向量为 $\boldsymbol{p} = (\alpha, 3\alpha, \alpha)^T$，即

$$\boldsymbol{p} = \alpha \begin{pmatrix} 1 \\ 3 \\ 1 \end{pmatrix} \qquad \alpha \text{ 为 } 0 \text{ 以外的任意数}$$

为我们要求的特征向量。

同理，可以求出特征值 $\lambda = 1$ 对应的特征向量为

$$\boldsymbol{p} = \alpha \begin{pmatrix} 0 \\ 5 \\ 3 \end{pmatrix} \qquad \alpha \text{ 为 } 0 \text{ 以外的任意数}$$

将其代入定义式，如下所示，可以验证它确实是要求的特征向量。

$$A\boldsymbol{p} = \alpha \begin{pmatrix} 6 & -3 & 5 \\ -1 & 4 & -5 \\ -3 & 3 & -4 \end{pmatrix} \begin{pmatrix} 0 \\ 5 \\ 3 \end{pmatrix} = \alpha \begin{pmatrix} 0 \\ 5 \\ 3 \end{pmatrix} = \lambda \boldsymbol{p}$$

最后建议大家养成求出结果后进行验算的习惯。一来可以防止不必要的计算错误，二来可以加强对特征向量本质含义的理解。

■ 例 3：有重复特征值的情况（良性）

对于有重复特征值的情况，要特别加以注意。首先，我们来看看"良性"的例子。

$$A=\begin{pmatrix}3 & -1 & 1\\ 0 & 2 & 1\\ 0 & 0 & 3\end{pmatrix}$$

上三角矩阵的特征值就是对角元素。所以，A 的特征值是 3（二重根）和 2。设特征值 2 对应的特征向量为 $\boldsymbol{p}=(p_1,p_2,p_3)^T$，可得

$$\begin{aligned}3p_1-p_2+p_3&=2p_1\\ 2p_2+p_3&=2p_2\\ 3p_3&=2p_3\end{aligned}$$

解这个方程①，可得

$$\boldsymbol{p}=\alpha\begin{pmatrix}1\\1\\0\end{pmatrix}\qquad \alpha\text{ 为 0 以外的任意数}$$

没有发生任何问题。接着，设特征值 3 对应的特征向量为 $\boldsymbol{q}=(q_1,q_2,q_3)^T$，得到

$$\begin{aligned}3q_1-q_2+q_3&=3q_1\\ 2q_2+q_3&=3q_2\\ 3q_3&=3q_3\end{aligned}$$

解这个方程②，可得

$$\boldsymbol{q}=\beta\begin{pmatrix}1\\0\\0\end{pmatrix}+\gamma\begin{pmatrix}0\\1\\1\end{pmatrix}\qquad \beta,\gamma\text{ 为任意数，但是 }\beta=\gamma=0\text{ 的情况除外}$$

要说什么情况才是"良性"的，对于这里的二重根特征值 3，判定依据是可以取出**线性无关**的 2 个特征向量。事实上，$(1,0,0)^T$ 和 $(0,1,1)^T$ 都是特征值 3 对应的特征向量，并且

---

① 根据第三式可得 $p_3=0$，这时第二式也就变成了恒等式 $2p_2=2p_2$。对第一式加以整理，可得 $p_1=p_2$。所以特征向量一定是 $\boldsymbol{p}=(\alpha,\alpha,0)^T$ 的形式（α 为数）。反之，将结果代入定义式，可以验证 $A\boldsymbol{p}=2\boldsymbol{p}$ 成立。最后，为了使 $\boldsymbol{p}\neq\boldsymbol{o}$，需要限定 $\alpha\neq0$。

② 无论 q_3 是什么值，第三式都成立，也就等于什么都没说，所以不管它。从第二式可以推出 $q_2=q_3$。这时，第一式可以变形为 $3q_1=3q_1$，同样对于任何 q_1 恒成立。所以特征值一定是 $\boldsymbol{q}=(\beta,\gamma,\gamma)^T$ 的形式（β,γ 为数）。反之，将结果代入定义式，可以验证 $A\boldsymbol{p}=3\boldsymbol{p}$ 成立。最后，为了使 $\boldsymbol{q}\neq\boldsymbol{o}$，需要排除 $\beta=\gamma=0$ 的情况。

它们线性无关[①]。从更深刻的意义上讲，这与**可对角化**的子性质之间有着直接关联。对于本例中的 3×3 矩阵 A，恰好可以取得 3 个线性无关的特征向量（1 个对应特征值 2，2 个对应特征值 3）。于是，把它们排列起来组成的矩阵

$$P = \begin{pmatrix} 1 & 1 & 0 \\ 1 & 0 & 1 \\ 0 & 0 & 1 \end{pmatrix}$$

为可逆矩阵，可用于对角化[②]。

前面讲过，$n \times n$ 矩阵 A 的特征值，包括多重根在内一共有 n 个。如果对于任意特征值，都可以取到与其重数相同个数的**线性无关** 的特征向量[③]，则共计有 n 个线性无关的特征向量，将其全部排列起来构成的方阵 P 是可逆的。于是，A 可对角化。

> **? 4.20 如果不说“与重数相同个数”，只是说“总之一共取到 n 个”，这样可以吗?**
>
> 在这种上下文环境中是可以的。事实上，对于 k 重根，线性无关的特征向量的个数最多只能有 k 个。具体原因请参考 4.7 节。

■ 例 4：有重复特征值的情况（恶性）

接下来是“恶性”的例子。

$$A = \begin{pmatrix} 3 & -1 & 1 \\ 0 & 2 & 0 \\ 0 & 0 & 3 \end{pmatrix}$$

这里的 A 的特征值，和前面的例子一样，有 3（二重根）和 2。特征值 2 对应的特征向量，和前面的例子一样，为

$$\boldsymbol{p} = \begin{pmatrix} \alpha \\ \alpha \\ 0 \end{pmatrix} \qquad \alpha \text{ 为 } 0 \text{ 以外的任意数}$$

① 特征向量的取法不止一种。比如，取 $(1,1,1)^T$ 和 $(1,-1,-1)^T$ 也可以。还有更诡异的例子，比如 $(7,8,8)^T$ 和 $(8,7,7)^T$。但是，$(0,1,1)^T$ 和 $(0,2,2)^T$ 的取法就不行了，因为它们不满足线性无关性。不明白的读者请复习线性无关的定义（参考 2.3.4 节）。

② 不明白的读者请复习 2.4.3 节。

③ 换言之，如果特征值是 k 重根，则可以取出对应的 k 个线性无关的特征向量。

可以验证没有问题。另外，设特征值 3 对应的特征向量为 $\boldsymbol{q} = (q_1, q_2, q_3)^T$，可得

$$\begin{aligned} 3q_1 - q_2 + q_3 &= 3q_1 \\ 2q_2 &= 3q_2 \\ 3q_3 &= 3q_3 \end{aligned}$$

解这个方程[①]，可得

$$\boldsymbol{q} = \begin{pmatrix} \beta \\ 0 \\ 0 \end{pmatrix} \qquad \beta \text{ 为 0 以外的任何数}$$

对于二重根 3，这次只能取得 1 个线性无关的特征向量[②]。这时就不能像 4.4 节中那样顺利地进行对角化了。

对于这些“恶性”情况的详细讨论将在 4.7 节中给出。然而大多数的矩阵都是“良性”的情况。

? 4.21 在 2.3 节中讲过的“恶性问题”和现在说的“恶性”情况之间的关系是什么？

没有关系。2.3 节中的“恶性”是指“不能构成双射”的意思，而本节中的“恶性”是指“特征向量的个数不够”。两者是完全不同的含义。例如下例中的 A，虽然对应着双射，但是线性无关的特征向量最多只能得到 1 个。再如下面的 B，线性无关的特征向量有 2 个（对应的特征值分别为 7 和 0），但是并不能构成双射。作为练习，请读者自己对单位矩阵和零矩阵进行一下判断。

$$A = \begin{pmatrix} 7 & 1 \\ 0 & 7 \end{pmatrix}, \qquad B = \begin{pmatrix} 7 & 0 \\ 0 & 0 \end{pmatrix}$$

4.6 连续时间系统

到目前为止，我们讨论的都是关于时刻 t 的离散的 $(t = 0, 1, 2, \cdots)$ 系统。但是，在表达众多物理现象时，往往用到的是关于连续时间 t 的微分方程[③]。例如，在如图 4.9 所示的电路中，设电容 C 中已经存储的电荷量为 Q，在时刻 0 时接通开关，则在时刻 $t \geqslant 0$ 时电容 C 中的电荷量 $q(t)$ 满足以下微分方程。

$$\frac{\mathrm{d}^2}{\mathrm{d}t^2} q(t) = -\frac{R}{L}\frac{\mathrm{d}}{\mathrm{d}t} q(t) - \frac{1}{LC} q(t) \quad (t = 0 \text{ 时}, q = Q、\mathrm{d}q/\mathrm{d}t = 0) \tag{4.18}$$

① 第三式对于任何 q_3 都成立，可以无视。从第二式可以推出 $q_2 = 0$。这时，从第一式得到 $q_3 = 0$。

② 很显然，$\boldsymbol{q} = (\beta, 0, 0)^T$ 和 $\boldsymbol{q}' = (\beta', 0, 0)^T$ 不是线性无关的。不明白的读者请复习 2.4.3 节。

③ 看到微积分、指数函数等感到痛苦的读者，完全可以忽略本节。

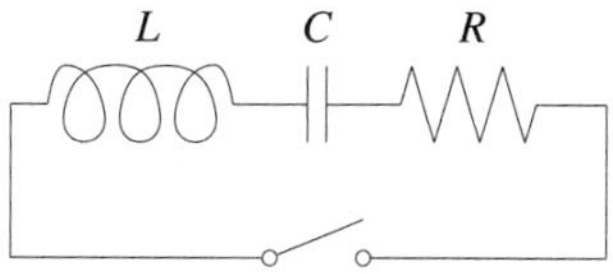

图 4.9 LCR 串联电路。线圈的电感为 L、电容器的电容为 C、电阻为 R

这样看来，在处理物理现象的控制问题等时，就需要判断连续时间系统的失控的可能性。

其实连续时间系统中整个“剧情发展”和离散系统是一样的，只是在判断失控的条件上稍有不同。

? 4.22 图 4.9 中的电路有失控的可能吗?

无论 L, C, R 为何值，应该都不会失控。这个电路仅仅是为了说明微分方程模型而举的一个例子而已。真正需要担心失控状况的是加入了放大器的电路（从系统外部获得能量来源的电路）。但因为说明过于繁琐，所以我们这里没有提及。

4.6.1 微分方程

考虑到有些读者对这部分内容不熟悉，我们首先简要回顾一下微分方程的基本内容。我们从“什么是微分方程”开始。

一般说到方程，我们想到的一定是形如

$$3x - 12 = 0$$

的含有未知数 x 的等式，然后求使得这个等式成立的 x 的值是什么。比如，在上例中，$x = 4$ 就是方程的解。

所谓**微分方程**，可以理解为形如

$$\frac{\mathrm{d}}{\mathrm{d}t}x(t) = 12 - 3x(t), \qquad x(0) = 9 \tag{4.19}$$

的含有未知函数 $x(t)$ 及其微分 $\frac{\mathrm{d}}{\mathrm{d}t}x(t)$ 的等式，需要求的是满足这个等式的函数 $x(t)$ 是什么[①]。在这个例子中，解为 $x(t) = 5\mathrm{e}^{-3t} + 4$。我们将解代回原方程，得到

$$\begin{aligned}\frac{\mathrm{d}}{\mathrm{d}t}x(t) &= 5 \cdot (-3)\mathrm{e}^{-3t} = -15\mathrm{e}^{-3t} \\ 12 - 3x(t) &= 12 - 3(5\mathrm{e}^{-3t} + 4) = -15\mathrm{e}^{-3t}\end{aligned}$$

可见左右两边确实是一致的。这里，$x(0) = 5\mathrm{e}^0 + 4 = 9$（使用指数函数的性质 $\mathrm{d}\mathrm{e}^{at}/\mathrm{d}t = a\mathrm{e}^{at}$ 以及 $\mathrm{e}^0 = 1$）。

这个微分方程，可以用下面的“水流”问题来解释。

> 现在我们想象一条笔直的河道（图 4.10）。水流的速度与位置 x 有关，为 $12-3x$（因为水深、河道宽度都不固定，同时也可能存在支流的汇入和分出，于是位置不同，流速也不同）。在时刻 0 时，从位置 9 放下一叶扁舟，任其随波逐流。那么，当时刻为 t 时，小舟在什么位置？

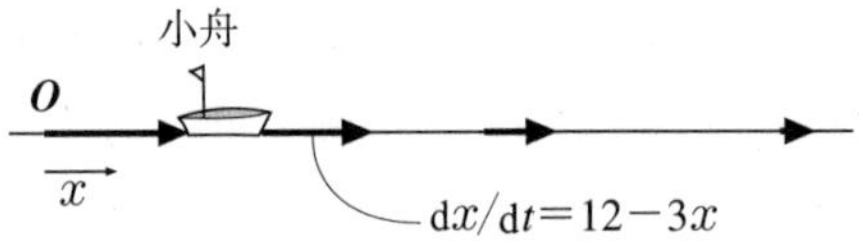

图 4.10 河道中随波逐流的小舟

设时刻 t 时小舟的位置为 $x(t)$。时刻 t 时小舟的速度 $\frac{\mathrm{d}}{\mathrm{d}t}x(t)$ 就是此刻位置 $x(t)$ 处水流的速度，即 $12 - 3x(t)$。这便是对 (4.19) 式的解释。

同理，我们也可以考虑多元版本。

现在我们想象一片汪洋大海（图 4.11）。我们用坐标来表示海面上的位置，坐标 $\boldsymbol{x} = (x_1, x_2)^T$ 代表从起点出发，向东 x_1 向北 x_2 的位置。设该位置处的水流速度为 $(3x_1 - 2x_2, x_1)^T$，这里的坐标同样表示向东 $3x_1 - 2x_2$ 向北 x_1。在 0 时刻，$(4,6)^T$ 位置，我们放下小舟，任其随波逐流。那么，在 t 时刻，小舟在什么位置？

---

① 当需要强调函数 $x(t)$ 是关于 t 的一元函数的时候，称为**常微分方程**。相应地，关于 $t_1, \cdots, t_k$ 的多元函数 $x(t_1, \cdots, t_k)$ 对应的方程称为**偏微分方程**。

另外，我们在上一节中讲离散时间系统时遇到的形如

$$x(t) = 12 - 3x(t-1), \qquad x(0) = 9$$

方程，称为**差分方程**。可以认为差分方程是含有未知数列的等式，需要求的是 $x(0), x(1), \cdots$ 这样满足等式的数列。之所以称之为差分方程，是因为假如我们用差分 $\nabla x(t) \equiv x(t) - x(t-1)$ 来改写方程，会得到 $x(t) = 12 - 3x(t) + 3\nabla x(t)$，也就是 $\nabla x(t) = \frac{4}{3}x(t) - 4$。一旦写成这样的形式，怎么看都感觉是微分方程的离散版吧。

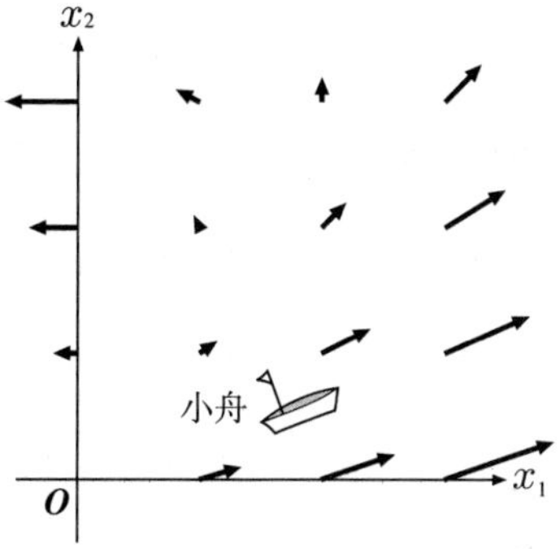

图 4.11 大海中随波逐流的小舟

这个设定对应的微分方程是

$$
\begin{aligned}
\frac{\mathrm{d}}{\mathrm{d}t}x_1(t) &= 3x_1(t) - 2x_2(t) \\
\frac{\mathrm{d}}{\mathrm{d}t}x_2(t) &= x_1(t) \\
x_1(0) &= 4 \\
x_2(0) &= 6
\end{aligned}
$$

用向量和矩阵表达出来就是

$$
\begin{aligned}
\frac{\mathrm{d}}{\mathrm{d}t}\boldsymbol{x}(t) &= \begin{pmatrix} 3 & -2 \\ 1 & 0 \end{pmatrix} \boldsymbol{x}(t) \\
\boldsymbol{x}(0) &= \begin{pmatrix} 4 \\ 6 \end{pmatrix}
\end{aligned}
$$

我们最初举的电路的例子（(4.18) 式）中含有高阶微分 $\mathrm{d}^2/\mathrm{d}t^2$，但是通过巧妙地选取变量，可以把方程变成只含有一阶微分 $\mathrm{d}/\mathrm{d}t$ 的形式。还记得我们在 1.2.10 节做了什么吗？设 $\boldsymbol{x}(t) = (\frac{\mathrm{d}}{\mathrm{d}t}q(t), q(t))^T$，方程可以变形为下面这样的只有 $\mathrm{d}/\mathrm{d}t$ 的形式。

$$
\frac{\mathrm{d}}{\mathrm{d}t}\boldsymbol{x}(t) = \begin{pmatrix} -R/L & -1/(LC) \\ 1 & 0 \end{pmatrix} \boldsymbol{x}(t)
$$

本书中讨论的是关于方阵 A 的形如

$$
\frac{\mathrm{d}}{\mathrm{d}t}\boldsymbol{x}(t) = A\boldsymbol{x}(t)
$$

的微分方程。我们的目标是判断以上方程对应的系统是否有失控的危险。

4.6.2　一阶情况

这里我们先看看矩阵为一阶时的情况。例如，方程

$$\frac{\mathrm{d}}{\mathrm{d}t}x(t) = 7x(t)$$

的解是 $x(t) = \mathrm{e}^{7t}x(0)$（参考附录 D.1）。我们可以将其代回原方程加以验证，如下所示。

$$\frac{\mathrm{d}}{\mathrm{d}t}x(t) = 7\mathrm{e}^{7t}x(0) = 7x(t)$$

一般而言，对于常数 a，方程

$$\frac{\mathrm{d}}{\mathrm{d}t}x(t) = ax(t)$$

的解为形如 $x(t) = \mathrm{e}^{at}x(0)$ 的指数函数，与公式 $\mathrm{d}\mathrm{e}^{at}/\mathrm{d}t = a\mathrm{e}^{at}$ 对比一下就可以验证。当 $t \to \infty$ 时，这里的 $x(t)$ 会怎样呢？答案与 a 的符号有关（图 4.12）。$a > 0$ 则会失控，$a \leqslant 0$ 则不会失控。

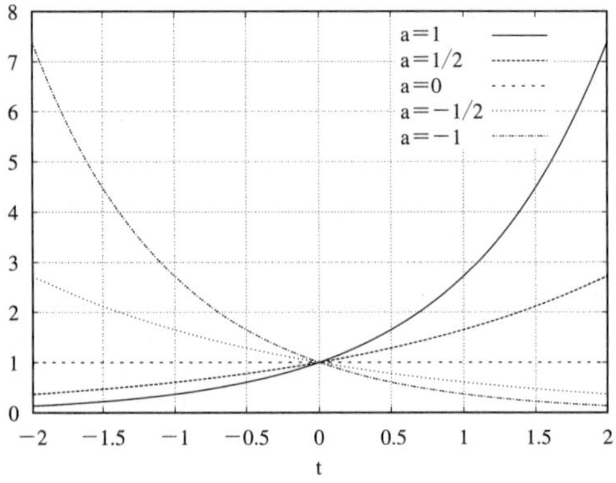

图 4.12　当 $a = 1, 1/2, 0, -1/2, -1$ 时指数函数 $f(t) = \mathrm{e}^{at}$ 的图像

4.6.3　对角矩阵的情况

我们接下来要看的所谓多元的情况，只不过徒有虚名罢了。例如，

$$\frac{\mathrm{d}}{\mathrm{d}t}\begin{pmatrix} x_1(t) \\ x_2(t) \\ x_3(t) \end{pmatrix} = \begin{pmatrix} 5 & 0 & 0 \\ 0 & 3 & 0 \\ 0 & 0 & -8 \end{pmatrix}\begin{pmatrix} x_1(t) \\ x_2(t) \\ x_3(t) \end{pmatrix}$$

右边虽然装模作样地写成了矩阵的形式，但是简单一算便可得到

$$\begin{pmatrix} \frac{\mathrm{d}}{\mathrm{d}t}x_1(t) \\ \frac{\mathrm{d}}{\mathrm{d}t}x_2(t) \\ \frac{\mathrm{d}}{\mathrm{d}t}x_3(t) \end{pmatrix} = \begin{pmatrix} 5x_1(t) \\ 3x_2(t) \\ -8x_3(t) \end{pmatrix}$$

于是，这个“矩阵微分方程”只不过是将下面的三个方程写在一起罢了。

$$\frac{\mathrm{d}}{\mathrm{d}t}x_1(t) = 5x_1(t)$$
$$\frac{\mathrm{d}}{\mathrm{d}t}x_2(t) = 3x_2(t)$$
$$\frac{\mathrm{d}}{\mathrm{d}t}x_3(t) = -8x_3(t)$$

这样一来，我们分别解出三个方程，得到

$$x_1(t) = x_1(0)\mathrm{e}^{5t}$$
$$x_2(t) = x_2(0)\mathrm{e}^{3t}$$
$$x_3(t) = x_3(0)\mathrm{e}^{-8t}$$

当 $t \to \infty$ 时，有 $\mathrm{e}^{5t}, \mathrm{e}^{3t} \to \infty$，只要不是 $x_1(0) = x_2(0) = 0$，$\boldsymbol{x}(t)$ 的分量就会发散。所以我们可以判定这个系统恐怕是要失控的。

之所以能够这样简单地解出，关键在于系数矩阵是对角矩阵。实际上，对于

$$\frac{\mathrm{d}}{\mathrm{d}t}\boldsymbol{x}(t) = A\boldsymbol{x}(t)$$
$$A = \mathrm{diag}\,(a_1, \cdots, a_n)$$
$$\boldsymbol{x}(t) = (x_1(t), \cdots, x_n(t))^T$$

因为 $A\boldsymbol{x}$ 仅仅是 $(a_1x_1, \cdots, a_nx_n)^T$ 而已，所以方程也仅仅是把下列各式汇总起来罢了。

$$\frac{\mathrm{d}}{\mathrm{d}t}x_1(t) = a_1x_1(t)$$
$$\vdots$$
$$\frac{\mathrm{d}}{\mathrm{d}t}x_n(t) = a_nx_n(t)$$

我们能够马上得到解。

$$x_1(t) = x_1(0)\mathrm{e}^{a_1t}$$
$$\vdots$$
$$x_n(t) = x_n(0)\mathrm{e}^{a_nt}$$

综上，我们可以得到结论：当 $a_1, \cdots, a_n$ 中任何一个是正数时就会失控；反之，当 $a_1, \cdots, a_n \leqslant 0$ 时则不会失控。

这里还要多说一句，a_i 是复数的情况如何呢？回忆一下指数函数的性质（附录 B），我们就会得到结论：当 $\mathrm{Re}\,a_1, \cdots, \mathrm{Re}\,a_n$ 中有一个为正时就可能失控；反之，当 $\mathrm{Re}\,a_1, \cdots, \mathrm{Re}\,a_n \leqslant 0$ 时则不失控。

4.6.4　可对角化的情况

这样一来，A 是对角矩阵的情况也解决了。于是，对于一般的矩阵 A，让我们来想办法把它变成对角矩阵就是了。

对原来的函数 $\boldsymbol{x}(t)$，取某个可逆的矩阵 P，依照下式进行变换，得到新的函数 $\boldsymbol{y}(t)$。

$$\boldsymbol{x}(t) = P\boldsymbol{y}(t)$$

换言之，就是 $\boldsymbol{y}(t) = P^{-1}\boldsymbol{x}(t)$。这时，微分方程 $\mathrm{d}\boldsymbol{x}/\mathrm{d}t = A\boldsymbol{x}(t)$ 就变成了下面这样①。

$$\begin{aligned}\frac{\mathrm{d}}{\mathrm{d}t}\boldsymbol{y}(t) &= \frac{\mathrm{d}}{\mathrm{d}t}\left(P^{-1}\boldsymbol{x}(t)\right) = P^{-1}\frac{\mathrm{d}}{\mathrm{d}t}\boldsymbol{x}(t) = P^{-1}A\boldsymbol{x}(t) \\ &= P^{-1}A\left(P\boldsymbol{y}(t)\right) = \left(P^{-1}AP\right)\boldsymbol{y}(t)\end{aligned}$$

也就是说，我们得到了关于 $\boldsymbol{y}$ 的微分方程。

$$\begin{aligned}\frac{\mathrm{d}}{\mathrm{d}t}\boldsymbol{y}(t) &= \Lambda\boldsymbol{y}(t) \\ \Lambda &= P^{-1}AP\end{aligned}$$

这里的转化方法和离散时间系统的情况完全相同。于是，后面的流程也是完全一致的。同样，也会出现可对角化的 A 和不可对角化的 A 两种情况。可对角化的情况下，设 A 的特征值为 $\lambda_1, \cdots, \lambda_n$，则可以得到 $\Lambda = \mathrm{diag}\,(\lambda_1, \cdots, \lambda_n)$。这样我们就把问题归结为对角矩阵的情况了，接着就可以无缝对接到上一节的讨论结果了。在下一小节中，我们将对结论进行总结。

4.6.5　结论：特征值（的实部）的符号是关键

在 A 可对角化的情况下，问题的关键在于 A 的特征值 $\lambda_1, \cdots, \lambda_n$ 的实部，最终结论是

- $\mathrm{Re}\,\lambda_1, \cdots, \mathrm{Re}\,\lambda_n$ 中只要有一个是正数，则有失控危险
- 若 $\mathrm{Re}\,\lambda_1, \cdots, \mathrm{Re}\,\lambda_n \leqslant 0$（都小于等于 0），则不会失控

但是在不可对角化的情况下，会出现 $\mathrm{Re}\,\lambda_i = 0$ 的情况，这时对于失控与否的判断就很微妙了（参考 4.7.4 节）。这些也和离散时间系统完全一样。

① 这里 P 和 P^{-1} 都是与 t 无关的“常数矩阵”，于是我们可以把它们挪到微分里面或者移到微分外面。

? 4.23 为什么离散时间系统和连续时间系统的判定条件完全不同呢?

原因在于两种系统中 A 的意义并不一致。下面我们只能给出一些粗略的解释，如果读者认为不太好理解的话，大概明白意思就好了。连续时间的 $\frac{\mathrm{d}}{\mathrm{d}t}\boldsymbol{x}(t) = A\boldsymbol{x}(t)$，可以近似认为是

$$\boldsymbol{x}(t+\epsilon) \approx \boldsymbol{x}(t) + \epsilon A\boldsymbol{x}(t)$$

这里 ϵ 是个小的正数，$\approx$ 表示约等于。用语言描述上面的式子，就是"ϵ 秒后的位置 $\boldsymbol{x}(t+\epsilon)$，等于从现在的位置 $\boldsymbol{x}(t)$ 开始，以每秒 $\frac{\mathrm{d}}{\mathrm{d}t}\boldsymbol{x}(t) = A\boldsymbol{x}(t)$ 的速度移动 ϵ 秒之后的位置"。实际上，在移动过程中速度可能发生变化，所以这种表达并不严密。但是，当 ϵ 很小很小的时候，还是可以近似认为上式是成立的。对上式稍加变形，可以得到 $\boldsymbol{x}(t+\epsilon) \approx (I+\epsilon A)\boldsymbol{x}(t)$。于是，可以说与离散时间的 A 相对应的并非原本的 A，而是这里的 $(I+\epsilon A)$。另外，4.6.1 节开头的脚注中给出了与此思维方向相反的一种解释（把离散时间的 $x(t) = 12 - 3x(t-1)$ 变成了微分方程的形式）。

? 4.24 当特征值中出现复数时会发生什么?

失控与否的判断条件不变。系统的行为和离散时间系统中出现复特征值的情况（参考 ?4.11）一样，会呈现出螺旋状的轨迹。

我们知道，即使 A 是方阵，也可能遇到特征值为复数的情况（参考 ?4.10）。这时，(若可对角化的话）我们可以找到合适的可逆矩阵 P'，使得

$$P'^{-1}AP' =$$

$$\left(\begin{array}{cc|c|cc|c}
r_1\cos\theta_1 & -r_1\sin\theta_1 & & & & \\
r_1\sin\theta_1 & r_1\cos\theta_1 & & & & \\
\hline
 & & \ddots & & & \\
\hline
 & & & r_k\cos\theta_k & -r_k\sin\theta_k & \\
 & & & r_k\sin\theta_k & r_k\cos\theta_k & \\
\hline
 & & & & & \begin{matrix} * & & \\ & \ddots & \\ & & * \end{matrix}
\end{array}\right) \equiv D$$

其中 D 是分块对角的实矩阵（?4.11）。这里 D 的分块和 A 的特征值之间的关系是，对于非实数的特征值 λ_j（以及 $\overline{\lambda}_j$），有 $\lambda_j = r_j\mathrm{e}^{\mathrm{i}\theta_j} = r_j(\cos\theta_j + \mathrm{i}\sin\theta_j)$ $(j = 1, \cdots, k)$。

这时微分方程 $\mathrm{d}\boldsymbol{x}(t)/\mathrm{d}t = A\boldsymbol{x}(t)$ 会有什么样的行为呢？和前面一样，通过进行 $\boldsymbol{x}(t) = P'\boldsymbol{y}(t)$ 的变换，就可以得到 $\mathrm{d}\boldsymbol{y}(t)/\mathrm{d}t = D\boldsymbol{y}(t)$ 的简单形式。由于 D 是分块对角矩阵，因此整个系统可以分解为若干个小问题，只要分别解决每个小问题就可以了①。具体来讲，只要解出如下形式的小问题就可以了。

$$\frac{\mathrm{d}}{\mathrm{d}t}\begin{pmatrix} y_1(t) \\ y_2(t) \end{pmatrix} = rR(\theta)\begin{pmatrix} y_1(t) \\ y_2(t) \end{pmatrix} = r\begin{pmatrix} \cos\theta & -\sin\theta \\ \sin\theta & \cos\theta \end{pmatrix}\begin{pmatrix} y_1(t) \\ y_2(t) \end{pmatrix}$$

上面的方程的解为

$$\begin{pmatrix} y_1(t) \\ y_2(t) \end{pmatrix} = c\mathrm{e}^{(r\cos\theta)t}\begin{pmatrix} \cos\{(r\sin\theta)t + d\} \\ \sin\{(r\sin\theta)t + d\} \end{pmatrix} \qquad c, d \text{ 是任意实数}$$

请读者自行代回验证。好了，下面话语权就掌握在 $r\cos\theta$ 的手里了：$r\cos\theta > 0$ 则发散（左图），$r\cos\theta = 0$ 则绕原点旋转（中图），$r\cos\theta < 0$ 则向原点收敛（右图）。

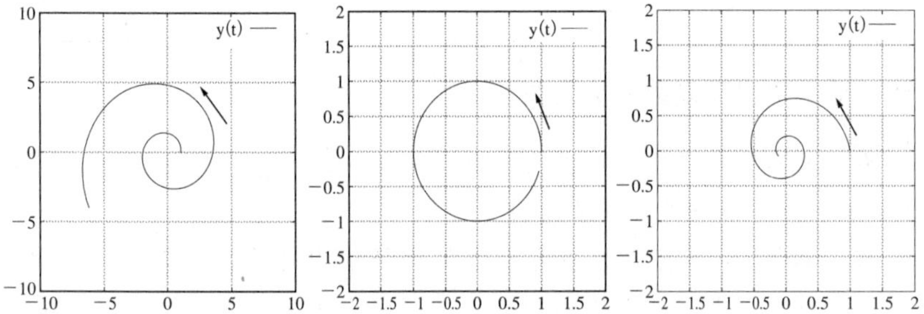

图 4.13 $\mathrm{d}\boldsymbol{y}(t)/\mathrm{d}t = rR(\theta)\boldsymbol{y}(t)$ 的行为

由于 $rR(\theta)$ 所对应的特征值为 $\lambda = r(\cos\theta + i\sin\theta)$ 以及 $\overline{\lambda}$，因此有 $r\cos\theta = \mathrm{Re}\,\lambda$。最后，关于“非实数的特征值 λ 对应什么行为”这个问题，我们的答案是这样的②。

- $\mathrm{Re}\,\lambda > 0$ 则螺旋状发散
- $\mathrm{Re}\,\lambda = 0$ 则绕原点旋转
- $\mathrm{Re}\,\lambda < 0$ 则螺旋状向原点收敛

① 一般而言，对于分块对角矩阵 $D = \mathrm{diag}\ (D_1, \cdots, D_m)$，只需要解出 $\mathrm{d}\boldsymbol{y}_j(t)/\mathrm{d}t = D_j\boldsymbol{y}_j(t)$ 即可 $(j = 1, \cdots, m)$。将所得结果汇总起来得到 $\boldsymbol{y}(t) = \begin{pmatrix} \boldsymbol{y}_1(t) \\ \vdots \\ \boldsymbol{y}_m(t) \end{pmatrix}$，便可以满足原微分方程 $\mathrm{d}\boldsymbol{y}(t)/\mathrm{d}t = D\boldsymbol{y}(t)$（不明白的读者请复习 1.2.9 节分块矩阵的相关内容）。在后面的 4.7.4 节中，也会用到上述性质。

② 当然仅仅是“λ 所对应的分量”的行为。$\mathrm{Re}\,\lambda < 0$ 时仅仅是“关于这一个分量”向原点收敛，一旦有其他分量是发散的，整个系统还是会有失控危险。

4.7 不可对角化的情况

对于可对角化的 A 来讲，要判断 $\boldsymbol{x}(t) = A\boldsymbol{x}(t-1)$ 或 $\frac{\mathrm{d}}{\mathrm{d}t}\boldsymbol{x}(t) = A\boldsymbol{x}(t)$ 是否有失控危险，只要考察 A 的特征值即可。在大多数情况下，A 都是可对角化的，也就是说我们已经可以解决大部分问题了。但是，对于某些特殊的不可对角化的 A，我们前面的方法就行不通了。本节中我们就要考虑这些不可对角化的问题，最终完全解决判断系统是否有失控危险的问题。

4.7.1 首先给出结论

实际上，对于失控与否的判定，结论大体上没有变化。只是在 $|\lambda| = 1$（离散时间）或者 $\mathrm{Re}\,\lambda = 0$（连续时间）这种“边界上”的情况发生时，会有一些微妙的变化。关于这些情况的讨论，我们会在 4.7.4 节中进行总结。

离散时间系统 $\boldsymbol{x}(t) = A\boldsymbol{x}(t-1)$

- 在 A 的特征值中，只要有一个 λ 满足 $|\lambda| > 1$，就有失控危险
- 若所有特征值 λ 都满足 $|\lambda| < 1$，则不会失控
- 若所有特征值 λ 都满足 $\lambda \leqslant 1$，但其中存在 $|\lambda| = 1$ 的特征值，则仅凭特征值无法判断

连续时间系统 $\frac{\mathrm{d}}{\mathrm{d}t}\boldsymbol{x}(t) = A\boldsymbol{x}(t)$

- 在 A 的特征值中，只要有一个 λ 满足 $\mathrm{Re}\,\lambda > 0$，就有失控危险
- 若所有特征值 λ 都满足 $\mathrm{Re}\,\lambda < 0$，则不会失控
- 若所有特征值 λ 都满足 $\lambda \leqslant 1$，但其中存在 $\mathrm{Re}\,\lambda = 0$ 的特征值，则仅凭特征值无法判断

本节的目标就是推导出以上结论（图 4.14）。

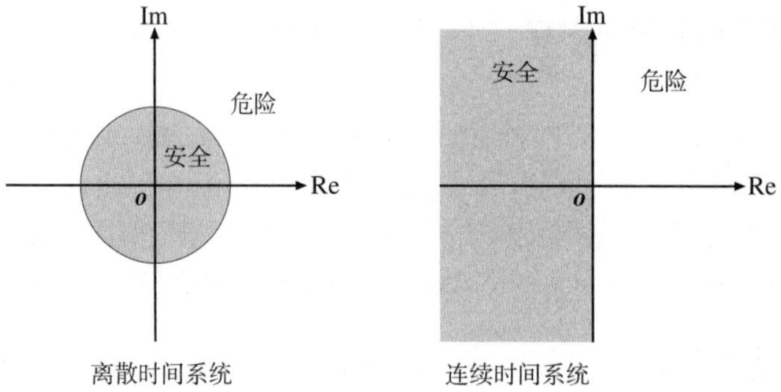

图 4.14 失控危险的判定 (包含了 A 不可对角化的情况)。若特征值全部位于 “安全区域” 以内，则不会失控。反之，只要特征值中有一个位于 “危险区域” 内，则会失控。特别要注意的是特征值恰好落在边界上的情况

4.7.2 就算不能对角化 —— Jordan 标准型

对于方阵 A，就算不能对角化，也一定可以通过变换得到与对角矩阵很接近的形式 —— **Jordan 标准型**。具体来讲，对于方阵 A，一定可以选择同样规模的可逆矩阵 P，使得 $P^{-1}AP = J$ 变成 Jordan 标准型的形式。把上面这句话压缩一下，我们可以说 “把 A 化为 Jordan 标准型”。

所谓 Jordan 标准型，举个例子，就是下面的矩阵 J 的形式。

$$
J = \left(\begin{array}{ccccc|cc|c|ccc}
3 & 1 & & & & & & & & & \\
& 3 & 1 & & & & & & & & \\
& & 3 & 1 & & & & & & & \\
& & & 3 & 1 & & & & & & \\
& & & & 3 & & & & & & \\
\hline
& & & & & 3 & 1 & & & & \\
& & & & & & 3 & & & & \\
\hline
& & & & & & & 4 & & & \\
\hline
& & & & & & & & 5 & 1 & \\
& & & & & & & & & 5 & 1 \\
& & & & & & & & & & 5
\end{array}\right) \tag{4.20}
$$

其中空白的部分全部都是 0。具体要说是怎么回事的话 ……

- 分块对角矩阵 (分块的方阵中，除了对角区块以外，全部都是 0)
- 对角区块要满足下列性质
  - 位于对角线上的元素全部相同
  - 对角线右上方的斜线上的元素全部都是 1

满足上述条件的区块称为 **Jordan 块**。在上面的例子中，J 由大小为 5 的 Jordan 块、大小为 2 的 Jordan 块、大小为 1 的 Jordan 块、大小为 3 的 Jordan 块排列而成。

?4.25 对角矩阵也是 Jordan 标准型的一种吗?

没错。仅含有大小为 1 的 Jordan 块的情况，就是对角矩阵。

?4.26 简而言之，对角线上是一堆数，右上方的斜线上全部是 1，这就可以了吧?

这么说就不对了。在下面的例子中，哪些是 Jordan 标准型，哪些不是，你能分清吗?

$$J_1 = \begin{pmatrix} 8 & 1 & 0 \\ 0 & 8 & 0 \\ 0 & 0 & 2 \end{pmatrix} \qquad J_2 = \begin{pmatrix} 8 & 1 & 0 \\ 0 & 8 & 1 \\ 0 & 0 & 2 \end{pmatrix} \qquad J_3 = \begin{pmatrix} 8 & 1 & 0 \\ 0 & 2 & 0 \\ 0 & 0 & 2 \end{pmatrix}$$

$$J_4 = \begin{pmatrix} 8 & 1 & 0 \\ 0 & 8 & 0 \\ 0 & 0 & 8 \end{pmatrix} \qquad J_5 = \begin{pmatrix} 8 & 1 & 0 \\ 0 & 8 & 1 \\ 0 & 0 & 8 \end{pmatrix} \qquad J_6 = \begin{pmatrix} 8 & 0 & 0 \\ 0 & 2 & 0 \\ 0 & 0 & 2 \end{pmatrix}$$

这里，J_1, J_4, J_5, J_6 是 Jordan 标准型，而 J_2, J_3 不是。其中，J_1, J_4 包含 2 个 Jordan 块，J_5 包含 1 个 Jordan 块，J_6 包含 3 个 Jordan 块。请再好好看看 Jordan 标准型需要满足的条件，自己用虚线把区块标注出来，然后对照着确认一下。

?4.27 对 A 进行变换后得到的 Jordan 标准型只有一种吗?

如果不考虑区块的排列顺序，本质上只有一种。原因在于，Jordan 块是由 $\operatorname{rank}(A-\lambda I)^k$ 固定下来的（参考 4.7.5 节），这里没有任何灵活变通的余地。请参考 ?4.7 中所述的“对角化本质上是唯一的”。

4.7.3 Jordan 标准型的性质

我们暂且抛开矩阵可以变换成 Jordan 标准型的证明和变换方法，先来看看 Jordan 标准型能带来什么好处。主要包括以下两点。

- 可以看出特征值、特征向量的样子
- 可以进行乘方的具体计算

这两点会影响系统失控危险的判定，经过了本章之前的论述，相信读者也能感觉到吧。由于 Jordan 标准型是分块对角矩阵，因此在计算其特征值以及乘方时，只要考虑每个区块就够了①。所以，现在开始只关注每个对角区块（Jordan 块）的表现。好了，我们以

$$B = \begin{pmatrix} 7 & 1 & 0 & 0 \\ 0 & 7 & 1 & 0 \\ 0 & 0 & 7 & 1 \\ 0 & 0 & 0 & 7 \end{pmatrix}$$

为例开始研究 Jordan 块。

■ Jordan 标准型的特征值

首先，Jordan 块 B 的特征值只有 7②。那么，口算就可以确认特征值 7 对应的特征向量（$B\boldsymbol{p} = 7\boldsymbol{p}$）为 $\boldsymbol{p} = (\alpha, 0, 0, 0)^T$（$\alpha \neq 0$）。除此之外的向量都不是特征向量③。

如果考察 Jordan 标准型整体的话，比如（4.20）式中的 J，可以得到以下两点④。

- 特征值为 3（5 + 2 = 7 重根）、4、5（3 重根）
- 特征值 3 对应的特征向量为 $(\alpha, 0, 0, 0, 0,\ \beta, 0,\ 0,\ 0, 0, 0)^T$，特征值 4 对应的特征向量为 $(0, 0, 0, 0, 0,\ 0, 0,\ \gamma,\ 0, 0, 0)^T$，特征值 5 对应的特征向量为 $(0, 0, 0, 0, 0,\ 0, 0,\ 0,\ \delta, 0, 0)^T$。这里 $\alpha, \beta, \gamma, \delta$ 为任意数（但是不允许出现 $\alpha = \beta = 0$、$\gamma = 0$、$\delta = 0$ 的情况）

我们发现，特征值 3 是 7 重根，而线性无关的特征向量只有 2 个⑤。并且特征值 5 是 3 重根，而线性无关的特征向量只有 1 个。显然已经陷入了恶性的情况（参考 4.5.4 节），不可能对角化了。

像上文那样，我们很容易就可以得到 Jordan 标准型的特征值、特征向量。总结如下。

- 对角元素就是特征值 λ
- 对角线上有几个相同的 λ，对应的特征值 λ 就是几重根（**代数重数**）
- 对角元素是 λ 的 Jordan 块有几个，对应的线性无关的特征向量就有几个（**几何重数**）

---

① 不明白的读者请复习分块对角矩阵的特征值（参考 4.5.2 节）和乘方（参考 1.2.9 节）的相关内容。

② 因为是上三角矩阵，所以立刻可以得到结论。不明白的读者请复习特征值、特征向量的性质（参考 4.5.2 节）以及特征方程（参考 4.5.3 节）等内容。

③ 如果第 2 章的内容掌握得不错的话，马上就能明白了。要注意，$\boldsymbol{p}$ 作为特征向量（$B\boldsymbol{p} = 7\boldsymbol{p}$），一定有 $(B - 7I)\boldsymbol{p} = \boldsymbol{o}$。由于 rank $(B - 7I) = 3$，因此 Ker $(B - 7I)$ 的维数只能是 $4 - 3 = 1$。不明白的读者请复习秩的计算方法（参考 2.3.6 节）、维数定理（参考 2.3.3 节）、零空间（Ker）的定义（参考 2.3.1 节）等内容。假如还是觉得不容易理解的话，也可以设 $\boldsymbol{p} = (\alpha, \beta, \gamma, \delta)^T$，代入 $B\boldsymbol{p} = 7\boldsymbol{p}$ 去解一下。这样一来，左边得到 $(7\alpha + \beta, 7\beta + \gamma, 7\gamma + \delta, 7\delta)$，而右边是 $(7\alpha, 7\beta, 7\gamma, 7\delta)$，所以 $\beta = \gamma = \delta = 0$。

④ 看到特征值 3 对应的特征向量之后懵了的读者，请复习 4.5.2 节（特别要注意相同特征值对应的特征向量之和也构成特征向量这一事实）以及 4.5.4 节。

⑤ 例如 $(1, 0, 0, 0, 0,\ 0, 0,\ 0,\ 0, 0, 0)^T$ 和 $(0, 0, 0, 0, 0,\ 1, 0,\ 0,\ 0, 0, 0)^T$。简而言之，就是要解出关于 $\boldsymbol{p}$ 的方程 $(J - 3I)\boldsymbol{p} = \boldsymbol{o}$，或者求 Ker $(J - 3I)$ 的基底。不理解的读者请复习第 2 章。

于是，假如 A 可以变成 Jordan 标准型，A 的特征值、特征向量的信息我们也就可以掌握了[①]。

特别地，当特征值中不存在重根时，Jordan 标准型一定是对角矩阵的形式。换言之，

- 若特征值中不存在重根，则矩阵可对角化

在 4.4.2 节中我们提到过"若 n 阶方阵 A 的 n 个特征值各不相同，则 A 可对角化"的结论，这和我们现在的结论不谋而合[②]。特征值有重根的情况下也可能可对角化，请读者不要误解。在有重根的情况下，如果对应的代数重数和几何重数一致，则是可对角化的。因为在这种情况下，Jordan 块的大小一定都是 1，也就是说，Jordan 标准型只能是对角矩阵。

■ Jordan 标准型的乘方

下面我们来观察 Jordan 标准型的乘方。首先来看 Jordan 块的乘方。依然以 Jordan 块 B 为例，来看看 B 的乘方。虽然直接进行计算也可以，但为了方便起见，我们通过如下分解进行计算。

$$B = 7I + Z$$

$$Z = \begin{pmatrix} 0 & 1 & 0 & 0 \\ 0 & 0 & 1 & 0 \\ 0 & 0 & 0 & 1 \\ 0 & 0 & 0 & 0 \end{pmatrix}$$

这种分解的特色在于，Z 起到了"对于给定的矩阵，左乘 Z 则上移一行，右乘 Z 则右移一列"的作用[③]，如下所示。

$$\begin{pmatrix} 0 & 1 & 0 & 0 \\ 0 & 0 & 1 & 0 \\ 0 & 0 & 0 & 1 \\ 0 & 0 & 0 & 0 \end{pmatrix} \begin{pmatrix} \text{子} \\ \text{丑} \\ \text{寅} \\ \text{卯} \end{pmatrix} = \begin{pmatrix} \text{丑} \\ \text{寅} \\ \text{卯} \\ 0 \end{pmatrix}$$

$$\begin{pmatrix} \text{赵} & \text{周} & \text{冯} & \text{蒋} \\ \text{钱} & \text{吴} & \text{陈} & \text{沈} \\ \text{孙} & \text{郑} & \text{褚} & \text{韩} \\ \text{李} & \text{王} & \text{卫} & \text{杨} \end{pmatrix} \begin{pmatrix} 0 & 1 & 0 & 0 \\ 0 & 0 & 1 & 0 \\ 0 & 0 & 0 & 1 \\ 0 & 0 & 0 & 0 \end{pmatrix} = \begin{pmatrix} 0 & \text{赵} & \text{周} & \text{冯} \\ 0 & \text{钱} & \text{吴} & \text{陈} \\ 0 & \text{孙} & \text{郑} & \text{褚} \\ 0 & \text{李} & \text{王} & \text{卫} \end{pmatrix}$$

---

① 不明白的读者请复习 4.5.2 节中"相似变换下特征值不变"的相关内容。除了为了便于具体计算，从理论的高度上也希望读者能够理解（在具体计算中，为了求出 A 对应的 Jordan 标准型，作为准备工作，反而需要先求出 A 的特征值和特征向量，顺序就反过来了）。

② 对于 n 阶方阵 A，n 个特征值各不相同和没有重根实际上是一回事。另外，也可以参考 4.5.3 节。

③ 这里稍加思考便知，无需记忆。

利用 Z 的这个性质，Z 的乘方就很简单了。

$$Z^2 = \begin{pmatrix} 0 & 0 & 1 & 0 \\ 0 & 0 & 0 & 1 \\ 0 & 0 & 0 & 0 \\ 0 & 0 & 0 & 0 \end{pmatrix}, \quad Z^3 = \begin{pmatrix} 0 & 0 & 0 & 1 \\ 0 & 0 & 0 & 0 \\ 0 & 0 & 0 & 0 \\ 0 & 0 & 0 & 0 \end{pmatrix}, \quad Z^4 = Z^5 = \cdots = O$$

我们看到，从 2 次方、3 次方开始，以此类推，每增加一次，1 的位置就向右上方移动一次。

利用这些性质，由 $B^2 = (7I + Z)^2 = 7^2 I + 2 \cdot 7Z + Z^2$，可得

$$B^2 = \begin{pmatrix} 7^2 & 2 \cdot 7 & 1 & 0 \\ 0 & 7^2 & 2 \cdot 7 & 1 \\ 0 & 0 & 7^2 & 2 \cdot 7 \\ 0 & 0 & 0 & 7^2 \end{pmatrix}$$

由 $B^3 = (7I + Z)^3 = 7^3 I + 3 \cdot 7^2 Z + 3 \cdot 7Z^2 + Z^3$，可得

$$B^3 = \begin{pmatrix} 7^3 & 3 \cdot 7^2 & 3 \cdot 7 & 1 \\ 0 & 7^3 & 3 \cdot 7^2 & 3 \cdot 7 \\ 0 & 0 & 7^3 & 3 \cdot 7^2 \\ 0 & 0 & 0 & 7^3 \end{pmatrix}$$

由 $B^4 = (7I + Z)^4 = 7^4 I + 4 \cdot 7^3 Z + 6 \cdot 7^2 Z^2 + 4 \cdot 7Z^3 + Z^4$（注意 $Z^4 = O$），可得

$$B^4 = \begin{pmatrix} 7^4 & 4 \cdot 7^3 & 6 \cdot 7^2 & 4 \cdot 7 \\ 0 & 7^4 & 4 \cdot 7^3 & 6 \cdot 7^2 \\ 0 & 0 & 7^4 & 4 \cdot 7^3 \\ 0 & 0 & 0 & 7^4 \end{pmatrix}$$

对于更大的 t，可以得到 $B^t = (7I + Z)^t = 7^t I + t7^{t-1} Z + {}_tC_2 \cdot 7^{t-2} Z^2 + {}_tC_3 \cdot 7^{t-3} Z^3 + {}_tC_4 \cdot 7^{t-4} Z^4 + \cdots + {}_tC_{t-2} \cdot 7^2 Z^{t-2} + t \cdot 7Z^{t-1} + Z^t$（注意 $Z^4 = Z^5 = Z^6 = \cdots = O$），于是可以求出

$$B^t = \begin{pmatrix} 7^t & t \cdot 7^{t-1} & {}_tC_2 \cdot 7^{t-2} & {}_tC_3 \cdot 7^{t-3} \\ 0 & 7^t & t \cdot 7^{t-1} & {}_tC_2 \cdot 7^{t-2} \\ 0 & 0 & 7^t & t \cdot 7^{t-1} \\ 0 & 0 & 0 & 7^t \end{pmatrix} \quad (t = 1, 2, \cdots)$$

4.28 $_tC_s$ 是什么意思来着？①

是一个称为**二项式系数**或者**组合数**的数。意思是，从 t 个不同的东西里，不考虑顺序地选 s 个，选法有多少种。例如，从 ABCD 四个选项中，不考虑顺序地选出 2 个，那么选法只有 AB、AC、AD、BC、BD、CD 这 6 种。也就是说，$_4C_2 = 6$。$_tC_s$ 的值也可以用**阶乘**② 表示如下③。

$$_tC_s = \frac{t!}{s!(t-s)!}$$

特别地，$_tC_0 = {}_tC_t = 1$、$_tC_1 = {}_tC_{t-1} = t$。

本文里需要用到的是关于组合数 $_tC_s$ 的一个重要定理 —— **二项式定理**。

$$\begin{aligned}(x+y)^t &= {}_tC_0x^t + {}_tC_1x^{t-1}y + {}_tC_2x^{t-2}y^2 + \cdots + {}_tC_{t-1}xy^{t-1} + {}_tC_ty^t \\ &= x^t + tx^{t-1}y + \frac{t(t-1)}{2}x^{t-2}y^2 + \cdots + txy^{t-1} + y^t\end{aligned}$$

这个等式对于任意 $t = 1, 2, \cdots$ 都成立④。

4.29 $_tC_s$ 有什么好的计算方法吗？

如果是笔算的话，写成下面的**帕斯卡三角形**⑤应该比较方便吧。

$$\begin{array}{ccccccccc} & & & 1 & & 1 & & & \\ & & 1 & & 2 & & 1 & & \\ & \underline{1} & & \underline{3} & & 3 & & 1 & \\ 1 & & \boxed{4} & & 6 & & 4 & & 1 \end{array} \quad = \quad \begin{array}{ccccccccc} & & & _1C_0 & & _1C_1 & & & \\ & & _2C_0 & & _2C_1 & & _2C_2 & & \\ & _3C_0 & & _3C_1 & & _3C_2 & & _3C_3 & \\ _4C_0 & & _4C_1 & & _4C_2 & & _4C_3 & & _4C_4 \end{array}$$

① 中国读者看到这个记号大概会感到陌生吧。这是日本高中教材中的写法（左边数大、右边数小），国内高中教材中的写法是 C_t^s（下面数大、上面数小）。国际通用的（包括现在组合数学学术界通用的）写法为 $\binom{t}{s}$，读作“t 选 s”，参照这个顺序，大数在上、小数在下。另外要注意，在台湾版资料以及某些概率论书中，会有 C_s^t（上面数大、下面数小）的用法，请读者注意区分。最简单的办法就是看哪个数字更大。从经典的组合数的意义上讲，从一堆东西里选出比这堆东西本身还多的个数，是没有意义的吧。

—— 译者注

② 比如 $7! = 7 \cdot 6 \cdot 5 \cdot 4 \cdot 3 \cdot 2 \cdot 1$，另外，规定 $0! = 1$。

③ 考虑顺序的选择方式对应的是**排列数**，有 $_tP_s = t(t-1)(t-2)\cdots(t-s+1) = t!/(t-s)!$ 种选法（因为第一次选时有 t 种选择，第二次选时只剩下 $(t-1)$ 种，第三次就只有 $(t-2)$ 种 $\cdots\cdots$）。其中，“只有顺序不同但是选出的东西相同”的选法一共 $s!$ 种，所以 $_tC_s = {}_tP_s/s!$。

④ 理由如下。例如要展开 $(x+y)^5$，那么形如 $xyyxy$、$yyyxy$ 的所有由 x 和 y 组成的长度为 5 的字串（作为多项式的项）都会出现恰好一次。而在这些项中，包含“3 个 x、2 个 y”的一共是多少项呢？换句话说，“从 5 个位置中选出 2 个位置”放上 y，选法有多少种呢？所以，答案就是 x^3y^2 项的系数 $_5C_2$。

⑤ 中文文献中多称为**杨辉三角形**，实际上有文献记载的最早研究也始于中国南宋的《详解九章算术》。

—— 译者注

比如上图中的 $\underline{1}+\underline{3}=\boxed{4}$，把左上和右上的两个数相加，可以得到下面的数，以这样的规则组成的三角形图形称为帕斯卡三角形。从图中我们可以直接看出，${}_4C_1=4$、${}_4C_2=6$、等。

为什么根据这个图就可以求出 ${}_tC_s$ 的值呢？我们给出两种解释。

[解释 1]：依照 ?4.28 中关于二项式定理的表述，${}_4C_s$ 就是 $(x+y)^4$ 展开式中 x^sy^{4-s} 的系数。那么，我们在已知 $(x+y)^3=x^3+3x^2y+3xy^2+y^3$ 的前提下，可得

$$\begin{aligned}(x+y)^4 &= (x+y)(x+y)^3 = x(x+y)^3 + y(x+y)^3 \\ &= x(x^3+3x^2y+3xy^2+y^3) + y(x^3+3x^2y+3xy^2+y^3)\end{aligned}$$

即

$$\begin{array}{rlllll} & x^4 & +3x^3y & +3x^2y^2 & +xy^3 & \\ & & +x^3y & +3x^2y^2 & +3xy^3 & +y^4 \\ \hline = & x^4 & +4x^3y & +6x^2y^2 & +4xy^3 & +y^4 \end{array}$$

这就是由第三行的 1，3，3，1 得到第四行的 1，4，6，4，1 的原因。

[解释 2]：关键就在于一个公式 —— ${}_tC_s={}_{t-1}C_{s-1}+{}_{t-1}C_s$。如果能理解这个公式，那么剩下就简单了。例如，现在要在 $t=4$ 个不同的选项 ABCD 中选出 $s=2$ 项（不考虑顺序）。当然选法有 ${}_4C_2$ 种。那么我们换一种思维方式，分为选择 A 和不选择 A 两种情况。若选择 A，那么只要在剩下的 $t-1=3$ 个选项 BCD 中选出 $s-1=1$ 个即可，选法有 ${}_3C_1$ 种。另一方面，若不选择 A，则需要在剩下的 $t-1=3$ 个选项 BCD 中选出 $s=2$ 个，选法有 ${}_3C_2$ 种。所以选法共 ${}_4C_2={}_3C_1+{}_3C_2$ 种。

综上，在计算对角元素为 λ 的 Jordan 块 B 时，会出现形如 ${}_tC_s\lambda^{t-s}$ 的项（当 $s>t$ 时，我们认为 ${}_tC_s\lambda^{t-s}=0$，$\lambda^0=1$。这只是为了表示方便而进行的规定。参考 ?1.21）。我们可以继续加以变形，得到以下结论。

设 $f(\lambda)=\lambda^t$，将函数 f 关于 λ 的 s 次微分记为

$$f^{(s)}(\lambda)=\frac{\mathrm{d}^s}{\mathrm{d}\lambda^s}f(\lambda)$$

则大小为 m 的 Jordan 块

$$B=\begin{pmatrix}\lambda & 1 & & \\ & \ddots & \ddots & \\ & & \ddots & 1 \\ & & & \lambda\end{pmatrix}$$

的 t 次方为

$$\begin{pmatrix} f(\lambda) & f^{(1)}(\lambda) & \frac{1}{2}f^{(2)}(\lambda) & \frac{1}{3!}f^{(3)}(\lambda) & \cdots & \frac{1}{(m-1)!}f^{(m-1)}(\lambda) \\ & f(\lambda) & f^{(1)}(\lambda) & \frac{1}{2}f^{(2)}(\lambda) & \cdots & \frac{1}{(m-2)!}f^{(m-2)}(\lambda) \\ & & \ddots & \ddots & \ddots & \vdots \\ & & & \ddots & \ddots & \frac{1}{2}f^{(2)}(\lambda) \\ & & & & \ddots & f^{(1)}(\lambda) \\ & & & & & f(\lambda) \end{pmatrix} \tag{4.21}$$

这是因为 $f^{(s)}(\lambda) = t(t-1)\cdots(t-s+1)\lambda^{t-s}$。请读者参考 ?4.28 中 ${}_tC_s$ 的定义，自行确认 $\frac{1}{s!}f^{(s)}(\lambda) = {}_tC_s\lambda^{t-s}$①。

顺便说一句，对于形如 $C = 3B^7 - 2B^5 + 8I$ 的多项式（参考 ?4.18），令 $f(\lambda) = 3\lambda^7 - 2\lambda^5 + 8$，同样可以得到 $C = (4.21)$。对 B^7 和 B^5 也进行上述操作，把结果加在一起，就不难得出结论。其中需要注意"$3(\lambda^7$的微分$) - 2(\lambda^5$的微分$) + 8(1$的微分$) = (3\lambda^7 - 2\lambda^5 + 8)$的微分"。

关于 Jordan 块的内容就是上面讲的这些了。对于 Jordan 标准型整体，比如（4.20）式的 J，对其各个 Jordan 块

$$B_1 = \begin{pmatrix} 3 & 1 & 0 & 0 & 0 \\ 0 & 3 & 1 & 0 & 0 \\ 0 & 0 & 3 & 1 & 0 \\ 0 & 0 & 0 & 3 & 1 \\ 0 & 0 & 0 & 0 & 3 \end{pmatrix}, \quad B_2 = \begin{pmatrix} 3 & 1 \\ 0 & 3 \end{pmatrix}, \quad B_3 = \begin{pmatrix} 4 \end{pmatrix}, \quad B_4 = \begin{pmatrix} 5 & 1 & 0 \\ 0 & 5 & 1 \\ 0 & 0 & 5 \end{pmatrix}$$

分别求 t 次方，可以得到

$$J^t = \begin{pmatrix} B_1^t & O & O & O \\ O & B_2^t & O & O \\ O & O & B_3^t & O \\ O & O & O & B_4^t \end{pmatrix}$$

最后，对于不是 Jordan 标准型的方阵 A，能否顺利地计算出乘方 A^t 呢？如果 A 能够化为 Jordan 标准型 J，那么归结为前文的情况，问题也就迎刃而解了。从 $P^{-1}AP = J$ 得到 $A = PJP^{-1}$，其 t 次方就是②

$$A^t = (PJP^{-1})^t = PJ^tP^{-1}$$

① 学过泰勒展开的读者，是不是觉得这里的 $\frac{1}{s!}f^{(s)}(\lambda)$ 有点眼熟？这和**泰勒展开** $f(x) = f(\lambda) + f^{(1)}(\lambda)(x-\lambda) + \frac{1}{2}f^{(2)}(\lambda)(x-\lambda)^2 + \frac{1}{3!}f^{(3)}(\lambda)(x-\lambda)^3 + \cdots$ 各项系数具有相同的形式。

② 不明白的读者，请复习对角化相关的内容（4.4.4 节）。

由于我们已经得到了求 Jordan 标准型的 t 次方的方法，于是上式中右边就不难计算了。

4.7.4 利用 Jordan 标准型解决初始值问题（失控判定的最终结论）

正如 4.7.2 节开头所述，任何方阵 A 都可以变成 Jordan 标准型（虽然还没有给出证明）。也就是说，任何 $\boldsymbol{x}(t) = A\boldsymbol{x}(t-1)$ 以及 $\frac{\mathrm{d}}{\mathrm{d}t}\boldsymbol{x}(t) = A\boldsymbol{x}(t)$，通过合适的变量替换（坐标变换），都可以归结为 A 是 Jordan 标准型的情况[①]。

例如，对于

$$J = \left(\begin{array}{cc|ccc} 3 & 1 & & & \\ & 3 & & & \\ \hline & & 7 & 1 & \\ & & & 7 & 1 \\ & & & & 7 \end{array}\right) \qquad \text{空白处均为 } 0$$

形式的 Jordan 标准型，形如 $\boldsymbol{y}(t) = J\boldsymbol{y}(t-1)$ 的系统可以按照 Jordan 块分解为子系统，如下所示[②]。

$$\boldsymbol{v}(t) = \begin{pmatrix} 3 & 1 \\ 0 & 3 \end{pmatrix} \boldsymbol{v}(t-1)$$

$$\boldsymbol{w}(t) = \begin{pmatrix} 7 & 1 & 0 \\ 0 & 7 & 1 \\ 0 & 0 & 7 \end{pmatrix} \boldsymbol{w}(t-1)$$

$$\boldsymbol{y}(t) = \left(\begin{array}{c} \boldsymbol{v}(t) \\ \hline \boldsymbol{w}(t) \end{array}\right) = \left(\begin{array}{c} y_1(t) \\ y_2(t) \\ \hline y_3(t) \\ y_4(t) \\ y_5(t) \end{array}\right)$$

分解后，可以依照以下方式进行判定[③]。

- 若子系统中任意一个有失控的危险，那么整个系统全体就有失控的危险
- 若全部子系统都没有失控的危险，则整个系统也不会失控

① 不明白的读者请首先理清“化为 Jordan 标准型”的含义（4.7.2 节开头）。然后，关于 $P^{-1}AP$ 代表何种含义，请复习 4.4 节。我们把变换式 $\boldsymbol{x}(t) = P\boldsymbol{y}(t)$ 代入 $\boldsymbol{x}(t) = A\boldsymbol{x}(t-1)$ 两边，可得 $\boldsymbol{y}(t) = (P^{-1}AP)\boldsymbol{y}(t-1)$。也就是本文中所说的选取合适的 P 使得 ……

② 这是因为 Jordan 标准型是分块对角矩阵。不明白的读者请复习 1.2.9 节中分块矩阵的相关内容。重点在于 $\boldsymbol{v}$ 的行为和 $\boldsymbol{w}$ 的行为是相互独立的（$\boldsymbol{v}$ 的行为仅由 $\boldsymbol{v}$ 确定，不会出现 $\boldsymbol{w}$。$\boldsymbol{w}$ 的行为也同样）。正因为这一点，我们才可以分别讨论 $\boldsymbol{v}$ 和 $\boldsymbol{w}$。

③ 不明白的读者，请复习本章中关于失控的内容（参考 4.1 节）。

鉴于此，我们下面把话题集中在 Jordan 块上。

$$B = \begin{pmatrix} \lambda & 1 & & \\ & \ddots & \ddots & \\ & & \ddots & 1 \\ & & & \lambda \end{pmatrix}$$

令 B 的大小为 $m \times m$，$\boldsymbol{y}(t) = (y_1(t), \cdots, y_m(t))^T$。对于给定的 $\boldsymbol{y}(0)$，我们的目标是求出满足下列条件的 $\boldsymbol{y}(t)$。

- 离散时间系统：$\boldsymbol{y}(t) = B\boldsymbol{y}(t-1)$
- 连续时间系统：$\frac{\mathrm{d}}{\mathrm{d}t}\boldsymbol{y}(t) = B\boldsymbol{y}(t)$

■ 离散时间系统

由于离散时间系统 $\boldsymbol{y}(t) = B\boldsymbol{y}(t-1)$ 等价于①

$$\boldsymbol{y}(t) = B^t\boldsymbol{y}(0) \qquad (t \geqslant 1)$$

因此，只要能够求出 Jordan 块的乘方（参考 4.7.3 节），问题就基本上解决了。我们考察 (4.21) 式在 $t \to \infty$ 时的行为，可知

- 当 $|\lambda| > 1$ 时，失控
- 当 $|\lambda| = 1$ 时，根据 B 的大小 m 不同而不同
  - 当 $m \geqslant 2$ 时，失控
  - 当$m = 1$ 时，不失控
- 当 $|\lambda| < 1$ 时，不失控

? 4.30 $t \to \infty$ 时的系统行为就那么一目了然吗?

假如读者具备极限等知识背景的话，是很容易看出来的。我们这里稍作解释。
我们在前面已经用过以下结论（参考 4.2 节）：当 $t \to \infty$ 时，

- 若 $|\lambda| > 1$，则 $|\lambda^t| \to \infty$
- 若 $|\lambda| = 1$，则 $|\lambda^t| = 1$
- 若 $|\lambda| < 1$，则 $|\lambda^t| \to 0$

那么 B^t 的对角元素的最终去向也就清楚了。特别是“当 $|\lambda| < 1$ 时失控”这一点，仅凭上述结果就可以直接得出②。

① 不明白的读者请回顾 (4.5) 式。
② 比如，从 $\boldsymbol{y}(0) = (\alpha, 0, \cdots, 0)^T$ 出发，$|y_1(t)| = |\alpha\lambda^t| \to \infty$ 发散 $(\alpha \neq 0)$。

$|\lambda|=1$ 的情况下，B^t 的对角元素依然是 $|\lambda^t|=1$。但是，我们发现非对角元素的绝对值会有如下发散行为，所以最终结果还是会失控①。

$$
\begin{aligned}
|t\lambda^{t-1}| &= |t||\lambda|^{t-1} = |t| \to \infty \\
|{}_tC_2\lambda^{t-2}| &= |{}_tC_2||\lambda|^{t-2} = |{}_tC_2| = \left|\frac{1}{2}t(t-1)\right| \to \infty \\
&\ \vdots
\end{aligned}
$$

但是要注意，当 B 的大小 m 为 1 的时候是个例外。这时候 $\boldsymbol{y}(t)$ 的分量是有限的定值，所以不会失控②。

剩下的就是 $|\lambda|<1$ 的情况。大家应该听过这样的说法 —— 指数函数比多项式函数更强（阶更高）。若 $|\lambda|<1$，当 $t\to\infty$ 时，有

$$
\begin{aligned}
t\lambda^t &\to 0 \\
t^2\lambda^t &\to 0 \\
t^3\lambda^t &\to 0 \\
&\ \vdots
\end{aligned}
$$

如图 4.15 所示，相比 t^2 和 t^3 增长的速度，$a^t\,(a>0)$ 的增加速度就要快得多了（令 $|\lambda|=1/a$，当 $t\to\infty$ 时，可以得到 $|t^k\lambda^t|=t^k/a^t\to 0$）。

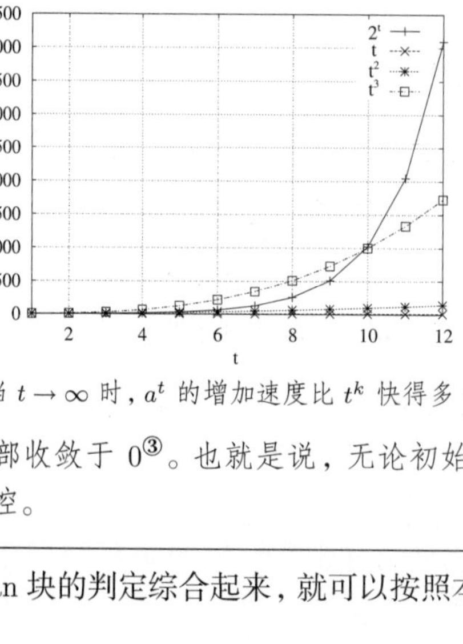

图 4.15 当 $t\to\infty$ 时，a^t 的增加速度比 t^k 快得多（$a>1$）

因此，B^t 中的元素全部收敛于 0③。也就是说，无论初始值 $y(0)$ 取什么值，都有 $y(t)\to 0$，系统也就不会失控。

我们把以上对单个 Jordan 块的判定综合起来，就可以按照本节开头所讲的那样来判断

① 比如，从 $\boldsymbol{y}(0)=(0,\alpha,0,\cdots,0)^T$ 出发，$|y_1(t)|=|\alpha t|\to\infty$ 发散 $(\alpha\neq 0)$。

② 这时候不存在非对角元素，单纯就是 $y_1(t)=\lambda^t y_1(0)$，其绝对值 $|y_1(t)|=|\lambda^t y_1(0)|=|\lambda|^t|y_1(0)|=|y_1(0)|$ 是个定数。

③ 例如，${}_tC_2\lambda^{t-2}=\frac{1}{2}t(t-1)\lambda^t/\lambda^2=\frac{1}{2\lambda^2}\left(t^2\lambda^t-t\lambda^t\right)=$ (常数)(收敛于 0 − 收敛于 0) $\to 0$。

整个 Jordan 标准型 J 对应的系统 $\boldsymbol{y}(t) = J\boldsymbol{y}(t-1)$ 失控与否了。首先判定 J 的各个 Jordan 块是否有失控危险，只要有一个有失控危险，我们就认为 J 本身也有失控危险。具体来说，如下所示。

- 只要有一个 Jordan 块的对角元素 λ 满足 $|\lambda| > 1$，则失控
- 除此之外，只要有一个 Jordan 块大小在 2 阶以上并且 $|\lambda| = 1$，则失控
- 只要没有以上两种情况出现，则不失控

最后，我们总结一下对于一般的（非 Jordan 标准型的）方阵 A，如何判定系统 $x(t) = Ax(t-1)$ 失控与否①。通常情况下，只需要考察 A 的特征值 λ 就能够进行判断。

- 只要有一个 λ 满足 $|\lambda| > 1$，则失控
- 若所有特征值都满足 $|\lambda| < 1$，则不失控
- 若所有特征值都满足 $|\lambda| \leqslant 1$，但存在恰好 $|\lambda| = 1$ 的特征值，则仅凭特征值无法判断
  - 如果存在一个满足下列全部条件的特征值 λ，则失控
    1. $|\lambda| = 1$
    2. 特征值 λ 为 k 重根 $(k \geqslant 2)$②
    3. 特征值 λ 对应的特征向量中线性无关的向量个数小于 k③
  - 如果是除此之外的情况，则不失控。例如，满足 $|\lambda| = 1$ 的特征值 λ 没有重根时，不失控

■ 连续时间系统

对于连续时间系统，我们从 Jordan 块 B 对应的系统开始研究。

$$\frac{\mathrm{d}}{\mathrm{d}t}\boldsymbol{y}(t) = B\boldsymbol{y}(t)$$

---

① 大概按照下列流程，根据 A 的特征值进行失控与否的判断。

1. 任何方阵 A 都可以变换成 Jordan 标准型 $(P^{-1}AP = J)$
2. 这时，$\boldsymbol{y}(t) = J\boldsymbol{y}(t-1)$ 的失控与原系统 $\boldsymbol{x}(t) = A\boldsymbol{x}(t-1)$ 的失控等价 $(\because \boldsymbol{x} = P\boldsymbol{y})$，于是只需要对 J 进行判定即可
3. J 是否有失控危险，基本上取决于特征值
4. J 具有和 A 相同的特征值（参考 4.5.2 节）

② 请参考 4.5.3 节，特别是“代数重数”的相关内容。

③ 这与“存在一个特征值 λ 对应的 Jordan 块大小在 2 阶以上”的条件等价。之所以如此，是因为在对 A 进行 Jordan 标准型变换时，会得到如下局面（参考 4.7.3 节）。

- 对角线上有 k 个 λ（因为 λ 是 k 重根）
- 但 λ 对应的 Jordan 块不到 k 个（因为对于每一个 Jordan 块，都应该可以取到一个独立的特征向量）

将上式按分量展开，得

$$\frac{\mathrm{d}}{\mathrm{d}t}y_1(t) = \lambda y_1(t) + y_2(t)$$
$$\vdots$$
$$\frac{\mathrm{d}}{\mathrm{d}t}y_{m-1}(t) = \lambda y_{m-1}(t) + y_m(t)$$
$$\frac{\mathrm{d}}{\mathrm{d}t}y_m(t) = \lambda y_m(t)$$

其中最后一个式子是大家所熟知的，它的解为

$$y_m(t) = y_m(0)\mathrm{e}^{\lambda t}$$

将解出来的 $y_m(t)$ 代回倒数第二式，可得

$$\frac{\mathrm{d}}{\mathrm{d}t}y_{m-1}(t) = \lambda y_{m-1}(t) + y_m(0)\mathrm{e}^{\lambda t}$$

实际上，这个微分方程的解如下（参考附录 D.2）。

$$y_{m-1}(t) = \big(y_m(0)t + y_{m-1}(0)\big)\mathrm{e}^{\lambda t}$$

请读者自行代回原方程检验①。有了这个解后，我们继续代回，得

$$\frac{\mathrm{d}}{\mathrm{d}t}y_{m-2}(t) = \lambda y_{m-2}(t) + \big(y_m(0)t + y_{m-1}(0)\big)\mathrm{e}^{\lambda t}$$

上述方程的解为

$$y_{m-2}(t) = \left(\frac{1}{2}y_m(0)t^2 + y_{m-1}(0)t + y_{m-2}(0)\right)\mathrm{e}^{\lambda t}$$

请读者自行验证。接下来是

$$\frac{\mathrm{d}}{\mathrm{d}t}y_{m-3}(t) = \lambda y_{m-3}(t) + \left(\frac{1}{2}y_m(0)t^2 + y_{m-1}(0)t + y_{m-2}(0)\right)\mathrm{e}^{\lambda t}$$

解得

$$y_{m-3}(t) = \left(\frac{1}{3\cdot 2}y_m(0)t^3 + \frac{1}{2}y_{m-1}(0)t^2 + y_{m-2}(0)t + y_{m-3}(0)\right)\mathrm{e}^{\lambda t}$$

以此类推，我们求出所有微分方程的解，并把它们写成矩阵形式，如下所示（$m = 6$ 时的例

---

① 建议读者按照乘积的微分运算规则进行验证，即 $\frac{\mathrm{d}}{\mathrm{d}t}y_{m-1}(t) = \frac{\mathrm{d}}{\mathrm{d}t}\{(\cdots)\mathrm{e}^{\lambda t}\} = \left\{\frac{\mathrm{d}}{\mathrm{d}t}(\cdots)\mathrm{e}^{\lambda t} + (\cdots)\frac{\mathrm{d}}{\mathrm{d}t}\mathrm{e}^{\lambda t}\right\}$，其中前一项与 $y_m(0)\mathrm{e}^{\lambda t}$ 相等，后一项与 $\lambda y_{m-1}(t)$ 相等。

子)。

$$\begin{pmatrix} y_1(t) \\ y_2(t) \\ y_3(t) \\ y_4(t) \\ y_5(t) \\ y_6(t) \end{pmatrix} = \mathrm{e}^{\lambda t} \begin{pmatrix} 1 & t & \frac{1}{2}t^2 & \frac{1}{3!}t^3 & \frac{1}{4!}t^4 & \frac{1}{5!}t^5 \\ & 1 & t & \frac{1}{2}t^2 & \frac{1}{3!}t^3 & \frac{1}{4!}t^4 \\ & & 1 & t & \frac{1}{2}t^2 & \frac{1}{3!}t^3 \\ & & & 1 & t & \frac{1}{2}t^2 \\ & & & & 1 & t \\ & & & & & 1 \end{pmatrix} \begin{pmatrix} y_1(0) \\ y_2(0) \\ y_3(0) \\ y_4(0) \\ y_5(0) \\ y_6(0) \end{pmatrix} \quad \text{矩阵中的空白处为 0} \tag{4.22}$$

当 $t \to \infty$ 时的极限是发散还是收敛，依然依赖于 λ。在 λ 是实数的情况下，$\lambda > 0$ 则发散①，$\lambda < 0$ 则收敛②。当 λ 是复数时，同样可以判定 $\operatorname{Re}\lambda > 0$ 则发散，$\operatorname{Re}\lambda < 0$ 则收敛（参考附录 B）。在恰巧 $\operatorname{Re}\lambda = 0$ 的情况下，B^t 的对角元素的绝对值 $|\mathrm{e}^{\lambda t}| = 1$ 为定值，但是非对角元素为 $|t\mathrm{e}^{\lambda t}| = |t||\mathrm{e}^{\lambda t}| = t \to \infty$，会发散。于是，在 $\operatorname{Re}\lambda = 0$ 的情况下依然发散③。但是，当 B 的大小为 1 时是个例外，因为这种情况下根本不存在非对角元素。总而言之，判定 Jordan 块 B 对应的系统 $\frac{\mathrm{d}}{\mathrm{d}t}\boldsymbol{y}(t) = B\boldsymbol{y}(t)$ 失控与否的依据如下。

- 若 $\operatorname{Re}\lambda > 0$，则失控
- 当 $\operatorname{Re}\lambda = 0$ 时，与 B 的大小 m 有关
  - $m \geqslant 2$ 则失控
  - $m = 1$ 则不失控
- 若 $\operatorname{Re}\lambda < 0$，则不失控

接下来和离散时间系统的处理方法相同。对 Jordan 标准型 J 对应的系统 $\frac{\mathrm{d}}{\mathrm{d}t}\boldsymbol{y}(t) = J\boldsymbol{y}(t)$ 的失控判定如下。

- 只要有一个满足 $\operatorname{Re}\lambda > 0$ 的对角元素 λ 对应的 Jordan 块，则失控
- 除此以外，只有要一个大小在 2 阶以上并且满足 $\operatorname{Re}\lambda = 0$ 的 Jordan 块，则失控
- 以上两种情况都不满足的情况下，不失控

最后，对于一般的（非 Jordan 标准型的）方阵 A，判定系统 $\frac{\mathrm{d}}{\mathrm{d}t}\boldsymbol{x}(t) = A\boldsymbol{x}(t)$ 失控与否的依据如下。

- 只要有一个 λ 满足 $\operatorname{Re}\lambda > 0$，则失控
- 若所有特征值都满足 $\operatorname{Re}\lambda < 0$，则不失控
- 若所有特征值都满足 $\operatorname{Re}\lambda \leqslant 0$，但存在恰好 $\operatorname{Re}\lambda = 0$ 的特征值，则仅凭特征值无法判断

---

① 除非 $\boldsymbol{y}(0) = \boldsymbol{o}$。

② 当 $u \to \infty$ 时，u/e^u，u^2/e^u，u^3/e^u 等收敛于 0（图 4.15）。例如，设 $\lambda = -3$，$u = 3t$，则 $t\mathrm{e}^{-3t} = t/\mathrm{e}^{3t} = \frac{1}{3}u/\mathrm{e}^u \to 0$。这样一来，$B^t$ 的所有元素都收敛于 0。

③ 除非 $\boldsymbol{y}(0) = (\alpha, 0, \cdots, 0)^T$，其中 α 为任意数。

- 只要存在一个满足下列全部条件的特征值 λ，则失控
  1. $\mathrm{Re}\,\lambda = 0$
  2. 特征值 λ 为 k 重根 $(k \geqslant 2)$
  3. 特征值 λ 对应的特征向量中线性无关的向量个数小于 k
- 如果是除此之外的情况，则不失控。例如，满足 $\mathrm{Re}\,\lambda = 0$ 的特征值 λ 没有重根时，不失控

? 4.31 (4.22) 式中很特别的那个矩阵是什么?

(4.22) 式中 $\boldsymbol{y}(0)$ 前面所乘的矩阵，通常记为 e^{tB} 或 $\exp(tB)$，称为**矩阵的指数函数**。对于

$$B = \begin{pmatrix} \lambda & 1 & & & & \\ & \lambda & 1 & & & \\ & & \lambda & 1 & & \\ & & & \lambda & 1 & \\ & & & & \lambda & 1 \\ & & & & & \lambda \end{pmatrix}$$

有

$$\mathrm{e}^{tB} = \mathrm{e}^{\lambda t} \begin{pmatrix} 1 & t & \frac{1}{2}t^2 & \frac{1}{3!}t^3 & \frac{1}{4!}t^4 & \frac{1}{5!}t^5 \\ & 1 & t & \frac{1}{2}t^2 & \frac{1}{3!}t^3 & \frac{1}{4!}t^4 \\ & & 1 & t & \frac{1}{2}t^2 & \frac{1}{3!}t^3 \\ & & & 1 & t & \frac{1}{2}t^2 \\ & & & & 1 & t \\ & & & & & 1 \end{pmatrix}$$

这种记法看似是“数 e 的矩阵 tB 次方”，但是又解释不通。那么为什么要用这种表达方法呢? 原因在于它与指数函数具有共通的性质。

数 e^{tb}	**矩阵 e^{tB}**
$\mathrm{d}y/\mathrm{d}t = by$ 的解为 $y(t) = \mathrm{e}^{tb}y(0)$	$\mathrm{d}\boldsymbol{y}/\mathrm{d}t = B\boldsymbol{y}$ 的解为 $\boldsymbol{y}(t) = \mathrm{e}^{tB}\boldsymbol{y}(0)$
对于数 s,t 有 $\mathrm{e}^{(s+t)b} = \mathrm{e}^{sb}\mathrm{e}^{tb}$	对于数 s,t 有 $\mathrm{e}^{(s+t)B} = \mathrm{e}^{sB}\mathrm{e}^{tB}$
$\mathrm{e}^{tb} = 1 + tb + \frac{t^2b^2}{2} + \frac{t^3b^3}{3!} + \frac{t^4b^4}{4!} + \cdots$	$\mathrm{e}^{tB} = I + tB + \frac{t^2B^2}{2} + \frac{t^3B^3}{3!} + \frac{t^4B^4}{4!} + \cdots$

对于 Jordan 块 B，e^{tB} 的解释如上所示。对于一般的方阵 A，定义如下。

$$\mathrm{e}^{tA} = I + tA + \frac{t^2A^2}{2} + \frac{t^3A^3}{3!} + \frac{t^4A^4}{4!} + \cdots$$

上面所列举的共通性质，对这里的 e^{tA} 同样成立。

但是，对相同大小的方阵 A, A'，一般情况下 $e^{t(A+A')}$ 和 $e^{tA}e^{tA'}$ 不相等。如果我们把 $e^{t(A+A')}$ 中的 A 和 A' 互换位置，结果不变。但是对于 $e^{tA}e^{tA'}$ 而言，一旦 A 和 A' 互换位置，则结果也会发生变化。根本原因就在于 $AA' \neq A'A$[1]。在这一点上，矩阵的指数函数与数的指数函数有所不同。

4.7.5 化 Jordan 标准型的方法

到前一小节为止，我们默认任何方阵都可以化为 Jordan 标准型，在此前提下，我们解决了系统失控危险的判断问题。那么接下来就轮到了之前搁置起来的两个主题 —— 化 Jordan 标准型的方法和变换能够进行的依据（证明）。

■ 假定已经得到了 Jordan 标准型

为了找到化 Jordan 标准型的方法，我们先来假定已经成功找到，来看看里面应该会包含什么样的性质。例如，对于 11 阶方阵 A，我们选择与其大小相同的恰当的可逆矩阵 P，使得下式成立。

$$P^{-1}AP = J = \left(\begin{array}{ccccc|cc|c|ccc}
3 & 1 & & & & & & & & & \\
 & 3 & 1 & & & & & & & & \\
 & & 3 & 1 & & & & & & & \\
 & & & 3 & 1 & & & & & & \\
 & & & & 3 & & & & & & \\
\hline
 & & & & & 3 & 1 & & & & \\
 & & & & & & 3 & & & & \\
\hline
 & & & & & & & 4 & & & \\
\hline
 & & & & & & & & 5 & 1 & \\
 & & & & & & & & & 5 & 1 \\
 & & & & & & & & & & 5
\end{array}\right) \quad \text{空白处为 } 0 \qquad (4.23)$$

那么，A, P, J 三者之间有着什么样的关系呢[2]？

对 $P^{-1}AP = J$ 两边左乘 P，可得 $AP = PJ$。将 P 按照列向量进行分块，有 $P = (\boldsymbol{p}_1, \cdots, \boldsymbol{p}_{11})$。把 $A(\boldsymbol{p}_1, \cdots, \boldsymbol{p}_{11}) = (\boldsymbol{p}_1, \cdots, \boldsymbol{p}_{11})J$ 按照分块分别写出[3]，如下所示。

---

① 若碰巧 $AA' = A'A$ 成立，则 $e^{t(A+A')} = e^{tA}e^{tA'}$ 也成立。

② 复习：对于可对角化的情况，若 $P^{-1}AP = \mathrm{diag}\,(\lambda_1, \cdots, \lambda_n)$，则 $P = (\boldsymbol{p}_1, \cdots, \boldsymbol{p}_n)$ 的各个列向量 $\boldsymbol{p}_k$ 就是特征值 λ_k 所对应的 A 的特征向量（参考 4.4.2 节）。那么如何将这个结论进行拓展呢?

③ 不明白的读者请复习有关分块矩阵的内容（参考 1.2.9 节）。

$$
\begin{array}{lclcll}
A\boldsymbol{p}_1 & = & 3\boldsymbol{p}_1 & \text{即} & (A-3I)\boldsymbol{p}_1 & = \boldsymbol{o} \\
A\boldsymbol{p}_2 & = & \boldsymbol{p}_1 + 3\boldsymbol{p}_2 & \text{即} & (A-3I)\boldsymbol{p}_2 & = \boldsymbol{p}_1 \\
A\boldsymbol{p}_3 & = & \boldsymbol{p}_2 + 3\boldsymbol{p}_3 & \text{即} & (A-3I)\boldsymbol{p}_3 & = \boldsymbol{p}_2 \\
A\boldsymbol{p}_4 & = & \boldsymbol{p}_3 + 3\boldsymbol{p}_4 & \text{即} & (A-3I)\boldsymbol{p}_4 & = \boldsymbol{p}_3 \\
A\boldsymbol{p}_5 & = & \boldsymbol{p}_4 + 3\boldsymbol{p}_5 & \text{即} & (A-3I)\boldsymbol{p}_5 & = \boldsymbol{p}_4 \\ \hline
A\boldsymbol{p}_6 & = & 3\boldsymbol{p}_6 & \text{即} & (A-3I)\boldsymbol{p}_6 & = \boldsymbol{o} \\
A\boldsymbol{p}_7 & = & \boldsymbol{p}_6 + 3\boldsymbol{p}_7 & \text{即} & (A-3I)\boldsymbol{p}_7 & = \boldsymbol{p}_6 \\ \hline
A\boldsymbol{p}_8 & = & 4\boldsymbol{p}_8 & \text{即} & (A-4I)\boldsymbol{p}_8 & = \boldsymbol{o} \\ \hline
A\boldsymbol{p}_9 & = & 5\boldsymbol{p}_9 & \text{即} & (A-5I)\boldsymbol{p}_9 & = \boldsymbol{o} \\
A\boldsymbol{p}_{10} & = & \boldsymbol{p}_9 + 5\boldsymbol{p}_{10} & \text{即} & (A-5I)\boldsymbol{p}_{10} & = \boldsymbol{p}_9 \\
A\boldsymbol{p}_{11} & = & \boldsymbol{p}_{10} + 5\boldsymbol{p}_{11} & \text{即} & (A-5I)\boldsymbol{p}_{11} & = \boldsymbol{p}_{10}
\end{array}
\tag{4.24}
$$

我们暂时用 $\overset{\lambda}{\longleftarrow}$ 表示左乘 $(A-\lambda I)$ 的操作，把上面的式子简化成以下形式。

$$
\begin{cases}
\boldsymbol{o} \overset{3}{\longleftarrow} \boldsymbol{p}_1 \overset{3}{\longleftarrow} \boldsymbol{p}_2 \overset{3}{\longleftarrow} \boldsymbol{p}_3 \overset{3}{\longleftarrow} \boldsymbol{p}_4 \overset{3}{\longleftarrow} \boldsymbol{p}_5 \\
\boldsymbol{o} \overset{3}{\longleftarrow} \boldsymbol{p}_6 \overset{3}{\longleftarrow} \boldsymbol{p}_7 \\
\boldsymbol{o} \overset{4}{\longleftarrow} \boldsymbol{p}_8 \\
\boldsymbol{o} \overset{5}{\longleftarrow} \boldsymbol{p}_9 \overset{5}{\longleftarrow} \boldsymbol{p}_{10} \overset{5}{\longleftarrow} \boldsymbol{p}_{11}
\end{cases}
\tag{4.25}
$$

好好观察一下上面这些（向量的）序列，可以发现

- 这些列向量在反复乘上 $(A-\lambda I)$ 后都变成了 $\boldsymbol{o}$
- λ 正好对应了 Jordan 块的对角元素
- 每一组序列恰好对应一个 Jordan 块。所以，序列的组数与 Jordan 块的个数一致
- 每组序列的长度（不计 $\boldsymbol{o}$）对应了 Jordan 块的大小。所以，所有序列的长度总和等于 A 的阶数

特别是，

- 每个序列最左边的向量 $\boldsymbol{p}_1, \boldsymbol{p}_6, \boldsymbol{p}_8, \boldsymbol{p}_9$ 都是 A 的特征向量①。所以，每个 Jordan 标准型对应了一个特征向量
- 如果 λ 对应的序列有 l 组，那么特征值 λ 所对应的（线性无关的）特征向量就有 l 个②。在本例中，$\boldsymbol{p}_1, \boldsymbol{p}_6$ 都对应了特征值 $\lambda = 3$，并且它们线性无关

---

① 根据 $(A-\lambda I)\boldsymbol{p} = \boldsymbol{o}$，把左边展开并移项可得 $A\boldsymbol{p} = \lambda\boldsymbol{p}$。不明白的读者请复习 4.4.2 节中特征向量的定义。

② 首先，我们的前提是 P 是可逆的，也就是说 $\boldsymbol{p}_1, \cdots, \boldsymbol{p}_{11}$ 是线性无关的。当然，从中任意取出 l 个向量同样线性无关。这里的数 l 便是特征值 λ 的**几何重数**。换句话说，λ 所对应的 Jordan 块的个数等于其几何重数，实际上就是特征值 λ 能够对应的线性无关的特征向量的最大个数。

- 如果 λ 对应的序列长度（不计 $\boldsymbol{o}$）的总和为 k，则特征值 λ 为 k 重根[①]。在本例中，特征值 $\lambda = 3$ 为 $5 + 2 = 7$ 重根

回过头来看，对于 11 阶方阵 A，如果可以找到形如 (4.25) 式的 $\boldsymbol{p}_1, \cdots, \boldsymbol{p}_{11}$，就可以得到 $AP = PJ$。这样就得到了使得 $P^{-1}AP = J$ 成立的 P，使得相似变换结果为 Jordan 标准型。所以，我们通过以下流程，应该就可以求出 Jordan 标准型。

1. 求出 A 的特征值 λ
2. 求出反复乘以 $(A - \lambda I)$ 后最终可以得到 $\boldsymbol{o}$ 的向量 $\boldsymbol{p}$

话虽这么说，但其实是不严谨的。读者注意到了吗？如果我们赤裸裸地让 $\boldsymbol{p}_1 = \cdots = \boldsymbol{p}_{11} = \boldsymbol{o}$，会发现 (4.25) 式同样成立。在上面的说明中，我们把对 P 的可逆性的判断给忽略了。为了使 P^{-1} 存在，我们必须要求 $\boldsymbol{p}_1, \cdots, \boldsymbol{p}_{11}$ 线性无关[②]。零向量不予考虑！至于具体如何求出线性无关的 $\boldsymbol{p}_1, \cdots, \boldsymbol{p}_{11}$，我们将在下文中给出介绍。

好了，一直在讲"反复乘上 $(A - \lambda I)$ 后最终得到 $\boldsymbol{o}$ 的向量 $\boldsymbol{p}$"什么的，真是太麻烦了，我们给它起个名字吧。满足这样的条件的向量 $\boldsymbol{p}$，我们称之为 A 的特征值 λ 所对应的**广义特征向量**。这里，$\boldsymbol{o}$ 是个例外，它不能作为任何特征值的广义特征向量。在这一点上，广义特征向量和一般的特征向量是一样的。

? 4.32 广义特征向量对应的特征值 λ，称为广义特征值吗？

不，单纯叫特征值就 OK。假设对于某个 λ，有广义特征值 $\boldsymbol{p}$，在乘到第 h 次 $(A-\lambda I)$ 后首次变成 $\boldsymbol{o}$。那么这个 λ 一定是特征值。实际上，在变成 $\boldsymbol{o}$ 之前的那一步得到的 $\boldsymbol{q} \equiv (A - \lambda I)^{h-1}\boldsymbol{p}$ 正是 λ 对应的特征向量。在 $\boldsymbol{q} \neq \boldsymbol{o}$ 的前提下，因为 $(A - \lambda I)\boldsymbol{q} = \boldsymbol{o}$，所以 $A\boldsymbol{q} = \lambda\boldsymbol{q}$。

? 4.33 和我以前听过的"广义特征向量"好像不是一回事啊？

有可能是同名不同物，还请读者注意区分。LAPACK、MATLAB 等软件中的"广义特征向量"是另一码事。软件中出现的"广义特征值""广义特征向量"是模式识别的基本算法之一 —— 线性判别分析（Linear Discriminant Analysis, LDA）等方法中常用的概念。

---

① Jordan 标准型为上三角矩阵（参考 1.3.2 节），于是对角元素全体就是特征值（参考 4.5.2 节）。又因为相似变换不改变特征值（参考 4.5.2 节），所以这些 λ 正是 A 的特征值。这里的 k 也就是特征值 λ 的**代数重数**，也就是说，λ 对应的 Jordan 块的大小总和就是其代数重数。请读者注意代数重数和几何重数的区别。

② 不明白的读者请复习 2.4.3 节。

■ 求解方法

我们还是以上面讨论过的 11 阶方阵 A 为例，进行"典型案例"分析。首要任务是求 A 的特征值。为此，我们只需要求出特征方程 $\phi_A(\lambda) \equiv \det(\lambda I - A) = 0$ 的解 λ 即可（参考 4.5.3 节）。这里，设因式分解后的形式为 $\phi_A(\lambda) = (\lambda - 3)^7(\lambda - 4)(\lambda - 5)^3$，这时特征值为

- $\lambda = 3$（7 重根）
- $\lambda = 4$
- $\lambda = 5$（3 重根）

依照上述结果，我们知道

- $\lambda = 3$ 对应的广义特征向量有 7 个（设它们为 $\boldsymbol{p}_1, \cdots, \boldsymbol{p}_7$）
- $\lambda = 4$ 对应的特征向量① 有 1 个（设其为 $\boldsymbol{p}_8$）
- $\lambda = 5$ 对应的广义特征向量有 3 个（设它们为 $\boldsymbol{p}_9, \cdots, \boldsymbol{p}_{11}$）

那么，我们的目标就明确了 —— 找到满足以上条件的 3 组向量序列。

我们从简单的地方下手，首先来考虑特征值 $\lambda = 4$。由于不是重根，单纯求出对应的特征向量 $\boldsymbol{p}_8$ 即可。严密地说，就是只要求出使得 $(A - 4I)\boldsymbol{p}_8 = \boldsymbol{o}$ 成立的 $\boldsymbol{p}_8 \neq \boldsymbol{o}$ 即可。

接下来考虑特征值 $\lambda = 5$。由于是 3 重根，情况可能就不止一种了。如果对于特征值 5，能够找到 3 个（线性无关的）特征向量，那么只需要令它们等于 $\boldsymbol{p}_9, \boldsymbol{p}_{10}, \boldsymbol{p}_{11}$ 即可。这里我们假设不是这种可能，而是只能取得 1 个特征向量。如前所述，这说明特征值 5 对应的 Jordan 块只有 1 个。另外，由于 5 是 3 重根，因此 Jordan 块的大小为 3 阶。综上，我们必须要找到满足

$$
\begin{aligned}
(A - 5I)\boldsymbol{p}_9 &= \boldsymbol{o} \\
(A - 5I)\boldsymbol{p}_{10} &= \boldsymbol{p}_9 \\
(A - 5I)\boldsymbol{p}_{11} &= \boldsymbol{p}_{10}
\end{aligned}
$$

的 $\boldsymbol{p}_9, \boldsymbol{p}_{10}, \boldsymbol{p}_{11} \neq \boldsymbol{o}$。把上面三式合一，可以得到 $(A - 5I)^3\boldsymbol{p}_{11} = \boldsymbol{o}$。好了，接下来首先要做的就是求出满足上式的 $\boldsymbol{p}_{11} \neq \boldsymbol{o}$，然后求出 $\boldsymbol{p}_{10} = (A - 5I)\boldsymbol{p}_{11}$ 和 $\boldsymbol{p}_9 = (A - 5I)\boldsymbol{p}_{10}$ 就可以完成任务了②。

---

① $\lambda = 4$ 不是重根，只讲特征向量就可以。

② $(A - 5I)^3\boldsymbol{p}_{11} = \boldsymbol{o}$ 的解有多个。除了非常非常不走运的情况，只要随便找到一个解就可以。准确地说，就是需要找到一个既不是 $\boldsymbol{p}_{10}$、$\boldsymbol{p}_9$ 也不是 $\boldsymbol{o}$ 的解就 OK 了。万一求出来的解恰好是 $\boldsymbol{p}_{10}$、$\boldsymbol{p}_9$、$\boldsymbol{o}$ 中的一个，还请重新去找其他的 $\boldsymbol{p}_{11}$（如果要严格确保所选择的解的合理性，那么就需要验证当前选择的向量与之前得到的向量全部线性无关。无论如何，一定可以找到恰当的解）。

? 4.34 把求解顺序反过来会不会更好? 由 $(A-5I)\boldsymbol{p}_9=\boldsymbol{o}$ 求出 $\boldsymbol{p}_9$，然后代入 $(A-5I)\boldsymbol{p}_{10}=\boldsymbol{p}_9$，再求得 $\boldsymbol{p}_{10}$，最后代入 $(A-5I)\boldsymbol{p}_{11}=\boldsymbol{p}_{10}$，求出 $\boldsymbol{p}_{11}$。这样不可以吗?

当（该特征值对应的）Jordan 块只有 1 个时，这样做是没有问题的。因为特征向量只有 1 个（不考虑常数倍数）。如果 Jordan 块有 2 个以上，这种“从近处开始依次求解”的思路就有问题了。因为在这众多的特征向量备选中，需要选出“与远处的风光”也能契合的那个。如果采用题设中的做法，一不小心就会身陷囹圄，而我们本书中从来都是以“安全第一”为原则的。

接下来考虑特征值 $\lambda=3$。由于是 7 重根，需要面对的情况就更加复杂了。这里我们设特征值 3 对应的特征向量最多可以取到 2 个[①]。根据特征向量的个数，可知 Jordan 块个数也是 2 个。另外，由于 3 是 7 重根，因此各 Jordan 块的阶数合计为 7。综上所述，特征值 3 对应的 Jordan 块的结构应该为以下三种情形之一[②]。

$$
\left(\begin{array}{cccccc|c}
3 & 1 & & & & & \\
 & 3 & 1 & & & & \\
 & & 3 & 1 & & & \\
 & & & 3 & 1 & & \\
 & & & & 3 & 1 & \\
 & & & & & 3 & \\
\hline
 & & & & & & 3
\end{array}\right)
\left(\begin{array}{ccccc|cc}
3 & 1 & & & & & \\
 & 3 & 1 & & & & \\
 & & 3 & 1 & & & \\
 & & & 3 & 1 & & \\
 & & & & 3 & & \\
\hline
 & & & & & 3 & 1 \\
 & & & & & & 3
\end{array}\right)
\left(\begin{array}{cccc|ccc}
3 & 1 & & & & & \\
 & 3 & 1 & & & & \\
 & & 3 & 1 & & & \\
 & & & 3 & & & \\
\hline
 & & & & 3 & 1 & \\
 & & & & & 3 & 1 \\
 & & & & & & 3
\end{array}\right)
$$

把这三种情况依次写成向量序列的形式。

$$
\begin{cases}
\boldsymbol{o} \overset{3}{\longleftarrow} \boldsymbol{p}_1 \overset{3}{\longleftarrow} \boldsymbol{p}_2 \overset{3}{\longleftarrow} \boldsymbol{p}_3 \overset{3}{\longleftarrow} \boldsymbol{p}_4 \overset{3}{\longleftarrow} \boldsymbol{p}_5 \overset{3}{\longleftarrow} \boldsymbol{p}_6 \\
\boldsymbol{o} \overset{3}{\longleftarrow} \boldsymbol{p}_7
\end{cases} \tag{4.26}
$$

$$
\begin{cases}
\boldsymbol{o} \overset{3}{\longleftarrow} \boldsymbol{p}_1 \overset{3}{\longleftarrow} \boldsymbol{p}_2 \overset{3}{\longleftarrow} \boldsymbol{p}_3 \overset{3}{\longleftarrow} \boldsymbol{p}_4 \overset{3}{\longleftarrow} \boldsymbol{p}_5 \\
\boldsymbol{o} \overset{3}{\longleftarrow} \boldsymbol{p}_6 \overset{3}{\longleftarrow} \boldsymbol{p}_7
\end{cases} \tag{4.27}
$$

$$
\begin{cases}
\boldsymbol{o} \overset{3}{\longleftarrow} \boldsymbol{p}_1 \overset{3}{\longleftarrow} \boldsymbol{p}_2 \overset{3}{\longleftarrow} \boldsymbol{p}_3 \overset{3}{\longleftarrow} \boldsymbol{p}_4 \\
\boldsymbol{o} \overset{3}{\longleftarrow} \boldsymbol{p}_5 \overset{3}{\longleftarrow} \boldsymbol{p}_6 \overset{3}{\longleftarrow} \boldsymbol{p}_7
\end{cases} \tag{4.28}
$$

在这些序列中，每一组对应了一个 Jordan 块，每一组的长度对应了 Jordan 块的阶数。实际上我们还有下列事实。

---

① 要想知道最多可以取到几个（几何重数），考察一下 $\operatorname{rank}(A-3I)$ 就可以了。比如，若 $\operatorname{rank}(A-3I)=9$，根据维数定理（参考 2.3.3 节），有 $\dim \operatorname{Ker}(A-3I)=11-9=2$。于是，使得 $(A-3I)\boldsymbol{p}=\boldsymbol{o}$ 成立的 $\boldsymbol{p}$ 中，线性无关的向量有 2 个。这里很容易就可以看出 $(A-3I)\boldsymbol{p}=\boldsymbol{o}$ 等价于特征值定义 $A\boldsymbol{p}=3\boldsymbol{p}$。

② 不考虑分块的顺序。可对角化的情况下也是如此（参考 ? 4.7）。

例如，对于 (4.27) 式的情况，在 $\boldsymbol{p}_1, \cdots, \boldsymbol{p}_7$ 中，满足 $(A-3I)^2\boldsymbol{p}_i = \boldsymbol{o}$ 的（即两步以内可以变成 $\boldsymbol{o}$ 的）有 $\boldsymbol{p}_1, \boldsymbol{p}_2, \boldsymbol{p}_6, \boldsymbol{p}_7$ 这 4 个。实际上，这里的个数 4 等于 $\dim \operatorname{Ker}\{(A-3I)^2\}$①

利用上述性质，我们来求 $K_i = \dim \operatorname{Ker}(A-3I)^i \quad (i = 1,2,3,\cdots)$ ②。通过 K_i，可以确定上述三个候选答案中哪个才是正确的。本例中，根据 K_i 的值不同，可以进行如下判定③（另外请参考 ?4.36）。

K_1	K_2	K_3	K_4	K_5	K_6	对应的组
2	3	4	5	6	7	(4.26)
2	4	5	6	7	7	(4.27)
2	4	6	7	7	7	(4.28)

假设经过计算我们得知 (4.27) 式的情况是正确答案。接着，我们需要“由远及近”地求解 $\boldsymbol{p}_1, \cdots, \boldsymbol{p}_7$。由于“最远的”一个是 $\boldsymbol{p}_5$，因此我们解出方程

$$(A-3I)^5\boldsymbol{p}_5 = \boldsymbol{o}$$

的一个（非 $\boldsymbol{o}$ 的）解④。这里的解有很多，除了非常非常不走运的情况，解可以任意选取。一旦选定 $\boldsymbol{p}_5$，就可以像连锁反应一样依次得到

$$\boldsymbol{p}_4 = (A-3I)\boldsymbol{p}_5$$
$$\boldsymbol{p}_3 = (A-3I)\boldsymbol{p}_4$$
$$\boldsymbol{p}_2 = (A-3I)\boldsymbol{p}_3$$
$$\boldsymbol{p}_1 = (A-3I)\boldsymbol{p}_2$$

如果 $\boldsymbol{p}_4, \boldsymbol{p}_3, \boldsymbol{p}_2, \boldsymbol{p}_1$ 中没有 $\boldsymbol{o}$，那么就大功告成了。万一在计算 $\boldsymbol{p}_4, \cdots, \boldsymbol{p}_1$ 的过程中，有某一步变成了 $\boldsymbol{o}$，不好意思，你确实非常非常不走运，只能回过头去重新选 $\boldsymbol{p}_5$。按照这个流程，第一组向量我们就完成了。

接下来，还是从“最远的” $\boldsymbol{p}_7$ 开始，通过解方程

$$(A-3I)^2\boldsymbol{p}_7 = \boldsymbol{o}$$

① 原因请参考 4.7.6 节。粗略地说，将那些“连续作用 $(A-3I)$ 若干次之后最终可以得到 $\boldsymbol{o}$ 的向量 $\boldsymbol{x}$”集中起来，可以构成线性子空间 $W(3)$。于是 $(\boldsymbol{p}_1, \cdots, \boldsymbol{p}_7)$ 构成 $W(3)$ 的一组基底。

② 根据维数定理（参考 2.3.3 节），有 $K_i = 11 - \operatorname{rank}\{(A-3I)^i\}$，因此只要求出 $(A-3I)^i$ 的秩就知道 K_i 的值了。其中 11 是 A 的阶数。注意这里的记号 K_i 和 dim 、Ker 有所不同，它并非通用记法。在为他人提供资料、答案等文本时，一定不要忘记定义“令○○为 K_i”。

③ 并没有必要求出 $K_1, \cdots, K_6$ 的所有值，只要求到可以进行判断的程度就可以了。

④ 通过观察 (4.27) 式，可以发现 $\boldsymbol{p}_5$ 左乘 5 次 $(A-3I)$ 后会变成 $\boldsymbol{o}$。方程的解的求法请参考 2.5.2 节。

得到一个非 $\boldsymbol{o}$ 的向量，令其为 $\boldsymbol{p}_7$。接着，求 $\boldsymbol{p}_6=(A-3I)\boldsymbol{p}_7$。万一 $\boldsymbol{p}_6$ 变成了 $\boldsymbol{o}$，$\boldsymbol{p}_1,\cdots,\boldsymbol{p}_7$ 也就变得线性相关了。如果遇到了这种非常非常不走运的情况，只好重新选择 $\boldsymbol{p}_7$。参照这个流程，第二组向量也可以求出来了。

最后，将得到的 $\boldsymbol{p}_1,\cdots,\boldsymbol{p}_{11}$ 并排起来，得到方阵 $P=(\boldsymbol{p}_1,\cdots,\boldsymbol{p}_{11})$，就可以使 $P^{-1}AP$ 化为 Jordan 标准型 (4.23) 式了。

? 4.35 所谓"非常非常不走运"的情况是什么情况呢?

我们来展示一个失败的例子吧。为了避免混乱，我们把合适的（成功的）向量记为 $\boldsymbol{p}_1,\cdots,\boldsymbol{p}_7$，把不合适的（失败的）向量记为 $\boldsymbol{p}'_7$ 等。

[失败例 1]：在最初选取 $\boldsymbol{p}_5$ 的步骤中，若错误地选择了 $\boldsymbol{p}'_5=\boldsymbol{p}_2$，就"非常非常不走运"了。确实 $(A-3I)^5\boldsymbol{p}'_5=\boldsymbol{o}$ 是成立的，但在 $\boldsymbol{p}'_5$ 接下来的步骤中，即在求 $\boldsymbol{p}'_4=(A-3I)\boldsymbol{p}'_5$、$\boldsymbol{p}'_3=(A-3I)\boldsymbol{p}'_4$…… 的过程中，会得到 $\boldsymbol{p}'_3=\boldsymbol{o}$。

[失败例 2]：假设第一关"通关"了，已经成功得到了 $\boldsymbol{p}_5$，使得 $\boldsymbol{p}_4,\cdots,\boldsymbol{p}_1$ 都不为 $\boldsymbol{o}$。下面要求 $\boldsymbol{p}_7$，一旦不小心选取了 $\boldsymbol{p}'_7=\boldsymbol{p}_2+\boldsymbol{p}_6$，也就"非常非常不走运"了。确实 $(A-3I)^2\boldsymbol{p}'_7=\boldsymbol{o}$ 是成立的，经过下一步运算之后 $\boldsymbol{p}'_6=(A-3I)\boldsymbol{p}'_7$ 也确实不为 $\boldsymbol{o}$。但是，仔细检查就会发现 $\boldsymbol{p}'_6=\boldsymbol{p}_1$，那么 $\boldsymbol{p}_1,\cdots,\boldsymbol{p}_5,\boldsymbol{p}'_6,\boldsymbol{p}'_7$ 就不再线性无关了。

? 4.36 对于有多重根的混乱情况好像是明白了，但是还不太确定，再讲一讲吧?

例如，对于 7 重根的特征值 8，设特征向量（中线性无关的）最多可以取到 3 个。比如，通过求解 $K_i\equiv\dim\operatorname{Ker}\{(A-8I)^i\}$，得

$$K_1=3,\qquad K_2=6,\qquad K_3=7$$

我们来构造符合上述条件的向量序列。由于是 7 重根，首先可以确定 $\boldsymbol{p}_1,\cdots,\boldsymbol{p}_7$ 为广义特征向量。根据特征向量的个数 $(=K_1)$ 可知，一共可分为 3 组。要想全部符合 K_1,K_2,K_3 的条件，只能是下面这样的情况。

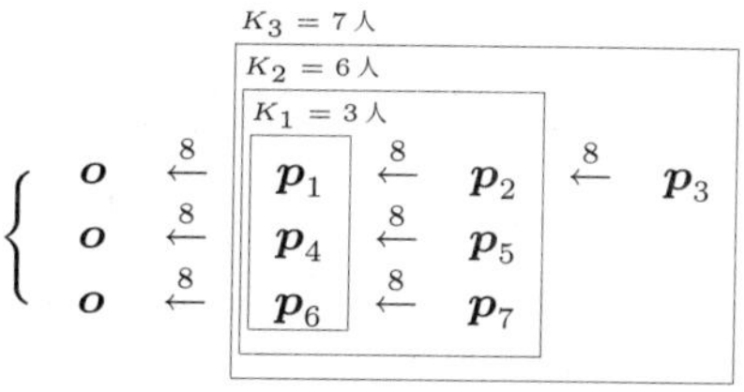

我们来确认一下。

- 在 1 步以内变成 $\boldsymbol{o}$ 的有 $\boldsymbol{p}_1, \boldsymbol{p}_4, \boldsymbol{p}_6$，共 3 个 $(= K_1)$
- 在 2 步以内变成 $\boldsymbol{o}$ 的有 $\boldsymbol{p}_1, \boldsymbol{p}_2, \boldsymbol{p}_4, \boldsymbol{p}_5, \boldsymbol{p}_6, \boldsymbol{p}_7$，共 6 个 $(= K_2)$
- 在 3 步以内变成 $\boldsymbol{o}$ 的有 $\boldsymbol{p}_1, \boldsymbol{p}_2, \boldsymbol{p}_3, \boldsymbol{p}_4, \boldsymbol{p}_5, \boldsymbol{p}_6, \boldsymbol{p}_7$，共 7 个 $(= K_3)$

没有问题，确实符合条件。那么特征值 8 对应的 Jordan 块一定是如下形式。

$$\left(\begin{array}{ccc|cc|cc} 8 & 1 & & & & & \\ & 8 & 1 & & & & \\ & & 8 & & & & \\ \hline & & & 8 & 1 & & \\ & & & & 8 & & \\ \hline & & & & & 8 & 1 \\ & & & & & & 8 \end{array}\right) \quad \text{空白处为 } 0$$

接下来就是“由远及近”开始求解。从 $(A-8I)^3\boldsymbol{p}_3 = \boldsymbol{o}$ 解出一个 $\boldsymbol{p}_3 \neq \boldsymbol{o}$，依次代入。

$$\boldsymbol{p}_2 = (A-8I)\boldsymbol{p}_3$$
$$\boldsymbol{p}_1 = (A-8I)\boldsymbol{p}_2$$

接着，从 $(A-8I)^2\boldsymbol{p}_5 = \boldsymbol{o}$ 得到一个 $\boldsymbol{p}_5 \neq \boldsymbol{o}$ ，然后有

$$\boldsymbol{p}_4 = (A-8I)\boldsymbol{p}_5$$

最后，从 $(A-8I)^2\boldsymbol{p}_7 = \boldsymbol{o}$ 解得一个（和 $\boldsymbol{p}_5$ 方向不同的），$\boldsymbol{p}_7 \neq \boldsymbol{o}$ 于是有

$$\boldsymbol{p}_6 = (A-8I)\boldsymbol{p}_7$$

这样就把 $\boldsymbol{p}_1, \cdots, \boldsymbol{p}_7$ 全部都确定下来了。另外，在代入计算过程中，一旦出现了零向量，则全部向量组就不再满足线性无关性了，需要重新选择方程的解。

? 4.37 按照以上流程把程序写出来，是不是就可以作为化 Jordan 标准型的例程了？

不行。在计算机上的计算，必须时时刻刻考虑误差。由于在计算机上实数只能以有限位小数的近似值来表示，因此对于 Jordan 标准型而言，可能会产生“差之毫厘谬以千

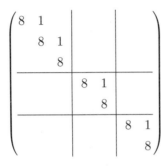

里”的后果。例如，

$$A=\begin{pmatrix}7&0\\0&7\end{pmatrix},\qquad B=\begin{pmatrix}7&0.000001\\0&7\end{pmatrix},\qquad C=\begin{pmatrix}7&0.000001\\0&7.000001\end{pmatrix}$$

三者看起来只有细微的差别，但是 Jordan 标准型的形式却有很大不同。

- A：本身就是对角矩阵，硬要写出来的话就是

$$I^{-1}AI=\begin{pmatrix}7&0\\0&7\end{pmatrix},\qquad I=\begin{pmatrix}1&0\\0&1\end{pmatrix}$$

- B：Jordan 标准型是

$$P^{-1}BP=\begin{pmatrix}7&1\\0&7\end{pmatrix},\qquad P=\begin{pmatrix}1&0\\0&1000000\end{pmatrix}$$

- C：可对角化①

$$Q^{-1}CQ=\begin{pmatrix}7&0\\0&7.000001\end{pmatrix},\qquad Q=\begin{pmatrix}1&1\\0&1\end{pmatrix}$$

首先我们知道，只有当不能对角化时，才有 Jordan 标准型登场的机会，也就是当重复特征值（特征方程的重根）出现的时候。但是，对于用浮点数表示的数，比较它们是否“恰好”相等是几乎没有意义的。因为这些近似值各个身怀误差，所以不能期待它们严格相等。在初学编程时，可能谁都因此有过几次痛楚的经历吧？而 Jordan 标准型，恰恰就立足于这危机四伏之地。

所以，首先需要重新好好考虑一下，是不是真的需要用到 Jordan 标准型。如果答案是无论如何也要用，那么还是请教数值计算专家为好。

4.7.6 任何方阵均可化为 Jordan 标准型的证明

本节的目标是要证明，对于任意 n 阶方阵 A，一定存在恰当的可逆矩阵 P，使得 $P^{-1}AP$ 为 Jordan 标准型。为此，我们需要选取 n 个 n 维向量 $\boldsymbol{p}_1,\cdots,\boldsymbol{p}_n$，使它们满足以下条件。

- $\boldsymbol{p}_1,\cdots,\boldsymbol{p}_n$ 构成如下形式的序列。也就是说，把连续左乘 $(A-\lambda I)$ 后会变成零向量的

① 由于是上三角矩阵，因此特征值就是对角元素 7, 7.000001（参考 4.5.2 节）。若特征值互不相同，则可对角化（参考 4.4.2 节以及 4.7.3 节）。

若干向量排成序列，这些序列构成 $\boldsymbol{p}_1, \cdots, \boldsymbol{p}_n$ 的某种分组①

$$\begin{cases} \boldsymbol{o} \xleftarrow{3} \boldsymbol{p}_1 \xleftarrow{3} \boldsymbol{p}_2 \xleftarrow{3} \boldsymbol{p}_3 \xleftarrow{3} \boldsymbol{p}_4 \xleftarrow{3} \boldsymbol{p}_5 \\ \boldsymbol{o} \xleftarrow{3} \boldsymbol{p}_6 \xleftarrow{3} \boldsymbol{p}_7 \\ \boldsymbol{o} \xleftarrow{4} \boldsymbol{p}_8 \\ \boldsymbol{o} \xleftarrow{5} \boldsymbol{p}_9 \xleftarrow{5} \boldsymbol{p}_{10} \xleftarrow{5} \boldsymbol{p}_{11} \end{cases}$$

- $\boldsymbol{p}_1, \cdots, \boldsymbol{p}_n$ 线性无关。也就是说，$\boldsymbol{p}_1, \cdots, \boldsymbol{p}_n$ 构成一组基底②

这样做的理由在上一小节已经讲过，若取 $P = (\boldsymbol{p}_1, \cdots, \boldsymbol{p}_n)$，则 $P^{-1}AP$ 正是 Jordan 标准型。

首先，我们把 $\boldsymbol{p}_1, \cdots, \boldsymbol{p}_n$ 的候选找出来。有资格进入候选名单的只有具有特殊性质 ——“左乘 $(A - \lambda I)$ 若干次后变成 $\boldsymbol{o}$”的向量。我们要做的就是把这样的向量集中起来组成“门派” $W(\lambda)$。例如，$W(3)$ 表示左乘 $(A - 3I)$ 若干次后变成 $\boldsymbol{o}$ 的 n 维向量的全体所组成的集合。在上例中，$\boldsymbol{p}_1, \cdots, \boldsymbol{p}_7$ 属于 $W(3)$（当然 $W(3)$ 中还包含其他成员）。$\boldsymbol{o}$ 本身可以视为“乘 0 次后变成 $\boldsymbol{o}$”的向量，也在门派中。不属于任何门派的向量，不具有参选资格。

■ 关于门派的“人数”

按照上述规则，任何门派 $W(\lambda)$ 中都包含 $\boldsymbol{o}$。但是，在构造“基底”的过程中，$\boldsymbol{o}$ 并不会起到什么作用，所以依然需要其他成员的加入③ 。实际上，除了 $\boldsymbol{o}$ 以外还有其他成员的门派，一定对应了特殊的 λ。为什么呢？在非 $\boldsymbol{o}$ 的 $\boldsymbol{p}$ 上连续左乘 $(A - \lambda I)$，最终会得到 $\boldsymbol{o}$，那么我们来考虑变成 $\boldsymbol{o}$ 之前的那个向量 $\boldsymbol{p}'$。虽然 $\boldsymbol{p}'$ 本身不是零向量，但是它左乘 1 次 $(A - \lambda I)$ 之后就会变成 $\boldsymbol{o}$。这也就意味着 $\boldsymbol{p}'$ 正是特征值 λ 对应的特征向量。如此说来，**含有非 $\boldsymbol{o}$ 成员的门派 $W(\lambda)$，只有当 λ 是 A 的特征值时才存在**。

> **? 4.38 数学上有“门派”这种讲法吗？**
>
> 没有。用数学术语讲的话，特征值 λ 对应的 $W(\lambda)$ 称为**广义特征子空间**。顺便提一下，特征值 λ 对应的**特征子空间**是指满足 $A\boldsymbol{x} = \lambda \boldsymbol{x}$ 的向量全体的集合，简而言之就是 $\operatorname{Ker}(A - \lambda I)$。由定义很容易看出，特征子空间包含于广义特征子空间之中。

已知各个特征值 λ 都有对应的门派 $W(\lambda)$，接下来要考虑的就是如何选择合适的 $\boldsymbol{p}_1, \cdots, \boldsymbol{p}_n$ 构成基底。那么，该从每个门派中选择多少个代表呢？

---

① $\xleftarrow{\lambda}$ 表示左乘 $(A - \lambda I)$ 的操作。

② 若一组线性无关的向量的个数和维数相同，则其构成一组基底。参考附录 C。

③ 回想“基底”的含义（参考 1.1.3 节），我们知道，无论在哪个方向上“前进 $\boldsymbol{o}$ 步”都没办法走。复杂一点讲，基底必须线性无关，而 $\boldsymbol{o}$ 与任何向量（哪怕只有它自己也一样）都做不到线性无关。不明白的读者请复习 2.3.4 节。

为了回答这个问题，首先我们看看门派 $W(\lambda)$ 中网罗了多少人才。具体来说，我们要调查一下在 $W(\lambda)$ 中最多能取到多少线性无关的向量。实际上，**若 λ 是特征方程 $\phi_A(\lambda)=0$ 的 k 重根[①]，则 $W(\lambda)$ 中保证可以取到 k 个线性无关的向量**。

例如，我们设 $\lambda=7$ 是 A 的特征值，而且是特征方程 $\phi_A(\lambda)=0$ 的 3 重根。让我们来试着在 $W(7)$ 中找出 3 个线性无关的向量（这里我们并不是要真的进行具体的计算。为了完成证明，我们需要展示从原理上是可能的）。首先选出特征值 7 对应的特征向量 $\boldsymbol{p}'_1$，接下来选择恰当的 $\boldsymbol{p}'_2,\cdots,\boldsymbol{p}'_n$，使得 $\boldsymbol{p}'_1,\boldsymbol{p}'_2,\cdots,\boldsymbol{p}'_n$ 线性无关[②]。将它们合并起来构成矩阵，记作 $P_1=(\boldsymbol{p}'_1,\boldsymbol{p}'_2,\cdots,\boldsymbol{p}'_n)$，可以得到以下关系[③]。

$$AP_1=P_1U_1,\qquad U_1=\left(\begin{array}{c|ccc}7 & ? & \cdots & ?\\ \hline 0 & & & \\ \vdots & & A_1 & \\ 0 & & & \end{array}\right)$$

请注意，右边的矩阵的第一列除了第一元素全部都是 0 了。这里我们并不关心“?”处的元素。到此为止是第一步。第二步，我们着眼于 A_1 部分。由 $P_1^{-1}AP_1=U_1$ 应该可以看出 $\phi_A(\lambda)=\phi_{U_1}(\lambda)=(\lambda-7)\phi_{A_1}(\lambda)$ 吧[④]? 根据我们的前提条件，特征多项式应该能够因式分解成 $\phi_A(\lambda)=(\lambda-7)^3(\cdots)$ 的形式，于是有 $\phi_{A_1}=(\lambda-7)^2(\cdots)$。也就是说，$A_1$ 中依然有特征值 7（2 重根）。那么，对于 A_1 的特征值 7，选出特征向量 $\boldsymbol{p}''_2$，接着找出恰当的 $\boldsymbol{p}''_3,\cdots,\boldsymbol{p}''_n$，使得 $\boldsymbol{p}''_2,\cdots,\boldsymbol{p}''_n$ 线性无关。同样，我们构造出矩阵 $P_2=(\boldsymbol{p}''_2,\cdots,\boldsymbol{p}''_n)$，可得以下关系。

$$A_1P_2=P_2U_2,\qquad U_2=\left(\begin{array}{c|ccc}7 & ? & \cdots & ?\\ \hline 0 & & & \\ \vdots & & A_2 & \\ 0 & & & \end{array}\right)$$

到底为止是第二步。以同样的方式，我们完成第三步，可得

$$A_2P_3=P_3U_3,\qquad U_3=\left(\begin{array}{c|ccc}7 & ? & \cdots & ?\\ \hline 0 & & & \\ \vdots & & A_3 & \\ 0 & & & \end{array}\right)$$

---

① 这里的 k 称为代数重数（参考 4.5.3 节）。

② 附录 C 中说明了为什么线性无关的 $\boldsymbol{p}'_1,\boldsymbol{p}'_2,\cdots,\boldsymbol{p}'_n$ 一定存在。

③ 这是因为 $A\boldsymbol{p}'_1=7\boldsymbol{p}'_1$。不明白的读者请复习 1.2.9 节中关于分块矩阵的知识。这里我们按照分块矩阵来处理 $(A\boldsymbol{p}'_1,A\boldsymbol{p}'_2,\cdots,A\boldsymbol{p}'_n)=(\boldsymbol{p}'_1,\boldsymbol{p}'_2,\cdots,\boldsymbol{p}'_n)U_1$。

④ 不明白的读者请复习特征多项式的定义（参考 4.5.3 节）以及分块上三角矩阵的行列式（参考 1.3.2 节）的相关内容。

好了，根据以上思路，我们可以知道特征值 7 在 A（的特征多项式）中是 3 重根，在 A_1 中是 2 重根，在 A_2 中是 1 重根。因为在 A_3 中 7 已经不是特征值了，所以以上流程就到此为止了。下面我们来汇总一下前面的成果。在第一步中，我们令 $Q_1 = P_1$，显然有 $Q_1^{-1}AQ_1 = U_1$。在第二步中，同时引入 Q_1 和 P_2，令

$$Q_2 = Q_1 \left(\begin{array}{c|ccc} 1 & 0 & \cdots & 0 \\ \hline 0 & & & \\ \vdots & & P_2 & \\ 0 & & & \end{array}\right)$$

请注意，由于 Q_1 和 P_2 都可逆，因此 Q_2 也必然可逆①。用上 Q_2，我们可以得到

$$\begin{aligned} Q_2^{-1}AQ_2 &= \left(\begin{array}{c|ccc} 1 & 0 & \cdots & 0 \\ \hline 0 & & & \\ \vdots & & P_2^{-1} & \\ 0 & & & \end{array}\right) Q_1^{-1}AQ_1 \left(\begin{array}{c|ccc} 1 & 0 & \cdots & 0 \\ \hline 0 & & & \\ \vdots & & P_2 & \\ 0 & & & \end{array}\right) \\ &= \left(\begin{array}{c|ccc} 1 & 0 & \cdots & 0 \\ \hline 0 & & & \\ \vdots & & P_2^{-1} & \\ 0 & & & \end{array}\right) \left(\begin{array}{c|ccc} 7 & ? & \cdots & ? \\ \hline 0 & & & \\ \vdots & & A_1 & \\ 0 & & & \end{array}\right) \left(\begin{array}{c|ccc} 1 & 0 & \cdots & 0 \\ \hline 0 & & & \\ \vdots & & P_2 & \\ 0 & & & \end{array}\right) \\ &= \left(\begin{array}{c|ccc} 7 & ? & \cdots & ? \\ \hline 0 & & & \\ \vdots & & P_2^{-1}A_1P_2 & \\ 0 & & & \end{array}\right) \\ &= \left(\begin{array}{c|ccc} 7 & ? & \cdots & ? \\ \hline 0 & & & \\ \vdots & & U_2 & \\ 0 & & & \end{array}\right) \end{aligned}$$

---

① 不信的话，可以自行验证

$$\left(\begin{array}{c|ccc} 1 & 0 & \cdots & 0 \\ \hline 0 & & & \\ \vdots & & P_2^{-1} & \\ 0 & & & \end{array}\right) Q_1^{-1}$$

和 Q_2 相乘的结果是单位矩阵。这里用到了 $(AB)^{-1} = B^{-1}A^{-1}$ 以及“要求分块对角矩阵的逆矩阵，只要求出各个分块的逆矩阵即可”这两个基本点，相信敢对本小节下手的读者，对此一定不会陌生吧。

$$
= \left(\begin{array}{c|cccc} 7 & ? & ? & \cdots & ? \\ \hline 0 & 7 & ? & \cdots & ? \\ 0 & 0 & & & \\ \vdots & \vdots & & A_2 & \\ 0 & 0 & & & \end{array}\right)
$$

$$
= \left(\begin{array}{c|cccc} 7 & ? & ? & \cdots & ? \\ 0 & 7 & ? & \cdots & ? \\ \hline 0 & 0 & & & \\ \vdots & \vdots & & A_2 & \\ 0 & 0 & & & \end{array}\right)
$$

接下来在第三步中，同时引入 Q_2 和 P_3，令

$$
Q_3 = Q_2 \left(\begin{array}{cc|ccc} 1 & 0 & 0 & \cdots & 0 \\ 0 & 1 & 0 & \cdots & 0 \\ \hline 0 & 0 & & & \\ \vdots & \vdots & & P_3 & \\ 0 & 0 & & & \end{array}\right)
$$

用上 Q_3，可以得到

$$
Q_3^{-1}AQ_3 = U, \qquad U = \left(\begin{array}{ccc|ccc} 7 & ? & ? & ? & \cdots & ? \\ 0 & 7 & ? & ? & \cdots & ? \\ 0 & 0 & 7 & ? & \cdots & ? \\ \hline 0 & 0 & 0 & & & \\ \vdots & \vdots & \vdots & & A_3 & \\ 0 & 0 & 0 & & & \end{array}\right)
$$

好了，只剩下最后一击了。我们把 $Q_3 = (\boldsymbol{q}_1, \cdots, \boldsymbol{q}_n)$ 分块成列向量。和前面几个变换矩阵一样，Q_3 也是可逆的，因此 $\boldsymbol{q}_1, \cdots, \boldsymbol{q}_n$ 线性无关。然而，事实上，$\boldsymbol{q}_1, \boldsymbol{q}_2, \boldsymbol{q}_3$ 正是门派 $W(7)$ 中的成员。下面来验证此事。上面提到 $Q_3^{-1}AQ_3 = U$，即 $AQ_3 = Q_3U$。把上式按照列向量分块考虑，即 $(A\boldsymbol{q}_1, \cdots, A\boldsymbol{q}_n) = (\boldsymbol{q}_1, \cdots, \boldsymbol{q}_n)U$。对于 $\boldsymbol{q}_1$，因为 $A\boldsymbol{q}_1 = 7\boldsymbol{q}_1$，我们立马得出 $(A-7I)\boldsymbol{q}_1 = \boldsymbol{o}$，所以它是 $W(7)$ 的成员。对于 $\boldsymbol{q}_2$，由 $A\boldsymbol{q}_2 = ?\boldsymbol{q}_1 + 7\boldsymbol{q}_2$ 可得 $(A-7I)\boldsymbol{q}_2 = ?\boldsymbol{q}_1$，进而有 $(A-7I)^2\boldsymbol{q}_2 = ?(A-7I)\boldsymbol{q}_1 = \boldsymbol{o}$，它也确实是 $W(7)$ 的成员。对于 $\boldsymbol{q}_3$，由 $A\boldsymbol{q}_3 = ?\boldsymbol{q}_1 + ?\boldsymbol{q}_2 + 7\boldsymbol{q}_3$ 可得 $(A-7I)\boldsymbol{q}_3 = ?\boldsymbol{q}_1 + ?\boldsymbol{q}_2$，所以有 $(A-7I)^3\boldsymbol{q}_3 = \boldsymbol{o}$，它也是 $W(7)$ 的成员。按照如此流程，我们就可以找到 $W(7)$ 中那 3 个线性无关的向量了。

■ 各门派间的关系

有没有人同时在两个门派之下呢？如前所述，零向量 $\boldsymbol{o}$ 属于所有门派。实际上，**除了零向量 $\boldsymbol{o}$ 这个特例，其他的任何向量都不允许参与两个门派**。这一点的证明需要用到反证法。假设存在某向量 $\boldsymbol{p} \neq \boldsymbol{o}$ 同时属于两个门派 $W(\lambda), W(\lambda')$ $(\lambda \neq \lambda')$。既然属于门派 $W(\lambda)$，那么对 $\boldsymbol{p}$ 连续左乘 $(A - \lambda I)$，最后一定可以得到 $\boldsymbol{o}$。这里我们设乘到第 h 次时首次变成 $\boldsymbol{o}$。同样，我们对 $\boldsymbol{p}$ 连续左乘 $(A - \lambda' I)$，设乘到第 h' 次时首次变成 $\boldsymbol{o}$。那么，让我们回到变成 $\boldsymbol{o}$ 之前的那一步。请注意 $\boldsymbol{q} = (A - \lambda I)^{h-1}\boldsymbol{p}$ 正是 A 的特征值 λ 所对应的特征向量[①]。同样，$\boldsymbol{q}' = (A - \lambda' I)^{h'-1}\boldsymbol{p}$ 是 A 的特征值 λ' 对应的特征向量。那么，如果我们考虑 $\boldsymbol{r} = (A - \lambda I)^{h-1}(A - \lambda' I)^{h'-1}\boldsymbol{p}$ 会发生什么呢？在 $\boldsymbol{r} = (A - \lambda I)^{h-1}\boldsymbol{q}'$ 中代入 $A\boldsymbol{q}' = \lambda'\boldsymbol{q}'$，可得 $\boldsymbol{r} = (\lambda' - \lambda)^{h-1}\boldsymbol{q}'$[②]。于是，$\boldsymbol{r}$ 和 $\boldsymbol{q}'$ 方向一致。另一方面，我们知道形如

$$(A - \lambda I)^{h-1}(A - \lambda' I)^{h'-1} = (A - \lambda' I)^{h'-1}(A - \lambda I)^{h-1}$$

的交换是可行的[③]，所以有 $\boldsymbol{r} = (A - \lambda' I)^{h'-1}\boldsymbol{q}$。将 $A\boldsymbol{q} = \lambda\boldsymbol{q}$ 代入上式，可得 $\boldsymbol{r} = (\lambda - \lambda')^{h'-1}\boldsymbol{q}$。也就是说 $\boldsymbol{r}$ 和 $\boldsymbol{q}$ 的方向也一样。怪事啊！经过一番推导，我们发现 $\boldsymbol{q}$ 和 $\boldsymbol{q}'$ 居然在同一方向上。这与“不同特征值对应的特征向量方向不同”这一基本事实（参考 4.5.2 节）相悖。综上，根据反证法，我们证明了除了 $\boldsymbol{o}$ 以外，一个人不可能分属两个门派。

其实还有更强的结论：不同的门派在某种意义上是互相独立的。

> 令 $\lambda_1, \cdots, \lambda_r$ 为 A 的不同特征值，我们从每个门派 $W(\lambda_1), \cdots, W(\lambda_r)$ 中依次选出一个非 $\boldsymbol{o}$ 的向量，记为 $\boldsymbol{p}_1, \cdots, \boldsymbol{p}_r$。那么 $\boldsymbol{p}_1, \cdots, \boldsymbol{p}_r$ 一定线性无关

证明思路与刚才一样。由于 $\boldsymbol{p}_i$ 属于门派 $W(\lambda_i)$，因此连续左乘 $(A - \lambda_i I)$ 后，在某一时刻总会得到 $\boldsymbol{o}(i = 1, \cdots, r)$。设第 h_i 次乘法之后各向量首次变成 $\boldsymbol{o}$。这就意味着 $\boldsymbol{q}_i \equiv (A - \lambda_i I)^{h_i - 1}\boldsymbol{p}_i$ 分别是 A 的特征值 λ_i 所对应的特征向量。那么，假设我们可以找到一组数 $c_1, \cdots, c_r$，使得下式成立。

$$c_1\boldsymbol{p}_1 + \cdots + c_r\boldsymbol{p}_r = \boldsymbol{o}$$

如果我们能够证明在这种假设下，必然而且只能推出 $c_1 = \cdots = c_r = 0$，那么我们就可以保证线性无关性了[④]。在上式左右两边同时左乘

$$(A - \lambda_1 I)^{h_1 - 1} \cdots (A - \lambda_r I)^{h_r - 1}$$

---

① 因为 $(A - \lambda I)\boldsymbol{q} = \boldsymbol{o}$，即 $A\boldsymbol{q} = \lambda\boldsymbol{q}$。不要忘了 $\boldsymbol{q} \neq \boldsymbol{o}$。

② 当 $\boldsymbol{p}$ 为方阵 A 的特征值 λ 对应的特征向量时，对于多项式 $f(x)$，有 $f(A)\boldsymbol{p} = f(\lambda)\boldsymbol{p}$ 成立。比如，$(A^2 - 2A - 3I)\boldsymbol{p} = (\lambda^2 - 2\lambda - 3)\boldsymbol{p}$。理由很简单，因为 $A\boldsymbol{p} = \lambda\boldsymbol{p}$, $A^j\boldsymbol{p} = \lambda^j\boldsymbol{p}$ $(j = 1, 2, \cdots)$。

③ 对于两方阵 A 和 B，AB 和 BA 一般是不等的。但这里的情况比较特殊。对于多项式 $f(x), g(x)$，有 $f(A)g(A) = g(A)f(A)$。因为无论左边还是右边，运算结果都是将 $f(x)g(x)$ 中的 x 替换成 A 得到的。这里要注意两个关键点：一是多项式乘法的话有 $f(x)g(x) = g(x)f(x)$；二是方阵满足 $A^iA^j = A^jA^i (= A^{i+j})$。

④ 不明白的读者请复习 2.3.4 节中线性无关性的定义。

可得如下形式①。

$$d_1\boldsymbol{q}_1 + \cdots + d_r\boldsymbol{q}_r = \boldsymbol{o}$$

$$d_i = (\lambda_i - \lambda_1)^{h_1-1}\cdots(\lambda_i - \lambda_r)^{h_r-1}c_i, \quad \text{其中“}\cdots\text{”部分不含 } (\lambda_i - \lambda_i) \text{ 项}$$

$$i = 1, \cdots, r$$

因为 $\boldsymbol{q}_1, \cdots, \boldsymbol{q}_r$是不同特征值对应的特征向量，所以它们线性无关（参考 ? 4.16）。也就是说，只有当 $d_1 = \cdots = d_r = 0$ 时，前面的假设才成立。要满足这一点，只有让 $c_1 = \cdots = c_r = 0$ 才行。之所以如此，是因为 $\lambda_1, \cdots, \lambda_r$ 两两不同，所以 $(\lambda_i - \lambda_j) \neq 0\ (i \neq j)$。这样一来，$\boldsymbol{p}_1, \cdots, \boldsymbol{p}_r$ 的线性无关性就是板上钉钉的事了。

关于门派，我们还需要指出下面这些性质。

1. 若向量 $\boldsymbol{p}, \boldsymbol{p}'$ 属于 $W(\lambda)$，则 $\boldsymbol{p} + \boldsymbol{p}'$ 也属于 $W(\lambda)$。另外，对于任意的数 c，$c\boldsymbol{p}$ 也属于 $W(\lambda)$（用 ? 2.15 中的说法来讲，就是 $W(\lambda)$ 构成一个线性子空间）
2. 若向量 $\boldsymbol{p}$ 属于 $W(\lambda)$，则 $A\boldsymbol{p}$ 也属于 $W(\lambda)$

只需要回忆一下门派是怎么定义的，第一条就很清楚了。关于第二条，理由如下。由门派的定义可知 $\boldsymbol{q} \equiv (A - \lambda I)\boldsymbol{p}$ 也是门派 $W(\lambda)$ 中的一员，那么就有 $A\boldsymbol{p} = \boldsymbol{q} + \lambda\boldsymbol{p}$，利用第一条性质可知它也是 $W(\lambda)$ 中的一员。

我们可以把前面的内容总结如下。设 n 阶方阵 A 的特征值为 $\lambda_1, \cdots, \lambda_r$，其中 λ_i 是特征方程 $\phi_A(\lambda) = 0$ 的 k 重根 $(i = 1, \cdots, r)$。这时，**通过巧妙地选取一个可逆阵 Q，就可以将 $Q^{-1}AQ$ 变成如下形式的特殊的分块对角矩阵**。

$$Q^{-1}AQ = \begin{pmatrix} D_1 & & & \\ & D_2 & & \\ & & \ddots & \\ & & & D_r \end{pmatrix} \equiv D \qquad \text{空白处为 } 0 \tag{4.29}$$

D_i : k_i 阶方阵

$(D_i - \lambda_i I)^h$随着 h 的增大总会变成 O

---

① 例如，由

$$\begin{aligned}
&(A - \lambda_1 I)^{h_1-1}\cdots(A - \lambda_r I)^{h_r-1}c_1\boldsymbol{p}_1 \\
&= (A - \lambda_2 I)^{h_2-1}\cdots(A - \lambda_r I)^{h_r-1}(A - \lambda_1 I)^{h_1-1}c_1\boldsymbol{p}_1 \\
&= (A - \lambda_2 I)^{h_2-1}\cdots(A - \lambda_r I)^{h_r-1}c_1\boldsymbol{q}_1 \\
&= (\lambda_1 - \lambda_2)^{h_2-1}\cdots(\lambda_1 - \lambda_r)^{h_r-1}c_1\boldsymbol{q}_1
\end{aligned}$$

可知 $d_1 = (\lambda_1 - \lambda_2)^{h_2-1}\cdots(\lambda_1 - \lambda_r)^{h_r-1}$。这里的等式变形中用到了两个性质：一是“对于多项式 $f(x), g(x)$，有 $f(A)g(A) = g(A)f(A)$”；二是“对于多项式 $h(x)$，有 $h(A)\boldsymbol{q}_1 = h(\lambda_1)\boldsymbol{q}_1$”。

$$(i = 1, \cdots, r)$$

下面我们来解释一下上述论点成立的原因。直接讨论一般情况的话，各种记号会非常繁琐，所以我们先举例说明。设 11 阶方阵 A 的特征值为 3（7 重根）、4（1 重根）和 5（3 重根）①。按前一小节中的讲述，从门派 $W(3)$ 中可以选出 7 个线性无关的特征向量 $\boldsymbol{p}_1, \cdots, \boldsymbol{p}_7$。同样，从门派 $W(4)$ 中可以选出 $\boldsymbol{p}_8 \neq \boldsymbol{o}$②，从门派 $W(5)$ 中可以选出 3 个线性无关的向量 $\boldsymbol{p}_9, \boldsymbol{p}_{10}, \boldsymbol{p}_{11}$。这样一来，所有取得的向量 $\boldsymbol{p}_1, \cdots, \boldsymbol{p}_{11}$ 很自然也是线性无关的③。既然这 11 个 11 维的向量线性无关，那么 $(\boldsymbol{p}_1, \cdots, \boldsymbol{p}_{11})$ 构成一组基底（参考附录 C）。此外，在各流派内，也可以得到以下结论④。

- $\boldsymbol{p}_1, \cdots, \boldsymbol{p}_7$ 构成 $W(3)$ 的基底
- $\boldsymbol{p}_8$ 构成 $W(4)$ 的基底
- $\boldsymbol{p}_9, \boldsymbol{p}_{10}, \boldsymbol{p}_{11}$ 构成 $W(5)$ 的基底

好了，把线性无关的 $\boldsymbol{p}_1, \cdots, \boldsymbol{p}_{11}$ 排列起来，构造出的方阵 $Q = (\boldsymbol{p}_1, \cdots, \boldsymbol{p}_{11})$，则它是可逆的。利用这个 Q，则 $Q^{-1}AQ$ 正是 (4.29) 式中的分块对角矩阵 D。理由如下。因为 $A\boldsymbol{p}_1, \cdots, A\boldsymbol{p}_7$ 都属于 $W(3)$，所以一定可以写成如下形式（□ 的位置是数）。

$$\begin{aligned} A\boldsymbol{p}_1 &= \Box\boldsymbol{p}_1 + \cdots + \Box\boldsymbol{p}_7 \\ &\vdots \\ A\boldsymbol{p}_7 &= \Box\boldsymbol{p}_1 + \cdots + \Box\boldsymbol{p}_7 \end{aligned}$$

---

① 由于特征多项式 $\phi_A(\lambda)$ 为 11 次式，因此特征值，也就是特征方程 $\phi_A(\lambda) = 0$ 的解一定恰好有 11 个（含重根）（参考 4.5.3 节）。由 $7 + 1 + 3 = 11$ 可知确实如此。

② 根据线性无关的本质含义（定义）（参考 2.3.4 节），所谓 1 个线性无关的向量 $\boldsymbol{p}_8$，其实就是 $\boldsymbol{p}_8 \neq \boldsymbol{o}$ 的意思。

③ 证明如下。假设存在一组数 $c_1, \cdots, c_{11}$，使得 $c_1\boldsymbol{p}_1 + \cdots + c_{11}\boldsymbol{p}_{11} = \boldsymbol{o}$。将上式依照门派分别写成三个部分 $\boldsymbol{q} \equiv c_1\boldsymbol{p}_1 + \cdots + c_7\boldsymbol{p}_7$、$\boldsymbol{r} \equiv c_8\boldsymbol{p}_8$、$\boldsymbol{s} \equiv c_9\boldsymbol{p}_9 + c_{10}\boldsymbol{p}_{10} + c_{11}\boldsymbol{p}_{11}$，则 $\boldsymbol{q} + \boldsymbol{r} + \boldsymbol{s} = \boldsymbol{o}$，其中 $\boldsymbol{q}, \boldsymbol{r}, \boldsymbol{s}$ 分别属于 $W(3), W(4), W(5)$。由于 $W(3), W(4), W(5)$ 的（非 $\boldsymbol{o}$）成员互相“独立”，因此要使相加等于 $\boldsymbol{o}$，只有 $\boldsymbol{q} = \boldsymbol{r} = \boldsymbol{s} = \boldsymbol{o}$。在这种情况下，有 $\boldsymbol{q} = c_1\boldsymbol{p}_1 + \cdots + c_7\boldsymbol{p}_7 = \boldsymbol{o}$。根据 $\boldsymbol{p}_1, \cdots, \boldsymbol{p}_7$ 线性无关这一前提，我们有 $c_1 = \cdots = c_7 = 0$。同理可知 $c_8 = 0$，$c_9 = c_{10} = c_{11} = 0$。最终，我们得到了 $c_1 = \cdots = c_{11} = 0$。所以，$\boldsymbol{p}_1, \cdots, \boldsymbol{p}_{11}$ 线性无关。

④ 原因如下。例如，我们考虑 $W(3)$ 的成员向量 $\boldsymbol{q}$。因为 $(\boldsymbol{p}_1, \cdots, \boldsymbol{p}_{11})$ 是基底，因此一定能够找到某组数 $c_1, \cdots, c_{11}$，使得 $\boldsymbol{q} = c_1\boldsymbol{p}_1 + \cdots + c_{11}\boldsymbol{p}_{11}$。把上式进行移项并整理，可得 $(-\boldsymbol{q} + c_1\boldsymbol{p}_1 + \cdots + c_7\boldsymbol{p}_7) + (c_8\boldsymbol{p}_8) + (c_9\boldsymbol{p}_9 + c_{10}\boldsymbol{p}_{10} + c_{11}\boldsymbol{p}_{11}) = \boldsymbol{o}$，其中 $(\cdots)$ 分别属于 $W(3), W(4), W(5)$，而如前所述，$W(3), W(4), W(5)$ 中的（非 $\boldsymbol{o}$）成员是相互“独立”的，于是要想总和为 $\boldsymbol{o}$，只有各 $(\cdots)$ 都是 $\boldsymbol{o}$。这样一来，我们就可以得到 $\boldsymbol{q} = c_1\boldsymbol{p}_1 + \cdots + c_7\boldsymbol{p}_7$。即使不兴师动众地请来全部 $\boldsymbol{p}_1, \cdots, \boldsymbol{p}_{11}$，仅用 $\boldsymbol{p}_1, \cdots, \boldsymbol{p}_7$ 也可以表示出 $W(3)$ 的成员 $\boldsymbol{q}$。也就是说，构成基底的条件之一“任何一块土地都可以赋予地址”已经满足了。那么，“一块土地只能有一个地址”是否满足呢? 从 $\boldsymbol{p}_1, \cdots, \boldsymbol{p}_7$ 的线性无关性可知答案是肯定的。于是我们可以确保 $\boldsymbol{p}_1, \cdots, \boldsymbol{p}_7$ 构成 $W(3)$ 的一组基底。

对于其他向量，同样有

$$\begin{aligned} A\boldsymbol{p}_8 &= \square\boldsymbol{p}_8 \\ A\boldsymbol{p}_9 &= \square\boldsymbol{p}_9 + \square\boldsymbol{p}_{10} + \square\boldsymbol{p}_{11} \\ A\boldsymbol{p}_{10} &= \square\boldsymbol{p}_9 + \square\boldsymbol{p}_{10} + \square\boldsymbol{p}_{11} \\ A\boldsymbol{p}_{11} &= \square\boldsymbol{p}_9 + \square\boldsymbol{p}_{10} + \square\boldsymbol{p}_{11} \end{aligned}$$

把这些表达式用矩阵形式写出来，可得

$$A\left(\begin{array}{ccc|c|ccc} \boldsymbol{p}_1 & \cdots & \boldsymbol{p}_7 & \boldsymbol{p}_8 & \boldsymbol{p}_9 & \boldsymbol{p}_{10} & \boldsymbol{p}_{11} \end{array}\right)$$

$$= \left(\begin{array}{ccc|c|ccc} \boldsymbol{p}_1 & \cdots & \boldsymbol{p}_7 & \boldsymbol{p}_8 & \boldsymbol{p}_9 & \boldsymbol{p}_{10} & \boldsymbol{p}_{11} \end{array}\right)\left(\begin{array}{ccc|c|ccc} \square & \cdots & \square & 0 & 0 & 0 & 0 \\ \vdots & & \vdots & \vdots & \vdots & \vdots & \vdots \\ \square & \cdots & \square & 0 & 0 & 0 & 0 \\ \hline 0 & \cdots & 0 & \square & 0 & 0 & 0 \\ \hline 0 & \cdots & 0 & 0 & \square & \square & \square \\ 0 & \cdots & 0 & 0 & \square & \square & \square \\ 0 & \cdots & 0 & 0 & \square & \square & \square \end{array}\right)$$

$$\equiv Q\left(\begin{array}{c|c|c} D_1 & & \\ \hline & D_2 & \\ \hline & & D_3 \end{array}\right)$$

即 $AQ = QD$。等式两边同时左乘 Q^{-1}，得到结论 $Q^{-1}AQ = D$。最后，我们来证明随着 h 的增大，$(D_i - \lambda_i I)^h$ 总会变成 O。为此，我们先从 $(D - 3I)^h$ 开始考察。

$$\begin{aligned} (D-3I)^h &= \left(\begin{array}{c|c|c} D_1 - 3I & & \\ \hline & D_2 - 3I & \\ \hline & & D_3 - 3I \end{array}\right)^h \\ &= \left(\begin{array}{c|c|c} (D_1 - 3I)^h & & \\ \hline & (D_2 - 3I)^h & \\ \hline & & (D_3 - 3I)^h \end{array}\right) \end{aligned}$$

所以，我们的策略是通过研究 $(D-3I)^h$ 的行为来得到 $(D_1-3I)^h$ 的性质。

好了，回忆一下 1.2.3 节中的思路，只要求出 $\boldsymbol{e}_1=(1,0,\cdots,0)^T$ 变换后的终点 $(D-3I)^h\boldsymbol{e}_1$，也就知道了 $(D-3I)^h$ 中的第 1 列是什么。由 $Q^{-1}AQ=D$ 可知 $D-3I=Q^{-1}(A-3I)Q$，我们利用这一点进行如下变形。

$$
\begin{aligned}
(D-3I)^h\boldsymbol{e}_1 &= \left\{Q^{-1}(A-3I)Q\right\}^h\boldsymbol{e}_1 \\
&= Q^{-1}(A-3I)^hQ\boldsymbol{e}_1 \\
&= Q^{-1}(A-3I)^h\boldsymbol{p}_1
\end{aligned}
$$

由于 $\boldsymbol{p}_1$ 属于 $W(3)$，因此在 h 增大的过程中，$(A-3I)^h\boldsymbol{p}_1$ 一定会变成 $\boldsymbol{o}$。这样一来，我们可以说“随着 h 的增大，$(D-3I)^h$ 的第 1 列一定会变成 $\boldsymbol{o}$”。第 2 列到第 7 列也是同样道理。综上，可以得到 $(D_1-3I)^h=O$。以此类推，同样可以证明 $(D_2-4I)^h=O$ 和 $(D_3-5I)^h=O$。

■ 门派内的组织结构

到此为止，我们已经知道，对于方阵 A，可以通过巧妙地选取可逆矩阵 Q，使得 $Q^{-1}AQ=D=\operatorname{diag}(D_1,\cdots,D_r)$ 化为分块对角矩阵。这已经和 Jordan 标准型很接近了。从现在开始，我们的目标是证明上面的分块对角矩阵还可以进一步化为 Jordan 标准型。为达到这个目的，我们的策略是，对于每个区块，各个击破。**对于指定区块 D_i，我们要找到合适的可逆矩阵 R_i，使得 $R_i^{-1}D_iR_i\equiv J_i$ 变成 Jordan 标准型**。如果能够做到这一点，通过定义 $R=\operatorname{diag}(R_1,\cdots,R_r)$，自然就可以得到如下 Jordan 标准型①。

$$
R^{-1}DR=\begin{pmatrix} R_1^{-1} & & \\ & \ddots & \\ & & R_r^{-1}\end{pmatrix}\begin{pmatrix} D_1 & & \\ & \ddots & \\ & & D_r\end{pmatrix}\begin{pmatrix} R_1 & & \\ & \ddots & \\ & & R_r\end{pmatrix}
$$

$$
=\begin{pmatrix} J_1 & & \\ & \ddots & \\ & & J_r\end{pmatrix}\equiv J
$$

那么，如何巧妙地找到这样的 R_i 呢？解开这个迷的关键就在于 D_i 自身的特征。让我们回忆一下前面得到的结论，每个区块都对应了某门派 $W(\lambda_i)$，当 h 足够大时，$(D_i-\lambda_iI)^h$ 一定会变成 O。这种“若干次方后等于 O”的矩阵，称为**幂零矩阵**。下面我们就来研究幂零矩阵的构造。

① 不明白的读者请复习 1.2.9 节中关于分块对角矩阵的内容。

> **? 4.39 原来如此！每个特征值 λ_i 对应了各自的门派 $W(\lambda_i)$，而每个门派又对应了一个对角区块 D_i，那么剩下的任务就是分别变换得到 Jordan 块 J_i 了吧。**
>
> 最后一句错了。像下例中这样，一个 J_i 中包含若干 Jordan 块的情况也会发生。
>
> $$J_i = \left(\begin{array}{cc|ccc} 7 & 1 & & & \\ & 7 & & & \\ \hline & & 7 & 1 & \\ & & & 7 & 1 \\ & & & & 7 \end{array}\right) \qquad \text{空白处为 } 0$$

设方阵 Z 在若干次方之后会变成 O。具体来说，对于 m 阶方阵 Z，依次计算其 2 次方、3 次方……，一直到 $(h-1)$ 次方，以上结果都不为 O，而在计算 h 次方时，首次得到了 $Z^h = O$（h 为正整数）①。我们接下来的工作就是要考察这种基于 Z 的变换并整理其性质。假设有一个 m 维向量 $\boldsymbol{x}$，我们称向量 $Z\boldsymbol{x}$ 为"$\boldsymbol{x}$ 的师父"。当然，这肯定不是标准用语，只是本节中的一个比喻而已。那么，只要是 m 维向量，无论是谁，都一定有一个师父。当然了，$\boldsymbol{x}$ 的师父的师父就是 $Z(Z\boldsymbol{x}) = Z^2\boldsymbol{x}$，师父的师父的师父就是 $Z^3\boldsymbol{x}$，7 辈以上的师父就是 $Z^7\boldsymbol{x}$ 等。按照这种辈分关系，师父之上还有师父，这里零向量 $\boldsymbol{o}$ 就显得很特殊了。因为它的师父还是它自己（$Z\boldsymbol{o} = \boldsymbol{o}$）。既然这样，我们只能怀着无上的崇敬之情，叫 $\boldsymbol{o}$ 一声"师祖"②。在此基础上，我们把师祖的弟子称为"第一代"，第一代的弟子称为"第二代"，第二代的弟子称为"第三代"（图 4.16）……

我们按照往上追溯几代可以数到师祖来划分辈分。准确地说，若 $\boldsymbol{x}$ 满足

$$Z^s\boldsymbol{x} = \boldsymbol{o}$$
$$Z^{s-1}\boldsymbol{x} \neq \boldsymbol{o} \qquad (\text{其中，规定 } Z^0\boldsymbol{x} = \boldsymbol{x})$$

则称 $\boldsymbol{x}$ 为第 s 代③。我们有

---

① 若 Z 本身就是 O，则记为 $h = 1$。也就是说，$Z = O$ 的情况不予考虑。

② 在师徒关系中，构成自循环的只有师祖一个。像 $\boldsymbol{x}$ 的师父的师父的……是 $\boldsymbol{x}$ 自己的情况是不可能发生的（除非 $\boldsymbol{x} = \boldsymbol{o}$）。理由如下。若 $\boldsymbol{x}$ 的第 s 代 $(s > 0)$ 师父是 $\boldsymbol{x}$ 自己，即 $Z^s\boldsymbol{x} = \boldsymbol{x}$。若是如此，我们有 $Z^{2s}\boldsymbol{x} = Z^s(Z^s\boldsymbol{x}) = \boldsymbol{x}$。同样，$Z^{3s}\boldsymbol{x}$、$Z^{4s}\boldsymbol{x}$ 等都与 $\boldsymbol{x}$ 相等。如果 $\boldsymbol{x} \neq \boldsymbol{o}$，则上面的现象与前提条件 $Z^h = O$ 矛盾。之所以这样讲，是因为在 $Z^h = O$ 的前提下，应该有 $Z^{h+1} = Z^{h+2} = \cdots = O$（因为 $Z^{h+1} = ZZ^h = O$）。于是，$Z^{h+1}\boldsymbol{x} = Z^{h+2}\boldsymbol{x} = \cdots = \boldsymbol{o}$。也就是说，从某处开始，之后的一系列向量都是 $\boldsymbol{o}$，否则就不对了（谨慎起见，这里补充一点，"$\boldsymbol{x}$ 的第 s 代师父是 $\boldsymbol{y}$，$\boldsymbol{y}$ 的第 t 代师父是 $\boldsymbol{x}$"也是不可能的。因为这实际上蕴含了"$\boldsymbol{x}$ 的第 $(s+t)$ 代师父是自己"的意思）。

③ 由于 $Z^h = O$，因此对于任意 $\boldsymbol{x}$，都有 $Z^h\boldsymbol{x} = \boldsymbol{o}$。也就是说，无论是谁，都可以在 h 代以内追溯到师祖。

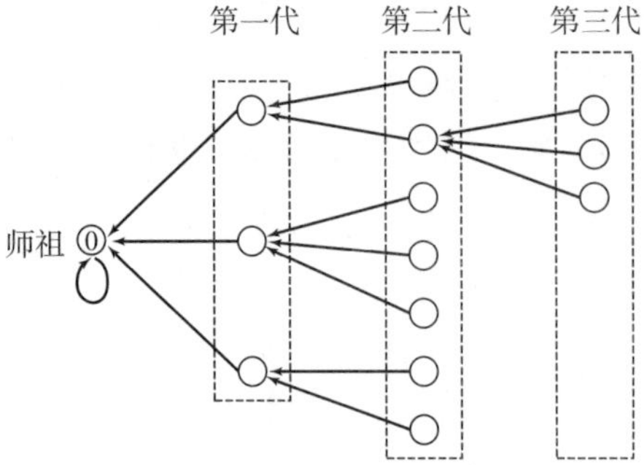

图 4.16　第一代、第二代、第三代（因为弟子数是无穷的，图上并不能完全表达出来，我们就在头脑中浮现出类似的关系图来帮助理解吧）

- 由师祖和第一代全员组成的“前一代元老分会 V_1”与 Ker Z 相等
- 由师祖、第一代和第二代全员组成的“前二代元老分会 V_2”与 Ker (Z^2) 相等
- 由从师祖到第三代全员组成的“前三代元老分会 V_3”与 Ker (Z^3) 相等

……

- “前 h 代元老分会 V_h”等于“全员”

当然，这里 V_1 是 V_2 的一部分，V_2 是 V_3 的一部分 …… 另外，各个分会 $V_1, V_2, \cdots$ 都构成线性子空间（因为 Ker 构成线性子空间，参考 2.15 节）。特别地，它们的维数满足以下关系①。

$$0 < \dim V_1 < \dim V_2 < \cdots < \dim V_h = m \tag{4.30}$$

接下来，要从各分会 $V_1, V_2, \cdots$ 中选出（数名）代表。基本原则是选出的代表一定要能构成所在分会的基底（图 4.17）。

首先，从前一代元老分会 V_1 中选出 V_1 的基底（$\dim V_1$ 人）作为“第一代代表”。接着，从前二代元老分会 V_2 中选出基底（$\dim V_2$ 人）。要注意，这里 V_1 是 V_2 的一部分。我们默认已经选出的第一代代表 $\dim V_1$ 人同时兼任 V_2 的代表。这样一来，留给“第二代代表”②的席位就只有 $(\dim V_2 - \dim V_1)$ 人了。我们希望在精心选择后第一代代表和第二代代表合

① 之所以不是 $\leqslant$ 而是 $<$，有如下依据。例如，我们假设 $\dim V_2 = \dim V_3$。根据前提 V_2 是 V_3 的一部分，由 Lemma C.5 可以得出 $V_2 = V_3$。所谓“前二代元老分会 V_2”和“前三代元老分会 V_3”相等，也就是说第三代已经没人了。这样一来，后面的第四代、第五代 …… 就都没有了。按照这个思路，一旦 $\dim V_i = \dim V_{i+1}$，那么这个门派也就失传了。所以，这个不等式序列在中途是不能出现等号的。另外，作为 (4.30) 式的副产品，可知 $h \leqslant m$。

② 只能在第一代以上的各代中选择。原因如下。由于第一代代表已经是 V_1 的基底了，因此 V_1 的任何成员都可以写成第一代代表的线性组合的形式。如果再往第一代代表的队伍中加入任何 V_1 中的成员，都会造成线性相关的局面。

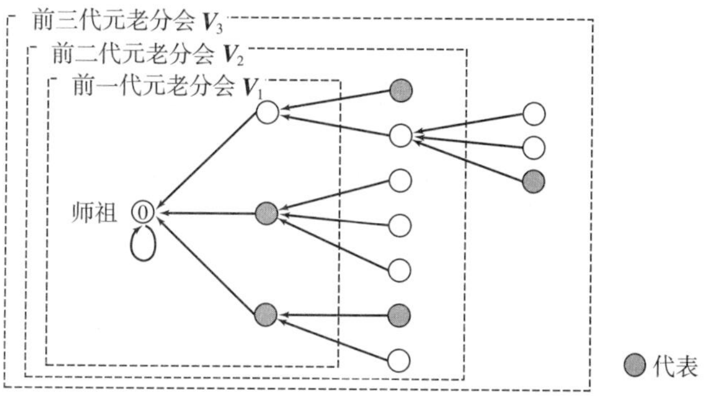

图 4.17 各分会的代表选举

起来的 $\dim V_2$ 人正好组成 V_2 的基底[①]。后面的程序也按此进行。对于前三代元老分会 V_3，默认已经选出的第一代代表和第二代代表同时兼任 V_3 的代表。通过选出恰当的第三代代表 $(\dim V_3 - \dim V_2)$ 人，使得第一、二、三代代表合计 $\dim V_3$ 人构成 V_3 的基底。

总而言之，我们需要

- 从各代中选出若干名代表
- 从第一代到第 j 代的代表共计 $\dim V_j$ 人。这 $\dim V_j$ 名代表构成"前 j 代元老分会"V_j 的基底 $(j = 1, \cdots, h)$

可是，对于我们的选举方式，也有另一种声音 ——"如果谁选上了代表，那他的师父也应该成为代表"。好吧，为了满足各种声音，我们需要重新选择。这次，我们从最末代的第 h 代开始考虑。首先，前面选出的第 h 代代表 $(\dim V_h - \dim V_{h-1})$ 人继续留任。接着，我们要重新考虑第 $(h-1)$ 代代表的人选，这时，作为第 h 代代表的师父就沾光了，他们将自动被选为代表（图 4.18）。

师父们作为第 $(h-1)$ 代成员，参选资格是一定有的[②]。在此基础上，如果 $(\dim V_{h-1} - \dim V_{h-2})$ 个名额还没有被占满的话，再从剩下的第 $(h-1)$ 代成员中选择其他代表。当然了，我们的选择必须满足"从第一代到第 $(h-1)$ 代代表的全体构成 V_{h-1} 的基底"这一条件。接下来，重选第 $(h-2)$ 代代表。对于前面选好的第 $(h-1)$ 代代表而言，同样他们的师父也应成为第 $(h-2)$ 代代表。在此基础上，如果名额还没有被占满的话，再从剩下的第 $(h-2)$ 代成员中选择其他代表。当然了，我们的选择必须满足"从第一代到第 $(h-2)$ 代代表的全体构成 V_{h-2} 的基底"这一条件。下面的流程也遵照相同的原则，一直到重新确定出第一代代表为止。这样一来，满足下列条件的代表就被重新选出来了。

---

① 以下事实保证了第二代代表的选举工作可以进行。因为第一代代表构成了 V_1 的基底，所以线性无关。那么，我们对 V_2 应用 Lemma C.2 即可。

② 其实没那么显然，参选资格的条件请参考 ?4.41。

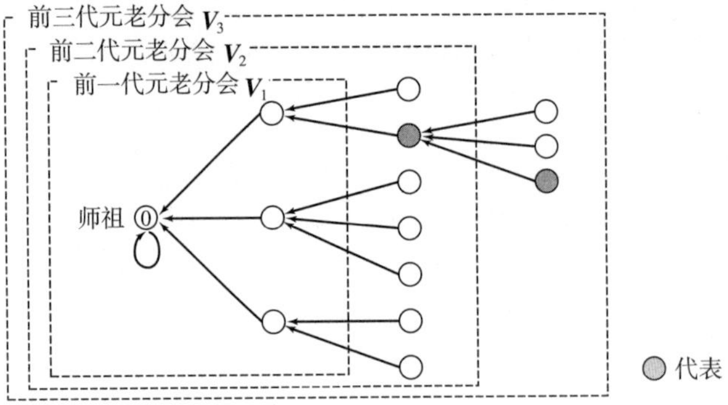

图 4.18　第三代代表的师父沾了弟子的光，被确定为第二代代表

- 从各代中选出若干名代表
- 从第一代到第 j 代的代表共计 $\dim V_j$ 人。这 $\dim V_j$ 名代表构成"前 j 代元老分会"V_j 的基底 $(j = 1, \cdots, h)$ —— $(*)$
- 第 j 代代表的师父自动成为第 $(j-1)$ 代代表 $(j = 2, \cdots, h)$

?4.40　为什么要特意采用"重选"这种迂回的说明方式呢? 一开始就给出正确的选择不好吗?

在 4.7.5 节中我们曾经多次提到"除非运气非常非常不好 ……"(参考 ?4.35)。为了巧妙地避免这种运气不好的意外发生，我们才会采用"重选"的方式。虽说也不是没有一次性选出正确代表的可能，但在此之前我们需要准备一些概念，比如"商空间""直和"等。进行这些准备工作需要大量的篇幅，本书中希望尽量避免这种做法。

我们再稍微补充一些关于"巧妙"选取的说明。如果单单讲"在选出线性无关的第 $(s+1)$ 代代表之后，让他们的师父作为第 s 代代表"的话，就露出破绽了，很容易一不小心掉进陷阱。例如，当 $s = 1$ 时，令 $\boldsymbol{q}$ 为第二代成员。这里我们引入某个第一代成员 $\boldsymbol{z}$，并令 $\boldsymbol{q}' = 7\boldsymbol{q} + \boldsymbol{z}$。那么 $\boldsymbol{q}'$ 同样是第二代成员，并且 $\boldsymbol{q}, \boldsymbol{q}'$ 线性无关。我们想说的是，如果把 $\boldsymbol{q}, \boldsymbol{q}'$ 都选成第二代代表的话，那就不合适了。究其原因，是因为他们的师父 $Z\boldsymbol{q}, Z\boldsymbol{q}'$ 线性相关 $(Z\boldsymbol{q}' = Z(7\boldsymbol{q} + \boldsymbol{z}) = 7Z\boldsymbol{q})$。如果让他们的师父同时作为代表上任，那么构成基底这一条件便不能得到满足，整套计划就都泡汤了。为了保持每一代中的选择的线性无关性，在选第 $(s+1)$ 代代表时，截至第 s 代的"独立性"都需要被考虑到。为了满足这个要求，我们才会采用"重选"这一迂回的办法。

? 4.41 怎么能保证"重选"出的代表满足 (*) 中的条件?

在正文中我们一笔带过了，下面就来明确一下。为了避免叙述中发生混淆，我们将最初得到的那些代表称为"准代表"，相应地，将经过重选得到的代表称为"正式代表"。用 T_j 表示第 j 代准代表的集合，用 R_j 表示第 j 代正式代表的集合。

正如我们之前展示的一样，"准代表"一定满足 (*) 中的条件。在已有的准代表的基础上，现在从第 h 代出发，依次对每一代进行重选（替换）工作，我们要确保替换之后的代表队伍同样满足 (*) 中的条件。

那么，让我们把关注点集中在对第 s 代的替换过程上 ($s = h-1, h-2, \cdots, 1$)。在之前的所有替换过程（第 h 代、第 $(h-1)$ 代、$\cdots$、第 $(s+1)$ 代）都确保 (*) 成立的前提下，第 s 代的替换过程是否依然能确保 (*) 成立呢? (*) 强调了"对于 $j = 1, \cdots, h$，某某性质成立"，所以对从第一代到第 h 代的情况，都要一一进行考察。接下来我们把这个确认工作分成三组，分头进行。

- 师父方面：从第一代到第 $(s-1)$ 代
- 当事者：第 s 代
- 弟子方面：从第 $(s+1)$ 代到第 h 代

首先对"师父方面"进行考察。其实这部分工作已经没有什么可做的了。因为在现阶段，从第一代到第 $(s-1)$ 代依然由准代表占据着，而准代表满足 (*) 的事实是我们的前提之一，无需再次确认。

接下来是对"当事者"进行考察。这部分成员中有一部分是因为沾了弟子的光，以师父的身份进入正式代表队伍的。其余的成员则是按照"可以构成基底"这一准则去选取的，也就是按照"当 $j = s$ 时，(*) 成立"的要求去选取的，所以 (*) 成立就是很自然的事情了。但是这样就万事大吉了吗? —— 并没有。没有经过任何审查，仅因为沾了弟子的光就成为第 s 代正式代表的这些人（将这些人称为"沾光代表"，记为 S），会不会出什么岔子呢? 不由得令人捏一把汗。如果"沾光代表"集体发生了"退化"，那么这一群体就没有资格继续担任代表了，至于后面要选出"构成基底的"其余代表一事，也就无从谈起了。下面就给大家吃一剂定心丸。通过下面的引理，可以保证"师父方面"的所有准代表以及现在的"沾光代表"依然保持着线性无关性。这样一来，通过补充进来新的成员，一定可以构造出 V_s 的基底①。

---

① 参考附录 C 中的 Lemma C.2。严谨地讲，还必须要确认一件事 —— 补充进来的新成员必须是第 s 代的成员，而不能是第一代到第 $(s-1)$ 代的成员。不过这一点是显然的。由于"师父方面"的准代表构成了前 $(s-1)$ 代元老分会 (V_{s-1}) 的基底，那么无论加进来的是谁，只要他是 V_{s-1} 中的成员，就都可以表示为前面的准代表的线性组合。也就是说，这个人与前面的准代表全体线性相关。因此，为了构造基底而补充进来的成员，一定是从 V_{s-1} 以外选出来的。

Lemma 4.1　$T_1, \cdots, T_{s-1}, S$ **全体线性无关。**

Proof: 如前所述,"沾光代表" S 是因为弟子担任了第 $(s+1)$ 代代表而毫不费力当选的。这些弟子,也就是 R_{s+1} 的成员 $\boldsymbol{r}_1, \cdots, \boldsymbol{r}_q$,具有一项关键的性质 —— 弟子本身当然是第 $(s+1)$ 代成员,不仅如此,他们的线性组合也一定是第 $(s+1)$ 代成员(除了 $\boldsymbol{o}$ 以外)。换句话说,无论选择什么样的数 $c_1, \cdots, c_q$(除了 $c_1 = \cdots = c_q = 0$ 的情况),$\boldsymbol{w} \equiv c_1\boldsymbol{r}_1 + \cdots + c_q\boldsymbol{r}_q$ 都是第 $(s+1)$ 代成员。很容易看出 $\boldsymbol{w}$ 是前 $(s+1)$ 代的(属于线性子空间 V_{s+1}),进一步说,他"恰恰"就是第 $(s+1)$ 代的。重点是他"不属于 V_s"①。根据这条性质可知,$\boldsymbol{w}$ 的师父 $Z\boldsymbol{w} = c_1Z\boldsymbol{r}_1 + \cdots + c_qZ\boldsymbol{r}_q$ 一定是第 s 代成员(除了当 $c_1 = \cdots = c_q = 0$ 时)。换言之,S 中的成员的线性组合(当系数不全为 0 时)是第 s 代成员②。进行到这里,离证明 $T_1, \cdots, T_{s-1}, S$ 全体线性无关已经不远了。现在我们假设 $T_1, \cdots, T_{s-1}, S$ 中的成员的线性组合等于 $\boldsymbol{o}$。把"师父方面"和"当事者"两部分分开进行表示,可以写出以下形式。

$$(T_1, \cdots, T_{s-1} \text{ 中成员的线性组合}) - (S \text{ 中成员的线性组合}) = \boldsymbol{o}$$

移项得到

$$(S \text{ 中成员的线性组合}) = -(T_1, \cdots, T_{s-1} \text{ 中成员的线性组合})$$

上式右边无论如何都只能是前 $(s-1)$ 代中的成员(属于 V_{s-1})。这样的话,根据我们前面提到的性质,左边的线性组合中,所有系数都必须为 0,同时,右边的所有系数也都是 0。这就证明了 $T_1, \cdots, T_{s-1}, S$ 全体是线性无关的。■

最后是对"弟子方面"的考察。这里 $j = s+1, \cdots, h$。在代表重选之前是 $T_1, \cdots, T_{s-1}, T_s, R_{s+1}, \cdots, R_j$ 状态。这些代表全体构成了 V_j 的基底。重选之后,T_s 被 R_s 替换掉,得到了 $T_1, \cdots, T_{s-1}, R_s, R_{s+1}, \cdots, R_j$ 状态。那么问题就是,这组新的代表全体能构成 V_j 的基底吗?我们根据下面的引理,可以得到肯定的答案。

Lemma 4.2　令 V 为线性空间,U 为 V 的线性子空间。设 $(\boldsymbol{v}_1, \cdots, \boldsymbol{v}_n)$ 为V的基底,并且其中前 m 项 $(\boldsymbol{v}_1, \cdots, \boldsymbol{v}_m)$ 构成 U 的基底。这时,如果 $(\boldsymbol{v}'_1, \cdots, \boldsymbol{v}'_m)$ 是 U 的另一组基

① 证明如下。假设 $\boldsymbol{w}$ 属于 V_s,根据前提可知 $T_1, \cdots, T_s$ 全体构成 V_s 的基底,所以可以写成 $\boldsymbol{w} = (T_1, \cdots, T_s$ 的成员的线性组合)的形式。另一方面,$\boldsymbol{w}$ 本身是 R_{s+1} 的成员的线性组合,于是发生了以下状况。$(T_1, \cdots, T_s$ 中成员的线性组合$) - (R_{s+1}$ 中成员的线性组合$) = \boldsymbol{o}$ 但是,$T_1, \cdots, T_s, R_{s+1}$ 是线性无关的(他们构成 V_{s+1} 的基底是构造的前提条件),所以参与减法的两个部分都只能是 $\boldsymbol{o}$。那么,要想 $\boldsymbol{w}$ 属于 V_s,只有当 $c_1 = \cdots = c_q = 0$ 时才行。

② 因为式子中的 $Z\boldsymbol{r}_1, \cdots, Z\boldsymbol{r}_q$ 正是 S 中的各成员(沾了弟子 $\boldsymbol{r}_1, \cdots, \boldsymbol{r}_q$ 的光的师父们)。

底，那么 $(\boldsymbol{v}_1', \cdots, \boldsymbol{v}_m', \boldsymbol{v}_{m+1}, \cdots, \boldsymbol{v}_n)$ 同样构成 V 的基底①。

Proof: 让我们来逐条确认构成基底的条件。首先是"是否能够表示 V 内的任何向量 $\boldsymbol{x}$"。因为 $(\boldsymbol{v}_1, \cdots, \boldsymbol{v}_n)$ 是 V 的基底，所以可以选择合适的数 $c_1, \cdots, c_n$，使得

$$\boldsymbol{x} = c_1\boldsymbol{v}_1 + \cdots + c_m\boldsymbol{v}_m + c_{m+1}\boldsymbol{v}_{m+1} + \cdots + c_n\boldsymbol{v}_n$$

成立。这样就可以得到

$$\boldsymbol{x} = c_1'\boldsymbol{v}_1' + \cdots + c_m'\boldsymbol{v}_m' + c_{m+1}\boldsymbol{v}_{m+1} + \cdots + c_n\boldsymbol{v}_n$$

于是，任意的 $\boldsymbol{x}$ 都可以表达为 $\boldsymbol{v}_1', \cdots, \boldsymbol{v}_m', \boldsymbol{v}_{m+1}, \cdots, \boldsymbol{v}_n$ 的线性组合。接下来要确认的是表达方式的唯一性，我们证明如下。假设

$$c_1'\boldsymbol{v}_1' + \cdots + c_m'\boldsymbol{v}_m' + c_{m+1}\boldsymbol{v}_{m+1} + \cdots + c_n\boldsymbol{v}_n = \boldsymbol{o} \tag{4.31}$$

注意前半部分 $\boldsymbol{u}' \equiv c_1'\boldsymbol{v}_1' + \cdots + c_m'\boldsymbol{v}_m'$ 属于U。已知 $(\boldsymbol{v}_1, \cdots, \boldsymbol{v}_m)$ 构成 U 的基底，所以通过选取合适的数 $c_1, \cdots, c_m$，一定可以得到

$$\boldsymbol{u}' = c_1\boldsymbol{v}_1 + \cdots + c_m\boldsymbol{v}_m$$

也就是

$$c_1\boldsymbol{v}_1 + \cdots + c_m\boldsymbol{v}_m + c_{m+1}\boldsymbol{v}_{m+1} + \cdots + c_n\boldsymbol{v}_n = \boldsymbol{o}$$

而已知 $(\boldsymbol{v}_1, \cdots, \boldsymbol{v}_n)$ 是 V 的基底，所以只能推出

$$c_1 = \cdots = c_m = c_{m+1} = \cdots = c_n = 0$$

这样一来也就得到了 $\boldsymbol{u}' = \boldsymbol{o}$。再次利用 $(\boldsymbol{v}_1', \cdots, \boldsymbol{v}_m')$ 是 U 的基底这一条件，只能得出 $c_1' = \cdots = c_m' = 0$ 的结论。综上，(4.31) 式中的所有系数都是 0。到此为止，构成基底的两个条件都得到了满足，证明完毕。不明白的读者请复习 1.1.4 节。■

---

① 利用本引理，按照下面的对应关系，就可以完成对"弟子方面"的考察。

- $V \to V_j$
- $U \to V_s$
- $\boldsymbol{v}_1, \cdots, \boldsymbol{v}_m \to T_1, \cdots, T_{s-1}, T_s$ 全体中的成员
- $\boldsymbol{v}_1', \cdots, \boldsymbol{v}_m' \to T_1, \cdots, T_{s-1}, R_s$ 全体中的成员
- $\boldsymbol{v}_{m+1}, \cdots, \boldsymbol{v}_n \to R_{s+1}, \cdots, R_j$ 全体中的成员

那么上面这套比喻告诉了我们什么呢? 实际上，将其翻译成矩阵的语言，我们可以发现，形如“对角线右上方斜线上全部是 1”的 Jordan 块型的矩阵出现了。对一般的情况进行讨论的话书写起来过于繁琐，我们依然举例说明。

假设我们选出了如下代表。

		第一代代表		第二代代表		第三代代表
$\boldsymbol{o}$	$\leftarrow$	$\boldsymbol{p}$	$\leftarrow$	$\boldsymbol{q}$	$\leftarrow$	$\boldsymbol{r}$
$\boldsymbol{o}$	$\leftarrow$	$\boldsymbol{p}'$	$\leftarrow$	$\boldsymbol{q}'$		
$\boldsymbol{o}$	$\leftarrow$	$\boldsymbol{p}''$				

“$\leftarrow$”代表“左乘 Z”的意思。换句话说，就是

$$\boldsymbol{o} = Z\boldsymbol{p}, \quad \boldsymbol{p} = Z\boldsymbol{q}, \quad \boldsymbol{q} = Z\boldsymbol{r} \tag{4.32}$$

$$\boldsymbol{o} = Z\boldsymbol{p}', \quad \boldsymbol{p}' = Z\boldsymbol{q}' \tag{4.33}$$

$$\boldsymbol{o} = Z\boldsymbol{p}'' \tag{4.34}$$

请注意，如果将它们统合起来写成矩阵形式，可得

$$\begin{aligned} Z(\boldsymbol{p},\boldsymbol{q},\boldsymbol{r}) &= (\boldsymbol{o},\boldsymbol{p},\boldsymbol{q}) = (\boldsymbol{p},\boldsymbol{q},\boldsymbol{r}) \begin{pmatrix} 0 & 1 & 0 \\ 0 & 0 & 1 \\ 0 & 0 & 0 \end{pmatrix} \\ Z(\boldsymbol{p}',\boldsymbol{q}') &= (\boldsymbol{o},\boldsymbol{p}') = (\boldsymbol{p}',\boldsymbol{q}') \begin{pmatrix} 0 & 1 \\ 0 & 0 \end{pmatrix} \\ Z\boldsymbol{p}'' &= \boldsymbol{o} = \boldsymbol{p}''0 \end{aligned}$$

进而，我们将全部代表排列起来，构造出矩阵 $P = (\boldsymbol{p},\boldsymbol{q},\boldsymbol{r},\boldsymbol{p}',\boldsymbol{q}',\boldsymbol{p}'')$，并按照分块矩阵进行运算，可得

$$ZP = Z \left(\begin{array}{c|c|c|c|c|c} & & & & & \\ \boldsymbol{p} & \boldsymbol{q} & \boldsymbol{r} & \boldsymbol{p}' & \boldsymbol{q}' & \boldsymbol{p}'' \\ & & & & & \end{array} \right)$$

$$
\begin{aligned}
&= \left(\begin{array}{c|c|c|c|c|c} \boldsymbol{o} & \boldsymbol{p} & \boldsymbol{q} & \boldsymbol{o} & \boldsymbol{p}' & \boldsymbol{o} \end{array}\right) \\
&= \left(\begin{array}{c|c|c|c|c|c} \boldsymbol{p} & \boldsymbol{q} & \boldsymbol{r} & \boldsymbol{p}' & \boldsymbol{q}' & \boldsymbol{p}'' \end{array}\right) \begin{pmatrix} 0 & 1 & 0 & 0 & 0 & 0 \\ 0 & 0 & 1 & 0 & 0 & 0 \\ 0 & 0 & 0 & 0 & 0 & 0 \\ 0 & 0 & 0 & 0 & 1 & 0 \\ 0 & 0 & 0 & 0 & 0 & 0 \\ 0 & 0 & 0 & 0 & 0 & 0 \end{pmatrix} \\
&= PF
\end{aligned}
$$

这里我们把最后一个矩阵记为 F。这样一来，我们在两边同时左乘 P^{-1}①，可得

$$
P^{-1}ZP = F
$$

也就是说，通过选取恰当的矩阵 P，对 Z 进行相似变换，可以得到形如 F 这种特殊形式的矩阵。为了更便于理解，我们把 F 分块如下。

$$
F = \left(\begin{array}{ccc|cc|c} 0 & 1 & 0 & 0 & 0 & 0 \\ 0 & 0 & 1 & 0 & 0 & 0 \\ 0 & 0 & 0 & 0 & 0 & 0 \\ \hline 0 & 0 & 0 & 0 & 1 & 0 \\ 0 & 0 & 0 & 0 & 0 & 0 \\ \hline 0 & 0 & 0 & 0 & 0 & 0 \end{array}\right)
$$

我们发现 F 具有下列特点。

- 分块对角矩阵
- 在每个对角区块内，对角线的右上方斜线上全部都是 1
- 一组向量序列（$\boldsymbol{p} \leftarrow \boldsymbol{q} \leftarrow \boldsymbol{r}$ 等）对应了一个对角区块
- 向量序列的长度等于对角区块的阶数

简而言之，F 就是“特征值为 0 的 Jordan 标准型”。

---

① 必须要确保 P 是可逆的。在本例中，可逆性是可以保证的，因为代表 $\boldsymbol{p}, \boldsymbol{q}, \boldsymbol{r}, \boldsymbol{p}', \boldsymbol{q}', \boldsymbol{p}''$ 构成 V_3（全空间）的一组基底。另外，因为是基底，所以向量个数与维数相等。这就首先保证了 P 是方阵。另外，基底保证了线性无关性，那么 P 的可逆性也就可以得到保证了。

以上就是对幂零矩阵的构造的解析。把我们的结果用上，那么本节开头所说的

> 对于指定区块 D_i，我们要找到合适的可逆矩阵 R_i，使得 $R_i^{-1}D_iR_i \equiv J_i$ 化为 Jordan 标准型

就完全可以做到了。请注意这里的 $D_i - \lambda_i I$ 正是幂零矩阵。按照上述分析，我们可以找到合适的可逆阵 R_i，通过相似变换

$$R_i^{-1}(D_i - \lambda_i I)R_i \equiv F_i$$

得到上面的特殊的形式。将上式的左边展开，可得

$$R_i^{-1}(D_i - \lambda_i I)R_i = R_i^{-1}D_iR_i - R_i^{-1}(\lambda_i I)R_i = R_i^{-1}D_iR_i - \lambda_i I$$

所以，

$$R_i^{-1}D_iR_i = F_i + \lambda_i I$$

上式右边正是特征值 λ_i 所对应的 Jordan 标准型。比如：

$$F_i = \left(\begin{array}{ccc|cc|c} 0 & 1 & 0 & 0 & 0 & 0 \\ 0 & 0 & 1 & 0 & 0 & 0 \\ 0 & 0 & 0 & 0 & 0 & 0 \\ \hline 0 & 0 & 0 & 0 & 1 & 0 \\ 0 & 0 & 0 & 0 & 0 & 0 \\ \hline 0 & 0 & 0 & 0 & 0 & 0 \end{array}\right) \quad \rightarrow \quad F_i + \lambda_i I = \left(\begin{array}{ccc|cc|c} \lambda_i & 1 & 0 & 0 & 0 & 0 \\ 0 & \lambda_i & 1 & 0 & 0 & 0 \\ 0 & 0 & \lambda_i & 0 & 0 & 0 \\ \hline 0 & 0 & 0 & \lambda_i & 1 & 0 \\ 0 & 0 & 0 & 0 & \lambda_i & 0 \\ \hline 0 & 0 & 0 & 0 & 0 & \lambda_i \end{array}\right)$$

终于得到了 Jordan 标准型，我们最初的承诺落实了。

■ 证明过程小结

我们考察了广义特征向量的“门派”，并证明了通过选取恰当的可逆矩阵 Q，经过相似变换 $Q^{-1}AQ = \text{diag}\,(D_1, \cdots, D_r) \equiv D$ 能够得到分块对角矩阵的形式。接着，在各个门派内部，我们对“幂零矩阵”及其相关的“师承关系”进行了一番探索，并证明了通过选取恰当的可逆矩阵 R，经过相似变换 $R^{-1}DR \equiv J$ 可以得到 Jordan 标准型。综合起来考虑，令 $P \equiv QR$，我们就完成了整套 $P^{-1}AP = R^{-1}Q^{-1}AQR = R^{-1}DR = J$ 的 Jordan 标准型变换。阿弥陀佛。

第 5 章 计算机上的计算 (2) —— 特征值算法

5.1 概要

5.1.1 和笔算的不同之处

本章中我们要考虑的主要问题是，对于规模比较大的矩阵，比如 100×100、1000×1000 这种级别的矩阵，如何用计算机来求特征值。或许有读者会想：我们在第 4 章已经学过特征值的笔算方法了。反正计算原理都一样，就按照笔算的步骤把程序写出来不就好了吗? 但是实际上，计算机的数值算法中用到的方法和第 4 章中学过的方法非常不一样。

对于各元素都是整数或者分数的、规模为 4×4 左右的矩阵，当我们用纸和笔进行特征值计算时，按照我们在第 4 章中所学的方法，采用的步骤为

- 首先，求出矩阵 A 的特征多项式 $\det(\lambda I - A)$
- 然后，解出方程 $\det(\lambda I - A) = 0$ 的解 λ 即为特征值

但是，当面对规模比较大的矩阵时，需要用计算机计算特征值，这时这样的“求特征多项式的解”的方法基本上就无用武之地了。其主要原因在于，在用计算机求解高次代数方程①时，只要在处理系数时发生一点点误差，都会对最终求得的解 (这里的解就是特征值) 的精度产生很大的影响。那么，对于给定的矩阵，要想在保证精度的前提下求出特征方程的系数，真的就有那么难吗?

让我们静下心来好好考虑一下。首先，用程序实现从矩阵到特征方程这一任务 (输入矩阵的 n^2 个元素，输出特征方程的 $(n+1)$ 个系数的程序) 本身就已经不容易了。如果说只需要处理 3×3 矩阵的话，可以按照如图 1.37 所示的方法，用程序对 $\det(\lambda I - A)$ 进行展开整理。但是在处理任意大小的矩阵时，这程序写起来就有点复杂了。所以说，在求解特征方

---

①形如 $a_n x^n + a_{n-1} x^{n-1} + \cdots + a_1 x + a_0 = 0$ 的 n 次方程的统称。

程的过程中，特别是求解低次项的系数时，直接按照公式进行计算的后果应该可以预料到了吧。

实话实话，当需要通过数值算法求一般的 $n \times n$ 矩阵 A 的特征方程时，比较明智的办法是，通过对矩阵 A 进行相似变换（参考 4.4.1 节），得到如下形式的矩阵①。

$$\begin{pmatrix} 0 & 0 & \cdots & 0 & -a_0 \\ 1 & 0 & \cdots & 0 & -a_1 \\ 0 & 1 & \ddots & \vdots & \vdots \\ \vdots & \ddots & \ddots & 0 & -a_{n-2} \\ 0 & \cdots & 0 & 1 & -a_{n-1} \end{pmatrix}$$

上面的矩阵的特征方程可以表达为

$$\lambda^n + a_{n-1}\lambda^{n-1} + a_{n-2}\lambda^{n-2} + \cdots + a_1\lambda + a_0 = 0$$

这一点我们在后文中还会讲到。如果对矩阵 A 进行相似变换得到以上形式，则其特征方程不变（参考 ❓4.17）。由此可见，上面的方程也就是矩阵 A 的特征方程。

但是事实上，即使我们通过这种方法求出了特征方程，依然存在高精度求解方程的困难，所以在实际应用中可行性不太大。

既然用解特征方程的办法行不通，那么还有什么更好的办法来求特征值吗？让我们回过头来想想特征值和特征向量的定义，如果我们可以有合适的可逆矩阵 P，能够进行如下形式的变换，那么右边的矩阵的对角元素就是要求的特征值（参考 4.5.2 节）。

$$P^{-1}AP = \text{（对角矩阵或上三角矩阵）}$$

我们在用计算机进行数值计算时，可以通过这样的相似变换对矩阵 A 进行对角化或者上三角化。如此一来，就可以绕过求解高次代数方程的步骤了。

5.1.2 伽罗华理论

接下来，我们先来简单地介绍一下伽罗华（Galois）理论。在讨论矩阵的特征值计算中需要的运算次数时，伽罗华理论非常关键。伽罗华理论主要是关于代数方程的可解性的理论，其中一个非常重要的结论便是证明了“5 次以上代数方程没有求解公式”。所谓代数方程，是如下形式的 n 次方程的统称。所谓求解公式，是指通过对系数 $a, b, \cdots$ 进行加减乘除和方根

① 实际上，在很久以前就已经有利用这种变换求解特征方程，并由此求解特征值的算法了。另外，与此本质上相同的变换我们在前面的 1.2.2 节和 4.1 节已经打过照面了。

（平方根、立方根等）运算，给出满足方程的 x 的表达式。

$$
\begin{aligned}
ax+b&=0\\
ax^2+bx+c&=0\\
ax^3+bx^2+cx+d&=0\\
ax^4+bx^3+cx^2+dx+e&=0\\
&\vdots
\end{aligned}
$$

1 次方程的求解公式为

$$x=-\frac{b}{a}$$

2 次方程的求解公式为

$$x=\frac{-b\pm\sqrt{b^2-4ac}}{2a}$$

3 次方程可以通过 Cardano 公式（又称为 Tartaglia 公式）来求解。4 次方程可以通过 Ferrari 公式来求解（这些内容非常有趣，但是由于和本书主题差得有点远，就不详述了）。

这里我们来验证一下，所谓“求解步骤”和“求解公式”两者的存在性是等同的。如果存在“公式”，那么我们把系数值代入公式求解就可以称为一个“步骤”。反之，我们来验证一下，如果存在“步骤”，则也可以构造出“公式”。例如，对于 1 次方程，我们把常数项 b 移到右边，接着两边除以 a，就可以得到解。我们把上述变形步骤运用在 1 次方程上，就可以得到公式了。

$$ax+b=0\implies ax=-b\implies x=-\frac{b}{a}$$

2 次方程的求解过程是：首先两边除以 a，接着对左边进行配方，将常数项移到右边，两边开方取平方根，再将左边的常数项移到右边。将上述步骤表示成公式的形式，就得到了求解公式。

$$
\begin{aligned}
&ax^2+bx+c=0\implies x^2+\frac{b}{a}x+\frac{c}{a}=0\implies\left(x+\frac{b}{2a}\right)^2-\frac{b^2}{4a^2}+\frac{c}{a}=0\\
&\implies\left(x+\frac{b}{2a}\right)^2=\frac{b^2-4ac}{4a^2}\implies x+\frac{b}{2a}=\frac{\pm\sqrt{b^2-4ac}}{2a}\implies x=\frac{-b\pm\sqrt{b^2-4ac}}{2a}
\end{aligned}
$$

对于 3 次和 4 次方程，所谓“Cardano 公式”或“Ferrari 公式”，实际上一般并不会表达成公式的形式，而是以运算“步骤”的形式呈现的。也不是说不能写成公式，这是因为把公式具体表达出来的话，实在是太麻烦了。

既然计算步骤就意味着求解公式，那么“5 次以上代数方程没有求解公式”，也就是说 5 次以上代数方程不存在通用的求解步骤①。

① 严格来说是“不存在只利用加减乘除和方根运算的求解步骤”。下文中同样。

? 5.1 我发现了 5 次方程的求解公式哦。例如，对于常数 k，5 次方程 $x^5 - k = 0$ 的解是 $x = \sqrt[5]{k}$。我打破伽罗华理论啦！

到目前为止我们所讨论的求解公式都是针对一般的代数方程的，也就是对于系数不做任何限定的代数方程的解的公式。上述公式实际上是给方程的系数附加上“从 1 次项到 4 次项的系数全部都是 0”这一特殊条件之后的解的公式。伽罗华理论并没有否定这种特殊的方程的求解公式的存在性。那些附加了各种条件的方程，就算次数在 5 次以上，同样可能存在求解公式。例如，6 次方程 $ax^6 + bx^4 + cx^2 + d = 0$ 的求解步骤，或者说求解公式，稍加观察就可以得到了吧（令 $y = x^2$，则原 6 次方程就等价于一个关于 y 的 3 次方程）。

5.1.3 5×5 以上的矩阵的特征值不存在通用的求解步骤！

综上，伽罗华理论的结论与矩阵特征值的求解也是有关系的。根据 5 次以上代数方程没有通用的求解步骤，可以证明 5×5 以上的矩阵的特征值也不存在通用的求解步骤。

首先，让我们来考虑如下矩阵 A。

$$A = \begin{pmatrix} 0 & 0 & \cdots & 0 & -a_0 \\ 1 & 0 & \cdots & 0 & -a_1 \\ 0 & 1 & \ddots & \vdots & \vdots \\ \vdots & \ddots & \ddots & 0 & -a_{n-2} \\ 0 & \cdots & 0 & 1 & -a_{n-1} \end{pmatrix}$$

这里的矩阵的特征方程可以根据

$$\lambda I - A = \begin{pmatrix} \lambda & 0 & \cdots & 0 & a_0 \\ -1 & \lambda & \cdots & 0 & a_1 \\ 0 & -1 & \ddots & \vdots & \vdots \\ \vdots & \ddots & \ddots & \lambda & a_{n-2} \\ 0 & \cdots & 0 & -1 & \lambda + a_{n-1} \end{pmatrix}$$

的行列式得到，即

$$\lambda^n + a_{n-1}\lambda^{n-1} + a_{n-2}\lambda^{n-2} + \cdots + a_1\lambda + a_0 = 0$$

这里的矩阵 A 称为此代数方程的**友矩阵**。

我们假设 5×5 以上的矩阵的特征值存在通用的求解步骤。那么通过下面的操作过程，我们就会得出“5 次以上代数方程有通用求解步骤”的结论。

首先，对于给定的任意代数方程，两边同时除以最高次项的系数[①]，便可以得到上式形式。接下来，构造该代数方程对应的友矩阵。最后，根据我们的假设——“5×5 以上的矩阵的特征值存在通用的求解步骤”，可以求出特征值，也就是代数方程的解。

像这样，在假设“5×5 以上的矩阵的特征值存在通用的求解步骤”之后，推出了“5 次以上代数方程有通用的求解步骤”的结论，而这与伽罗华理论的结论相悖。于是我们知道，5×5 以上的矩阵的特征值一定不存在通用的求解步骤。

5.1.4 有代表性的特征值数值算法

根据上面的讨论我们知道，不存在通过有限次的计算来严格求出特征值的通用步骤。实在没办法，要求解特征值，只能是通过反复进行相似变换，逐渐将矩阵向着对角矩阵或上三角矩阵的方向靠近。当然了，计算过程不可能是无休无止的，当我们断定计算结果已经非常接近真实值时，就可以停手了，最终结果就是所得到的近似值。

在这种思路下，具有代表性的数值算法有 Jacobi 方法和 QR 方法。下面我们就来逐一进行讲解。

5.2 Jacobi 方法

那么，让我们快点来一睹 **Jacobi 方法**的真面目吧。Jacobi 方法是 Jacobi 在 1846 年发表的用于求解“实对称矩阵”的“所有特征值”的算法。也就是说，虽说是在计算机上进行特征值的求解，但其原理却早在计算机诞生之前就已经有了（关于实对称矩阵的内容，请参考附录 E.2）。就算在现在，对于规模 10×10 以内的矩阵，Jacobi 方法依然是很有效的计算方法，相比其他算法在速度上也并不逊色。而且相对于我们后文中将要讲的复杂冗长的 QR 方法，Jacobi 方法要更容易实现。在理解算法的原理之后，读者完全可以自己进行程序设计。

另外，也有最新研究表明，对规模较大的矩阵进行特征值计算时，Jacobi 方法虽然计算速度上占劣势，但是在精度上却更胜一筹。再有，Jacobi 方法的算法相对于 QR 方法来说，具有更强的可塑性，可以针对具体问题进行相应的改进。同时，对于求解特征值以外的问题，比如对角化问题（利用同一个正交矩阵对多个对称矩阵进行近似对角化的问题）等，Jacobi 方法都有用武之地，这也是它的一大优点。

---

① 若系数为 0，则不再是最高次项，所以这里除数一定非 0。

5.2.1　平面旋转

首先，我们定义如下 $n \times n$ 矩阵。

$$
R(\theta,p,q)=
\begin{array}{r}
\\ \\ \\ \\ \text{第 } p \text{ 行} \\ \\ \\ \\ \text{第 } q \text{ 行} \\ \\ \\ \\
\end{array}
\begin{array}{c}
\begin{array}{ccccccccccc}
 & & & \text{第 } p \text{ 列} & & & & \text{第 } q \text{ 列} & & &
\end{array} \\
\begin{pmatrix}
1 & & & & & & & & & & \\
 & \ddots & & & & & & & & & \\
 & & 1 & & & & & & & & \\
 & & & \cos\theta & & & & -\sin\theta & & & \\
 & & & & 1 & & & & & & \\
 & & & & & \ddots & & & & & \\
 & & & & & & 1 & & & & \\
 & & & \sin\theta & & & & \cos\theta & & & \\
 & & & & & & & & 1 & & \\
 & & & & & & & & & \ddots & \\
 & & & & & & & & & & 1
\end{pmatrix}
\end{array}
$$

其中，除了指定的元素之外，其他都是 0。也就是说，$R(\theta,p,q)$ 几乎就是 $n \times n$ 单位矩阵的形式，只是其中的 (p,p)、(p,q)、(q,p)、(q,q) 这四个元素分别替换成了 2×2 旋转矩阵

$$
R(\theta)=\begin{pmatrix} \cos\theta & -\sin\theta \\ \sin\theta & \cos\theta \end{pmatrix}
$$

的 $(1,1)$、$(1,2)$、$(2,1)$、$(2,2)$ 元素。这个矩阵表示了 n 维空间中由第 p 坐标轴和第 q 坐标轴确定的平面内的旋转操作（pq 平面旋转）。对于 3 维的情况，可以考虑以下三种平面旋转。

$$
R(\theta,1,2)=\begin{pmatrix} \cos\theta & -\sin\theta & 0 \\ \sin\theta & \cos\theta & 0 \\ 0 & 0 & 1 \end{pmatrix}
$$

$$
R(\theta,2,3)=\begin{pmatrix} 1 & 0 & 0 \\ 0 & \cos\theta & -\sin\theta \\ 0 & \sin\theta & \cos\theta \end{pmatrix}
$$

$$
R(\theta,1,3)=\begin{pmatrix} \cos\theta & 0 & -\sin\theta \\ 0 & 1 & 0 \\ \sin\theta & 0 & \cos\theta \end{pmatrix}
$$

将上面三个旋转变换分别作用在单位向量 $\boldsymbol{x}=(1,0,0)^T, \boldsymbol{y}=(0,1,0)^T, \boldsymbol{z}=(0,0,1)^T$ 上，如图 5.1 所示。

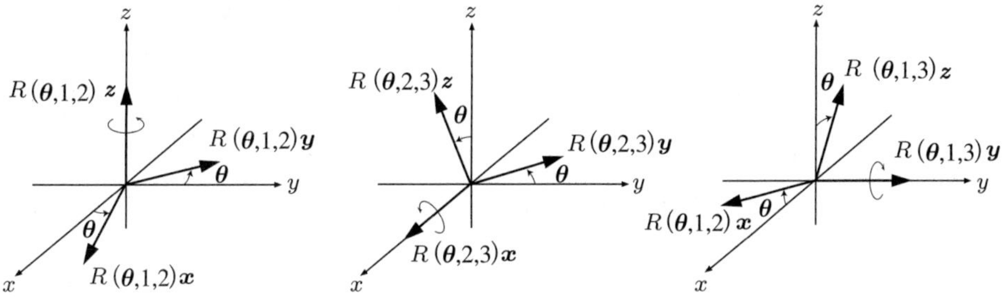

图 5.1　平面旋转（以 3 维空间为例）

例如，当考虑 $R(\theta,1,2)$ 时，xy 平面上的点所发生的变换就是在 2×2 旋转矩阵 $R(\theta)$ 作用下的变换。除此以外的点，在 $z=c$（c 是常数）表示的平面上，同样受到 2×2 旋转矩阵 $R(\theta)$ 的作用。考虑 $R(\theta,2,3)$ 的话，则是平面 $x=c$ 上的点受到 2×2 旋转矩阵 $R(\theta)$ 的作用。同理，考虑 $R(\theta,1,3)$ 的话，则是平面 $y=c$ 上的点受到 2×2 旋转矩阵 $R(\theta)$ 的作用。

对于一般的 n 维向量，乘上 $R(\theta,p,q)$ 后，其第 p 分量和第 q 分量会发生如下变化。

$$R(\theta,p,q)\begin{pmatrix} x_1 \\ \vdots \\ x_p \\ \vdots \\ x_q \\ \vdots \\ x_n \end{pmatrix} = \begin{pmatrix} x_1 \\ \vdots \\ x_p\cos\theta - x_q\sin\theta \\ \vdots \\ x_p\sin\theta + x_q\cos\theta \\ \vdots \\ x_n \end{pmatrix} \tag{5.1}$$

在 n 维空间中，满足如下条件（除了 x_p 和 x_q 以外，其他各点都等于某指定常数）的点会构成一个平面，而这个平面上的点受到 2×2 旋转矩阵 $R(\theta)$ 的作用。

$$\begin{gathered} x_1=c_1,\cdots,x_{p-1}=c_{p-1}, \\ x_{p+1}=c_{p+1},\cdots,x_{q-1}=c_{q-1}, \\ x_{q+1}=c_{q+1},\cdots,x_n=c_n \end{gathered}$$

接下来，如果将 2×2 旋转矩阵 $R(\theta)$ 和它自己的转置矩阵 $R(\theta)^T$ 相乘，就会得到单位矩阵，如下所示。

$$R(\theta)R(\theta)^T = \begin{pmatrix} \cos\theta & -\sin\theta \\ \sin\theta & \cos\theta \end{pmatrix} \begin{pmatrix} \cos\theta & \sin\theta \\ -\sin\theta & \cos\theta \end{pmatrix}$$
$$= \begin{pmatrix} \cos^2\theta + \sin^2\theta & \cos\theta\sin\theta - \sin\theta\cos\theta \\ \sin\theta\cos\theta - \cos\theta\sin\theta & \sin^2\theta + \cos^2\theta \end{pmatrix} = \begin{pmatrix} 1 & 0 \\ 0 & 1 \end{pmatrix}$$

所以 $R(\theta)$ 是正交矩阵①。也就是说，转置矩阵等于逆矩阵。n 维的平面旋转矩阵 $R(\theta, p, q)$ 也一样，在乘以自己的转置矩阵之后，会变成 $n \times n$ 单位矩阵 I_n（请读者自己算一算），所以也是正交矩阵。

$$R(\theta, p, q)\ R(\theta, p, q)^T = I_n$$

也就是说，转置矩阵等于逆矩阵。

5.2.2　通过平面旋转进行相似变换

Jacobi 方法是这样一种算法：对于给定的矩阵 A，选择不同的 p, q, θ，通过平面旋转反复进行如下相似变换，直到矩阵变成接近对角化的形式为止。

$$A' = R(\theta, p, q)^T\ A\ \ R(\theta, p, q)$$

那么我们来考察一下，通过平面旋转进行的相似变换，会给矩阵 A 带来什么样的变化。

首先，对 A 左乘 $R(\theta, p, q)^T$ 之后，A 会发生什么变化呢？如果对 A 左乘 $R(\theta, p, q)$，则 A 的各列就会受到和 (5.1) 式同样的作用，发生变化的仅仅是第 p, q 行。由于 $R(\theta, p, q)^T$ 和 $R(\theta, p, q)$ 的区别仅仅在于两处 $\sin\theta$ 的正负符号发生了变化，所以对 A 左乘 $R(\theta, p, q)^T$ 之后，只有第 p, q 行会发生变化，如下所示。

$$\begin{pmatrix} & & \\ a'_{p1} & \cdots & a'_{pn} \\ & & \\ a'_{q1} & \cdots & a'_{qn} \\ & & \end{pmatrix} = R(\theta, p, q)^T \begin{pmatrix} & & \\ a_{p1} & \cdots & a_{pn} \\ & & \\ a_{q1} & \cdots & a_{qn} \\ & & \end{pmatrix}$$

具体来说，发生变化的各元素的值如下。

$$\begin{aligned} a'_{pj} &= \ \ a_{pj}\cos\theta + a_{qj}\sin\theta \\ a'_{qj} &= -a_{pj}\sin\theta + a_{qj}\cos\theta \end{aligned} \qquad (j = 1, \cdots, n) \tag{5.2}$$

---

① 关于正交矩阵，请参考附录 E.2。

让我们设想一下，如果把上式中两边的矩阵分别转置（注意两个矩阵的积的转置 $(XY)^T = Y^T X^T$），则变成了 A 右乘 $R(\theta,p,q)$，我们可以知道这时只有第 p,q 列发生了变化。

$$\begin{pmatrix} a'_{1p} & a'_{1q} \\ \vdots & \vdots \\ a'_{np} & a'_{nq} \end{pmatrix} = \begin{pmatrix} a_{1p} & a_{1q} \\ \vdots & \vdots \\ a_{np} & a_{nq} \end{pmatrix} R(\theta,p,q)$$

发生变化的各元素的值如下。

$$\begin{aligned} a'_{ip} &= \quad a_{ip}\cos\theta + a_{iq}\sin\theta \\ a'_{iq} &= -a_{ip}\sin\theta + a_{iq}\cos\theta \end{aligned} \qquad (i=1,\cdots,n) \tag{5.3}$$

综上所述，对 A 左乘 $R(\theta,p,q)^T$ 并右乘 $R(\theta,p,q)$ 之后，如下所示，只有第 p,q 行和第 p,q 列这一井字形的部分发生了改变。

$$\begin{pmatrix} & & a'_{1p} & & a'_{1q} & & \\ & & \vdots & & \vdots & & \\ a'_{p1} & \cdots & a'_{pp} & \cdots & a'_{pq} & \cdots & a'_{pn} \\ & & \vdots & & \vdots & & \\ a'_{q1} & \cdots & a'_{qp} & \cdots & a'_{qq} & \cdots & a'_{qn} \\ & & \vdots & & \vdots & & \\ & & a'_{np} & & a'_{nq} & & \end{pmatrix}$$

$$= R(\theta,p,q)^T \begin{pmatrix} & & a_{1p} & & a_{1q} & & \\ & & \vdots & & \vdots & & \\ a_{p1} & \cdots & a_{pp} & \cdots & a_{pq} & \cdots & a_{pn} \\ & & \vdots & & \vdots & & \\ a_{q1} & \cdots & a_{qp} & \cdots & a_{qq} & \cdots & a_{qn} \\ & & \vdots & & \vdots & & \\ & & a_{np} & & a_{nq} & & \end{pmatrix} R(\theta,p,q)$$

在这些井字形部分的元素中，除了交叉点上的元素，其他元素的变化都如同（5.2）式、（5.3）式所示。交点处的 4 个元素，由于受到了左右两边的作用，变换后的值如下。

$$\begin{aligned}
a'_{pp} &= (a_{pp}\cos\theta + a_{qp}\sin\theta)\cos\theta + (a_{pq}\cos\theta + a_{qq}\sin\theta)\sin\theta \\
&= a_{pp}\cos^2\theta + a_{qq}\sin^2\theta + (a_{pq} + a_{qp})\sin\theta\cos\theta \\
a'_{pq} &= -(a_{pp}\cos\theta + a_{qp}\sin\theta)\sin\theta + (a_{pq}\cos\theta + a_{qq}\sin\theta)\cos\theta \\
&= a_{pq}\cos^2\theta - a_{qp}\sin^2\theta + (a_{qq} - a_{pp})\sin\theta\cos\theta \\
a'_{qp} &= (-a_{pp}\sin\theta + a_{qp}\cos\theta)\cos\theta + (-a_{pq}\sin\theta + a_{qq}\cos\theta)\sin\theta \\
&= a_{qp}\cos^2\theta - a_{pq}\sin^2\theta + (a_{qq} - a_{pp})\sin\theta\cos\theta \\
a'_{qq} &= -(-a_{pp}\sin\theta + a_{qp}\cos\theta)\sin\theta + (-a_{pq}\sin\theta + a_{qq}\cos\theta)\cos\theta \\
&= a_{pp}\sin^2\theta + a_{qq}\cos^2\theta - (a_{pq} + a_{qp})\sin\theta\cos\theta
\end{aligned}$$

在这里，我们注意到 A 是对称矩阵，所以有 $a_{pq} = a_{qp}$。利用这点性质，上式可以进一步简化。将交叉点之外的其他元素也具体写出来，则通过平面旋转进行相似变换后的变换式如下所示。

$$\left.\begin{aligned}
a'_{pj} &= \ \ \, a_{pj}\cos\theta + a_{qj}\sin\theta \\
a'_{qj} &= -a_{pj}\sin\theta + a_{qj}\cos\theta
\end{aligned}\right. \qquad (j \neq p, q)$$

$$\left.\begin{aligned}
a'_{ip} &= \ \ \, a_{ip}\cos\theta + a_{iq}\sin\theta \\
a'_{iq} &= -a_{ip}\sin\theta + a_{iq}\cos\theta
\end{aligned}\right. \qquad (i \neq p, q)$$

$$\begin{aligned}
a'_{pp} &= a_{pp}\cos^2\theta + a_{qq}\sin^2\theta + 2a_{pq}\sin\theta\cos\theta \\
a'_{qq} &= a_{pp}\sin^2\theta + a_{qq}\cos^2\theta - 2a_{pq}\sin\theta\cos\theta \\
a'_{pq} &= a_{pq}(\cos^2\theta - \sin^2\theta) + (a_{qq} - a_{pp})\sin\theta\cos\theta
\end{aligned} \tag{5.4}$$

那么，平面旋转矩阵中的旋转角 θ 如何选择呢？我们希望相似变换后的结果中有 $a'_{pq} = 0$。下面，我们来求求看满足这样的条件的旋转角 θ。在（5.4）式中，令 $a'_{pq} = 0$，有

$$a_{pq}(\cos^2\theta - \sin^2\theta) + (a_{qq} - a_{pp})\sin\theta\cos\theta = 0$$

$$\Longrightarrow \quad \frac{a_{pq}}{a_{pp} - a_{qq}} = \frac{\sin\theta\cos\theta}{\cos^2\theta - \sin^2\theta}$$

对右边使用 2 倍角公式 $\sin 2\theta = 2\sin\theta\cos\theta$, $\cos 2\theta = \cos^2\theta - \sin^2\theta$，可得

$$\frac{a_{pq}}{a_{pp} - a_{qq}} = \frac{1}{2}\frac{\sin 2\theta}{\cos 2\theta} = \frac{1}{2}\tan 2\theta$$

可以求得使 $a'_{pq} = 0$ 的旋转角 θ 为

$$\theta = \frac{1}{2}\tan^{-1}\frac{2a_{pq}}{a_{pp} - a_{qq}}$$

另外，为了研究通过平面旋转进行一次相似变换后，矩阵 A 是否真的在朝着对角化的方向靠近，我们对矩阵 A 定义下面两个函数。

$$f(A) = \sum_{i \neq j} a_{ij}{}^2, \quad g(A) = \sum_{i} a_{ii}{}^2$$

$f(A)$ 表示矩阵 A 中非对角元素① 的平方和，$g(A)$ 表示对角元素的平方和。如果在一次又一次的相似变换下，$f(A)$ 越来越小，则当 $f(A) = 0$ 时就是对角化完成之时。首先来看看通过平面旋转进行一次相似变换之后，$f(A)$ 会发生多大的变化。

已知对 A 左乘 $R(\theta, p, q)^T$ 之后的变换式如下。

$$\begin{aligned} a'_{pj} &= \quad a_{pj}\cos\theta + a_{qj}\sin\theta \\ a'_{qj} &= -a_{pj}\sin\theta + a_{qj}\cos\theta \end{aligned}$$

计算变换后的两个元素的平方和，可得

$$\begin{aligned} {a'_{pj}}^2 + {a'_{qj}}^2 &= (a_{pj}\cos\theta + a_{qj}\sin\theta)^2 + (-a_{pj}\sin\theta + a_{qj}\cos\theta)^2 \\ &= a_{pj}{}^2 + a_{qj}{}^2 \end{aligned}$$

我们看到，对应元素的平方和并未发生变化。同样，通过对右乘之后的变换式进行计算，也可知对应元素的平方和不变。从矩阵整体来看，只有当对角元素和非对角元素在变换式中存在对应关系的时候，才会有所影响。也就是说，通过 pq 平面旋转进行相似变换之后，只有 a_{pq} 的平方和从 $f(A)$ 中跑到了 $g(A)$ 中。因为满足条件的元素有 a_{pq} 和 a_{qp} 两处，所以 $f(A)$ 的值在一次相似变换之后会依照下式的关系减小。

$$f(A') = f(A) - 2a_{pq}^2$$

根据以上考察结果，我们知道，如果每次都选择使 $|a_{pq}|$ 最大的 p, q $(p \neq q)$，并反复进行 pq 平面旋转，$f(A)$ 就会逐渐趋于 0。这里，由 $|a_{pq}|^2 \geqslant \frac{f(A)}{n^2-n}$ 可以保证 $f(A') \leqslant Cf(A)$（C 为满足 $0 < C < 1$ 的常数）。因为 $f(A)$ 趋于 0 也就标志着 A 趋于对角矩阵，所以当 $f(A)$ 非常接近 0 时，就可以把对角元素的值认为是要求的特征值了。

5.2.3 计算过程的优化

实际上，当我们利用平面旋转进行相似变换时，在计算井字形部分的元素值的时候，仅仅需要 $\sin\theta$ 和 $\cos\theta$ 的值，并没有必要求出角度 θ。按照如下方法，我们就可以不用计算出具体的 θ，而直接得到 $\sin\theta$ 和 $\cos\theta$ 的值。

---

① 对角元素之外的所有元素。

首先，我们知道

$$1+\tan^2 2\theta = \frac{\cos^2 2\theta + \sin^2 2\theta}{\cos^2 2\theta} = \frac{1}{\cos^2 2\theta}$$

当 $0 \leqslant \theta \leqslant 1/4$ 时，有 $\cos 2\theta \geqslant 0$，所以可以两边开方取平方根，得

$$\frac{1}{\sqrt{1+\tan^2 2\theta}} = \cos 2\theta$$

接下来，利用 2 倍角公式 $\cos 2\theta = \cos^2\theta - \sin^2\theta = 2\cos^2\theta - 1$，又因为当 $0 \leqslant \theta \leqslant 1/4$ 时 $\cos\theta > 0$，于是我们可以得到

$$\cos\theta = \sqrt{\frac{1}{2}\left(1+\frac{1}{\sqrt{1+\tan^2 2\theta}}\right)}$$

即通过加减乘除和 2 次开方就可以得到 $\cos\theta$ 的值。在此基础上，再通过加减乘除和 1 次开方，就可以得到 $\sin\theta$ 的值。

另外，在 p, q 的选择上，相比每次都去寻找使绝对值最大的 p, q，我们可以从某一端开始逐个处理（碰到阈值以下的就跳过），这样在实际计算中，可以更节约计算量。

5.3 幂法原理

本节中我们讲解**幂法**。原本幂法是用于求解绝对值最大的特征值的算法，然而对于求解绝对值最小的特征值以及求解所有特征值的问题，幂法同样也可以使用。理解了幂法的原理之后，在后面学习 QR 方法和反幂法的时候就会很容易理解。而我们讲解幂法主要也是出于辅垫的目的，所以我们仅仅对原理部分进行说明，而不再介绍具体的算法实现。其中 5.3.4 节的内容是 QR 方法的基础，5.3.2 节的内容是反幂法的基础。

5.3.1 求绝对值最大的特征值

幂法最基本的功能是求解绝对值最大的特征值。对恰当选取的初始向量$\boldsymbol{v}$，如果反复左乘 A，则会渐渐靠近 A 的绝对值最大的特征值对应的特征向量 $\boldsymbol{x}_1$ 的方向。

$$\boldsymbol{v},\ A\boldsymbol{v},\ A^2\boldsymbol{v},\ A^3\boldsymbol{v},\ \cdots \longrightarrow (\boldsymbol{x}_1 \text{ 的方向})$$

我们来想一下这个原理成立的原因。在矩阵 $A(\neq O)$ 可对角化的情况下，设各个特征值 $\lambda_1, \lambda_2, \cdots, \lambda_n$ 对应的特征向量分别为 $\boldsymbol{x}_1, \boldsymbol{x}_2, \cdots, \boldsymbol{x}_n$，并且这里的特征值按绝对值大小顺序排列。

$$\begin{cases} A\boldsymbol{x}_1 = \lambda_1\boldsymbol{x}_1 \\ A\boldsymbol{x}_2 = \lambda_2\boldsymbol{x}_2 \\ \quad\vdots \\ A\boldsymbol{x}_n = \lambda_n\boldsymbol{x}_n \end{cases} \qquad |\lambda_1| \geqslant |\lambda_2| \geqslant \cdots \geqslant |\lambda_n|$$

选取适当的初始向量 $\boldsymbol{v}$，使其表示为 A 的特征向量的线性组合形式。

$$\boldsymbol{v} = v_1\boldsymbol{x}_1 + v_2\boldsymbol{x}_2 + \cdots + v_n\boldsymbol{x}_n$$

对上式两边反复左乘 A，共计 k 次，有

$$\begin{aligned} A^k\boldsymbol{v} &= v_1A^k\boldsymbol{x}_1 + v_2A^k\boldsymbol{x}_2 + \cdots + v_nA^k\boldsymbol{x}_n \\ &= v_1\lambda_1^k\boldsymbol{x}_1 + v_2\lambda_2^k\boldsymbol{x}_2 + \cdots + v_n\lambda_n^k\boldsymbol{x}_n \end{aligned}$$

对右边除以 λ_1^k，得

$$A^k\boldsymbol{v} \mathbin{/\!/} v_1\boldsymbol{x}_1 + v_2\left(\frac{\lambda_2}{\lambda_1}\right)^k\boldsymbol{x}_2 + \cdots + v_n\left(\frac{\lambda_n}{\lambda_1}\right)^k\boldsymbol{x}_n$$

这里的记号 $/\!/$ 表示两向量平行（具有相同方向）。注意右边的表达式的形式，如果 $|\lambda_1| > |\lambda_2|$，则 $(\frac{\lambda_2}{\lambda_1})^k, \cdots, (\frac{\lambda_n}{\lambda_1})^k$ 中的各项都会随着 k 的增大而快速向 0 的方向趋近。于是我们可以知道，除非在运气极其差的情况下，选到了使得 $v_1 = 0$ 的 $\boldsymbol{v}$，$A^k\boldsymbol{v}$ 一定会朝着 $\boldsymbol{x}_1$ 的方向靠近。

在 $A^k\boldsymbol{v}$ 已经十分接近 $\boldsymbol{x}_1$ 之后，我们只需要考察向量乘以 A 后会在同方向上伸缩多少倍，就可以知道它对应的绝对值最大的特征值 λ_1 是多少。这就是幂法原理。

在实际使用中，如果 $|\lambda_1| > 1$，则计算过程中 $A^k\boldsymbol{v}$ 的各分量都会变得非常大；反之，若 $|\lambda_1| < 1$，则各分量又会变得非常小，这样就会对求解的精度造成很大的危害。所以，如下所示，每一步中都需要进行归一化调整，之后再继续计算。其中 $\|\boldsymbol{v}\|$ 表示 $\boldsymbol{v}$ 的模长（参考附录 E）。

$$\begin{aligned} \boldsymbol{q}_1 = \frac{\boldsymbol{v}}{||\boldsymbol{v}||} \quad &\Rightarrow \quad \boldsymbol{v}_2 = A\boldsymbol{q}_1 \quad \Rightarrow \quad \boldsymbol{q}_2 = \frac{\boldsymbol{v}_2}{||\boldsymbol{v}_2||} \\ &\Rightarrow \quad \cdots \\ &\Rightarrow \quad \boldsymbol{v}_{k+1} = A\boldsymbol{q}_k \quad \Rightarrow \quad \boldsymbol{q}_{k+1} = \frac{\boldsymbol{v}_{k+1}}{||\boldsymbol{v}_{k+1}||} \\ &\Rightarrow \quad \cdots \end{aligned}$$

5.3.2 求绝对值最小的特征值

使用前一小节中介绍的幂法，同样可以处理求绝对值最小的特征值的问题。这时需要选取合适的初始向量 $\boldsymbol{v}$，对其连续左乘 A 的逆矩阵 A^{-1}，则结果会渐渐靠近 A 的绝对值最小的特征值所对应的特征向量 $\boldsymbol{x}_n$ 的方向。

$$\boldsymbol{v},\ A^{-1}\boldsymbol{v},\ (A^{-1})^2\boldsymbol{v},\ (A^{-1})^3\boldsymbol{v},\ \cdots \longrightarrow (\boldsymbol{x}_n \text{ 的方向})$$

究其原因，在矩阵 A 可对角化的情况下，存在变换矩阵 P，使得

$$A = P\begin{pmatrix} \lambda_1 & & & \\ & \lambda_2 & & \\ & & \ddots & \\ & & & \lambda_n \end{pmatrix}P^{-1}$$

于是，A 的逆矩阵就是下面这样①。

$$A^{-1} = P\begin{pmatrix} \frac{1}{\lambda_1} & & & \\ & \frac{1}{\lambda_2} & & \\ & & \ddots & \\ & & & \frac{1}{\lambda_n} \end{pmatrix}P^{-1}$$

由此可见，A 的绝对值最小的特征值 λ_n 对应了 A^{-1} 的绝对值最大的特征值 $\frac{1}{\lambda_n}$，而两者对应了相同的特征向量，也就是变换矩阵 P 的第 n 列②。正因为如此，在 $|\lambda_{n-1}| > |\lambda_n|$ 的情况下，和前一小节中的道理一样，除非非常倒霉地选到了不合适的 $\boldsymbol{v}$，否则 $(A^{-1})^k\boldsymbol{v}$ 一定会朝着 $\boldsymbol{x}_n$ 的方向靠近。当 $(A^{-1})^k\boldsymbol{v}$ 十分接近 $\boldsymbol{x}_n$ 时，就可以求出绝对值最小的特征值 λ_n 了。

在实际计算中，由于计算 A^{-1}需要庞大的计算量，因此我们暂且绕开 A^{-1}，去求 LU 分解 $A = LU$。例如，当我们需要对向量 $\boldsymbol{y}$ 左乘 A^{-1} 来计算 $\boldsymbol{x} = A^{-1}\boldsymbol{y}$ 时，可以分成以下两个步骤③：第一步，解出 $L\boldsymbol{z} = \boldsymbol{y}$；第二步，解出 $U\boldsymbol{x} = \boldsymbol{z}$。此外，和求绝对值最大的特征值时一样，在每一步中都需要做归一化处理之后再继续计算。

$$\begin{aligned} \boldsymbol{q}_1 = \frac{\boldsymbol{v}}{\|\boldsymbol{v}\|} &\Rightarrow \text{解出 } L\boldsymbol{z} = \boldsymbol{q}_1 \Rightarrow \text{ 解出 } U\boldsymbol{v}_2 = \boldsymbol{z} \Rightarrow \boldsymbol{q}_2 = \frac{\boldsymbol{v}_2}{\|\boldsymbol{v}_2\|} \\ &\Rightarrow \cdots \\ &\Rightarrow \text{解出 } L\boldsymbol{z} = \boldsymbol{q}_k \Rightarrow \text{ 解出 } U\boldsymbol{v}_{k+1} = \boldsymbol{z} \Rightarrow \boldsymbol{q}_{k+1} = \frac{\boldsymbol{v}_{k+1}}{\|\boldsymbol{v}_{k+1}\|} \\ &\Rightarrow \cdots \end{aligned}$$

5.3.3　QR 分解

本小节中我们来介绍 **QR 分解**。QR 分解在下一小节中所讲的“求所有特征值”时会用到。此外，后面要讲的 QR 方法，看名字就知道，正是基于 QR 分解的算法。用一句话来概括 QR 分解 $A = QR$，就是“Q 是 A 的列向量的 **Gram-Schmidt 标准正交化**，R 是在 A 的列向量的标准正交基下的坐标表示”。

---

① 关于上述 A 和 A^{-1}，请读者自己口算 AA^{-1} 和 $A^{-1}A$。
② 请读者自行计算在 P 的第 n 列上左乘 A 和 A^{-1} 的结果。
③ 这时的计算量和已知 A^{-1} 的情况下，用 A^{-1} 去乘 $\boldsymbol{y}$ 所需的计算量是相同的。详情请参考第 3 章。

将 n 个线性无关的 n 维列向量 $\boldsymbol{a}_1, \boldsymbol{a}_2, \cdots, \boldsymbol{a}_n$ 通过 Gram-Schmidt 方法进行正交化，得到正交基 $\boldsymbol{q}_1, \boldsymbol{q}_2, \cdots, \boldsymbol{q}_n$，具体步骤如下。这里 $\boldsymbol{x} \cdot \boldsymbol{y}$ 表示 $\boldsymbol{x}$ 和 $\boldsymbol{y}$ 的内积（参考附录 E）。

$$\begin{aligned}
\boldsymbol{q}_1 &= \boldsymbol{p}_1/\|\boldsymbol{p}_1\|, & \boldsymbol{p}_1 &= \boldsymbol{a}_1 \\
\boldsymbol{q}_2 &= \boldsymbol{p}_2/\|\boldsymbol{p}_2\|, & \boldsymbol{p}_2 &= \boldsymbol{a}_2 - (\boldsymbol{a}_2 \cdot \boldsymbol{q}_1)\boldsymbol{q}_1 \\
\boldsymbol{q}_3 &= \boldsymbol{p}_3/\|\boldsymbol{p}_3\|, & \boldsymbol{p}_3 &= \boldsymbol{a}_3 - (\boldsymbol{a}_3 \cdot \boldsymbol{q}_1)\boldsymbol{q}_1 - (\boldsymbol{a}_3 \cdot \boldsymbol{q}_2)\boldsymbol{q}_2 \\
&\vdots & &\vdots \\
\boldsymbol{q}_n &= \boldsymbol{p}_n/\|\boldsymbol{p}_n\|, & \boldsymbol{p}_n &= \boldsymbol{a}_n - (\boldsymbol{a}_n \cdot \boldsymbol{q}_1)\boldsymbol{q}_1 - \cdots - (\boldsymbol{a}_n \cdot \boldsymbol{q}_{n-1})\boldsymbol{q}_{n-1}
\end{aligned}$$

在每一步中，我们都把 $\boldsymbol{a}_k$ 修正成与 $\boldsymbol{q}_1, \boldsymbol{q}_2, \cdots, \boldsymbol{q}_{k-1}$ 正交的向量 $\boldsymbol{p}_k$，然后将其归一化（把模长变成 1），记为 $\boldsymbol{q}_k$。另外，我们将由列向量 $\boldsymbol{a}_1, \boldsymbol{a}_2, \cdots, \boldsymbol{a}_n$ 排列而成的矩阵记作 A，将由列向量 $\boldsymbol{q}_1, \boldsymbol{q}_2, \cdots, \boldsymbol{q}_n$ 排列而成的矩阵记作 Q。

$$A = \begin{pmatrix} a_{11} & a_{12} & \cdots & a_{1n} \\ a_{21} & a_{22} & \cdots & a_{2n} \\ \vdots & \vdots & \ddots & \vdots \\ a_{n1} & a_{n2} & \cdots & a_{nn} \end{pmatrix}, \quad \boldsymbol{a}_1 = \begin{pmatrix} a_{11} \\ a_{21} \\ \vdots \\ a_{n1} \end{pmatrix}, \quad \boldsymbol{a}_2 = \begin{pmatrix} a_{12} \\ a_{22} \\ \vdots \\ a_{n2} \end{pmatrix}, \cdots, \boldsymbol{a}_n = \begin{pmatrix} a_{1n} \\ a_{2n} \\ \vdots \\ a_{nn} \end{pmatrix}$$

$$Q = \begin{pmatrix} q_{11} & q_{12} & \cdots & q_{1n} \\ q_{21} & q_{22} & \cdots & q_{2n} \\ \vdots & \vdots & \ddots & \vdots \\ q_{n1} & q_{n2} & \cdots & q_{nn} \end{pmatrix}, \quad \boldsymbol{q}_1 = \begin{pmatrix} q_{11} \\ q_{21} \\ \vdots \\ q_{n1} \end{pmatrix}, \quad \boldsymbol{q}_2 = \begin{pmatrix} q_{12} \\ q_{22} \\ \vdots \\ q_{n2} \end{pmatrix}, \cdots, \boldsymbol{q}_n = \begin{pmatrix} q_{1n} \\ q_{2n} \\ \vdots \\ q_{nn} \end{pmatrix}$$

这时，这两个矩阵之间存在什么样的关系呢？

如果重新审视一下从 $\boldsymbol{a}_1, \boldsymbol{a}_2, \cdots, \boldsymbol{a}_n$ 到 $\boldsymbol{q}_1, \boldsymbol{q}_2, \cdots, \boldsymbol{q}_n$ 的 Gram-Schmidt 标准正交化过程，我们会发现，$\boldsymbol{a}_1$ 是 $\boldsymbol{q}_1$ 的常数倍，$\boldsymbol{a}_2$ 是 $\boldsymbol{q}_1$ 和 $\boldsymbol{q}_2$ 的线性组合，$\boldsymbol{a}_3$ 是 $\boldsymbol{q}_1$、$\boldsymbol{q}_2$ 和 $\boldsymbol{q}_3$ 的线性组合，$\boldsymbol{a}_4$ 是 $\boldsymbol{q}_1$、$\boldsymbol{q}_2$、$\boldsymbol{q}_3$ 和 $\boldsymbol{q}_4$ 的线性组合 …… 具体来讲，如果令

$$\begin{aligned}
r_{ii} &= \|\boldsymbol{p}_i\| & &(1 \leqslant i \leqslant n) \\
r_{ij} &= \boldsymbol{a}_j \cdot \boldsymbol{q}_i & &(1 \leqslant i < j \leqslant n)
\end{aligned}$$

则上面的正交化过程就可以改写成

$$\begin{aligned}
\boldsymbol{q}_1 &= \frac{1}{r_{11}}\boldsymbol{a}_1 \\
\boldsymbol{q}_2 &= \frac{1}{r_{22}}(\boldsymbol{a}_2 - r_{12}\boldsymbol{q}_1) \\
\boldsymbol{q}_3 &= \frac{1}{r_{33}}(\boldsymbol{a}_3 - r_{13}\boldsymbol{q}_1 - r_{23}\boldsymbol{q}_2) \\
&\vdots \\
\boldsymbol{q}_n &= \frac{1}{r_{nn}}(\boldsymbol{a}_n - r_{1n}\boldsymbol{q}_1 - \cdots - r_{n-1,n}\boldsymbol{q}_{n-1})
\end{aligned}$$

根据上面的式子，我们可以整理出 $\boldsymbol{a}_1, \boldsymbol{a}_2, \cdots, \boldsymbol{a}_n$ 和 $\boldsymbol{q}_1, \boldsymbol{q}_2, \cdots, \boldsymbol{q}_n$ 之间的关系。

$$
\begin{aligned}
\boldsymbol{a}_1 &= r_{11}\boldsymbol{q}_1 \\
\boldsymbol{a}_2 &= r_{12}\boldsymbol{q}_1 + r_{22}\boldsymbol{q}_2 \\
&\vdots \\
\boldsymbol{a}_n &= r_{1n}\boldsymbol{q}_1 + r_{2n}\boldsymbol{q}_2 + \cdots + r_{nn}\boldsymbol{q}_n
\end{aligned}
$$

把上式用矩阵形式表示出来，便有了 A 和 Q 之间的关系。

$$
\begin{pmatrix} a_{11} & a_{12} & \cdots & a_{1n} \\ a_{21} & a_{22} & \cdots & a_{2n} \\ \vdots & \vdots & & \vdots \\ a_{n1} & a_{n2} & \cdots & a_{nn} \end{pmatrix} = \begin{pmatrix} q_{11} & q_{12} & \cdots & q_{1n} \\ q_{21} & q_{22} & \cdots & q_{2n} \\ \vdots & \vdots & & \vdots \\ q_{n1} & q_{n2} & \cdots & q_{nn} \end{pmatrix} \begin{pmatrix} r_{11} & r_{12} & \cdots & r_{1n} \\ 0 & r_{22} & \cdots & r_{2n} \\ \vdots & \ddots & \ddots & \vdots \\ 0 & \cdots & 0 & r_{nn} \end{pmatrix}
$$

这就是矩阵 A 的 QR 分解，通常把最右边的那个上三角矩阵记为 R，用

$$A = QR$$

来表示分解。因为矩阵 Q 的各列都是经过标准正交化的，于是有

$$Q^T Q = I$$

所以 Q 是正交矩阵。由此可知，任意一个列向量线性无关的矩阵 A，都可以分解成正交矩阵 Q 和上三角矩阵 R 的乘积的形式。

在实际进行 QR 分解的数值计算时，并不会采用上述 Gram-Schmidt 标准正交化方法，而是多采用基于平面旋转变换（参考 5.2.1 节）和镜像变换（参考 5.4.3 节）的算法。Gram-Schmidt 方法的缺点在于会累计误差。

? 5.2 好像听过一种说法，“正交矩阵的集合构成李群”，这是什么意思?

两个正交矩阵的乘积一定还是正交矩阵①。此外，正交矩阵的逆矩阵也是正交矩阵。因此，“$n \times n$ 正交矩阵的全体”这一集合，作为“$n \times n$ 矩阵的全体”这一更大的集合的子集，在上面两种操作之下，不会得到集合以外的结果，也就是说，这一子集构成了一个“封闭”的世界。这样的“封闭”的子集就构成群②。除了“矩阵的群”以外，还有其他很多例子，比如“置换的群”，我们这里仅仅讨论“矩阵的群”，定义如下。

---

① 要说明这一点，只需要证明当 A 和 B 为正交矩阵（$A^TA = AA^T = I, B^TB = BB^T = I$）时，$AB$ 也是正交矩阵即可。也就是说，$(AB)^T(AB)$ 和 $(AB)(AB)^T$ 都是单位矩阵。

② 这里的群是数学上的概念，与一般生活中所讲的群完全无关。

如果“$n \times n$ 矩阵的全体”所构成的集合中某个子集满足以下 3 条性质，则我们说该子集构成群。

1. 该子集中含有单位矩阵
2. 该子集中的矩阵的逆矩阵也一定包含在该子集中
3. 该子集中任何两个矩阵的乘积也一定包含在该子集中

那么我们来验证一下“$n \times n$ 正交矩阵的全体”所构成的集合是否满足上述群的定义。首先，包含单位矩阵这一条显然是满足的。接下来，我们只需要验证以下两点即可。

$$(\text{正交矩阵})^{-1} = (\text{正交矩阵})$$
$$(\text{正交矩阵}) \times (\text{正交矩阵}) = (\text{正交矩阵})$$

而这两点通过计算就可以得到验证了。

我们再举几个例子。比如，“可逆的 $n \times n$ 上三角矩阵的全体”所构成的集合也满足群的定义。这种情况下，包含单位矩阵这一条显然也是成立的。接下来，通过实际进行计算，可以验证

$$(\text{上三角矩阵})^{-1} = (\text{上三角矩阵})$$
$$(\text{上三角矩阵}) \times (\text{上三角矩阵}) = (\text{上三角矩阵})$$

再如，以下 3 个 2×2 矩阵的集合也满足群的定义。

$$\left\{ \begin{pmatrix} 1 & 0 \\ 0 & 1 \end{pmatrix}, \begin{pmatrix} \cos 120^\circ & -\sin 120^\circ \\ \sin 120^\circ & \cos 120^\circ \end{pmatrix}, \begin{pmatrix} \cos 240^\circ & -\sin 240^\circ \\ \sin 240^\circ & \cos 240^\circ \end{pmatrix} \right\}$$

这是离散的（跳跃的）群的一个例子。相比之下，前面两个例子都是连续的。像上面这样连续的矩阵群，就是所谓的“李群”的一种。

虽然到目前为止出现过的矩阵的子集都可以构成群，但是并不意味着任何矩阵的子集都可以满足群的定义，例如“$n \times n$ 对称矩阵的全体”所构成的集合等。相反，这些不能构成群的集合是更容易构造出来的。

如上所述，正交矩阵的集合和上三角矩阵的集合的情况下，无论从集合中取多少元素相乘，结果都不会超出该集合。在后文中讨论 QR 方法时，这种“封闭”性会起到关键作用。

5.3.4　求所有特征值

用幂法求所有特征值时，需要依照以下原理。选择 n 个适当的线性无关的初始向量 $\boldsymbol{v}_1, \boldsymbol{v}_2, \cdots, \boldsymbol{v}_n$，对其反复左乘 A，然后把所得结果进行 Gram-Schmidt 标准正交化，那么最终结果就会接近 A 的特征向量所张成的子空间的标准正交基。具体来讲，对于按照绝对值大小排列[①]的特征值 $\lambda_1, \lambda_2, \cdots, \lambda_n$，设对应的特征向量为 $\boldsymbol{x}_1, \boldsymbol{x}_2, \cdots, \boldsymbol{x}_n$，另外，假设 $A^k\boldsymbol{v}_1, A^k\boldsymbol{v}_2, \cdots, A^k\boldsymbol{v}_n$ 标准正交化之后得到 $\boldsymbol{q}_1(k), \boldsymbol{q}_2(k), \cdots, \boldsymbol{q}_n(k)$。随着 k 的增大，会有

$$\begin{aligned}
&\text{span}\,\{\boldsymbol{q}_1(k)\} \to \text{span}\,\{\boldsymbol{x}_1\} \\
&\text{span}\,\{\boldsymbol{q}_1(k), \boldsymbol{q}_2(k)\} \to \text{span}\,\{\boldsymbol{x}_1, \boldsymbol{x}_2\} \\
&\text{span}\,\{\boldsymbol{q}_1(k), \boldsymbol{q}_2(k), \boldsymbol{q}_3(k)\} \to \text{span}\,\{\boldsymbol{x}_1, \boldsymbol{x}_2, \boldsymbol{x}_3\} \\
&\qquad\vdots \\
&\text{span}\,\{\boldsymbol{q}_1(k), \boldsymbol{q}_2(k), \cdots, \boldsymbol{q}_n(k)\} \to \text{span}\,\{\boldsymbol{x}_1, \boldsymbol{x}_2, \cdots, \boldsymbol{x}_n\}
\end{aligned} \tag{5.5}$$

下面来思考一下这种现象的成因。把选好的 n 个初始向量表示成 A 的特征向量的线性组合形式，有

$$\begin{aligned}
\boldsymbol{v}_1 &= v_{11}\boldsymbol{x}_1 + v_{12}\boldsymbol{x}_2 + \cdots + v_{1n}\boldsymbol{x}_n \\
\boldsymbol{v}_2 &= v_{21}\boldsymbol{x}_1 + v_{22}\boldsymbol{x}_2 + \cdots + v_{2n}\boldsymbol{x}_n \\
&\vdots \\
\boldsymbol{v}_n &= v_{n1}\boldsymbol{x}_1 + v_{n2}\boldsymbol{x}_2 + \cdots + v_{nn}\boldsymbol{x}_n
\end{aligned}$$

在此基础上反复左乘 A，共计 k 次，可得

$$\begin{aligned}
A^k\boldsymbol{v}_1 &= v_{11}\lambda_1^k\boldsymbol{x}_1 + v_{12}\lambda_2^k\boldsymbol{x}_2 + \cdots + v_{1n}\lambda_n^k\boldsymbol{x}_n \\
A^k\boldsymbol{v}_2 &= v_{21}\lambda_1^k\boldsymbol{x}_1 + v_{22}\lambda_2^k\boldsymbol{x}_2 + \cdots + v_{2n}\lambda_n^k\boldsymbol{x}_n \\
&\vdots \\
A^k\boldsymbol{v}_n &= v_{n1}\lambda_1^k\boldsymbol{x}_1 + v_{n2}\lambda_2^k\boldsymbol{x}_2 + \cdots + v_{nn}\lambda_n^k\boldsymbol{x}_n
\end{aligned}$$

对此进行 Gram-Schmidt 标准正交化得到 $\boldsymbol{q}_1, \boldsymbol{q}_2, \cdots, \boldsymbol{q}_n$ 的过程如下所示。

$$\begin{aligned}
&\boldsymbol{q}_1(k) = \boldsymbol{p}_1(k)/\|\boldsymbol{p}_1(k)\|,\ \boldsymbol{p}_1(k) = A^k\boldsymbol{v}_1 \\
&\boldsymbol{q}_2(k) = \boldsymbol{p}_2(k)/\|\boldsymbol{p}_2(k)\|,\ \boldsymbol{p}_2(k) = A^k\boldsymbol{v}_2 - (A^k\boldsymbol{v}_2 \cdot \boldsymbol{q}_1)\boldsymbol{q}_1 \\
&\boldsymbol{q}_3(k) = \boldsymbol{p}_3(k)/\|\boldsymbol{p}_3(k)\|,\ \boldsymbol{p}_3(k) = A^k\boldsymbol{v}_3 - (A^k\boldsymbol{v}_3 \cdot \boldsymbol{q}_1)\boldsymbol{q}_1 - (A^k\boldsymbol{v}_3 \cdot \boldsymbol{q}_2)\boldsymbol{q}_2 \\
&\qquad\vdots \qquad\qquad\qquad\qquad \vdots \\
&\boldsymbol{q}_n(k) = \boldsymbol{p}_n(k)/\|\boldsymbol{p}_n(k)\|, \boldsymbol{p}_n(k) = A^k\boldsymbol{v}_n - (A^k\boldsymbol{v}_n \cdot \boldsymbol{q}_1)\boldsymbol{q}_1 - \cdots - (A^k\boldsymbol{v}_n \cdot \boldsymbol{q}_{n-1})\boldsymbol{q}_{n-1}
\end{aligned}$$

---

① 这里设 $|\lambda_1| > |\lambda_2| > \cdots > |\lambda_n|$，也就是说，不存在绝对值相等的特征值。

回忆一下求绝对值最大的特征值的步骤，我们会发现 $A^k\boldsymbol{v}_1, A^k\boldsymbol{v}_2, \cdots, A^k\boldsymbol{v}_n$ 全部都向着 $\boldsymbol{x}_1$ 的方向趋近，因此 $\boldsymbol{q}_1(k)$ 也向着 $\boldsymbol{x}_1$ 的方向接近，即

$$\text{span}\,\{\boldsymbol{q}_1(k)\} \to \text{span}\,\{\boldsymbol{x}_1\}$$

接下来我们来考虑在正交化过程中，由 $A^k\boldsymbol{v}_1$ 和 $A^k\boldsymbol{v}_2$ 得到 $\boldsymbol{q}_2(k)$ 这一步。虽然 $A^k\boldsymbol{v}_1$ 和 $A^k\boldsymbol{v}_2$ 一同趋于 $\boldsymbol{x}_1$ 的方向，但由于初始向量 $\boldsymbol{v}_1, \boldsymbol{v}_2, \cdots, \boldsymbol{v}_n$ 从一开始选择时就保证了线性无关性，因此它们并不会完完全全位于同一方向，所以并不会出现 $\boldsymbol{p}_2(k) = \boldsymbol{o}$ 的情况。这样一来，我们就知道了 $\boldsymbol{q}_1(k)$ 和 $\boldsymbol{q}_2(k)$ 构成 $A^k\boldsymbol{v}_1$ 和 $A^k\boldsymbol{v}_2$ 所张成的 2 维子空间的一组标准正交基，那么这个 2 维子空间在 k 增大的过程中会趋近于什么样的一个 2 维子空间呢?

当我们考虑 $A^k\boldsymbol{v}_1$ 所张成的 1 维子空间时，可以将 $A^k\boldsymbol{v}_1$ 进行如下近似。

$$A^k\boldsymbol{v}_1 \approx v_{11}\lambda_1^k\boldsymbol{x}_1$$

在我们的假设 $|\lambda_1| > |\lambda_2| > \cdots > |\lambda_n|$ 之下，当 k 增大时，各特征值的 k 次幂会相差非常大，在这些庞然大物的对比之下，小的部分就可以忽略不计了。同样，在考虑由 $A^k\boldsymbol{v}_1$ 和 $A^k\boldsymbol{v}_2$ 所张成的 2 维子空间时，$A^k\boldsymbol{v}_1$ 和 $A^k\boldsymbol{v}_2$ 可以进行如下近似①。

$$\begin{aligned} A^k\boldsymbol{v}_1 &\approx v_{11}\lambda_1^k\boldsymbol{x}_1 + v_{12}\lambda_2^k\boldsymbol{x}_2 \\ A^k\boldsymbol{v}_2 &\approx v_{21}\lambda_1^k\boldsymbol{x}_1 + v_{22}\lambda_2^k\boldsymbol{x}_2 \end{aligned}$$

因此，由 $\boldsymbol{q}_1(k)$ 和 $\boldsymbol{q}_2(k)$ 所张成的 2 维子空间趋近于 $\boldsymbol{x}_1$ 和 $\boldsymbol{x}_2$ 所张成的 2 维子空间。

$$\text{span}\,\{\boldsymbol{q}_1(k), \boldsymbol{q}_2(k)\} \to \text{span}\,\{\boldsymbol{x}_1, \boldsymbol{x}_2\}$$

同样，当我们考虑由 $A^k\boldsymbol{v}_1$、$A^k\boldsymbol{v}_2$ 和 $A^k\boldsymbol{v}_3$ 所张成的 3 维子空间时，可以得到如下近似。

$$\begin{aligned} A^k\boldsymbol{v}_1 &\approx v_{11}\lambda_1^k\boldsymbol{x}_1 + v_{12}\lambda_2^k\boldsymbol{x}_2 + v_{13}\lambda_3^k\boldsymbol{x}_3 \\ A^k\boldsymbol{v}_2 &\approx v_{21}\lambda_1^k\boldsymbol{x}_1 + v_{22}\lambda_2^k\boldsymbol{x}_2 + v_{23}\lambda_3^k\boldsymbol{x}_3 \\ A^k\boldsymbol{v}_3 &\approx v_{31}\lambda_1^k\boldsymbol{x}_1 + v_{32}\lambda_2^k\boldsymbol{x}_2 + v_{33}\lambda_3^k\boldsymbol{x}_3 \end{aligned}$$

所以，

$$\text{span}\,\{\boldsymbol{q}_1(k), \boldsymbol{q}_2(k), \boldsymbol{q}_3(k)\} \to \text{span}\,\{\boldsymbol{x}_1, \boldsymbol{x}_2, \boldsymbol{x}_3\}$$

对接下来的各向量做同样的考量，可知 (5.5) 式成立。

---

① 仅从第 1 项就可以看出来 $A^k\boldsymbol{v}_1$ 和 $A^k\boldsymbol{v}_2$ 都趋近于 $\boldsymbol{x}_1$ 方向。但是仅仅根据这一点无法判断由 $A^k\boldsymbol{v}_1$ 和 $A^k\boldsymbol{v}_2$ 所张成的 2 维子空间的行为。于是，我们必须要一起考察前两项。剩下的其他项，相比这两项来讲已经微不足道了，所以当考虑 $k \to \infty$ 的行为时可以省略。

令初始向量 $\boldsymbol{v}_1, \boldsymbol{v}_2, \cdots, \boldsymbol{v}_n$ 排列起来构造的矩阵为 V，那么 A^kV 的 QR 分解 $A^kV = Q(k)R(k)$ 中的 $Q(k)$ 的各列正是 $\boldsymbol{q}_1(k), \boldsymbol{q}_2(k), \cdots, \boldsymbol{q}_n(k)$。我们这里假定当 k 无限增大时，有

$$\begin{aligned}
&\text{span}\,\{\boldsymbol{q}_1(k)\} = \text{span}\,\{\boldsymbol{x}_1\} \\
&\text{span}\,\{\boldsymbol{q}_1(k), \boldsymbol{q}_2(k)\} = \text{span}\,\{\boldsymbol{x}_1, \boldsymbol{x}_2\} \\
&\text{span}\,\{\boldsymbol{q}_1(k), \boldsymbol{q}_2(k), \boldsymbol{q}_3(k)\} = \text{span}\,\{\boldsymbol{x}_1, \boldsymbol{x}_2, \boldsymbol{x}_3\} \qquad (5.6) \\
&\qquad\vdots \\
&\text{span}\,\{\boldsymbol{q}_1(k), \boldsymbol{q}_2(k), \cdots, \boldsymbol{q}_n(k)\} = \text{span}\,\{\boldsymbol{x}_1, \boldsymbol{x}_2, \cdots, \boldsymbol{x}_n\}
\end{aligned}$$

这时我们会发现，利用 $Q(k)$ 对 A 进行相似变换后，结果 $Q(k)^TAQ(k)$ 是上三角矩阵。原因如下。我们知道 $Q(k)^TAQ(k)$ 的第 (i,j) 元素为 $\boldsymbol{q}_i(k)^TA\boldsymbol{q}_j(k)$，所以很显然有 $\boldsymbol{q}_j(k) \in \text{span}\,\{\boldsymbol{q}_1(k), \boldsymbol{q}_2(k), \cdots, \boldsymbol{q}_j(k)\}$①。由于现在我们假设 $\text{span}\,\{\boldsymbol{q}_1(k), \boldsymbol{q}_2(k), \cdots, \boldsymbol{q}_j(k)\} = \text{span}\,\{\boldsymbol{x}_1, \boldsymbol{x}_2, \cdots, \boldsymbol{x}_j\}$，因此这个子空间乘上 A 之后也不会发生任何变化。由此可知 $A\boldsymbol{q}_j(k) \in \text{span}\,\{\boldsymbol{q}_1(k), \boldsymbol{q}_2(k), \cdots, \boldsymbol{q}_j(k)\}$ 成立。这样一来，$\boldsymbol{q}_i(k)^TA\boldsymbol{q}_j(k)$ 实际上就等价于 $\boldsymbol{q}_i(k)$ 和 $A\boldsymbol{q}_j(k) \in \text{span}\,\{\boldsymbol{q}_1(k), \boldsymbol{q}_2(k), \cdots, \boldsymbol{q}_j(k)\}$ 的内积。这里，当 i 限定在 $1 \leqslant i \leqslant j$ 的范围内时，有可能出现 0 以外的值。但是，一旦 $i > j$，一定会得到 0（因为 $\boldsymbol{q}_1, \boldsymbol{q}_2, \cdots, \boldsymbol{q}_n$ 两两正交）。所以我们知道 $Q(k)^TAQ(k)$ 一定是上三角矩阵。

实际上，(5.6) 式中的各式并不是严格成立的，而是当 k 增大时，会趋于这些等式。综上所述，我们有

$$A^kV = Q(k)R(k) \;\Rightarrow\; A_k = Q(k)^TAQ(k) \to \text{（上三角矩阵）}$$

最终的产物是矩阵 A 经过相似变换得到的上三角矩阵，所以特征值并无改变。对于上三角矩阵来讲，对角元素就是特征值，所以我们到此也就求出了 A 的全部特征值。

5.4　QR 方法

QR 方法是 Francis 于 1961 年发表的用于求解所有特征值的算法。该算法对对称矩阵和非对称矩阵都适用，和 Jacobi 方法比，算是比较新的方法。从原理上讲，无论是对称矩阵还是非对称矩阵，都可以直接使用 QR 方法来求得全部特征值。但是在实际应用中，需要先进行相似变换再实行 QR 方法。其中，对于非对称矩阵，需要利用后文中介绍的 Hessenberg 矩阵；而对于对称矩阵，需要利用三对角矩阵。如果再加上最后要讲的原点位移、降阶等技巧，整套算法会变得相当复杂。但好处在于，对于 Jacobi 方法不能很好地处理的大规模矩阵，利用 QR 方法能够求出特征值。本节中，除了 QR 方法以外，还要讨论 Householder 变换、原点位移、降阶等和 QR 方法并用的技巧。

---

① 记号 $\in$ 表示“属于”。

5.4.1 QR 方法的原理

■ QR 迭代

用 QR 方法求解矩阵特征值的基本流程如下。

- 对需要求解特征值的矩阵进行 QR 分解
- 对分解出来的结果进行逆向相乘
- 将相乘得到矩阵进行 QR 分解
- 对分解出来的结果进行逆向相乘

  ……

按照以上流程进行迭代（反复操作）。设需要求解特征值的矩阵为 A_0，把上述流程用公式表示就是下面这样。

$$
\begin{array}{ccc}
A_0 = Q_0R_0 & \rightarrow & A_1 = R_0Q_0 \\
A_1 = Q_1R_1 & \rightarrow & A_2 = R_1Q_1 \\
 & \vdots & \\
A_k = Q_kR_k & \rightarrow & A_{k+1} = R_kQ_k \\
 & \vdots &
\end{array}
$$

在反复进行以上流程之后，A_k 会趋近于一个上三角矩阵，而这个上三角矩阵的对角元素正是 A_0 的特征值。接下来我们就来解释一下原因。首先要说明的是，如果存在绝对值相等的特征值，则幂法的前提条件就不成立了，也就不能单纯地套用本方法了。例如，实矩阵存在复特征值时，就不适用 (参考 ?4.11)。在下面的讨论中，我们不考虑以上情况。

■ QR 迭代的相似性

首先，我们注意到，对第 k 步中的 A_k 进行 QR 分解 $A_k = Q_kR_k$ 之后，第 $k+1$ 步为

$$A_{k+1} = R_kQ_k = {Q_k}^{-1}(Q_kR_k)Q_k = {Q_k}^{-1}A_kQ_k$$

所以，A_{k+1} 实际上是 A_k 在正交矩阵 Q_k 下进行相似变换得到的产物。也就是说，对矩阵进行 QR 分解之后再进行逆序相乘的操作，和利用 QR 分解的正交矩阵对原矩阵进行相似变换所得的结果是一样的。因此，通过 QR 方法的每一步变换，矩阵的特征值都不会发生改变。这样一来，如果变换过程中得到了上三角矩阵（或者十分接近上三角矩阵的形式），则其对角元素就是 A_0 的特征值（或十分接近特征值的值）。

■ 为什么会趋向于上三角矩阵的形式

从 A_0 出发，在相似变换进行到第 k 次时，我们得到

$$A_k = {Q_{k-1}}^{-1} \cdots {Q_1}^{-1} {Q_0}^{-1}\, A_0\, Q_0 Q_1 \cdots Q_{k-1}$$

各 Q_i 分别是每一步中对 A_i 进行 QR 分解所得到的正交矩阵。这里，我们利用 $(AB)^{-1} = B^{-1}A^{-1}, (ABC)^{-1} = C^{-1}B^{-1}A^{-1}, \cdots$ 的性质，可以把上式整理为

$$A_k = (Q_0 Q_1 \cdots Q_{k-1})^{-1}\, A_0\, (Q_0 Q_1 \cdots Q_{k-1})$$

因此，第 k 步得到的 A_k 实际上是对 A_0 实行相似变换的产物，而变换矩阵是 $Q_0 Q_1 \cdots Q_{k-1}$。

这里的变换矩阵 $Q_0 Q_1 \cdots Q_{k-1}$ 实际上就是对 ${A_0}^k$（A_0 的 k 次方）进行 QR 分解后得到的正交矩阵。

$${A_0}^k = QR \quad \Rightarrow \quad Q = Q_0 Q_1 \cdots Q_{k-1}$$

我们以 ${A_0}^3$ 为例进行验证。首先，对 $A_0 = Q_0 R_0$ 两边进行 3 次乘方。等号右边的式子中，内部会出现 2 个 $R_0 Q_0$，而又知道 $R_0 Q_0 = A_1 = Q_1 R_1$，所以我们可以整理如下。

$$\begin{aligned} {A_0}^3 &= (Q_0 R_0)(Q_0 R_0)(Q_0 R_0) \\ &= Q_0 (R_0 Q_0)(R_0 Q_0) R_0 \\ &= Q_0 (Q_1 R_1)(Q_1 R_1) R_0 \end{aligned}$$

这里内部又出现了一个 $R_1 Q_1$，我们通过 $R_1 Q_1 = A_2 = Q_2 R_2$ 将其替换，可继续进行整理。

$$\begin{aligned} &= Q_0 Q_1 (R_1 Q_1) R_1 R_0 \\ &= Q_0 Q_1 (Q_2 R_2) R_1 R_0 \\ &= (Q_0 Q_1 Q_2)(R_2 R_1 R_0) \end{aligned}$$

因为若干正交矩阵的乘积依然是正交矩阵，同样，若干上三角矩阵的乘积依然是上三角矩阵（参考 ? 5.2），所以 $Q_0 Q_1 Q_2$ 是正交矩阵，$R_2 R_1 R_0$ 是上三角矩阵。由此可见，上式正是 ${A_0}^3$ 的 QR 分解。对于一般的 ${A_0}^k$，用同样的手法可以得到以下变形结果。

$${A_0}^k = (Q_0 Q_1 \cdots Q_{k-1})(R_{k-1} \cdots R_1 R_0)$$

因此我们知道，把 A_0 相似变换到 A_k 的变换矩阵 $Q_0 Q_1 \cdots Q_{k-1}$，正是对 ${A_0}^k$ 进行 QR 分解得到的正交矩阵。

回忆一下前一小节中用幂法求解所有特征值的算法。对 ${A_0}^k$ 进行 QR 分解的过程可以认为是，求解以单位矩阵作为初始矩阵的幂法的变换矩阵的过程。

$${A_0}^k I = Q(k) R(k) \ \Rightarrow\ Q(k) = Q_0 Q_1 \cdots Q_{k-1}$$

这样一来，QR 方法中第 k 步出现的 A_k，实际上就与以单位矩阵为初始矩阵的幂法的第 k 步得到的矩阵相同。由幂法一节的内容可知，所得结果是上三角矩阵。

$$A_k = Q(k)^{-1} A_0 Q(k) \to \text{（上三角矩阵）}$$

也就是说，虽然从算法的角度来说 QR 方法和幂法的流程完全不同，但是在通过幂法求解全部特征值时，以单位矩阵作为初始矩阵的情况下，第 k 步所得到的矩阵为 A_k，和 QR 方法的第 k 步的所得矩阵 A_k 是一样的。

5.4.2 Hessenberg 矩阵

在实际使用 QR 方法时，我们并不会直接对给定矩阵进行 QR 迭代，而是先进行相似变换，得到所谓的 Hessenberg 矩阵的形式，在此基础上再进行 QR 迭代。Hessenberg 矩阵在进行 QR 迭代后依然保持 Hessenberg 矩阵的形式，因此可以减少运算量。首先我们从 Hessenberg 矩阵的定义开始讲解。

如下所示，在上三角矩阵的基础上，若其对角线左下方的一条斜线也不为零，则该方阵称为 **Hessenberg 矩阵**（海森伯格矩阵）[①]。对角线左下方的这条斜线上的元素称为次对角元素。

$$\begin{pmatrix} * & * & * & * & * \\ * & * & * & * & * \\ 0 & * & * & * & * \\ 0 & 0 & * & * & * \\ 0 & 0 & 0 & * & * \end{pmatrix}$$

对于一般的 $n \times n$ 矩阵，若其元素满足

$$i \geqslant j + 2 \ \Rightarrow \ a_{ij} = 0$$

则该方阵为 Hessenberg 矩阵[②]。

为何 Hessenberg 矩阵在 QR 迭代之后仍然能保持 Hessenberg 矩阵的形式呢？下面我们来验证一下。首先考虑 Hessenberg 矩阵的 QR 分解。回想一下利用 Gram-Schmidt 正交化进行 QR 分解的过程，很容易发现，正交矩阵 Q 一定依然是 Hessenberg 矩阵的形式。

$$\begin{pmatrix} * & * & * & * & * \\ * & * & * & * & * \\ 0 & * & * & * & * \\ 0 & 0 & * & * & * \\ 0 & 0 & 0 & * & * \end{pmatrix} = \begin{pmatrix} * & * & * & * & * \\ * & * & * & * & * \\ 0 & * & * & * & * \\ 0 & 0 & * & * & * \\ 0 & 0 & 0 & * & * \end{pmatrix} \begin{pmatrix} * & * & * & * & * \\ 0 & * & * & * & * \\ 0 & 0 & * & * & * \\ 0 & 0 & 0 & * & * \\ 0 & 0 & 0 & 0 & * \end{pmatrix}$$

---

① 要说为何这类矩阵叫起来这样拗口，大概是因为没法为它们起一个像“上三角矩阵”这样简单的名字吧。Hessenberg 是一位德国数学家的名字。

② 用同样的方法还可以定义上三角矩阵，即当各元素满足 $i \geqslant j+1 \ \Rightarrow \ a_{ij} = 0$ 时，该方阵为上三角矩阵。

其次，同样很容易可以看出，两者逆序相乘所得到的矩阵依然是 Hessenberg 矩阵的形式（考虑一下下式右边的 Hessenberg 矩阵的 0 元素的计算方法，可知在对应元素相乘时，如果一个非零，则对应的被乘元素一定是 0）。

$$\begin{pmatrix} * & * & * & * & * \\ 0 & * & * & * & * \\ 0 & 0 & * & * & * \\ 0 & 0 & 0 & * & * \\ 0 & 0 & 0 & 0 & * \end{pmatrix}\begin{pmatrix} * & * & * & * & * \\ * & * & * & * & * \\ 0 & * & * & * & * \\ 0 & 0 & * & * & * \\ 0 & 0 & 0 & * & * \end{pmatrix} = \begin{pmatrix} * & * & * & * & * \\ * & * & * & * & * \\ 0 & * & * & * & * \\ 0 & 0 & * & * & * \\ 0 & 0 & 0 & * & * \end{pmatrix}$$

因此，如果对 Hessenberg 矩阵连续进行 QR 迭代，则所得的 Hessenberg 矩阵的次对角元素会逐渐趋于 0，也就是说，矩阵会渐渐接近上三角矩阵的形式。

由于 Hessenberg 矩阵中几乎一半的元素都是 0，因此 QR 迭代需要的运算量也会相应减少。于是，在利用 QR 方法对一般的非对称矩阵求解特征值时，我们可以通过相似变换将给定的矩阵变成 Hessenberg 矩阵，然后再进行 QR 迭代，这样会大幅减少运算量。至于如何把矩阵变换成 Hessenberg 矩阵，可以采用下一节中要介绍的 Householder 方法。

5.4.3 Householder 方法

Householder 方法是通过巧妙利用镜像变换，将一般的非对称矩阵通过相似变换约化为 Hessenberg 矩阵的方法。首先，我们来解释一下什么叫镜像变换。

■ 镜像变换

把空间中的任意点 $\boldsymbol{x}$，变换到与其关于经过原点的超平面① 对称的另一点 $\boldsymbol{x}'$，这样的变换称为镜像变换。令经过原点的超平面的单位法向量② 为 $\boldsymbol{u}$，如图 5.2 所示。其中，$\boldsymbol{u}^T\boldsymbol{x}$ 是数，因为 $\boldsymbol{u}$ 是列向量，所以我们可以改变顺序，写成 $\boldsymbol{u}\boldsymbol{u}^T\boldsymbol{x}$ 的形式。这时，$\boldsymbol{u}\boldsymbol{u}^T$ 为如下形式的 $n \times n$ 对称矩阵，它表示把任意向量 $\boldsymbol{x}$ 正投影③ 到单位法向量 $\boldsymbol{u}$ 所在的直线上的线性变换。

$$\boldsymbol{u}\boldsymbol{u}^T = \begin{pmatrix} u_1 \\ u_2 \\ \vdots \\ u_n \end{pmatrix}(u_1, u_2, \cdots, u_n) = \begin{pmatrix} u_1u_1 & u_1u_2 & \cdots & u_1u_n \\ u_2u_1 & u_2u_2 & \cdots & u_2u_n \\ \vdots & \vdots & \ddots & \vdots \\ u_nu_1 & u_nu_2 & \cdots & u_nu_n \end{pmatrix}$$

---

① 在 n 维空间中，满足 $a_1x_1 + a_2x_2 + \cdots + a_nx_n = 0$ 形式的条件的 $n-1$ 维的集合，称为“经过原点的超平面”，简而言之，就是 $(n-1)$ 维线性子空间。

② 与超平面内的向量正交的向量称为**法向量**，模长为 1 的法向量称为**单位法向量**。

③ 也就是要求出所有 $\boldsymbol{v} = c\boldsymbol{u}$，其中 $\boldsymbol{x} - \boldsymbol{v}$ 与 $\boldsymbol{v}$ 正交，c 为常数。

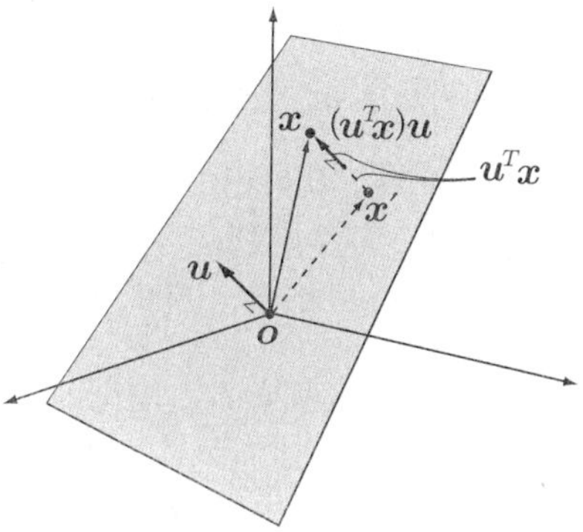

图 5.2 镜像变换（以 3 维情况为例）

如图 5.2 所示，将任意点 $\boldsymbol{x}$ 变换到与其关于“以 $\boldsymbol{u}$ 作为法向量的超平面”对称的点 $\boldsymbol{x}'$，这一操作可以表达为

$$\begin{aligned}\boldsymbol{x}' &= \boldsymbol{x} - \boldsymbol{u}\boldsymbol{u}^T\boldsymbol{x} - \boldsymbol{u}\boldsymbol{u}^T\boldsymbol{x} \\ &= (I - 2\boldsymbol{u}\boldsymbol{u}^T)\boldsymbol{x}\end{aligned}$$

所以，这个线性变换可以用下面的矩阵来表示。

$$H = I - 2\boldsymbol{u}\boldsymbol{u}^T$$

这里的镜像变换对应的矩阵 H，有若干非常有趣的性质。首先，因为 I 和 $\boldsymbol{u}\boldsymbol{u}^T$ 都是对称矩阵，所以 H 也是对称矩阵。其次，在作用 2 次镜像变换之后，任何向量都会返回到原处，因此 $H^2 = I$（当然，直接计算就可以验证。请读者自行尝试）。这就说明，H 的逆矩阵就是它本身，即 $H^{-1} = H$。由 H 是对称矩阵可知 $H^T = H$。综上，可知 $H^T = H^{-1}$，也就是说，H 是正交阵（从图形的角度来考虑，因为对任意向量 $\boldsymbol{x}$，都有 $||H\boldsymbol{x}|| = ||\boldsymbol{x}||$）。

在上述诸多性质中，我们下面主要利用 $H^{-1} = H$ 这一点。另外，在实际计算 $H\boldsymbol{x}$ 时，不需要先求出 $H = I - 2\boldsymbol{u}\boldsymbol{u}^T$ 再与 $\boldsymbol{x}$ 相乘，而是采用先求出 $c = \boldsymbol{u}^T\boldsymbol{x}$ 再给出 $\boldsymbol{x} - 2c\boldsymbol{u}$ 的策略（参考 1.2.13 节）。

■ 以 4 × 4 矩阵为例

下面我们来考虑一下，如何利用相似变换把一般的 4 × 4 矩阵变成 Hessenberg 矩阵。如果能准确把握 4 × 4 矩阵的方法，那么一般的 $n \times n$ 矩阵也就很容易处理了。

对于给定的两向量 $\boldsymbol{x}, \boldsymbol{y}$，若它们具有相同的模长（$||\boldsymbol{x}|| = ||\boldsymbol{y}||$），则存在在它们之间作用的镜像变换。具体来说，考虑以 $\boldsymbol{x} - \boldsymbol{y}$ 为法向量的超平面，令关于该超平面的镜像变换为

$$H = I - 2\boldsymbol{u}\boldsymbol{u}^T, \quad \boldsymbol{u} = \frac{\boldsymbol{x} - \boldsymbol{y}}{||\boldsymbol{x} - \boldsymbol{y}||}$$

则有

$$H\boldsymbol{x} = \boldsymbol{y}, \quad H\boldsymbol{y} = \boldsymbol{x}$$

无论从图形角度考虑，还是直接进行计算，都可以验证。

在将矩阵变为 Hessenberg 矩阵时，需要用到的是一类特殊的镜像映射，这类映射的目标空间中的向量除了第 1 分量外，其他分量都是 0，即

$$\boldsymbol{y} = (\pm||\boldsymbol{x}||, 0, \cdots, 0)^T$$

由于前提条件中限制了 $||\boldsymbol{x}|| = ||\boldsymbol{y}||$，因此满足上述条件的 $\boldsymbol{y}$ 只有两种可能。因为我们需要用到的是 $\boldsymbol{x} - \boldsymbol{y}$，为了减少计算误差，我们在两种可能的选择中选取与 $\boldsymbol{x}$ 的第 1 分量符号相反的那个。

我们用矩阵 H 来表示将 3 维向量 $\boldsymbol{x} = (x, y, z)^T$ 映射到 $\boldsymbol{y} = (||\boldsymbol{x}||, 0, 0)^T$ 的线性映射，有

$$H = I - 2\boldsymbol{u}\boldsymbol{u}^T, \quad \boldsymbol{u} = \frac{(x - \sqrt{x^2 + y^2 + z^2}, y, z)^T}{||(x - \sqrt{x^2 + y^2 + z^2}, y, z)^T||} \tag{5.7}$$

接下来我们看看如何利用这个镜像映射 H 将一个 4×4 矩阵变成 Hessenberg 矩阵。

第 1 步

首先，如下所示，将需要变为 Hessenberg 矩阵的 4×4 矩阵的第 1 列的后 3 个元素记为 x, y, z，然后利用我们在 (5.7) 式中定义的镜像变换 H，把 H 放在右下角作为一个区块，构造出左边的矩阵，并将两者相乘。

$$\left(\begin{array}{c|ccc} 1 & 0 & 0 & 0 \\ \hline 0 & & & \\ 0 & & H & \\ 0 & & & \end{array}\right) \begin{pmatrix} * & * & * & * \\ x & * & * & * \\ y & * & * & * \\ z & * & * & * \end{pmatrix} = \begin{pmatrix} * & * & * & * \\ ||\boldsymbol{x}|| & * & * & * \\ 0 & * & * & * \\ 0 & * & * & * \end{pmatrix}$$

在乘上左边的矩阵之后，需要变为 Hessenberg 矩阵的原矩阵的每一列的第 1 元素都没有任何变化，而第 2 元素到第 4 元素则依照 (5.7) 式的定义参与变换，结果变成右边的形式。首先，我们看到第 1 列已经变成了 Hessenberg 矩阵所需要满足的形式。我们的目的是什么来着？要通过相似变换，把矩阵变成 Hessenberg 矩阵。现在仅仅左乘了某矩阵，还不是相似变换。为了构成相似变换，我们需要在右边再乘以变换矩阵的逆矩阵。因为 $H^{-1} = H$，可知 $\mathrm{diag}\,(1, H)$ 的逆矩阵依然是 $\mathrm{diag}\,(1, H)$ 本身。

$$\begin{pmatrix} * & * & * & * \\ ||\boldsymbol{x}|| & * & * & * \\ 0 & * & * & * \\ 0 & * & * & * \end{pmatrix} \left(\begin{array}{c|ccc} 1 & 0 & 0 & 0 \\ \hline 0 & & & \\ 0 & & H & \\ 0 & & & \end{array}\right) = \begin{pmatrix} * & * & * & * \\ ||\boldsymbol{x}|| & * & * & * \\ 0 & * & * & * \\ 0 & * & * & * \end{pmatrix}$$

这里要注意，如果我们在右边乘以diag $(1, H)$，导致已经是 Hessenberg 状态的第 1 列被破坏掉，那就没意义了。但是我们很幸运，在右乘 diag $(1, H)$ 后，第 1 列依然保持原状，而第 2 列到第 4 列发生了变化。于是，矩阵的形式得以保全，通过相似变换，我们完成了对第 1 列的 Hessenberg 化。

第 2 步

对于第 1 步中最后得到的矩阵，按下式对元素重新命名，将第 2 列的后两个元素记为 x, y。

$$\begin{pmatrix} * & * & * & * \\ * & * & * & * \\ 0 & x & * & * \\ 0 & y & * & * \end{pmatrix}$$

另外，我们来求 2 维的镜像变换所对应的矩阵。

$$H = I - 2\boldsymbol{u}\boldsymbol{u}^T, \quad \boldsymbol{u} = \frac{(x - \sqrt{x^2 + y^2}, y)^T}{||(x - \sqrt{x^2 + y^2}, y)^T||}$$

然后，对第 1 步中最后得到的矩阵两边乘以 diag (I_2, H)，第 2 列也就变成了 Hessenberg 形式。

$$\left(\begin{array}{cc|cc} 1 & 0 & 0 & 0 \\ 0 & 1 & 0 & 0 \\ \hline 0 & 0 & & \\ 0 & 0 & & H \end{array}\right) \begin{pmatrix} * & * & * & * \\ * & * & * & * \\ 0 & x & * & * \\ 0 & y & * & * \end{pmatrix} \left(\begin{array}{cc|cc} 1 & 0 & 0 & 0 \\ 0 & 1 & 0 & 0 \\ \hline 0 & 0 & & \\ 0 & 0 & & H \end{array}\right) = \begin{pmatrix} * & * & * & * \\ * & * & * & * \\ 0 & \|\boldsymbol{x}\| & * & * \\ 0 & 0 & * & * \end{pmatrix}$$

4×4 矩阵的情况下，只要前两列约化为 Hessenberg 形式，整个矩阵也就成了 Hessenberg 矩阵。于是，经过以上两步，我们完成了对该矩阵的 Hessenberg 化变形。

5.4.4 Hessenberg 矩阵的 QR 迭代

正如我们在 QR 分解一节的最后讲的那样，在实际进行 QR 分解时，并不会采用基于 Gram-Schmidt 正交化的算法。在本小节中，我们以 4×4 矩阵为例，来说明一下实际计算时如何对 Hessenberg 矩阵进行 QR 迭代。另外，为了简单起见，我们假设只存在实特征值。

首先，按照如下方式，左乘 $(1, 2)$ 平面旋转矩阵（的转置），将 $(2, 1)$ 元素变成 0①。

$$A_k = \begin{pmatrix} * & * & * & * \\ * & * & * & * \\ 0 & * & * & * \\ 0 & 0 & * & * \end{pmatrix} \quad \Rightarrow \quad Q(1, 2, \theta_1)^T A_k = \begin{pmatrix} * & * & * & * \\ 0 & * & * & * \\ 0 & * & * & * \\ 0 & 0 & * & * \end{pmatrix}$$

① 此前我们定义过 $R(1, 2, \theta_1)$，但这里我们讨论的是 QR 方法，此矩阵的作用相当于其中的 Q，因此我们在这里把它写成 $Q(1, 2, \theta_1)$。

具体计算一下，可得

$$\begin{pmatrix} \cos\theta_1 & \sin\theta_1 & 0 & 0 \\ -\sin\theta_1 & \cos\theta_1 & 0 & 0 \\ 0 & 0 & 1 & 0 \\ 0 & 0 & 0 & 1 \end{pmatrix}\begin{pmatrix} x & * & * & * \\ y & * & * & * \\ 0 & * & * & * \\ 0 & 0 & * & * \end{pmatrix} = \begin{pmatrix} x\cos\theta_1 + y\sin\theta_1 & * & * & * \\ -x\sin\theta_1 + y\cos\theta_1 & * & * & * \\ 0 & * & * & * \\ 0 & 0 & * & * \end{pmatrix}$$

通过选择使得 $-x\sin\theta_1 + y\cos\theta_1 = 0$，即 $x\sin\theta_1 = y\cos\theta_1$ 的旋转角 θ_1，可以把 (2,1) 元素变成 0。接下来，乘上 (2,3) 平面旋转矩阵，把 (3,2) 元素变成 0。

$$Q(2,3,\theta_2)^T Q(1,2,\theta_1)^T A_k = \begin{pmatrix} * & * & * & * \\ 0 & * & * & * \\ 0 & 0 & * & * \\ 0 & 0 & * & * \end{pmatrix}$$

接着，再乘上 (3,4) 平面旋转矩阵，把 (4,3) 元素变成 0。当这一切都完成之后，我们发现，所得的 R 已经是上三角矩阵了。

$$Q(3,4,\theta_3)^T Q(2,3,\theta_2)^T Q(1,2,\theta_1)^T A_k = \begin{pmatrix} * & * & * & * \\ 0 & * & * & * \\ 0 & 0 & * & * \\ 0 & 0 & 0 & * \end{pmatrix} = R$$

我们在两边依次左乘 $Q(3,4,\theta_3)$、$Q(2,3,\theta_2)$、$Q(1,2,\theta_1)$，可得下式①。令 $Q = Q(1,2,\theta_1)$ $Q(2,3,\theta_2)$ $Q(3,4,\theta_3)$，则所得结果依然是正交矩阵②。我们知道，这正是 A_k 的 QR 分解。

$$A_k = Q(1,2,\theta_1)Q(2,3,\theta_2)Q(3,4,\theta_3)R = QR$$

A_{k+1} 为 QR 逆序相乘的结果，利用

$$R = Q(3,4,\theta_3)^T Q(2,3,\theta_2)^T Q(1,2,\theta_1)^T A_k$$
$$Q = Q(1,2,\theta_1)Q(2,3,\theta_2)Q(3,4,\theta_3)$$

可得

$$A_{k+1} = Q(3,4,\theta_3)^T Q(2,3,\theta_2)^T Q(1,2,\theta_1)^T A_k Q(1,2,\theta_1)Q(2,3,\theta_2)Q(3,4,\theta_3)$$

按照以上流程，我们通过 3 次平面旋转变换，对 4×4 矩阵完成了 QR 迭代中的第一步。对于一般的 $n \times n$ 矩阵，需要进行 $(n-1)$ 次相似变换。

---

① 因为平面旋转矩阵都是正交矩阵，所以取转置就等价于取逆。

② 若干正交矩阵的乘积依然是正交矩阵。参考 ? 5.2。

5.4.5 原点位移、降阶

在 QR 迭代的实际运用中，往往会通过某种办法先得到一个特征值的估计值 $\hat{\lambda}$，然后用 $A-\hat{\lambda}I$ 来代替 A 进行 QR 迭代。这种手法称为**原点位移**。当我们的特征值的估计值 $\hat{\lambda}$ 非常接近某一个真实特征值时，$A-\hat{\lambda}I$ 就会有一个非常接近 0 的特征值。而 QR 迭代本质上和用幂法求所有特征值的迭代是一样的，当 A 具有一个非常接近 0 的特征值时，$(n-1)$ 维子空间趋近于 $\boldsymbol{x}_1,\boldsymbol{x}_2,\cdots,\boldsymbol{x}_{n-1}$ 张成的子空间的进程会得到加速[①]。

$$\operatorname{span}\{\boldsymbol{q}_1(k),\boldsymbol{q}_2(k),\cdots,\boldsymbol{q}_{n-1}(k)\}\to\operatorname{span}\{\boldsymbol{x}_1,\boldsymbol{x}_2,\cdots,\boldsymbol{x}_{n-1}\}$$

从矩阵的角度讲，第 n 行的非对角元素将加速趋近于 0。特别是 Hessenberg 矩阵的情况下，$(n,n-1)$ 元素会加速趋近于 0。以 4×4 矩阵为例，其中 $(4,3)$ 元素就会加速向 0 趋近。

$$\begin{pmatrix} * & * & * & * \\ * & * & * & * \\ 0 & * & * & * \\ 0 & 0 & \square & * \end{pmatrix}\to\begin{pmatrix} * & * & * & * \\ * & * & * & * \\ 0 & * & * & * \\ 0 & 0 & 0 & \blacksquare \end{pmatrix}$$

趋近的目标矩阵中第 (n,n) 元素 ($\blacksquare$) 就是估计的特征值，而剩下 3 个特征值就是删掉最后一行和最后一列所得到的矩阵的特征值。接下来就要对删除最后一行和最后一列后所得到的矩阵进行计算。这种手法称为**降阶**。通过降阶可以有效地减少运算量。对降阶后留下的 3×3 矩阵，再次估计出某特征值 $\hat{\lambda}$，用相同的方法继续计算。

$$\begin{pmatrix} * & * & * & - \\ * & * & * & - \\ 0 & \square & * & - \\ - & - & - & - \end{pmatrix}\to\begin{pmatrix} * & * & * & - \\ * & * & * & - \\ 0 & 0 & \blacksquare & - \\ - & - & - & - \end{pmatrix}$$

按照以上步骤进行迭代，最终求得所有特征值。

5.4.6 对称矩阵的情况

到目前为止，我们介绍了如何用 QR 方法计算一般的非对称矩阵的特征值。本节中我们来看看将同样的算法应用在对称矩阵上会发生什么。

我们知道，对称矩阵在正交矩阵的相似变换之下，依然是对称矩阵[②]。无论是 Householder 变换还是 QR 迭代，本质上都是利用正交矩阵进行相似变换，所以对称矩阵在计算过程中始

---

① 不明白的读者请复习幂法一节中“求所有特征值”的相关内容。

② 当 A 是对称矩阵 ($A^T=A$)，U 是正交矩阵 ($U^T=U^{-1}$) 时，利用 U 对 A 进行相似变换，得 $U^{-1}AU=U^TAU$。对上式进行转置，可得 $(U^TAU)^T=U^TA^TU=U^TAU$，结果不变，所以是对称矩阵。

终是对称矩阵。首先，对一般的对称矩阵使用 Householder 变换，可以得到对称的 Hessenberg 矩阵，也就是三对角矩阵。所谓**三对角矩阵**，就是具有如下形式的矩阵，非零元素全部位于主对角线，以及比主对角线低一行的对角线和比主对角线高一行的对角线上。

$$\begin{pmatrix} * & * & 0 & \cdots & 0 \\ * & * & * & \ddots & \vdots \\ 0 & * & * & \ddots & 0 \\ \vdots & \ddots & \ddots & \ddots & * \\ 0 & \cdots & 0 & * & * \end{pmatrix}$$

对三对角矩阵进行 QR 迭代，结果会趋近于对称的上三角矩阵，也就是对角矩阵。最后结果中的对角元素也就是要求的特征值。

例如，规模为 $1,000 \times 1,000$ 的对称矩阵，原矩阵具有 100 万个元素①，但是经过 Householder 变换后，三对角矩阵中实际上便只剩下 1,999 个了。在接下来的 QR 迭代中，运算量自然也就减少很多了。

最后，我们把非对称矩阵、对称矩阵的 QR 迭代的基本流程总结一下，如下所示。

$$\text{非对称矩阵} \xrightarrow{\text{Householder 变换}} \text{Hessenberg 矩阵} \xrightarrow{\text{QR 迭代}} \text{上三角矩阵}$$

$$\text{对称矩阵} \xrightarrow{\text{Householder 变换}} \text{三对角矩阵} \xrightarrow{\text{QR 迭代}} \text{对角矩阵}$$

5.5 反幂法

反幂法和本章之前介绍的众多算法有所不同，其主要目的是改善通过其他方法求出的特征值和特征向量的精度。同样，反幂法可以同时适用于对称矩阵和非对称矩阵。

对于矩阵 A 的某个特征值 λ_k，假设现在我们得到一个精度不尽如人意的近似值 $\hat{\lambda}_k$②。这时，考虑矩阵

$$A - \hat{\lambda}_k I$$

它具有 $\lambda_k - \hat{\lambda}_k$ 这样一个非常接近 0 的特征值。回想一下用幂法求绝对值最小的特征值的算法，上面的矩阵的逆矩阵

$$(A - \hat{\lambda}_k I)^{-1}$$

一定有 $\frac{1}{\lambda_k - \hat{\lambda}_k}$ 这样一个绝对值非常大的特征值。此外，该特征值对应的特征向量与矩阵 $A - \hat{\lambda}_k I$ 的特征值 $\lambda_k - \hat{\lambda}_k$ 对应的特征向量相同，与矩阵 A 的特征值 λ_k 对应的特征向量也相同。

---

① 因为对称性，实际上只有 50 万零 500 个。

② 例如，在使用 Jacobi 方法时，迭代次数不够就返回了结果。

因此，对 $A - \hat{\lambda}_k I$ 使用幂法中求绝对值最小的特征值的策略，得到 A 的特征值 λ_k 对应的特征向量，从而由此得出比 $\hat{\lambda}_k$ 精度更高的 λ_k 的值。这种手法称为**反幂法**（又称为 **反迭代法**）①。

① 本章中所讲的“反幂法”，通常称为“带有原点位移的反幂法”，而幂法一节中讲的求绝对值最小的特征值的算法，在中文文献和教材中通常称为“反幂法”。正如本书中所述，广义的“反幂法”通常也不会用于直接求解特征值，但有时会用于求解特征向量，和提高已有的特征值的近似值的精度。—— 译者注

附录 A 希腊字母表

小写	大写	汉字注音	小写	大写	汉字注音
α	A	阿尔法	ν	N	拗
β	B	贝塔	ξ	Ξ	可西
γ	Γ	伽玛	o	O	欧米可荣
δ	Δ	得尔塔	π	Π	派
$\epsilon(\varepsilon)$	E	埃普西龙	ρ	P	柔
ζ	Z	泽塔	σ	Σ	西格玛
η	H	伊塔	τ	T	套
$\theta(\vartheta)$	Θ	西塔	υ	Υ	宇普西龙
ι	I	埃欧塔	$\phi(\varphi)$	Φ	弗爱
κ	K	堪帕	χ	X	凯
λ	Λ	兰姆达	ψ	Ψ	普赛
μ	M	谬	ω	Ω	欧米伽

附录 B

复数

在实数（参考 **?**1.2）的基础上引入**虚数单位** i（$\mathrm{i}^2=-1$），进而对数的概念进行推广，这样就有了**复数**。具体来讲，用实数 x,y 表示复数 z，就是下面这样。

$$z = x + yi$$

其中 x 称为 z 的**实部**（real part），y 称为 z 的**虚部**（imaginary part），并分别用下列记号表示。

$$\mathrm{Re}\, z = x$$
$$\mathrm{Im}\, z = y$$

复数 $z=x+y\mathrm{i}, z'=x'+y'\mathrm{i}$（$x,y,x',y'$ 为实数）之间的和、差分别定义如下。

$$z+z' = (x+x') + (y+y')\mathrm{i}$$
$$z-z' = (x-x') + (y-y')\mathrm{i}$$

积的定义为

$$zz' = (xx'-yy') + (xy'+yx')\mathrm{i}$$

其实，通过计算就可以验证积的定义，如下所示。

$$\begin{aligned}
zz' &= (x+y\mathrm{i})(x'+y'\mathrm{i}) \\
&= xx' + x(y'\mathrm{i}) + (y\mathrm{i})x' + (y\mathrm{i})(y'\mathrm{i}) \\
&= xx' + xy'\mathrm{i} + yx'\mathrm{i} + yy'\mathrm{i}^2 \\
&= xx' + xy'\mathrm{i} + yx'\mathrm{i} - yy' \\
&= (xx'-yy') + (xy'+yx')\mathrm{i}
\end{aligned}$$

我们知道实数可以用数轴上的点来表示，同样，复数可以用**复平面**上的点来表示，如图 B.1 所示。图中的横轴和纵轴分别称为**实轴**和**虚轴**。

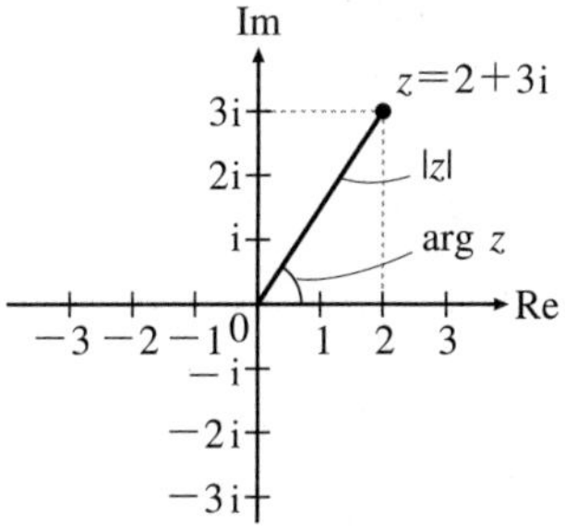

图 B.1　复平面

在这种表示方法下，我们把到原点 0 的距离定义为复数 z 的绝对值，记为 $|z|$。

$$|x+y\mathrm{i}| = \sqrt{x^2+y^2} \qquad x, y \text{ 为实数}$$

把与实轴之间的夹角定义为 z 的辐角 (argument)，记为 $\arg z$①。

从复平面上来看，复数的积表示为如下形式 (图 B.2)。

$$|zz'| = |z||z'|$$

$$\arg\,(zz') = \arg z + \arg z'$$

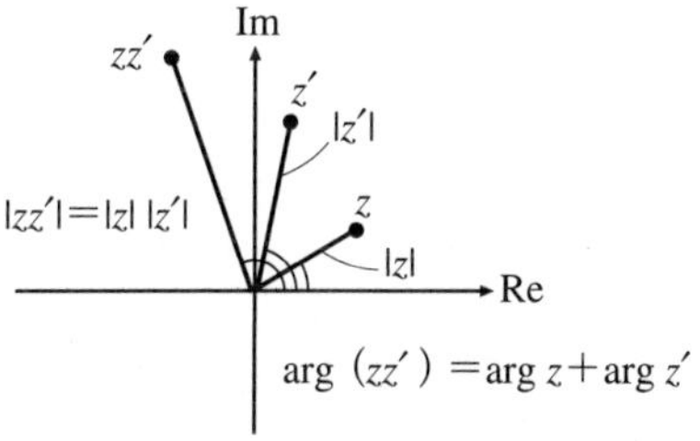

图 B.2　复数的积的绝对值和辐角

乘方为以下形式 $(n = 1, 2, \cdots)$。

$$|z^n| = |z|^n$$

$$\arg\,(z^n) = n\arg z$$

① 也就是从实轴的正方向开始逆时针旋转的角度，以**弧度**为单位 (2π 弧度 $=360$ 度)。对于“-90 度和 270 度表示的辐角相同”这样的多值性问题，我们这里不深究。

特别是当 $n\to\infty$ 时，有

$$|z^n|\to\begin{cases}0 & (|z|<1)\\ 1 & (|z|=1)\\ \infty & (|z|>1)\end{cases}$$

另外，指数函数的定义如下。对实数 x,y，有

$$\mathrm{e}^{x+\mathrm{i}y}=\mathrm{e}^x(\cos y+\mathrm{i}\sin y)$$

其中，

$$|\mathrm{e}^{x+\mathrm{i}y}|=\mathrm{e}^x$$
$$\arg(\mathrm{e}^{x+\mathrm{i}y})=y$$

特别是当实数 $t\to\infty$ 时，有

$$|\mathrm{e}^{zt}|=|\mathrm{e}^z|^t\to\begin{cases}0 & (\mathrm{Re}\,z<0)\\ 1 & (\mathrm{Re}\,z=0)\\ \infty & (\mathrm{Re}\,z>0)\end{cases}$$

? B.1 为何 $\mathrm{e}^{x+\mathrm{i}y}=\mathrm{e}^x(\cos y+\mathrm{i}\sin y)$?

这是在实数轴上定义的函数 $f(x)=\mathrm{e}^x$ 在复平面上的“自然”推广。具体请参考分析学教材中“泰勒展开”“解析延拓”的相关内容。下面我们来看看到底是怎样“自然推广”的。

设 t 为实数，考虑如下微分方程。

$$\frac{\mathrm{d}}{\mathrm{d}t}w(t)=\mathrm{i}w(t),\qquad w(0)=1 \tag{B.1}$$

如果当 $a=\mathrm{i}$ 时，我们也承认指数函数的性质 $\mathrm{d}\mathrm{e}^{at}/\mathrm{d}t=a\mathrm{e}^{at}$ 成立的话，那么马上就可以验证 $w(t)=\mathrm{e}^{\mathrm{i}t}$ 是 (B.1) 的解。

另外，如果我们考虑函数 $w(t)=\cos t+\mathrm{i}\sin t$，可以发现这也是方程的解。实际上，对于下面的问题，

$$w(0)=\cos 0+\mathrm{i}\sin 0=1+\mathrm{i}\cdot 0=1$$
$$\frac{\mathrm{d}}{\mathrm{d}t}w(t)=-\sin t+\mathrm{i}\cos t=\mathrm{i}w(t)$$

如果承认它只有唯一解的话，可以得到 $\mathrm{e}^{\mathrm{i}t}=\cos t+\mathrm{i}\sin t$。再进一步讲，对于实数 x,y，如果承认指数函数的性质 $\mathrm{e}^{a+b}=\mathrm{e}^a\mathrm{e}^b$ 在 $a=x,\ b=\mathrm{i}y$ 时同样成立的话，很容易推出

$e^{x+iy}=e^xe^{iy}=e^x(\cos y+i\sin y)$。虽然我们这番解释显得漏洞百出，但大家应该认同“自然”的说法了吧。

最后，如果定义 $z=x+yi$ 的**复共轭**为 $\bar{z}=x-yi$，则对于复数 z,w，计算可知下面的性质是成立的。

$$\overline{z+w}=\bar{z}+\overline{w}$$

$$\overline{zw}=\overline{z}\,\overline{w}$$

$$z\overline{z}=|z|^2$$

附录 C

关于基底的补充说明

这里列举一些关于基底的引理①，在从数学上进行有关基底的严密讨论时，我们需要这些引理。另外，本书中我们讨论的对象全部是有限维的（参考 ?1.13）。

Lemma C.1 虽然基底的选取方式有很多种，但无论选择任何取法，基向量的个数都相同。

虽然从直观上来看这是理所当然的，但数学强调“不依赖直观，从定义出发”，因此我们除了给出证明还能怎么办呢！虽说要证明，但如果只使用第 1 章中的知识的话，还是相当麻烦的。

Proof: 用反证法② 证明。这里我们假设 $(\vec{e}_1, \cdots, \vec{e}_n)$ 是一组基底，$(\vec{e}_1{}', \cdots, \vec{e}_{n'}{}')$ 也是一组基底。如果设 $n < n'$，那么就像下面的故事中的情节一样，会发生矛盾。下面我们就来讲述这个小的“无撇队”被大的“有撇队”一张张“洗牌”的故事。

首先，因为“无撇队”$(\vec{e}_1, \cdots, \vec{e}_n)$ 构成一组基底，所以向量 $\vec{e}_1{}'$ 一定可以写成它们的线性组合的形式（$a_1, \cdots, a_n$ 是数）。

$$\vec{e}_1{}' = a_1\vec{e}_1 + a_2\vec{e}_2 + \cdots + a_n\vec{e}_n \tag{C.1}$$

这样一来，我们可以得到如下关系（系数取 $b_1 = 1/a_1, b_2 = -a_2/a_1, \cdots, b_n = -a_n/a_1$ 即

---

① 所谓**引理**（Lemma），是指为了证明某些结论而需要的起到补充、引导作用的命题。用计算机程序来打比方的话，就相当于把又长又乱的可读性不佳的函数，封装成若干个子函数来处理，从而使得结构性更强、更易读。另外，在 Lemma 的证明（Proof）的末尾出现的 ■，表示“证明完毕”的意思。

② 反证法是数学证明中经常会用到的一种手法。首先假设原命题不成立，看看会发生什么。在这样的假设下，如果经过若干推论得到了矛盾，那么就说明一开始的假设是错误的，也就是说原命题是必然成立的。

可）[①]。

$$\vec{e}_1 = b_1\vec{e}_1' + b_2\vec{e}_2 + \cdots + b_n\vec{e}_n \tag{C.2}$$

这时，我们要果断采取“转会挖人”行动了，放出 $\vec{e}_1$，迎接 $\vec{e}_1'$ 的到来。那么转会完毕后，新的队伍 $(\vec{e}_1', \vec{e}_2, \cdots, \vec{e}_n)$ 同样构成基底[②]。

既然新队伍 $(\vec{e}_1', \vec{e}_2, \cdots, \vec{e}_n)$ 也构成基底，那么向量 $\vec{e}_2'$ 就可以写成如下形式。

$$\vec{e}_2' = d_1\vec{e}_1' + d_2\vec{e}_2 + d_3\vec{e}_3 + \cdots + d_n\vec{e}_n$$

反之，我们也可以写成如下形式[③]。

$$\vec{e}_2 = f_1\vec{e}_1' + f_2\vec{e}_2' + f_3\vec{e}_3 + \cdots + f_n\vec{e}_n$$

这时，再次果断进行“转会挖人”行动，放出 $\vec{e}_2$，迎接 $\vec{e}_2'$。这样我们的新队伍 $(\vec{e}_1', \vec{e}_2', \vec{e}_3, \cdots, \vec{e}_n)$ 又构成了一组基底。理由和前面一样。

接下来，继续进行这样的“挖人”行动，而且每一步得到的新队伍都构成一组基底，最终我们会发现所有的原队员都被赶跑了，取而代之的队伍是 $(\vec{e}_1', \cdots, \vec{e}_n')$。另外我们发现，后面还有排队等着入会的人，也就是 $\vec{e}_{n+1}', \cdots, \vec{e}_{n'}'$。这些人将何去何从呢? 因为完全被“洗牌”之后的队伍也构成基底，所以向量 $\vec{e}_{n+1}'$ 可以写成如下形式。

$$\vec{e}_{n+1}' = \Box\vec{e}_1' + \cdots + \Box\vec{e}_n' \tag{C.3}$$

这时，就算没有 $\vec{e}_{n+1}'$，通过 $\vec{e}_1', \cdots, \vec{e}_n'$ 的大力合作，任务也可以顺利完成。剩下还在排队的 $\vec{e}_{n+2}', \cdots, \vec{e}_{n'}'$ 也是同样。也就是说，对于“有撇队”而言，最开始的 n 个人已经足够了。整支队伍中存在没用的队员这一情况，与 $(\vec{e}_1', \cdots, \vec{e}_{n'}')$ 构成基底这一前提矛盾。因此，在 $n < n'$

---

① 错误！ 当 $a_1 = 0$ 时怎么办呢? —— 这种情况下，我们只需要用 $\vec{e}_2$ 取代 $\vec{e}_1$ 提到前面，构造出 $\vec{e}_2 = \Box\vec{e}_1' + \Box\vec{e}_1 + \Box\vec{e}_3 + \cdots + \Box\vec{e}_n$ 的形式即可。专门指定下标实在太麻烦，况且如何选取对后文中的讨论也没有任何阻碍。那么，如果 a_2 也是 0 的话呢? 自然提出来的就是 $\vec{e}_3$ 了。要是 a_3 也是 0 的话呢 …… 以此类推。如果 a_1 到 a_n 全部都是 0 呢? 这时情况就变成了 $\vec{e}_1' = \vec{o}$，“有撇队” $(\vec{e}_1', \cdots, \vec{e}_{n'}')$ 就不能构成基底了，与我们的大前提矛盾。所以我们对此大可不必在意。

② 只需验证构成基底的两个条件即可。首先可以保证的是，无论什么向量 $\vec{x}$，都可以写成 $\vec{x} = \Box\vec{e}_1 + \Box\vec{e}_2 + \cdots + \Box\vec{e}_n$ 的形式。将上式代入 (C.2) 式，可得 $\vec{x} = \Box\vec{e}_1' + \Box\vec{e}_2 + \cdots + \Box\vec{e}_n$。所以，“每一块土地都可以赋予一个地址”这一点是 OK 的。关于“一个土地只能有一个地址”这一点，我们下面用反证法来说明。现在我们假设 $c_1\vec{e}_1' + c_2\vec{e}_2 + \cdots + c_n\vec{e}_n = \vec{o}$，并且假定系数不满足 $c_1 = c_2 = \cdots = c_n = 0$ 的条件。这里不可能有 $c_1 = 0$，否则会与 $(\vec{e}_1, \cdots, \vec{e}_n)$ 构成基底这一大前提矛盾。于是我们可以得到 $\vec{e}_1' = \Box\vec{e}_2 + \cdots + \Box\vec{e}_n$ 的形式。“同一个土地” $\vec{e}_1'$ 居然出现了该式和 (C.1) 式两个不同的地址（$\vec{e}_1$ 前面的系数，一个是 0，另一个则是 $a_1 \neq 0$）。综上，推出来的结论与 $(\vec{e}_1, \cdots, \vec{e}_n)$ 是基底这一前提相悖。因此，最后的结论就是 $c_1 = c_2 = \cdots = c_n = 0$。这也就意味着“一个土地只能有一个地址”，和正文中的表述一致。

③ 错误！ 理由和前面的情况一样。当 $d_2 = 0$ 时，用 $\vec{e}_3$ 代替 $\vec{e}_2$ 提到前面。如果 d_3 也是 0，则提出 $\vec{e}_4$。如果 d_2 到 d_n 全部都是 0，则有 $\vec{e}_2' = d_1\vec{e}_1'$，这与“有撇队” $(\vec{e}_1', \cdots, \vec{e}_{n'}')$ 构成基底的前提条件相悖。

的假设下，会推出矛盾。对于 $n > n'$ 的情况，只要把两支队伍的角色调换一下即可。综上所述，$n = n'$ 必然成立。 ■

Lemma C.2 对给定的线性无关的向量 $\vec{u}_1, \cdots, \vec{u}_m$ 进行扩张，可以得出一组基底。也就是说，通过适当添加相应个数的向量 $\vec{v}_1, \cdots, \vec{v}_k$，$(\vec{u}_1, \cdots, \vec{u}_m, \vec{v}_1, \cdots, \vec{v}_k)$ 可以构成基底①。

Proof: 故事发展到了"增强队伍力量"的剧情。最初的队伍中包含 $(\vec{u}_1, \cdots, \vec{u}_m)$ 这些成员，但是仅仅这些成员还不足以"称霸"世界，于是我们就来招兵买马，补充队伍。这里我们准备了一组基底 $(\vec{e}_1, \cdots, \vec{e}_n)$ 作为候选人。那么接下来就依次对候选人进行选拔考核吧。第一步，看看 $\vec{e}_1$ 能否胜任。如果人数增加后的队伍 $\vec{u}_1, \cdots, \vec{u}_m, \vec{e}_1$ 线性无关的话，则 $\vec{e}_1$ 通过考核，可以加入队伍；反之，如果线性相关，则 $\vec{e}_1$ 无法通过考核，不能加入，理由是"即使你来了，我们队的综合能力也不会有任何提升，所以不来也罢"。第二步，在现有队伍的基础上加入 $\vec{e}_2$ 看看。如果增加后线性无关，则 $\vec{e}_2$ 通过考核加入队伍；反之，如果线性相关，则不加入。接下来以此类推，一直到考察完 $\vec{e}_n$ 为止，补充队伍的行动到此结束。经过这样一番行动之后，补充后的队伍实际上已经构成基底了。因此，考核合格的诸君就是我们要的答案 $\vec{v}_1, \cdots, \vec{v}_k$。

为何补充之后的队伍一定能构成基底呢？在基底的条件②中，线性无关性可以由选拔考核过程来保证，然后只需要验证是否"任意向量 $\vec{x}$ 都可以用其线性组合来表示"即可。

作为证明的准备工作，我们先来证明候选人 $\vec{e}_1, \cdots, \vec{e}_n$ 都可以用补充后的队伍的线性组合来表示。让我们回顾一下选拔考核过程中的第 i 步。若 $\vec{e}_i$ 通过考核，则 $\vec{e}_i$ 就会加入队伍。此外，若 $\vec{e}_i$ 未通过考核，则当时的队伍（记为 $\vec{w}_1, \cdots, \vec{w}_p$）可以通过线性组合的形式来表示 $\vec{e}_i$。原因在于，所谓未通过考核，也就是说 $\vec{w}_1, \cdots, \vec{w}_p, \vec{e}_i$ 线性相关。于是，通过选取合适的数 $c_1, \cdots, c_p, d$（其中至少有一个不是 0），可以使得下式成立。

$$c_1\vec{w}_1 + \cdots + c_p\vec{w}_p + d\vec{e}_i = \vec{o}$$

对上式加以变形，可得

$$\vec{e}_i = (-c_1/d)\vec{w}_1 + \cdots + (-c_p/d)\vec{w}_p$$

也就是说，$\vec{e}_i$ 用 $\vec{w}_1, \cdots, \vec{w}_p$ 的线性组合的形式表示了出来③。"只要我们齐心合力下，你能做的事情我们也可以做到！"于是，$\vec{e}_i$ 只落得一句"要你何用？"自然落选。由于我们设定了这样的选拔考核过程，因此就保证了所有候选人 $\vec{e}_1, \cdots, \vec{e}_n$ 都可以用补充后的队伍中的成员的线性组合来表示。

---

① $(\vec{u}_1, \cdots, \vec{u}_m)$ 本身就可以构成基底时，我们认为需要添加的向量个数为 0 个。

② 参考 1.1.4 节和 2.3.4 节。

③ 不可能有 $d = 0$。若 $d = 0$，则 $c_1\vec{w}_1 + \cdots + c_p\vec{w}_p = \vec{o}$，原有的 $\vec{w}_1, \cdots, \vec{w}_p$ 也就线性相关了。而选拔考核得到的队伍一定会保持线性无关性，所以这种情况不可能发生。

另外，诸位候选人本身也构成了一组基底，于是任意的向量 $\vec{x}$ 都可以写成 $\vec{e}_1, \cdots, \vec{e}_n$ 的线性组合。并且，诸位候选人也可以用补充后的队伍 $\vec{u}_1, \cdots, \vec{u}_m, \vec{v}_1, \cdots, \vec{v}_k$ 的线性组合来表示。综合以上两点，我们可以知道任意向量 $\vec{x}$ 都可以用补充后的队伍的线性组合来表示。以防万一，我们还是具体写一下吧。令

$$\vec{x} = a_1\vec{e}_1 + \cdots + a_n\vec{e}_n$$

以及

$$\begin{aligned} \vec{e}_1 &= b_{11}\vec{u}_1 + \cdots + b_{1m}\vec{u}_m + b'_{11}\vec{v}_1 + \cdots + b'_{1k}\vec{v}_k \\ &\vdots \\ \vec{e}_n &= b_{n1}\vec{u}_1 + \cdots + b_{nm}\vec{u}_m + b'_{n1}\vec{v}_1 + \cdots + b'_{nk}\vec{v}_k \end{aligned}$$

将后者代入前者的式子中，整理得

$$\begin{aligned} \vec{x} &= c_1\vec{u}_1 + \cdots + c_m\vec{u}_m + c'_1\vec{v}_1 + \cdots + c'_k\vec{v}_k \\ c_i &= a_1 b_{1i} + \cdots + a_n b_{ni} \qquad (i = 1, \cdots, m) \\ c'_j &= a_1 b'_{1j} + \cdots + a_n b'_{nj} \qquad (j = 1, \cdots, k) \end{aligned}$$

因此，$\vec{x}$ 确确实实表示成了补充后的队伍 $\vec{u}_1, \cdots, \vec{u}_m, \vec{v}_1, \cdots, \vec{v}_k$ 的线性组合的形式。 ■

Lemma C.3　如果一组线性无关的向量的个数等于维数 n，则它们构成一组基底。

Proof: 利用前面的 Lemma，证明很简单。由线性无关性可知，在此基础上增加若干向量可以构成基底。我们又知道无论任何基底，基向量的个数都一定是 n。也就是说，需要增加的向量数量为 0。在不做任何增加的情况下，这组向量本身已经构成一组基底。 ■

Lemma C.4　若在某空间中，最多只能取得 n 个线性无关的向量，则该空间为 n 维空间。

Proof: 在已经取出 n 个线性无关的向量的基础上，如果再增加若干个向量，则可以构成一组基底。这里，因为基底一定是线性无关的，由前提可知基底的向量总数充其量[①] 为 n 个。也就是说，增加的向量数量为 0。即原本的 n 个向量就是一组基向量了，于是我们可以得到维数（= 基向量的个数）为 n 这一结论。 ■

Lemma C.5　设 V 为线性空间，W 为 V 的线性子空间（参考 **?**2.15)。若 V 和 W 的维数相等，则 $V = W$。

Proof: 设 V 和 W 的维数都是 n。根据维数的定义，一定可以取得 W 的一组基底，记为

① 用式子表示就是 $\leqslant n$。和"n 以下"表达的是同样的意思。但是数学上更喜欢使用"充其量""最多"等表达，这种表达方式更加强调了"无论如何都不会超过该数值"这层意思。

$(\vec{e}_1, \cdots, \vec{e}_n)$。既然是基底，则 $\vec{e}_1, \cdots, \vec{e}_n$ 线性无关。这样一来，根据 Lemma C.3，$(\vec{e}_1, \cdots, \vec{e}_n)$ 也是 V 的基底。换句话说，V 中的任何成员都可以写成 $\vec{e}_1, \cdots, \vec{e}_n$ 的线性组合的形式。这里，由于 $\vec{e}_1, \cdots, \vec{e}_n$ 属于 W，因此它们的线性组合 $\vec{x}$ 也属于 W（参考线性子空间的定义）。这样一来，我们就可以保证 V 的所有成员同时也都是 W 的成员。 ■

另外，在本书中，比起"有向线段 $\vec{u}_i$"，我们更经常使用"坐标 $\boldsymbol{u}_i$"这种表述。两者在内容上是一致的，请读者不要担心[①]。"$(\boldsymbol{u}_1, \cdots, \boldsymbol{u}_n)$ 是一组基底"实际上是"在用坐标 $\boldsymbol{u}_i$ 表示有向线段 $\vec{u}_i$ 时，$(\vec{u}_1, \cdots, \vec{u}_n)$ 为一组基底"的省略（图 C.1）。

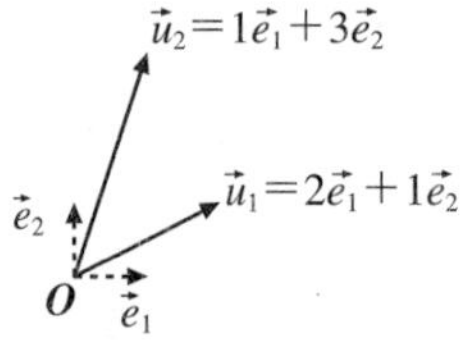

图 C.1 "坐标构成基底"的意思是? —— 当用坐标形式表达向量时，如 $\boldsymbol{u}_1 = (2,1)^T$，$\boldsymbol{u}_2 = (1,3)^T$，我们会把默认的基底（设为 $(\vec{e}_1, \vec{e}_2)$）省略掉，所以这里作为实体的有向线段实际上是 $\vec{u}_1 \equiv 2\vec{e}_1 + 1\vec{e}_2$，$\vec{u}_2 \equiv 1\vec{e}_1 + 3\vec{e}_2$。所谓"$(\boldsymbol{u}_1, \boldsymbol{u}_2)$ 构成一组基底"，意思就是 $(\vec{u}_1, \vec{u}_2)$ 构成一组基底

好了，就算不一个一个去对应，我们也可以给出如下解释。

- 任何向量 $\boldsymbol{x}$ 都可以表示为 $\boldsymbol{u}_1, \cdots, \boldsymbol{u}_n$ 的线性组合[②]。也就是说，一定可以找到适当的数 $c_1, \cdots, c_n$，使得 $\boldsymbol{x} = c_1\boldsymbol{u}_1 + \cdots + c_n\boldsymbol{u}_n$ 成立
- 另外，上述表示方式是唯一的

① 有向线段和坐标是一一对应的，所以无论使用哪种表述都一样。参考 1.1.6 节以及 ❓1.11。
② 定义请参考 1.1.4 节。

附录 D

微分方程的解法

接下来，在本书所涉及的范围内，我们来讲解几种非常基本的微分方程的解法。

D.1 $\mathrm{d}x/\mathrm{d}t = f(x)$ 型

对于微分方程

$$\frac{\mathrm{d}}{\mathrm{d}t}x(t) = -7x(t)$$

可以按照如下方法求解①。根据公式 $\frac{\mathrm{d}x}{\mathrm{d}t} = 1/\frac{\mathrm{d}t}{\mathrm{d}x}$，有

$$\frac{\mathrm{d}t}{\mathrm{d}x} = -\frac{1}{7x}$$

两边对 x 进行积分，得②

$$t = -\int \frac{1}{7x}\mathrm{d}x$$

把右边的积分求出来。得到

$$t = -\frac{1}{7}\log|7x| + C \qquad (C\ 是积分常数)$$

整理可得

$$\log|7x| = -7(t - C)$$

两边同时取指数函数，得

$$|7x| = \mathrm{e}^{-7(t-C)}$$

---

① 暂时先不要担心 $x = 0$ 时的情况。

② 微分和积分互为逆运算。t 对 x 微分再积分，会再次回到 t。准确地说，左边应该是 $t + C'$（C' 是积分常数），但右边最终也会出来一个积分常数 C''，所以这里就省略了。因为 $t + C' = \cdots + C''$（C', C'' 是积分常数）和 $t = \cdots + C$（C 是积分常数）是一回事（令 $C = C'' - C'$）。

即

$$|x| = \frac{1}{7}\mathrm{e}^{7C}\mathrm{e}^{-7t}$$

令系数 $D \equiv \frac{1}{7}\mathrm{e}^{7C}$，我们可以把方程的解整理成如下形式。

$$|x| = D\mathrm{e}^{-7t} \qquad D \text{ 为任意正常数}$$

因为 C 可以是任意常数，所以 D 是任意正常数。这样我们就求出了 $|x(t)|$。

特别是当 $t=0$ 时，有 $|x(0)| = D$，代入上面的解，可得

$$|x(t)| = |x(0)|\mathrm{e}^{-7t}$$

而这实际上等价于

$$x(t) = x(0)\mathrm{e}^{-7t}$$

因为 $x(t)$ 应该是关于 t 的连续函数，所以以下性质成立①。

- 若 $x(0) > 0$，则 $x(t) > 0$
- 若 $x(0) < 0$，则 $x(t) < 0$

这样，我们就求得了方程的解 $x(t) = x(0)\mathrm{e}^{-7t}$。

D.2 $\mathrm{d}x/\mathrm{d}t = ax + g(t)$ 型

对于微分方程

$$\frac{\mathrm{d}}{\mathrm{d}t}x(t) = -7x(t) + \mathrm{e}^{-7t} \tag{D.1}$$

可以通过下面三个步骤进行求解。

第一步，在原方程中删去不含 $x(t)$ 的项 e^{-7t}，得到对应的齐次微分方程

$$\frac{\mathrm{d}}{\mathrm{d}t}\tilde{\boldsymbol{x}}(t) = -7\tilde{\boldsymbol{x}}(t)$$

并求出其所有解（通解）。运用前面讲过的方法，求出通解为

$$\tilde{\boldsymbol{x}}(t) = \tilde{D}\mathrm{e}^{-7t} \qquad \tilde{D} = \tilde{x}(0) \text{ 为任意常数}$$

第二步，通过某种方法求出原方程的某个解（特解）。特解的求法没有一个统一的答案。就我们这里的例子来说，可以使用名为**常数变易法**的技巧。即

- 在齐次方程的通解的基础上，将常系数变为 t 的函数，考虑 $x(t) = D(t)\mathrm{e}^{-7t}$ 这种形式的式子

① 当 $x(0) = 0$ 时，有 $x(t) = 0$，也没有问题。

- 以此作为解的候选，求出使得原方程成立的合适的函数 $D(\cdot)$

运用上面的方法，把 $x(t) = D(t)e^{-7t}$ 代入微分方程 (D.1) 式，可得

$$\left(\frac{d}{dt}D(t)\right)e^{-7t} - 7D(t)e^{-7t} = -7D(t)e^{-7t} + e^{-7t}$$

整理可得

$$\frac{d}{dt}D(t) = 1$$

因此，令 $D(t) = t$ 即可。这样，我们就得到了方程的一个特解 $x(t) = te^{-7t}$。

第三步，根据"(特解) + (齐次微分方程的通解)"，求出原方程 (D.1) 式的通解。本例中，方程的通解为

$$x(t) = te^{-7t} + \tilde{D}e^{-7t} \qquad \tilde{D}\text{ 为任意常数}$$

特别地，将 $t = 0$ 代入，可得 $x(0) = \tilde{D}$，所以

$$x(t) = te^{-7t} + x(0)e^{-7t}$$

即为方程的解。

? D.1 "(特解) + (齐次方程的通解)"这个方法在线性方程组中也用过，它们之间有关系吗?

有关系。现在讨论的微分方程，可以视为线性方程组的无限维版本。请读者与 2.5.1 节的内容结合起来理解。这也可以作为 ? 1.4 中所说的

> 就算是第一眼看起来不像向量的东西，只要能确定满足以上性质，就可以对其套用关于向量的所有已知定理

的一个很好的例子[①]把通过函数 $x(t)$ 构造出来的新函数

$$w(t) \equiv \frac{d}{dt}x(t) + 7x(t)$$

记作 $w = \mathcal{A}[x]$。这里的 $\mathcal{A}$ 是"吃进去函数吐出来还是函数"的算子[②]。用 $\mathcal{A}$ 来改写原微分方程 (D.1) 式，可得

$$\mathcal{A}[x] = y \qquad (\text{令 } y(t) = e^{-7t})$$

---

① 虽然严格来讲这也不算错，但是这种说法很容易造成误解。这里要说的是，本书中绝大部分内容讨论的都是有限维的情况。另外请参考后文中的"忠告"。

② 吃进去函数吐出来数的东西称为**泛函**，而吃进去函数吐出来函数的东西称为**算子**（严格进行定义的话，还需要其他一些附加条件。

这里能隐约看到线性方程组 $A\boldsymbol{x}=\boldsymbol{y}$ 的影子了。实际上，这种直观上的相似性是存在依据的。

首先，关于函数 $x(t)$ 和向量 $\boldsymbol{x}$ 之间的对应关系。对于函数 $x(t)$, $\tilde{x}(t)$ 和数 c，如果考虑加法 $x(t)+\tilde{x}(t)$ 和数量乘法 $cx(t)$，我们会发现 ?1.4 之前列举出来的所有性质都可以得到满足。因此，"函数" $x(t)$ 完全可以解释为"向量"。

其次，关于算子 $\mathcal{A}$ 和矩阵 A 之间的对应关系。关键在于

$$\mathcal{A}[x+\tilde{x}]=\mathcal{A}[x]+\mathcal{A}[\tilde{x}] \tag{D.2}$$

$$\mathcal{A}[cx]=c\mathcal{A}[x] \tag{D.3}$$

上面两个等式分别等价于

$$\begin{aligned}&\frac{\mathrm{d}}{\mathrm{d}t}\{x(t)+\tilde{x}(t)\}+7\{x(t)+\tilde{x}(t)\}\\&=\left\{\frac{\mathrm{d}}{\mathrm{d}t}x(t)+7x(t)\right\}+\left\{\frac{\mathrm{d}}{\mathrm{d}t}\tilde{x}(t)+7\tilde{x}(t)\right\}\\&\frac{\mathrm{d}}{\mathrm{d}t}\{cx(t)\}+7\{cx(t)\}\\&=c\left\{\frac{\mathrm{d}}{\mathrm{d}t}x(t)+7x(t)\right\}\end{aligned}$$

所以这里我们可以把 $\mathcal{A}$ 视为线性映射，也就是说，这里的算子的作用，和"在向量上左乘矩阵"的作用具有相同的性质① (参考 ?1.15)

这样一来，微分方程 $\mathcal{A}[x]=y$ 便可以解释为线性方程组 $A\boldsymbol{x}=\boldsymbol{y}$ 的无限维版本了②。从这个角度考虑，也就可以理解为什么会出现"(特解) + (齐次方程的通解)"了吧。

有些读者可能无论如何也不能理解为什么可以把函数当成向量来对待，那么，下面这种解释感觉如何? 函数可以通过下图中左边的图像来表示。另一方面，向量也可以像右图那样，通过描点来表示。除了横轴一个是连续的一个是离散的，能感觉出两者在其他方面都一样吧? 泛泛地讲，"函数"可以视为拥有无穷多个分量的"向量"。在这种观点之下，把函数视为无限维的向量，从抽象的角度去考虑微分、积分等运算，就是称为**泛函分析**的学科。除了微分方程以外，在傅立叶变换、小波变换、量子力学等应用中，泛函分析都是强有力的理论保证。我们再泛泛地讲，傅立叶变换、小波变换等可以看作是坐标变换的无限维版本，而量子力学则是特征值问题的无限维版本。

① "相同的"这种说法其实并不确切。具体请参考后文的"忠告"。

② 说"无限维"的原因在于，这里主要的研究对象 $\boldsymbol{x}$ 的生存空间 (**函数空间**) 在有限维内是不够的。例如，在考虑关于 $k=0,1,2,\cdots$ 的函数 $x_k(t)=\cos kt$ 时，无论从 $x_0,x_1,x_2,\cdots$ 中取出多少个，都满足"线性无关"的条件。那么，这时就不能再称之为有限维了。

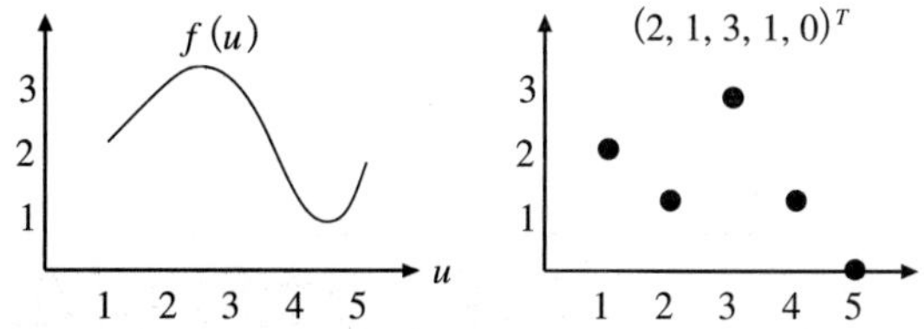

最后，给大家一点忠告。在 ?1.13 中我们也谈过，**无限维是可怕的**东西。虽然直观印象很重要，上述简单的对比考察也颇有益处，但是也请各位一定不要忘记“这也是在玩火！”所以在本书中，除非有特别说明，只要提到向量，全部都是指有限维的。

附录 E

内积、对称矩阵、正交矩阵

E.1 内积空间

单纯地讲线性空间，是没有长度和角度的概念的。为了实现这两个概念，需要引入另一套框架。

E.1.1 模长

直观起见，我们暂时只讨论实数的情况（实向量、实矩阵）。首先，让我们来想象一个"没有度量，只有方向"的世界（参考 1.1.3 节）。在这样一个没有长度和角度概念的世界里，要想比较两个方向不同的向量，我们没有行之有效的方法。在本节中，我们引入一套关于"模长"（长度）的理论。所谓"模长"，就是一个输入向量、输出实数的函数。向量 $\vec{x}$ 的模长记为 $\|\vec{x}\|$。

那么，对于这样一个函数，如果把所有性质一股脑都加上去，然后说"这就是模长"，似乎也没什么用。因为我们希望将现实中的概念进行某种程度上的抽象化，如果把和现实世界完全脱离的东西搬过来，则并没有什么好处。下面，让我们从现实世界中的"长度"概念中选出若干性质，然后对我们的"模长"概念提出要求 ——"必须满足这些性质"。首先，模长需要满足以下性质。

- $\|\vec{x}\| \geqslant 0$
- $\|\vec{x}\| = 0$ **iff**① $\vec{x} = \vec{o}$
- 对于数 c，有 $\|c\vec{x}\| = |c|\,\|\vec{x}\|$

---

① "if and only if" 的缩写。作为数学书中的通用记号，有时会不加说明直接使用。这里表示"若 $\vec{x} = \vec{o}$，则 $\|\vec{x}\| = 0$；反之，若想要 $\|\vec{x}\| = 0$，则只有使 $\vec{x} = \vec{o}$"。也就是说，两者等价。
中文中经常提到的"当且仅当"就是 iff。—— 译者注

在此基础上，我们再提出其他条件。

E.1.2　正交

长度的概念有了，下面就是角度。我们同样从最基本的“直角”开始考察。在现实世界中，对于直角三角形，有著名的**勾股定理（毕达哥拉斯定理）**。我们可以据此建立起长度和角度之间的联系。

不过，我们现在构筑的世界中，暂时还没有直角（正交）的概念。那么正好，我们反过来，认为当勾股定理成立时，就构成直角（正交）。当向量 $\vec{x}$, $\vec{y}$ 满足

$$\|\vec{x}+\vec{y}\|^2 = \|\vec{x}\|^2 + \|\vec{y}\|^2$$

时，称 $\vec{x}$ 和 $\vec{y}$ **正交**。此外，我们把以下性质从现实世界中提炼出来，作为我们构筑的世界的一部分。

- 延长或缩短后保持正交性。即若 $\vec{x}$ 与 $\vec{y}$ 正交，则对于任意数 c, $\vec{x}$ 与 $c\vec{y}$ 也正交
- 与 $\vec{x}$ 正交的若干个向量之和，也与 $\vec{x}$ 正交。即若 $\vec{x}$ 与 $\vec{y}$ 正交，且 $\vec{x}$ 与 $\vec{y}\,'$ 也正交，则 $\vec{x}$ 与 $(\vec{y}+\vec{y}\,')$ 同样正交
- 可以如图 E.1 所示做垂线。即对任意 $\vec{x}$ 和 $\vec{y}$，通过恰当地分解 $\vec{y}=\vec{u}+\vec{v}$，可以使得 $\vec{u}=a\vec{x}$，且 $\vec{v}$ 与 $\vec{x}$ 正交（a 是数）

好了，到此为止我们的要求就提完了。

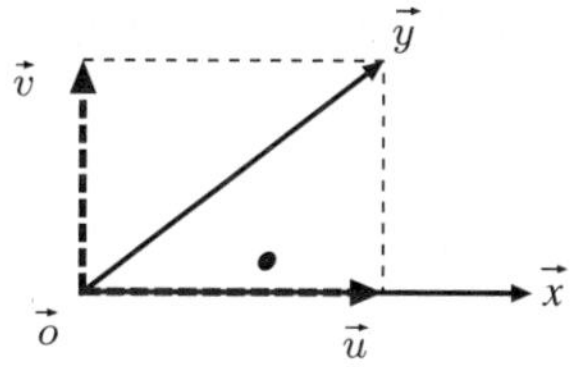

图 E.1　垂线

E.1.3　内积

我们已经知道当 $\vec{x}$ 与 $\vec{y}$ 正交时，有 $\|\vec{x}+\vec{y}\|^2 = \|\vec{x}\|^2 + \|\vec{y}\|^2$，而不正交时，两边不相等。这里，我们来研究一下当两边不等时会有多大差距，即考察下面的函数的值。

$$F(\vec{x},\vec{y}) = \|\vec{x}+\vec{y}\|^2 - \|\vec{x}\|^2 - \|\vec{y}\|^2$$

在正交的情况下，$F(\vec{x},\vec{y})=0$。此外，因为 $F(\vec{x},\vec{x}) = \|2\vec{x}\|^2 - \|\vec{x}\|^2 - \|\vec{x}\|^2 = 2\|\vec{x}\|^2$，所以可以通过 $\|\vec{x}\|^2 = F(\vec{x},\vec{x})/2$ 用 F 来表达向量的模长。

就这样直接使用上面的表达式当然也未尝不可，但是分母上的 2 总是有些碍眼。为了得到工整的表达，我们在最初的表达式上除以 2，用 $\frac{1}{2}(\|\vec{x}+\vec{y}\|^2-\|\vec{x}\|^2-\|\vec{y}\|^2)$ 作为 F 的定义。最后，因为这个量实在是太重要了，我们需要给它一个专门的记号 $\vec{x}\cdot\vec{y}$。令

$$\vec{x}\cdot\vec{y}\equiv\frac{1}{2}(\|\vec{x}+\vec{y}\|^2-\|\vec{x}\|^2-\|\vec{y}\|^2) \tag{E.1}$$

这样就可以得到 $\|\vec{x}\|^2=\vec{x}\cdot\vec{x}$ 这样一个漂亮的结论。这里的 $\vec{x}\cdot\vec{y}$ 称为 $\vec{x}$ 和 $\vec{y}$ 的**内积**。根据定义，可知

- 若 $\vec{x}\cdot\vec{y}=0$，则 $\vec{x}$ 和 $\vec{y}$ 正交
- 若 $\vec{x}\cdot\vec{y}\neq 0$，则 $\vec{x}$ 和 $\vec{y}$ 不正交

内积还有以下性质（$\vec{x},\vec{y},\vec{x}',\vec{y}'$ 为向量，c 为数）。

- $\vec{x}\cdot\vec{x}=\|\vec{x}\|^2\geqslant 0$ ($\vec{x}\cdot\vec{x}=0$ iff $\vec{x}=\vec{o}$)
- $\vec{x}\cdot\vec{y}=\vec{y}\cdot\vec{x}$ —— 对称性
- $\vec{x}\cdot(c\vec{y})=c(\vec{x}\cdot\vec{y})$，$\vec{x}\cdot(\vec{y}+\vec{y}')=\vec{x}\cdot\vec{y}+\vec{x}\cdot\vec{y}'$ ——（甲）

在最后一条的基础上，由对称性可以推出

- $(c\vec{x})\cdot\vec{y}=c(\vec{x}\cdot\vec{y})$，　$(\vec{x}+\vec{x}')\cdot\vec{y}=\vec{x}\cdot\vec{y}+\vec{x}'\cdot\vec{y}$ ——（乙）

将以上（甲）（乙）两条性质合并起来，称为**双线性性**。也就是说，关于 $\vec{x}$ 和关于 $\vec{y}$ 都是线性的。

? E.1 为什么会有双线性性呢？其他性质都是显然的，只有这个 ……

可以进行如下验证。“做垂线”，得到形如 $\vec{y}=\vec{u}+\vec{v}$、$\vec{u}=a\vec{x}$（a 是数）的分解，其中 $\vec{v}$ 与 $\vec{x}$ 正交（如图 E.1）。这样一来，有

$$\begin{aligned}\vec{x}\cdot\vec{y}&=\vec{x}\cdot(\vec{u}+\vec{v})=\vec{x}\cdot(a\vec{x}+\vec{v})\\&=\frac{1}{2}\left\{\|\vec{x}+a\vec{x}+\vec{v}\|^2-\|\vec{x}\|^2-\|a\vec{x}+\vec{v}\|^2\right\}\\&=\frac{1}{2}\left\{\|(1+a)\vec{x}+\vec{v}\|^2-\|\vec{x}\|^2-\|a\vec{x}+\vec{v}\|^2\right\}\\&=\frac{1}{2}\left\{\left((1+a)^2\|\vec{x}\|^2+\|\vec{v}\|^2\right)-\|\vec{x}\|^2-\left(a^2\|\vec{x}\|^2+\|\vec{v}\|^2\right)\right\}\\&=\frac{1}{2}\left\{\left((1+2a+a^2)\|\vec{x}\|^2-\|\vec{x}\|^2-a^2\|\vec{x}\|^2\right)+\left(\|\vec{v}\|^2-\|\vec{v}\|^2\right)\right\}=a\|\vec{x}\|^2\end{aligned}$$

同样计算 $\vec{x}\cdot(c\vec{y})$，可得 $\vec{x}\cdot(c\vec{y})=ca\|\vec{x}\|^2$，因此 $\vec{x}\cdot(c\vec{y})=c(\vec{x}\cdot\vec{y})$。接着，对 $\vec{y}'$ 用同样的方法做垂线，可以得到形如 $\vec{y}'=\vec{u}'+\vec{v}'$、$\vec{u}'=a'\vec{x}$（$a'$ 是数）的分解，其中 $\vec{v}'$ 与 $\vec{x}$

正交。经过计算可得 $\vec{x}\cdot\vec{y}'=a'\|\vec{x}\|^2$ 以及 $\vec{x}\cdot(\vec{y}+\vec{y}')=(a+a')\|\vec{x}\|^2$。综上，我们可知 $\vec{x}\cdot(\vec{y}+\vec{y}')=\vec{x}\cdot\vec{y}+\vec{x}\cdot\vec{y}'$。

将上面的内容加以总结，可以得到这样一个流程：在向量空间中引入“模长”的概念 → 由“模长”出发定义“内积”。反过来，通过内积，同样可以表达模长，所以模长和内积之间的关系就好比鸡生蛋和蛋生鸡的问题。无论从哪一方都可以进行讨论。在实际应用时一般内积会更好用，相比模长而言，内积也往往冲在前面。给定了内积[①]的线性空间称为**内积空间**，有时也称为**度量线性空间**或**度量向量空间**。

E.1.4　标准正交基

上面用有向线段的表达太久了，不知道大家会不会已经感到有点不安了。好了，下面我们就回到大家熟悉的坐标表达上。在指定某组基底的前提下，有向线段 $\vec{x}$ 和坐标 $\boldsymbol{x}$ 可以划上等号。

虽然在单纯讲线性空间时，我们可以不在乎基底的选择，因为无论基底如何选取都是等价的。然而一旦引入了内积，情况就不同了。这时，我们就可以区分出那些“与内积相吻合”的“好”的基底了。若基底 $(\vec{e}_1,\cdots,\vec{e}_n)$ 中的基向量满足

- 模长都是 1
- 互相正交

即

$$\vec{e}_i\cdot\vec{e}_j=\begin{cases}1 & (i=j)\\ 0 & (i\neq j)\end{cases}\qquad (i,j=1,\cdots,n)$$

则 $\boldsymbol{x}=(x_1,\cdots,x_n)^T$ 与 $\boldsymbol{y}=(y_1,\cdots,y_n)^T$ 的内积为

$$\boldsymbol{x}\cdot\boldsymbol{y}=x_1y_1+\cdots+x_ny_n=\boldsymbol{x}^T\boldsymbol{y} \tag{E.2}$$

上式就是对应分量乘积之和的漂亮表达。我们可以对 $n=2$ 的情况加以验证，如下所示。

$$\begin{aligned}&(x_1\vec{e}_1+x_2\vec{e}_2)\cdot(y_1\vec{e}_1+y_2\vec{e}_2)\\ &=(x_1\vec{e}_1)\cdot(y_1\vec{e}_1)+(x_1\vec{e}_1)\cdot(y_2\vec{e}_2)+(x_2\vec{e}_2)\cdot(y_1\vec{e}_1)+(x_2\vec{e}_2)\cdot(y_2\vec{e}_2)\\ &=x_1y_1(\vec{e}_1\cdot\vec{e}_1)+x_1y_2(\vec{e}_1\cdot\vec{e}_2)+x_2y_1(\vec{e}_2\cdot\vec{e}_1)+x_2y_2(\vec{e}_2\cdot\vec{e}_2)=x_1y_1+x_2y_2\end{aligned}$$

通过这一系列运算，最后结果中确实只剩下对应分量的乘积了。模长显然就等于

$$\|\boldsymbol{x}\|=\sqrt{\boldsymbol{x}\cdot\boldsymbol{x}}=\sqrt{x_1^2+\cdots+x_n^2} \tag{E.3}$$

① 严格说是在指定了某个“吃进去 2 个向量、吐出来数”的满足上述内积定义的函数时。

满足以上性质的“好”的基底，称为**标准正交基**。

? E.2 如果能取到标准正交基的话，确实会很方面。但是，一旦取不到怎么办呢?

一定可以找到一组标准正交基的。实际上，随便取一组什么基底，在此基础上通过 **Gram-Schmidt 正交化**，一定都可以得到标准正交基。请参考第 5 章“QR 分解”的内容。

? E.3 对于非标准正交基的基底，内积和模长满足什么样的表达式呢?

我们用 $n = 3$ 的情况给大家做一下展示。在基底 $(\vec{e}_1, \vec{e}_2, \vec{e}_3)$ 下，用坐标表示 $\vec{x} = x_1\vec{e}_1 + x_2\vec{e}_2 + x_3\vec{e}_3$ 和 $\vec{y} = y_1\vec{e}_1 + y_2\vec{e}_2 + y_3\vec{e}_3$，利用双线性性，可得

$$\begin{aligned}
\vec{x} \cdot \vec{y} &= (x_1\vec{e}_1 + x_2\vec{e}_2 + x_3\vec{e}_3) \cdot (y_1\vec{e}_1 + y_2\vec{e}_2 + y_3\vec{e}_3) \\
&= x_1y_1(\vec{e}_1 \cdot \vec{e}_1) + x_1y_2(\vec{e}_1 \cdot \vec{e}_2) + x_1y_3(\vec{e}_1 \cdot \vec{e}_3) \\
&\quad + x_2y_1(\vec{e}_2 \cdot \vec{e}_1) + x_2y_2(\vec{e}_2 \cdot \vec{e}_2) + x_2y_3(\vec{e}_2 \cdot \vec{e}_3) \\
&\quad + x_3y_1(\vec{e}_3 \cdot \vec{e}_1) + x_3y_2(\vec{e}_3 \cdot \vec{e}_2) + x_3y_3(\vec{e}_3 \cdot \vec{e}_3) \\
&= (x_1, x_2, x_3) \begin{pmatrix} \vec{e}_1 \cdot \vec{e}_1 & \vec{e}_1 \cdot \vec{e}_2 & \vec{e}_1 \cdot \vec{e}_3 \\ \vec{e}_2 \cdot \vec{e}_1 & \vec{e}_2 \cdot \vec{e}_2 & \vec{e}_2 \cdot \vec{e}_3 \\ \vec{e}_3 \cdot \vec{e}_1 & \vec{e}_3 \cdot \vec{e}_2 & \vec{e}_3 \cdot \vec{e}_3 \end{pmatrix} \begin{pmatrix} y_1 \\ y_2 \\ y_3 \end{pmatrix} \\
&= \boldsymbol{x}^T G \boldsymbol{y}
\end{aligned}$$

其中，

$$\boldsymbol{x} = \begin{pmatrix} x_1 \\ x_2 \\ x_3 \end{pmatrix}, \quad \boldsymbol{y} = \begin{pmatrix} y_1 \\ y_2 \\ y_3 \end{pmatrix}, \quad G = \begin{pmatrix} \vec{e}_1 \cdot \vec{e}_1 & \vec{e}_1 \cdot \vec{e}_2 & \vec{e}_1 \cdot \vec{e}_3 \\ \vec{e}_2 \cdot \vec{e}_1 & \vec{e}_2 \cdot \vec{e}_2 & \vec{e}_2 \cdot \vec{e}_3 \\ \vec{e}_3 \cdot \vec{e}_1 & \vec{e}_3 \cdot \vec{e}_2 & \vec{e}_3 \cdot \vec{e}_3 \end{pmatrix}$$

模长很显然就等于 $\|\boldsymbol{x}\| = \sqrt{\boldsymbol{x}^T G \boldsymbol{x}}$。

另外，这里的 G 如果根据所处地点而变化的话，那就是广义相对论的世界了。那样的世界是“弯曲”的，也就不再是线性空间了。

在一开始学习内积和模长的时候，我们当然也可以直接给出 (E.2) 式和 (E.3) 式的表达式，只不过这都是在默认选取标准正交基的前提之下才能得到的。不仅对于这两个表达式，很多情况下其实都是默认了在标准正交基下进行讨论，还请大家多加留意。无论是本附录中，还是正文中，我们都假定坐标是在标准正交基下的表示。第 5 章也不例外。

E.1.5 转置矩阵

在 1.2.12 节中，我们把**转置矩阵**的含义搁置了，囫囵吞枣地就过来了。实际上，其本质含义是，对于线性映射 $\mathcal{A}$，使得

$$\vec{x} \cdot \mathcal{A}(\vec{y}) = \mathcal{A}^\dagger(\vec{x}) \cdot \vec{y} \qquad (\vec{x}, \vec{y} \text{ 为任意向量})$$

成立的线性映射 $\mathcal{A}^\dagger$。

在标准正交基下，若 $\mathcal{A}$ 的矩阵表示是 A 的话，则 $\mathcal{A}^\dagger$ 对应的矩阵恰好就是 A^T（当所取基底不是标准正交基时，则对应的矩阵表示中会出现 ?E.3 中的矩阵 G）。

至于 $(AB)^T = B^T A^T$，可以利用上面的“本质”含义，作出如下解释。

$$\boldsymbol{x} \cdot (AB\boldsymbol{y}) = \boldsymbol{x} \cdot (A(B\boldsymbol{y})) = (A^T\boldsymbol{x}) \cdot (B\boldsymbol{y}) = (B^T(A^T\boldsymbol{x})) \cdot \boldsymbol{y} = (B^T A^T \boldsymbol{x}) \cdot \boldsymbol{y}$$

由于上式对任意 $\boldsymbol{x}, \boldsymbol{y}$ 都成立，因此根据“本质”含义可知，$(AB)^T = B^T A^T$ 成立。

E.1.6 复内积空间

复数版本的情况下，以上内容依然适用，只是需要特别注意“复共轭”出现的地方。

首先，对内积加以定义，其定义为“吃进 2 个（复）向量，吐出复数的满足下列性质的函数”（$\vec{x}, \vec{y}, \vec{x}', \vec{y}\,'$ 是向量，c 是数）。

- $\vec{x} \cdot \vec{x}$ 为实数并且 $\vec{x} \cdot \vec{x} \geqslant 0$ ($\vec{x} \cdot \vec{x} = 0$ iff $\vec{x} = \vec{o}$)
- $\vec{x} \cdot \vec{y} = \overline{\vec{y} \cdot \vec{x}}$
- $\vec{x} \cdot (c\vec{y}) = c(\vec{x} \cdot \vec{y})$、$\vec{x} \cdot (\vec{y} + \vec{y}\,') = \vec{x} \cdot \vec{y} + \vec{x} \cdot \vec{y}\,'$

把最后一项和倒数第二项综合起来，可得

- $(c\vec{x}) \cdot \vec{y} = \bar{c}(\vec{x} \cdot \vec{y})$、$(\vec{x} + \vec{x}') \cdot \vec{y} = \vec{x} \cdot \vec{y} + \vec{x}' \cdot \vec{y}$

这里的 $\bar{c}$ 表示数 c 的复共轭。通过以上内积的定义，可以把向量 $\vec{x}$ 的模长定义为 $\|\vec{x}\| = \sqrt{\vec{x} \cdot \vec{x}}$。像这样定义内积的复线性空间，称为**复向量空间**。

标准正交基也可以和前文中一样定义。使用标准正交基下的坐标表示，$\boldsymbol{x} = (x_1, \cdots, x_n)^T$ 和 $\boldsymbol{y} = (y_1, \cdots, y_n)^T$ 的内积为

$$\boldsymbol{x} \cdot \boldsymbol{y} = \overline{x_1} y_1 + \cdots + \overline{x_n} y_n = \boldsymbol{x}^* \boldsymbol{y}$$

注意其中一个变成了原向量的复共轭（**共轭转置**①）。

对于线性映射 $\mathcal{A}$，在研究满足

$$\vec{x} \cdot \mathcal{A}(\vec{y}) = \mathcal{A}^\dagger(\vec{x}) \cdot \vec{y} \qquad (\vec{x}, \vec{y} \text{ 为任意向量})$$

---

① 定义请参考 1.2.12 节。

的映射 $\mathcal{A}^\dagger$ 时，同样也需要注意。在标准正交基下，若 $\mathcal{A}$ 的矩阵表示是 A 的话，则 $\mathcal{A}^\dagger$ 对应的矩阵是共轭转置 A^*。

? E.4 为什么在内积的定义中会出现共轭转置?

官方答案:"定义就是如此啊，你问我也没用。这样的东西就是这样规定的而已。能问出来这样的问题说明你完全不懂数学嘛。"

讲实话的话 …… 首先，如果不取复共轭的话，模长 $\|\vec{x}\|$ 就不会成为正实数，那情况就糟糕了。对于实数 u，有 $u^2 = |u|^2 \geqslant 0$，然而对复数 z 而言，z^2 和 $|z|^2$ 一般并不相等。因此我们用 $z\bar{z} = |z|^2$（参考附录 B）作为定义更好。

? E.5 内积的定义和我手上的教材中不一样啊?

在定义内积时，具体对 x, y 中的哪一个取复共轭，取决于个人。只要在讨论中前后统一，无论采用哪个定义，都是没问题的。

E.2 对称矩阵与正交矩阵 —— 实矩阵的情况

在说完转置的含义之后，我们来介绍两类与转置密切相关的矩阵。本节中我们考虑的矩阵都是实矩阵（参考 ? 1.2）。

满足 $V^T = V$ 的方阵 V 称为**对称矩阵**。矩阵 $V = (v_{ij})$ 为对称矩阵，就是说对于任意 i，j，$v_{ij} = v_{ji}$ 成立。对称矩阵有以下性质。

- 对称矩阵的特征值是实数
- 对称矩阵的不同的特征值 λ, λ' 对应的特征向量 $\boldsymbol{p}, \boldsymbol{p}'$ 满足 $\boldsymbol{p}^T\boldsymbol{p}' = 0$
- 若 λ 是对称矩阵对应的特征方程的 k 重根，则特征值 λ 对应的线性无关的特征向量可以取到 k 个①

此外，满足 $Q^T = Q^{-1}$ 的方阵，也就是满足 $Q^TQ = QQ^T = I$ 的方阵 Q 称为**正交矩阵**。将 $Q = (\boldsymbol{q}_1, \cdots, \boldsymbol{q}_n)$ 写成列向量的分块矩阵进行考察，可得

$$Q^TQ = \begin{pmatrix} \boldsymbol{q}_1^T\boldsymbol{q}_1 & \boldsymbol{q}_1^T\boldsymbol{q}_2 & \cdots & \boldsymbol{q}_1^T\boldsymbol{q}_n \\ \boldsymbol{q}_2^T\boldsymbol{q}_1 & \boldsymbol{q}_2^T\boldsymbol{q}_2 & \cdots & \boldsymbol{q}_2^T\boldsymbol{q}_n \\ \vdots & \vdots & \ddots & \vdots \\ \boldsymbol{q}_n^T\boldsymbol{q}_1 & \boldsymbol{q}_n^T\boldsymbol{q}_2 & \cdots & \boldsymbol{q}_n^T\boldsymbol{q}_n \end{pmatrix} = I$$

① 正式的说法是：代数重数（参考 4.5.3 节）等于几何重数（参考 4.7.5 节）。

也就是说，

$$\boldsymbol{q}_i^T \boldsymbol{q}_j = \begin{cases} 1 & i = j \\ 0 & i \neq j \end{cases} \qquad (i, j = 1, \cdots, n)$$

因此，若 $Q = (\boldsymbol{q}_1, \cdots, \boldsymbol{q}_n)$ 是正交矩阵，则 $\boldsymbol{q}_1, \cdots, \boldsymbol{q}_n$ 满足

- 模长是 1
- 互相正交

反之，如果满足以上两个条件，则 Q 是正交矩阵①。

综合以上性质，可以得到下面这个非常重要的定理。

对于给定的对称矩阵 V，通过选取适当的正交矩阵 Q，可以使得 $Q^T V Q$ 变成实对角矩阵的形式。

E.3 埃尔米特矩阵与酉矩阵 —— 复矩阵的情况

本节中我们来考虑复矩阵（参考 ?1.2）的情况。内容与前一节类似。

满足 $H^* = H$ 的方阵 H 称为**埃尔米特矩阵**②（Hermitian matrix），并有以下性质。

- 埃尔米特矩阵的特征值是实数
- 埃尔米特矩阵的不同的特征值 λ, λ' 对应的特征向量 $\boldsymbol{p}, \boldsymbol{p}'$ 满足 $\boldsymbol{p}^* \boldsymbol{p}' = 0$
- 若 λ 是对称矩阵对应的特征方程的 k 重根，则特征值 λ 对应的线性无关的特征向量可以取到 k 个

此外，满足 $U^* = U^{-1}$ 的方阵 U 称为**酉矩阵**③（unitary matrix）。根据上述性质，我们可以得到下面的重要定理。

对于给定的埃尔米特矩阵 H，通过选取适当的酉矩阵 U，可以使得 $U^* H U$ 变成实对角矩阵的形式。

---

① 正交矩阵的典型例子就是如下所示的旋转矩阵（图 4.7）。

$$R(\theta) = \begin{pmatrix} \cos\theta & -\sin\theta \\ \sin\theta & \cos\theta \end{pmatrix}$$

一般而言，正交矩阵 Q 具有“保持内积（模长）不变”的性质。也就是说，当 $\boldsymbol{x}' = Q\boldsymbol{x}$、$\boldsymbol{y}' = Q\boldsymbol{y}$ 时，有 $\boldsymbol{x}' \cdot \boldsymbol{y}' = \boldsymbol{x} \cdot \boldsymbol{y}$。这里简单地给出证明。在 $\boldsymbol{x}' \cdot \boldsymbol{y}' = \boldsymbol{x}'^T \boldsymbol{y}' = (Q\boldsymbol{x})^T (Q\boldsymbol{y}) = \boldsymbol{x}^T Q^T Q \boldsymbol{y}$ 的变形下，因为 $Q^T Q = I$，所以有 $\boldsymbol{x}' \cdot \boldsymbol{y}' = \boldsymbol{x}^T \boldsymbol{y} = \boldsymbol{x} \cdot \boldsymbol{y}$。反之，保持内积不变（对任意 $\boldsymbol{x}$ 都有 $\|Q\boldsymbol{x}\| = \|\boldsymbol{x}\|$）的矩阵 Q，只能是正交矩阵。

② 中文书中有时也称为“厄米矩阵”“Hermite 矩阵”“自共轭矩阵”等，这些术语多见于物理和工程类资料中。—— 译者注

③ 有时也称为“幺正矩阵”，特别是量子力学等物理资料中常用这种叫法。—— 译者注

附录 F 动画演示程序的使用方法

F.1 执行结果

首先对程序的执行结果进行说明。

在命令执行后，会出现动画，演示“在映射 $\boldsymbol{y} = A\boldsymbol{x}$ 的作用下，各点 $\boldsymbol{x}$ 会分别移动到哪个点 $\boldsymbol{y}$”。例如，在下图中，请注意观察箭头“↑”的指向。最初指向的是坐标 $\binom{0}{1}$，通过变换，最后移动到了坐标 $\binom{-0.3}{0.6}$ 上。这意味着

$$A\begin{pmatrix}0\\1\end{pmatrix} = \begin{pmatrix}-0.3\\0.6\end{pmatrix}$$

按照这样的原理，对图上的众多点 $\boldsymbol{x}$ 进行如下操作，执行结果就是我们的演示动画。

- 对于原图上的点 $\boldsymbol{x}$，利用 $\boldsymbol{y} = A\boldsymbol{x}$ 求出变换后的点的位置
- 在从 $\boldsymbol{x}$ 到 $\boldsymbol{y}$ 的过程中，对变化过程作出渐变效果

F.2 准备工作

请通过以下步骤进行前期准备工作。

- 配置好 Ruby① 和 Gnuplot② 的软件环境
- 从图灵社区③ 上下载 `mat_anim.rb` 代码，并保存在当前文件夹下

① http://www.ruby-lang.org/zh_cn/

② http://www.gnuplot.info/

③ 打开 http://www.ituring.com.cn/book/1239，点击“随书下载”。

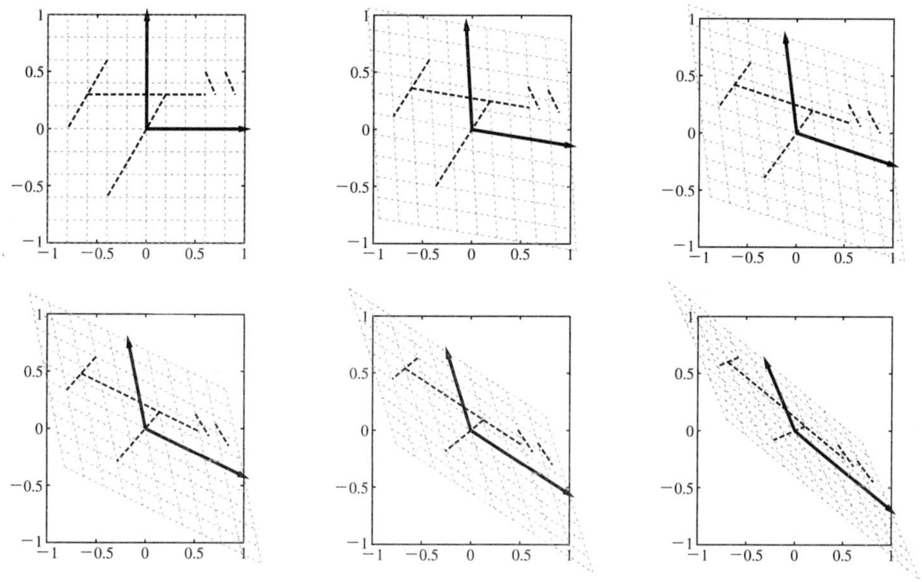

ruby mat_anim.rb -s=3 | gnuplot

图 F.1 矩阵 $A = \begin{pmatrix} 1 & -0.3 \\ -0.7 & 0.6 \end{pmatrix}$ 对应的线性映射的演示动画

F.3 使用方法

输入指定的命令并执行，动画便会演示出来。比如，大家可以试着执行一下以下命令。

```
ruby mat_anim.rb | gnuplot
```

用 Enter 键可以重复执行程序，输入 q 可以结束程序。

如果觉得演示过程太快或者太慢，可以通过以下参数进行调整。

```
ruby mat_anim.rb -frame=20 | gnuplot
```

数字越大变化的速度越慢。

关于其他参数等，可以参考

```
ruby mat_anim.rb -h
```

给出的说明。

参考文献

[1] 斎藤正彦．線型代数入門. 東京大学出版会, 1966.

[2] 伊理正夫．線形代数 I, 岩波講座応用数学［基礎 1］. 岩波書店, 1993.

[3] 伊理正夫．線形代数 II, 岩波講座応用数学［基礎 1］. 岩波書店, 1994.

[4] 森正武, 杉原正顕, 室田一雄．線形計算. 岩波講座応用数学［方法 2］. 岩波書店, 1994.

[5] 伊理正夫, 韓太舜．ベクトルとテンソル第 I 部ベクトル解析, シリーズ新しい応用の数学 1-I. 教育出版, 1973.

[6] 伊理正夫, 韓太舜．ベクトルとテンソル第 II 部テンソル解析入門, シリーズ新しい応用の数学 1-II. 教育出版, 1973.

[7] 甘利俊一, 金谷健一．理工学者が書いた数学の本 線形代数. 講談社, 1987.

[8] 伊理正夫, 藤野和建．数値計算の常識. 共立出版, 1985.

[9] 佐藤文広．数学ビギナーズマニュアル. 日本評論社, 1994.

版权声明

Original Japanese edition

Programing no tame no Senkeidaisuu

By Kazuyuki Hiraoka, Gen Hori

Published by Ohmsha, Ltd.

This Simplified Chinese Language edition published by Post & Telecom Press